GONE

2. LA FAIM

D1063068

NE

2. LA FAIM

MICHAEL GRANT

Traduit de l'anglais (États-Unis)
par Julie Lafon

POCKET JEUNESSE
PKJ·

Directeur de collection :
Xavier d'Almeida

Titre original :
Hunger

Publié pour la première fois en 2009 par HarperTeen,
un département de HarperCollins, New York.

L'AUTEUR

Michael Grant a passé la majeure partie de sa vie sur les routes.
Élevé dans une famille de militaires, il a fréquenté dix écoles dans
cinq États et trois établissements en France. À l'âge adulte, il n'a
pas cessé de voyager. À vrai dire, il est devenu écrivain parce que
c'était l'une des rares professions qui ne le contraindraient pas à
s'enraciner. Son plus grand rêve est de naviguer autour du globe
pendant une année entière et de visiter chaque continent. Oui,
même l'Antarctique. Il vit en Californie du Sud avec son épouse,
Katherine Applegate, et leurs deux enfants.

Du même auteur

Gone T. 1
Gone T. 2 – *La faim*
Gone T. 3 – *Mensonges*
Gone T. 4 – *L'épidémie*
Gone T. 5 – *La peur*
Gone T. 6 – *La lumière*

Loi n° 49 956 du 16 juillet 1949 sur les publications
destinées à la jeunesse : avril 2013

ISBN 978-2-266-23810-6

À Katherine, Jake et Julia

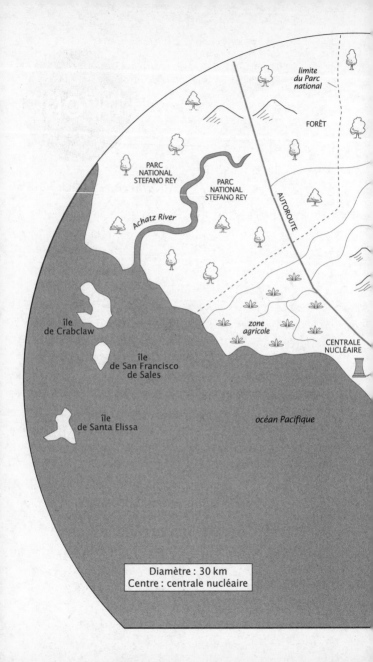

limite
du Parc
national

FORÊT

PARC
NATIONAL
STEFANO REY

PARC
NATIONAL
STEFANO REY

Achatz River

AUTOROUTE

île
de Crabclaw

île
de San Francisco
de Sales

zone
agricole

CENTRALE
NUCLÉAIRE

île
de Santa Elissa

océan Pacifique

Diamètre : 30 km
Centre : centrale nucléaire

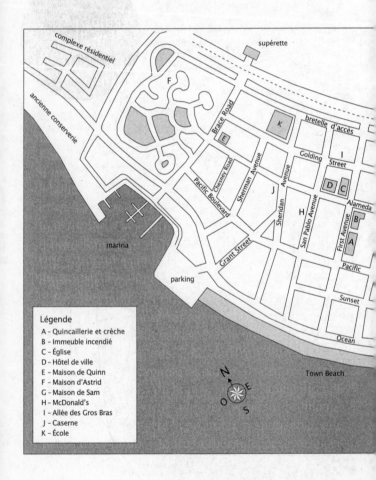

complexe résidentiel

ancienne conserverie

supérette

Brace Road

bretelle d'accès

Golding

Street

Chesney Road

Pacific Boulevard

Sherman Avenue

Sheridan

San Pablo Avenue

Alameda

Grant Street

First Avenue

Pacific

Sunset

Ocean

marina

parking

Town Beach

Légende

A - Quincaillerie et crèche
B - Immeuble incendié
C - Église
D - Hôtel de ville
E - Maison de Quinn
F - Maison d'Astrid
G - Maison de Sam
H - McDonald's
I - Allée des Gros Bras
J - Caserne
K - École

N
O E
S

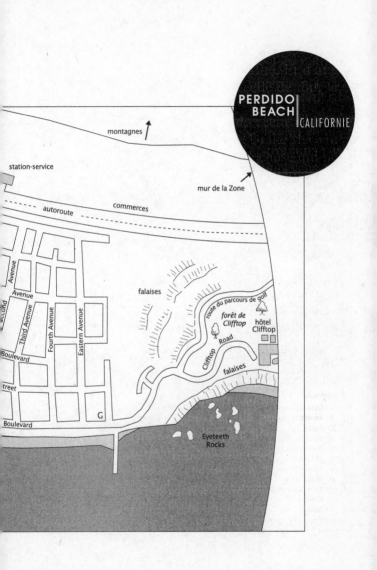

PERDIDO
BEACH CALIFORNIE

montagnes

station-service

mur de la Zone

commerces

autoroute

Avenue

Avenue

falaises

route du parcours de golf

forêt de
Clifftop

hôtel
Clifftop

Third Avenue

Fourth Avenue

Eastern Avenue

Clifftop Road

Boulevard

falaises

treet

Boulevard

G

Eyeteeth
Rocks

SAM TEMPLE ÉTAIT ALLONGÉ sur sa planche. Et tout autour d'innombrables belles vagues piquaient vers le sable avant de s'écraser dans un bouillonnement d'écume blanche.

Il se trouvait à environ cinquante mètres du rivage : c'était l'endroit parfait pour en attraper une. À plat ventre, les pieds et les mains immergés dans l'eau, un peu engourdis par le froid, et le dos cuit par le soleil à travers la combi.

Quinn était là, lui aussi. Il se laissait flotter près de lui en attendant la bonne vague, celle qui les précipiterait vers la plage.

Sam s'éveilla brusquement en crachant de la poussière.

Il cligna des yeux et scruta le paysage désertique. D'instinct, il tourna le regard vers le sud-ouest, en direction de l'océan. D'ici, on ne pouvait pas le voir. Et ça faisait longtemps qu'il n'y avait plus de vagues.

Sam aurait vendu son âme pour surfer. Rien qu'une fois.

Du revers de la main, il essuya la sueur sur son front. Le soleil, brûlant comme un chalumeau, était déjà haut dans le ciel. Il n'avait pas assez dormi ; trop de problèmes à régler. Toujours des problèmes.

La chaleur combinée au ronronnement du moteur et aux soubresauts réguliers de la Jeep qui avançait péniblement sur la piste poussiéreuse contribuait à sa torpeur. Il ferma les yeux et les rouvrit grand pour se forcer à rester éveillé.

Son rêve occupait encore ses pensées. Ce souvenir le taraudait. La pression serait tellement plus facile à supporter, songeait-il, et avec elle la peur incessante ainsi que le fardeau quotidien des responsabilités et des petits tracas, s'il y avait encore des vagues. Mais, depuis trois mois, rien. À peine un clapotis.

Trois mois après l'apparition de la Zone, Sam n'avait toujours pas appris à conduire. Il avait assez de soucis et de contraintes comme ça, alors c'était Edilio Escobar qui avait pris le volant, et lui s'était installé sur le siège du passager. Albert Hillsborough était assis à l'arrière, raide et silencieux. À côté de lui, un gamin prénommé E.Z. fredonnait, les écouteurs de son iPod vissés sur les oreilles.

Sam repoussa ses cheveux trop longs, qui n'avaient pas eu droit à une coupe depuis plus de trois mois, et contempla sa main couverte de poussière. Par bonheur, l'électricité fonctionnait encore à Perdido Beach : c'était synonyme de lumière et, mieux encore, d'eau chaude. À défaut d'une séance de surf, il pouvait au moins compter sur une longue douche tiède une fois rentré.

Une douche. Puis quelques minutes en tête à tête avec Astrid, peut-être. Et enfin, un repas. Si on pouvait appeler « repas » le contenu gluant d'une boîte. En guise de petit déjeuner, il avait avalé en hâte une ration de chou en conserve.

La faim vous poussait vraiment à manger n'importe quoi. Et Sam, à l'instar de tous les autres habitants de la Zone, crevait de faim.

Bien réveillé à présent, il ferma les yeux pour se remémorer le visage d'Astrid dans les moindres détails.

Astrid, c'était bien le seul avantage de cette situation. Il avait perdu sa mère, son passe-temps favori, son intimité, sa liberté, et le monde tel qu'il l'avait toujours connu... mais il avait gagné Astrid.

Avant les événements, elle lui semblait inaccessible. Désormais, leur couple était une évidence. Pourtant, il se disait souvent que, sans l'apparition de la Zone, il se serait contenté de l'admirer de loin.

Edilio freina légèrement. Devant eux, la route était en piteux état ; quelque chose avait creusé des trous dans la terre et tracé des sillons irréguliers. Il montra du doigt un tracteur renversé au beau milieu d'un champ. Le jour de l'apparition de la Zone, le fermier avait disparu avec les autres adultes, mais la machine avait poursuivi son chemin en dévastant la route et fini sa course dans le fossé d'irrigation du champ voisin.

Edilio manœuvra lentement à travers les sillons puis accéléra. Il n'y avait pas grand-chose à voir de part et d'autre de la route hormis des terres en jachère, des touffes d'herbe décolorée par le soleil ou de rares bosquets d'arbres faméliques. Devant eux, en revanche, s'étendait un immense champ de verdure.

Sam se tourna vers Albert pour lui demander :

— Qu'est-ce qu'il y a ici, déjà ?

— Du chou.

Albert était un gamin de quatrième aux épaules étroites et au tempérament indépendant, vêtu d'un pantalon en toile kaki bien repassé, d'un polo bleu pâle et chaussé de mocassins marron, tenue qu'un adulte aurait qualifiée de «chic mais décontractée». Auparavant, c'était le genre de garçon qui n'attirait pas beaucoup l'attention ; il comptait parmi la poignée d'élèves afro-américains qui fréquentaient l'école de Perdido Beach. Mais, à présent, plus personne ne pouvait ignorer son existence : il avait rouvert et fait tourner le McDonald's. Du moins jusqu'à l'épuisement des stocks de burgers, de frites et de nuggets. Désormais, on était même à court de ketchup.

Le seul souvenir d'un hamburger fit gargouiller l'estomac de Sam.

— Du chou? répéta-t-il.

Albert montra Edilio d'un signe de tête.

— *Dixit* Edilio. C'est lui qui a trouvé le champ hier.

— Ça fait péter, renchérit ce dernier avec un clin d'œil. Mais on ne peut pas faire les difficiles.

— En salade, ça se laisse manger, observa Sam. À vrai dire, je donnerais cher pour un peu de chou en ce moment.

— Tu sais à quoi j'ai eu droit au petit déj'? s'exclama Edilio. À du succotash en boîte.

— C'est quoi, du succotash?

— Du maïs mélangé avec des fèves.

Edilio freina une fois parvenu au bout du champ.

— Ça n'a pas grand-chose à voir avec des œufs au bacon, reprit-il.

— Ce n'est pas le petit déjeuner traditionnel au Honduras? s'enquit Sam.

Edilio ricana.

— Là-bas, le petit déj' traditionnel quand on est pauvre, c'est une tortilla de maïs avec un peu de haricots et une banane les bons jours. Le reste du temps, c'est juste une tortilla.

Il coupa le moteur et enclencha le frein à main.

— Je sais ce que c'est d'avoir l'estomac vide.

Sam s'étira avant de descendre de voiture. S'il était naturellement athlétique, il n'impressionnait pas beaucoup par sa carrure. Il avait des cheveux bruns éclairés de mèches dorées, les yeux bleus et la peau tannée par le soleil. Peut-être était-il un peu plus grand que la moyenne, mais personne ne l'aurait engagé pour jouer dans l'équipe de foot nationale.

Sam Temple était l'un des deux garçons les plus âgés de la Zone. Il avait quinze ans.

— Hé, d'ici, on dirait des laitues, lança E.Z. en enroulant soigneusement les fils de ses écouteurs autour de son iPod.

— Si seulement ! répliqua Sam d'un ton morose. Jusqu'ici, nous avons trouvé des avocats et des melons, et c'est une super nouvelle. Mais on a déjà trop de brocolis et d'artichauts, alors du chou-fleur…

— On finira peut-être par récolter quelques oranges, intervint Edilio. Les arbres avaient l'air en bonne santé. C'est juste les fruits qui ont pourri faute d'être ramassés.

— D'après Astrid, ce n'est pas normal qu'ils soient mûrs à cette période de l'année.

— Comme dirait Quinn, ça fait longtemps qu'on a passé le stade du normal, ironisa Edilio.

— Qui va ramasser tout ça ? songea Sam à voix haute.

C'était ce qu'Astrid appelait une question rhétorique. Albert allait répondre, mais E.Z. le devança.

— Je vais ramasser un de ces choux tout de suite, je meurs de faim.

Les choux étaient espacés d'une trentaine de centimètres, et un mètre de terre craquelée et desséchée séparait chaque rangée de sa voisine. Les légumes

eux-mêmes évoquaient davantage des plantes d'intérieur aux feuilles épaisses qu'un végétal comestible.
Quant au champ, il ne différait pas beaucoup de
ceux que Sam avait vus au cours de son inspection.

« Non, se reprit-il, il y a quelque chose de différent. » Il n'arrivait pas à mettre le doigt dessus, pourtant. Il fronça les sourcils et s'efforça de déchiffrer
le sentiment de malaise qu'il éprouvait.

L'endroit était peut-être un peu trop calme.

Sam prit une gorgée de sa bouteille d'eau,
entendit Albert compter à voix basse et faire des
multiplications.

— C'est juste une estimation mais, partant du
principe que chaque chou pèse près d'un kilo, on
doit avoir à notre disposition environ une tonne
et demie de légumes.

— Je n'ose pas imaginer ce que ça donnerait si
on convertissait tout ça en gaz, leur cria E.Z. en
s'avançant d'un pas décidé dans le champ.

E.Z. était en sixième avant la Zone, mais il paraissait plus vieux. Il était grand pour son âge, et un
peu enrobé. Il avait des cheveux blond filasse longs
jusqu'aux épaules et portait toujours un vieux tee-
shirt Hard Rock Café de Cancún. D'une nature
affable, il avait le rire facile et trouvait toujours
matière à plaisanter. Après avoir franchi une douzaine de rangs, il s'arrêta et lança :

— C'est ce chou-là qu'il me faut.

— Qu'est-ce qui te fait penser ça ? demanda Edilio.

— J'en ai marre de marcher. Donc ce doit être celui-là. Comment ça se ramasse, ces machins ?

Edilio haussa les épaules.

— À mon avis, tu auras besoin d'un couteau.

— Bah.

E.Z. se pencha pour tirer sur la plante et son effort fut récompensé par une poignée de feuilles.

— Tu vois ce que je veux dire ?

— Où sont passés les oiseaux ? s'étonna Sam, comprenant enfin ce qui le chiffonnait.

— Quels oiseaux ? dit Edilio avant de hocher la tête : T'as raison, mon pote, les autres champs sont envahis par les mouettes, surtout le matin.

Perdido Beach comptait une population importante de mouettes. Avant, elles se nourrissaient des appâts laissés par les pêcheurs et de restes de repas abandonnés près des poubelles. Désormais, on ne trouvait plus une seule miette de nourriture dans la Zone. Aussi les mouettes, en créatures entreprenantes, s'étaient-elles repliées dans les champs pour concurrencer les corbeaux et les pigeons. Une des raisons pour lesquelles la plus grande partie des récoltes était gâchée.

— Ils n'aiment pas le chou, voilà tout, déclara Albert avant d'ajouter avec un soupir : Honnêtement, je ne connais personne qui aime ça.

E.Z. s'accroupit, se frotta les mains puis saisit la base du chou sous les feuilles. Soudain, il tomba sur les fesses avec un cri.

— Pas si simple, hein? ironisa Edilio.

— Ah! Ah! brailla E.Z. en se relevant d'un bond.

Il agrippa sa main droite de la gauche en la fixant avec des yeux ronds.

— Non! Non! Non!

Sam l'écoutait d'une oreille; l'esprit ailleurs, il scrutait le ciel dans l'espoir d'y apercevoir un oiseau. Cependant, la terreur qui perçait dans la voix d'E.Z. lui fit tourner la tête.

— Qu'est-ce qui t'arrive?

— Quelque chose m'a mordu! Oh, ça fait mal! Ça…

E.Z. laissa échapper un hurlement déchirant, de plus en plus aigu, et Sam distingua une chose noire en forme de point d'interrogation sur la jambe de son pantalon.

— Un serpent, souffla-t-il.

Le bras d'E.Z. était secoué de spasmes. Son corps tout entier fut pris de violents tremblements. Sans cesser de crier, il se mit à danser comme un fou.

— Ils s'attaquent à mes pieds! Ils s'attaquent à mes pieds! hurlait-il.

Sam se figea d'horreur pendant quelques secondes. Quelques secondes seulement. (Par la suite, dans son souvenir, il lui semblerait que ce moment avait duré une éternité.) Puis il s'élança vers E.Z., mais Edilio le plaqua brusquement sur le sol.

— Qu'est-ce qui te prend ? s'écria Sam en s'efforçant de se dégager.

— Regarde. Regarde ! chuchota Edilio.

Sam gisait dans la poussière, à quelques pas de la première rangée de choux. Devant lui, le sol grouillait de vers. Des vers gros comme des serpents qui soulevaient la terre. Ils convergeaient par dizaines, voire par centaines, vers E.Z., dont les cris ininterrompus trahissaient autant la souffrance que la terreur.

Sam se releva mais ne fit pas un pas de plus. Manifestement, les vers ne s'aventuraient pas au-delà de la première rangée de légumes ; on aurait dit qu'un mur invisible leur interdisait de sortir du champ.

E.Z. s'avança vers Sam en titubant, le corps agité de soubresauts, comme électrocuté ; il évoquait une marionnette folle libérée de ses fils. Il se trouvait à un ou deux mètres de Sam quand ce dernier vit un ver émerger de sa gorge, puis un autre de sa mâchoire, tout près de l'oreille.

E.Z., qui avait cessé de crier, s'affaissa par terre en murmurant :

— À l'aide… Sam…

Il posa un regard implorant sur son chef, puis ses yeux se voilèrent et fixèrent un point dans le vague. Un silence de plomb s'abattit, seulement troublé par un bruit de succion atroce qui semblait émaner de centaines de bouches. Un ver s'éloigna en rampant du cadavre d'E.Z., et Sam leva les mains, paumes tendues.

— Non, Sam ! cria Albert, puis, calmement, il reprit : Il est déjà mort.

— Albert a raison, mon pote. Ne les provoque pas. Ils ne sortent pas du champ ; ne prenons pas le risque d'être poursuivis, siffla Edilio, les mains toujours agrippées aux épaules de Sam comme pour le retenir, bien qu'il n'essayât plus de se dégager. Ne le touche pas, poursuivit-il dans un sanglot. Je t'en supplie, ne le touche pas.

Les vers s'agglutinaient sur le corps d'E.Z. comme des fourmis sur un scarabée mort. Une éternité s'écoula avant qu'ils ne regagnent les profondeurs de la terre en laissant derrière eux une chose méconnaissable, qui n'avait plus rien d'humain.

— Il y a une corde, ici, dit Albert en se décidant enfin à descendre de la Jeep.

Il essaya en vain de faire un nœud coulant, mais ses mains tremblaient trop. Il tendit la corde à Edilio qui, au terme de six tentatives infructueuses, parvint à emprisonner ce qui restait du pied droit d'E.Z. Ensemble, ils traînèrent ses restes hors du champ.

Comme un ver retardataire rampait en direction des rangées de choux, Sam ramassa une pierre de la taille d'une balle de base-ball et l'abattit sur la créature qui s'immobilisa.

— Je reviendrai avec une pelle, déclara Edilio. On ne peut pas ramener E.Z. à Perdido Beach, il a deux petits frères. Ce n'est pas la peine qu'ils voient ça. On l'enterrera ici… Si ces machins prolifèrent… ajouta-t-il après un silence.

— S'ils envahissent les autres champs, nous mourrons tous de faim, conclut Albert.

Sam réprima une violente nausée. D'E.Z., il ne restait que des os et quelques lambeaux de chair. Sam avait vu des choses terribles depuis l'apparition de la Zone, mais rien d'aussi affreux.

Il s'essuya les mains sur son jean. Il aurait voulu réduire le champ en cendres, brûler tout ce qu'il pouvait, carboniser ces vers jusqu'au dernier, mais cette terre pouvait nourrir les survivants.

Il s'agenouilla près des restes d'E.Z.

— Tu étais un bon gars, E.Z. Je… je suis désolé.

Des bribes de musique lui parvenaient encore de l'iPod du garçon. Il ramassa le baladeur et appuya sur le bouton «pause». Puis, après s'être relevé, il repoussa le ver écrasé d'un coup de pied et leva les bras, tel un pasteur s'apprêtant à bénir un défunt.

Albert et Edilio connaissaient la suite; ils reculèrent d'un même mouvement. Soudain, une lumière aveuglante jaillit des paumes de Sam. E.Z. se calcina et noircit; la chaleur fit éclater ses os avec des craquements sinistres. Au bout de quelques instants, Sam baissa les bras, ne laissant qu'un tas de cendres grises.

— Tu n'aurais rien pu faire, Sam, dit Edilio devant l'air coupable, hagard de son ami. C'est la Zone, mon pote. C'est la Zone, voilà tout.

LE SOLEIL IMPITOYABLE, filtrant à travers un interstice entre le mur et le toit à moitié effondrés,
dardait un rayon aveuglant sur les yeux de Caine.

Il se retourna sur le dos. Son oreiller était moite
de sueur. Le drap humide s'entortillait autour de
ses jambes nues et couvrait son torse tant bien que
mal. Il s'était réveillé, ou du moins c'était l'impression qu'il avait.

Ce lit n'était pas le sien. Il appartenait à Mose,
le concierge du pensionnat Coates. Bien entendu, le
vieil homme avait disparu avec les autres adultes.
Comme tous les plus de quinze ans… ou presque.
Envolés.

Où étaient-ils allés ? Nul ne le savait. Ils vivaient
peut-être de l'autre côté du mur. À l'extérieur de
ce bocal à poissons géant que les enfants avaient
rebaptisé la Zone. À moins qu'ils ne soient morts.

Tout ce dont on était certain, c'est qu'ils s'étaient volatilisés.

Diana ouvrit la porte d'un coup de pied. Elle portait un plateau sur lequel étaient posées une bouteille d'eau et une boîte de pois chiches.

— Tu es habillé ?

Pas de réponse. Il n'avait sans doute pas entendu. Diana réitéra sa question d'un ton agacé et déposa le plateau sur la table de chevet.

Cette fois encore, Caine ne prit pas la peine de répondre. Il se redressa dans son lit, la tête bourdonnante, et prit la bouteille d'eau.

— Qu'est-ce qui est arrivé au toit ? Et s'il pleut ?

Le son de sa voix le surprit : elle était devenue rauque et avait perdu ses éternelles inflexions suaves, convaincantes. Comme à son habitude, Diana ne prit pas de gants :

— Parce que, en plus d'avoir perdu la tête, tu es demeuré ?

Des bribes de souvenirs revinrent à l'esprit de Caine.

— J'y suis pour quelque chose ?

— Tu as fait léviter le toit.

Il contempla ses paumes.

— Ah bon ?

— Encore un cauchemar, résuma Diana.

Caine dévissa le bouchon de la bouteille et but à longues gorgées.

— Je m'en souviens maintenant. J'ai cru que quelque chose marchait sur la maison, et que le toit allait m'écraser. Alors je l'ai repoussé.

— C'est ça. Mange tes pois chiches.

— Je n'aime pas ça.

— Personne n'aime ça, rétorqua Diana. Mais tu n'es pas au resto, là. Et je ne suis pas serveuse. Des pois chiches, c'est tout ce qu'il y a. Alors mange. Tu dois te nourrir.

Caine fronça les sourcils.

— Ça fait combien de temps que je suis comme ça ?

— Comme quoi ? ironisa Diana. Comme un détraqué mental qui ne sait pas faire la différence entre le rêve et la réalité ?

Caine hocha la tête. L'odeur des pois chiches lui soulevait l'estomac, pourtant il avait faim, tout à coup. Il se rappelait, maintenant : ils manquaient de nourriture. Les souvenirs affluaient à mesure que son rêve se dissipait. S'il ne pouvait pas retrouver son état normal, il avait recouvré sa lucidité.

— Ça fait trois mois, à peu près, répondit Diana. Après le carnage à Perdido Beach, tu as erré dans le désert avec Chef pendant trois jours. Quand tu es revenu, tu étais pâle, déshydraté et... comme ça, quoi.

— Chef.

Ce nom le fit tressaillir. Chef, le coyote dominant de la meute, celui qui avait acquis l'usage limité de la parole. Chef, le serviteur zélé de la chose au fond de la mine.

L'Ombre, c'était comme ça qu'ils l'appelaient.

Comme Caine chancelait, Diana le rattrapa avant qu'il ne tombe du lit et le maintint fermement par les épaules. Puis, voyant une lueur inquiétante s'allumer dans ses yeux, elle poussa un juron et parvint à poser la bassine devant lui au moment où il se mettait à vomir. Il ne rendit pas grand-chose : juste un peu de liquide jaunâtre.

— Charmant, commenta-t-elle en grimaçant. Finalement, il vaut mieux que tu ne touches pas à ces pois chiches. Je n'ai pas envie qu'ils finissent dans cette bassine.

Caine se rinça la bouche avec un peu d'eau.

— Pourquoi on est ici ? C'est la maison de Mose.

— Parce que tu es trop dangereux. À Coates, personne ne te veut dans les parages tant que tu ne te seras pas ressaisi.

Un autre souvenir l'assaillit.

— J'ai blessé quelqu'un.

— Tu as pris Chunk pour une espèce de monstre. Tu criais sans cesse le même mot. Gaïaphage. Puis tu l'as projeté contre un mur.

— Il va bien ?

— Caine… Dans les films, on voit des types traverser des murs et se relever comme si de rien n'était. Mais là, on n'était pas dans un film. C'était

un mur de brique. Chunk ressemblait à une cha-
rogne abandonnée sur la route.

S'apercevant de sa brutalité, Diana reprit en
serrant les dents :

— Désolée. Ce n'était pas beau à voir. Je n'ai
jamais aimé Chunk mais j'ai du mal à effacer cette
image de ma mémoire.

— J'ai un peu pété les plombs, concéda Caine.

Diana essuya une larme d'un geste rageur.

— C'est rien de le dire !

— Je crois que je me sens mieux. Je ne suis pas
complètement remis, mais ça va mieux.

— En voilà une bonne nouvelle !

Pour la première fois depuis des semaines, Caine
scruta le visage de Diana. Ce qu'elle était belle, avec
ses immenses yeux noirs, ses longs cheveux bruns
et sa moue narquoise !

— Tu aurais pu finir comme Chunk, dit-il. Et
pourtant, tu as pris soin de moi.

Elle haussa les épaules.

— On vit une époque difficile. Je n'ai pas vraiment le choix : soit je reste avec toi, soit je tente ma
chance auprès de Drake.

— Drake.

Ce nom réveilla des souvenirs lugubres dans
l'esprit de Caine. Rêve ou réalité ?

— Qu'est-ce qu'il fabrique, celui-là ?

— Oh, il joue les Caine juniors. Il prétend qu'il
te représente. Il espère secrètement que tu vas

crever, si tu veux mon avis. Il a lancé un raid sur la supérette il y a quelques jours ; les bricoles qu'il a rapportées ont un peu regonflé sa cote de popularité. Les gamins n'ont pas beaucoup de discernement quand ils ont faim.

— Et mon frère ?

— Qui, Sam ?

— Tu en connais d'autres ?

— Bug est allé en ville deux fois pour voir ce qu'il s'y passait. D'après lui, ils ont encore quelques réserves de nourriture, mais ils commencent à s'inquiéter. Surtout depuis le raid de Drake sur la supérette. Enfin, c'est toujours Sam qui commande, là-bas.

— Donne-moi mon pantalon, ordonna Caine.

Diana s'exécuta, puis lui tourna ostensiblement le dos tandis qu'il s'habillait.

— Et qu'est-ce qu'ils ont mis en œuvre pour se défendre ?

— Ils ont posté des gardes tout autour de l'épicerie, pour l'essentiel. Dorénavant, il y a toujours quatre types armés qui font le guet sur le toit.

Caine hocha la tête et mordilla l'ongle de son pouce, une vieille manie chez lui.

— Et du côté des dégénérés ?

— Ils ont Dekka, Brianna et Taylor. Ils ont Jack. Il y en a peut-être d'autres, Bug n'est pas sûr. Ils ont Lana pour les guérir. Et, d'après Bug, il y a aussi ce gamin qui peut lancer des espèces d'ondes de chaleur.

— Comme Sam?

— Non, Sam c'est un lance-flammes. L'autre, c'est plus le genre micro-ondes : il peut te cuire le cerveau en deux secondes.

— Les gosses continuent à développer des pouvoirs, observa Caine. On en a recensé, ici?

Diana haussa les épaules.

— Comment savoir? Personne n'est assez fou pour en informer Drake. En ville, un nouveau mutant se fait respecter. Ici, il risque sa peau.

— Oui, admit Caine. C'était une erreur de persécuter les dégénérés. On a besoin d'eux.

— Surtout qu'en plus de nouveaux mutants potentiels, ils ont des mitraillettes. Et puis, il y a encore et toujours Sam. Bref, et si on évitait de les attaquer, cette fois?

La chemise de Caine était drapée sur le dos d'une chaise. Il tendit le bras, chancela et manqua tomber à la renverse. Diana s'élança pour le rattraper ; il posa un regard noir sur sa main qui retenait son bras.

— Je peux marcher tout seul.

Levant les yeux, il avisa son reflet dans le miroir qui surplombait la commode. Il eut du mal à se reconnaître. Diana avait dit vrai : il faisait peine à voir, avec son teint pâle, ses joues creusées et ses yeux qui semblaient lui manger le visage.

— On dirait que tu vas mieux : tu as retrouvé ta bonne humeur habituelle, ironisa Diana.

— Va me chercher Bug et Drake. Je veux les voir tous les deux.

Diana ne fit pas mine de bouger.

— Est-ce que tu vas m'expliquer ce qui t'est arrivé dans le désert avec Chef ?

Caine ricana.

— Franchement, moins tu en sauras, mieux ça vaudra.

— J'insiste.

— Tout ce qui compte, c'est que je sois rentré, conclut-il en s'efforçant d'avoir l'air convaincant.

Diana hocha la tête, et une mèche de cheveux vint caresser la courbe parfaite de sa pommette. Une moue dédaigneuse tordit sa bouche pulpeuse.

— Qu'est-ce que ça veut dire « gaïaphage » ?

Caine haussa les épaules.

— Je n'en sais rien. C'est la première fois que j'entends ce mot.

Pourquoi lui mentait-il ? Qu'est-ce qu'il y avait de si dangereux là-dessous ?

— Va me chercher Bug et Drake, répéta-t-il en la congédiant d'un geste.

— Tu devrais peut-être calmer le jeu, non ? T'assurer que tu as recouvré tous… J'allais dire « tous tes esprits », mais c'est mettre la barre un peu haut.

— Je suis de retour, déclara Caine. Et j'ai un plan.

Diana lui jeta un regard sceptique.

— Un plan?

— J'ai des choses à faire, reprit-il, les yeux baissés, incapable, pour une raison qui lui échappait, de soutenir le regard de Diana.

— Arrête, Caine. Sam t'a laissé la vie sauve. Il ne te donnera pas une autre chance.

— Tu veux que je négocie avec lui, c'est ça? Qu'on trouve un compromis?

— Oui.

— Eh bien, c'est exactement ce que je compte faire, Diana. Je vais négocier. Mais d'abord, il nous faut un objet de marchandage. Et justement, j'ai ma petite idée…

Astrid se trouvait avec le petit Pete derrière la maison, dans le jardin envahi par les herbes hautes, quand Sam vint apporter la mauvaise nouvelle. Elle poussait Pete sur la balançoire et il avait l'air d'apprécier.

En revanche, c'était une corvée pour Astrid, puisqu'elle n'échangeait pas un mot avec son frère, et qu'elle ne pouvait pas espérer la moindre réaction de sa part. À cinq ans, Pete souffrait d'un autisme sévère. S'il était capable de parler, il se murait dans le silence la plupart du temps. Depuis l'apparition de la Zone, il s'était encore plus renfermé sur lui-même. Elle en était peut-être la première responsable : elle avait laissé tomber toute la thérapie, ces exercices futiles et vains censés maintenir les autistes en contact avec la réalité.

Le petit Pete créait sa propre réalité. Et d'une certaine manière, il avait recréé celle de tout le monde dans la Zone.

Ce jardin n'était pas celui d'Astrid, et cette maison n'était pas la sienne. Sa maison à elle, Drake Merwin l'avait incendiée. Mais s'il était une chose qui ne manquait pas à Perdido Beach, c'était bien ça. La plupart des logements étaient vides. Si beaucoup d'enfants étaient restés chez eux, pour certains, leur ancienne chambre était trop chargée de souvenirs. Astrid ne comptait plus les fois où elle avait vu un gamin éclater en sanglots en évoquant sa mère dans la cuisine, son père en train de tondre la pelouse ou un frère plus âgé ayant l'habitude d'accaparer la télécommande.

Les enfants se sentaient seuls. La solitude, la peur et le chagrin hantaient la Zone. Alors, souvent, ils emménageaient à plusieurs, reproduisant en quelque sorte les fraternités des campus universitaires.

Astrid partageait cette maison avec Mary Terrafino, son petit frère John et, de plus en plus régulièrement, Sam. Officiellement, il occupait un bureau vide à la mairie ; là, il dormait sur un divan, réchauffait ses maigres repas dans le micro-ondes et se lavait dans les toilettes publiques. Cependant, l'endroit n'était guère accueillant, et Astrid l'avait encouragé plus d'une fois à considérer cette maison comme la sienne. Après tout, ils formaient une espèce de famille. Symboliquement du moins, ils étaient devenus la première famille de la Zone, faisant office de père et de mère pour tous ces enfants orphelins.

Astrid entendit Sam avant de le voir. Perdido Beach avait toujours été une petite ville trop paisible, et désormais un silence de cimetière planait presque en permanence sur les lieux. Il entra, se déplaça de pièce en pièce en l'appelant.

— Sam !

Lui-même ne l'entendit pas avant d'avoir ouvert la porte de derrière et s'être avancé sur la terrasse. Il suffit d'un coup d'œil à Astrid pour comprendre qu'un événement terrible s'était produit. Sam n'était pas doué pour masquer ses émotions, du moins en sa présence.

— Qu'est-ce qui se passe ? demanda-t-elle.

Sans répondre, il traversa la pelouse à l'abandon et se blottit contre elle en l'enlaçant. Elle le serra dans ses bras et attendit patiemment, sachant qu'il finirait bien par se confier.

Il enfouit son visage dans ses cheveux, et son souffle lui chatouilla le cou. Elle aimait sentir son corps contre le sien. Ce besoin de la toucher. Néanmoins, cette étreinte-là n'avait rien de romantique.

Au bout d'un long moment, il se dégagea et s'avança vers Pete pour pousser sa balançoire, comme s'il ne pouvait pas rester en place.

— E.Z. est mort, annonça-t-il sans préambule. On faisait la tournée des champs. Edilio, Albert et moi, plus E.Z. qui nous accompagnait pour prendre l'air. Tu sais… Il n'avait pas vraiment de raison d'être là, il voulait juste venir avec nous et j'ai accepté parce que j'ai l'impression de passer mon temps à dire non à tout le monde… Résultat, il est mort.

Il poussa la balançoire un peu plus fort, et le petit Pete faillit tomber à la renverse.

— Comment c'est arrivé ?

— Il s'est fait attaquer par des vers, répondit Sam d'un ton monocorde. Des vers ou des serpents, je ne suis pas sûr. Je t'en ai rapporté un mort, il est sur la table de la cuisine. J'espérais que tu… Je ne sais pas ce que j'espérais. Tu es notre expert en mutations, non ?

Il accompagna sa dernière phrase d'un sourire désabusé. Astrid n'avait rien d'un expert. Simplement, elle était la seule qui soit assez curieuse pour essayer de trouver une explication scientifique aux phénomènes qui se produisaient dans la Zone.

— Tout ira bien tant que tu continues à le pousser, dit-elle en montrant son frère.

Elle trouva la créature dans un sac en plastique posé sur la table dans la cuisine. Elle ressemblait plus à un serpent qu'à un ver, sans toutefois présenter les caractéristiques normales de cet animal.

D'un geste hésitant, elle appuya sur le sac pour s'assurer qu'il était vraiment mort, puis elle étala du papier sulfurisé sur la surface en granit et fit glisser le ver hors du sac. Après avoir fouillé le contenu d'un tiroir, elle en sortit un mètre et fit de son mieux pour mesurer la créature.

— Vingt-huit centimètres.

Puis elle prit son appareil et photographia la chose monstrueuse sous tous les angles avant de la remettre dans le sac en s'aidant d'une fourchette.

Après avoir enregistré les photos sur son ordinateur portable, elle les entreposa dans un fichier intitulé : « Mutations – photos ». Des dizaines de clichés s'y trouvaient déjà. On y voyait des oiseaux avec de drôles de serres ou de bec, des serpents ailés. Sur l'une d'elles, prise à une distance respectable, un serpent à sonnettes de la taille d'un petit python déployait des ailes membraneuses aussi larges que celles d'un aigle.

Astrid possédait aussi la photo floue d'un coyote deux fois plus gros que la normale. Ainsi que le gros plan d'un autre coyote, mort celui-là, dont la langue étonnamment courte présentait des similitudes terrifiantes avec celle d'un être humain.

Sur les autres photos, on voyait des enfants normaux en apparence, excepté Orc qui ressemblait à un monstre. Astrid avait réussi à capturer l'image de Sam au moment où des flammes vertes jaillissaient de ses mains. Elle détestait cette photo-là à cause de l'expression triste de son visage tandis qu'il faisait une démonstration de ses pouvoirs.

Astrid cliqua sur les photos du ver pour les ouvrir et les examina de plus près à l'aide de la fonction « zoom ». À cet instant, le petit Pete entra, suivi de Sam.

— Regarde-moi ça ! s'exclama Astrid, frappée d'horreur.

À l'instar d'un requin, le ver avait une bouche hérissée d'innombrables dents minuscules. Même dans la mort, il semblait sourire.

— Les vers n'ont pas de dents.

— Maintenant, si, dit Sam.

— Tu vois ces petits trucs partout sur son corps ? reprit-elle en plissant les yeux. On dirait des pattes microscopiques. Il y en a des milliers.

— Ils sont entrés dans le corps d'E.Z. par ses mains et par ses chaussures. Ils l'ont transpercé de part en part.

Astrid frissonna.

— Ces dents viendraient à bout de n'importe quoi. Les pattes servent à propulser le ver une fois qu'il est à l'intérieur de sa victime.

— Imagine un peu, il y en avait des milliers dans ce champ. Dès l'instant où E.Z. y a posé le pied, ils se sont jetés sur lui. Albert, Edilio et moi, on est restés à l'extérieur du champ, et ils ne s'en sont pas pris à nous.

— L'instinct de propriété ? C'est très inhabituel chez une espèce primitive. D'habitude, cette caractéristique est associée à des formes de vie plus développées. Les chiens et les chats ont une notion de territoire ; pas les vers.

— Ça n'a pas l'air de t'affoler, cette histoire, lança Sam d'un ton presque accusateur.

Posant les yeux sur Sam, Astrid tendit la main et, d'un geste tendre, elle détourna son visage de l'horrible vision, le força à la regarder.

— Tu n'es pas venu ici pour que je m'enfuie en hurlant, histoire de pouvoir jouer les héros rassurants.

— Non, admit-il. Désolé. Ce n'est pas ma petite amie que je suis venu voir, c'est Astrid le Petit Génie.

Si Astrid n'avait jamais beaucoup aimé ce surnom, elle avait fini par l'accepter. Grâce à lui, elle s'était fait une place parmi la petite communauté terrifiée de la Zone. Elle ne possédait pas les pouvoirs de Sam ni de Dekka ou de Brianna. Son atout à elle, c'était son cerveau, sa capacité à réfléchir de façon rationnelle quand le besoin s'en ressentait.

— Peut-être que j'en saurai plus en le disséquant. Ça va, toi ?

— Oui, bien sûr. Ce matin, j'avais trois cent trente-deux personnes sous ma responsabilité. Maintenant, je n'en ai plus que trois cent trente et une. Et une part de moi-même ne peut pas s'empêcher de penser : « Une bouche de moins à nourrir ! »

Astrid se pencha pour l'embrasser furtivement sur les lèvres.

— D'accord, ce n'est pas drôle d'être toi. Mais on n'a personne d'autre sous la main.

Cette remarque arracha un pâle sourire à Sam.

— En gros, je la ferme et j'assume ?

— Non, je veux que tu me parles. Tu peux tout me dire.

Sam baissa les yeux.

— Tout ? Très bien, alors qu'est-ce que tu dis de ça ? J'ai dû brûler le corps d'E.Z. Ou plutôt ce qu'il en restait.

— Il était mort, Sam. Qu'est-ce que tu étais censé faire ? Laisser son cadavre aux oiseaux et aux coyotes ?

Sam hocha la tête.

— Je sais bien. Mais ce n'est pas le problème. Voilà… quand il a brûlé, ça sentait la viande grillée et je…

Il se tut, incapable de poursuivre. Elle attendit qu'il ait retrouvé son sang-froid.

— Le corps d'un gamin de onze ans était en train de cramer, et moi je salivais, reprit-il.

Astrid se représentait parfaitement la scène. L'évocation de la viande grillée la fit saliver à son tour.

— C'est une réaction physiologique tout à fait normale, Sam. Une partie de ton cerveau s'est mise en pilotage automatique.

— Mouais, fit-il sans conviction.

— Écoute, tu ne peux pas te lamenter quand une catastrophe survient. Si tu commences à montrer des signes de désespoir, tu vas contaminer les autres.

— Ils n'ont pas besoin de moi pour désespérer.

— Et tu vas me laisser te couper les cheveux, ajouta-t-elle en l'attirant contre elle pour ébouriffer sa tignasse dans l'espoir de le distraire des événements de la matinée.

— Quoi? dit-il, désarçonné par ce brusque changement de sujet.

— On dirait le rescapé d'un groupe de rock des années soixante-dix. Et puis Edilio m'a laissée faire, lui.

Sam sourit malgré lui.

— Oui, j'ai vu. C'est peut-être pour ça que je n'arrête pas de l'appeler Bart Simpson sans le vouloir.

Comme Astrid lui jetait un regard noir, il s'empressa d'ajouter :

— C'est seulement à cause de la brosse, tu sais?

— Tu te crois malin, répliqua Astrid en se dérobant à son baiser. Et si je te rasais la tête, hein? Continue à te moquer de moi, et on t'appellera Homer Simpson. Là, on verra bien si Taylor te fait encore des yeux de biche.

— Elle ne me fait pas des yeux de biche!

— C'est ça, dit Astrid en faisant mine de le repousser.

— Et puis, qui te dit que je ne suis pas beau, même la tête rasée?

Sam examina son reflet dans la vitre du micro-ondes.

— Le mot « narcissique », ça te dit quelque chose ? rétorqua Astrid.

Sam éclata de rire. Au moment où il allait la prendre dans ses bras, il s'aperçut que Pete était en train de l'observer.

— Bref. Comment va le petit Pete ?

Astrid baissa les yeux vers son frère, qui s'était hissé sur un tabouret et scrutait Sam en silence. Ou, du moins, il avait le regard tourné dans sa direction : elle ne savait jamais avec certitude ce qu'il regardait.

Elle eut envie de parler à Sam des phénomènes qu'elle avait remarqués chez l'enfant ces derniers temps. Mais il avait assez de soucis comme ça. Pour une fois, et pendant un bref moment, elle avait justement réussi à les lui faire oublier.

Elle aurait tout le temps de lui expliquer que la personne la plus puissante de la Zone était en train de… quelle était l'expression appropriée ? Perdre la tête ? Non, ça n'était pas ça.

Il n'existait pas de terme susceptible de décrire l'état du petit. Et, de toute façon, le moment était mal choisi pour en discuter.

— Il va bien, répondit-elle. Tu sais comment il est.

LANA ARWEN LAZAR en était à son quatrième emménagement depuis son arrivée à Perdido Beach. D'abord, elle avait occupé une maison qui lui plaisait bien. Mais c'était là que Drake Merwin l'avait capturée. Après, elle ne s'y était plus sentie à son aise.

Ensuite, elle avait vécu quelque temps chez Astrid. Or elle s'était vite aperçue qu'elle préférait rester seule avec Pat, son labrador. Elle avait donc emménagé dans une maison près de la place. Mais là-bas, elle était trop près de tout.

Lana n'aimait pas ça : elle perdait toute intimité.

Lana détenait le pouvoir de guérir. Elle avait découvert ce don le jour de l'apparition de la Zone, lorsque son grand-père avait disparu. Ils se trouvaient dans son pick-up à ce moment-là, et la disparition du conducteur avait précipité le véhicule dans un ravin escarpé.

Les blessures de Lana auraient dû la tuer. Elle avait bien failli y laisser sa peau, d'ailleurs. Son pouvoir, qu'elle possédait peut-être depuis toujours, s'était révélé à elle dans ces heures terribles.

Elle s'était guérie. Elle avait soigné Sam quand il avait reçu une balle, l'épaule fracturée de Cookie, et les innombrables enfants blessés après la bataille sanglante de Thanksgiving.

Les gosses la surnommaient la Guérisseuse. Elle venait juste après Sam Temple dans la liste des héros de la Zone. Tout le monde la respectait. Certains, et en particulier ceux qu'elle avait sauvés, la vénéraient. Elle ne doutait pas une seconde que Cookie, pour ne citer que lui, sacrifierait sa vie pour elle. Il avait vécu l'enfer avant qu'elle ne vienne à son secours.

Cependant, l'adoration qu'ils lui vouaient n'empêchait pas les enfants de la déranger à n'importe quelle heure du jour et de la nuit pour le moindre bobo : une dent qui bouge, un coup de soleil, un genou égratigné, un orteil foulé… Par conséquent, elle avait quitté la ville pour une chambre au Clifftop. L'hôtel était blotti contre l'enceinte impénétrable qui délimitait ce nouveau monde.

— Doucement, Pat, dit-elle au labrador qui donnait des coups de tête, impatient d'engloutir son petit déjeuner.

Lana ouvrit la boîte d'aliment pour chien et, tout en retenant Pat, en vida la moitié dans une écuelle posée par terre.

— Tiens. Bon sang, on dirait que je ne te donne pas à manger !

En disant ces mots, elle se demanda combien de temps elle pourrait encore nourrir son vieil ami. Désormais, des enfants mangeaient de la nourriture pour animaux. Des chiens faméliques erraient dans les rues, fouillant les poubelles au côté de gamins qui récupéraient les restes jetés quelques semaines plus tôt.

Lana vivait seule au Clifftop. Des centaines de chambres, une piscine envahie par les algues, un court de tennis amputé par la paroi. Elle disposait d'un balcon offrant une vue imprenable sur la plage en contrebas et l'océan trop paisible.

Sam, Edilio, Astrid et Dahra Baidoo – qui faisait office de pharmacienne et d'infirmière – savaient où la trouver en cas d'urgence, contrairement aux autres enfants. Ainsi, elle gardait un certain contrôle sur sa vie.

Elle jeta un coup d'œil envieux à la gamelle de Pat en se demandant pour la énième fois quel goût cela pouvait avoir. C'était sûrement meilleur que les épluchures de patates qu'elle avait mangées avec de la sauce barbecue.

Avant, cet hôtel regorgeait de provisions. Mais, sur les ordres de Sam, Albert et son équipe avaient tout réquisitionné et entreposé les vivres à la supé-rette. Où Drake avait réussi à dérober une grande partie de leurs réserves déclinantes.

Désormais, il n'y avait plus une miette de nourriture dans l'hôtel. Pas même dans les minibars des chambres, qui, auparavant, contenaient de délicieuses barres chocolatées, des chips et des cacahuètes. Maintenant, il ne restait que l'alcool. L'équipe d'Albert avait laissé les bouteilles, faute de savoir quoi en faire. Lana n'avait pas touché aux mignonnettes remplies d'un liquide ambré ou transparent. Jusqu'à présent, du moins.

C'était à cause de l'alcool qu'elle avait été bannie de son foyer à Las Vegas. Elle avait piqué une bouteille de vodka dans la maison de ses parents, soi-disant pour le compte d'un garçon plus âgé qu'elle. En tout cas, c'était l'histoire qu'elle avait réussi à faire avaler à ses parents. Pourtant, ils avaient quand même décidé de l'envoyer passer quelque temps dans le ranch isolé de son grand-père, afin qu'elle «réfléchisse à la portée de ses actes».

À présent, si, parmi la communauté de la Zone, Lana faisait figure d'une sainte, elle savait qu'il n'en était rien.

Pat avait fini sa gamelle et le café était prêt. Lana versa un sachet d'édulcorant dans sa tasse ainsi qu'un peu de lait en poudre, trésors rares qu'elle avait dénichés en fouillant les chariots des femmes de chambre. Elle se posta sur le balcon et prit une gorgée de son café.

La chaîne stéréo diffusait un CD de Paul Simon sans doute laissé par le précédent occupant de la chambre. Dans l'une des chansons, il était question de ténèbres. Des ténèbres accueillantes, que le chanteur invitait presque à explorer. Elle se passait en boucle cette chanson.

Parfois, la musique l'aidait à oublier. Mais cette chanson, c'était tout le contraire.

Du coin de l'œil, elle aperçut des silhouettes sur la plage. De retour dans la chambre, elle prit une paire de jumelles qu'elle avait trouvée dans les bagages d'un touriste disparu depuis longtemps. Deux jeunes enfants, âgés de six ans tout au plus, jouaient sur la jetée en pierre qui s'avançait dans la mer. Heureusement, il n'y avait pas la moindre vague. En revanche, les rochers glissants étaient acérés comme des lames de rasoir par endroits. Elle devrait peut-être...

Plus tard. Elle avait assez de responsabilités comme ça. Lana ne se voyait pas comme une personne responsable, et elle en avait assez qu'on lui impose ce fardeau.

Les vices des adultes se répandaient parmi la population de la Zone. Certains bénins, comme le café. D'autres – l'herbe, la cigarette et l'alcool – plus dangereux. Lana aurait pu citer six enfants qui étaient devenus des buveurs avérés. Ils étaient venus la trouver pour qu'elle soigne leur gueule de bois.

D'autres s'évadaient par le biais des sachets d'herbe qu'ils avaient dénichés dans la chambre de leurs parents, d'un frère ou d'une sœur plus âgés. Et, chaque jour ou presque, on pouvait voir des gamins de huit ans s'étouffer sur une cigarette en s'efforçant d'avoir l'air cool. Une fois, elle avait surpris un bambin de six ans en train d'essayer d'allumer un cigare.

Lana ne pouvait rien contre ces maux-là.

C'était tout juste si elle ne regrettait pas la cabane de Jim l'Ermite. Elle songeait souvent à cette drôle de bicoque plantée en plein désert, avec son petit carré d'herbe insolite sans doute desséché par le soleil, à présent. C'était là qu'elle avait trouvé refuge après l'accident. Là encore qu'elle avait goûté un bref répit après avoir échappé à la meute de coyotes.

La cabane avait été réduite en cendres. Il n'en restait rien, excepté l'or, évidemment. Les lingots de Jim l'Ermite avaient dû fondre, mais ils se trouvaient encore là-bas, sous le plancher. L'or de la mine…

Elle but une grande gorgée dans son gobelet en carton et se brûla la langue. Mais la douleur l'aidait à se concentrer.

La mine. Ce jour-là s'était gravé dans sa mémoire avec la netteté d'un cauchemar qu'elle se serait rappelé dans les moindres détails. À ce moment-là, elle ignorait que tous les adultes avaient disparu. Elle était descendue dans la mine pour retrouver l'Ermite ; ou du moins, elle caressait l'espoir de mettre la main sur sa camionnette, qui lui permettrait de rentrer en ville.

Elle avait découvert le cadavre du pauvre homme à l'entrée de la mine. Lui ne s'était pas volatilisé, ce qui signifiait qu'il avait été tué avant l'apparition de la Zone.

Les coyotes lancés à sa poursuite l'avaient forcée à s'aventurer de plus en plus loin dans les galeries. Et c'était là, tout au fond, qu'elle l'avait trouvée. La chose. L'Ombre, comme l'appelaient les coyotes.

Soudain, elle avait eu l'impression que ses pieds pesaient une tonne. Son cœur s'était mis à battre plus fort, plus lentement, chaque pulsation pareille à un coup de marteau. Puis une terreur sans nom s'était emparée d'elle. Le rayonnement verdâtre tout autour d'elle lui avait fait penser à du pus, à un mal inconnu, un cancer. Elle avait marché dans un rêve éveillé, les paupières lourdes, l'esprit engourdi, avec la sensation que quelque chose s'immisçait en elle...

Viens à moi.

— Aaaah !

Dans sa main, le gobelet n'était plus qu'une boule de carton. Du café brûlant avait dégouliné le long de son bras. Lana transpirait à grosses gouttes, cherchait son souffle. Elle prit une grande inspiration, comme si elle avait oublié de respirer pendant un bref laps de temps.

Le monstre de la mine était toujours dans sa tête. Il la tenait sous son emprise. Quelquefois, elle était sûre d'avoir entendu sa voix. C'était sans doute une hallucination. Ça ne pouvait pas être l'Ombre. Elle se trouvait à des kilomètres de là, enfouie sous la terre. C'était tout bonnement impossible...

Viens à moi.

— Je n'arrive pas à l'oublier, murmura-t-elle en se tournant vers Pat. Je ne peux pas lui échapper.

Les premiers jours qui avaient suivi son arrivée dans cette étrange communauté d'enfants, Lana avait retrouvé un semblant de paix. Cependant, dès le début, elle avait senti que son séjour dans la mine avait laissé en elle des stigmates invisibles mais bien présents.

Or, la plaie s'était rouverte. Lana avait d'abord pensé qu'elle guérirait avec le temps. Mais si elle était en train de cicatriser, pourquoi la douleur devenait-elle chaque jour un peu plus vive ? Comment cette voix terrifiante avait-elle pu passer du chuchotis lointain au murmure insistant ?

Viens à moi. J'ai besoin de toi.

Cette voix pressante, impérieuse, formulait maintenant des mots.

— Je deviens folle, Pat, gémit Lana. Elle est à l'intérieur de ma tête, et je deviens folle.

Mary Terrafino s'éveilla et roula hors du lit. C'était encore le matin. Elle aurait pu se réfugier de nouveau dans le sommeil : elle était éreintée. Pourtant, elle savait qu'elle ne parviendrait pas à se rendormir. Elle avait trop de pain sur la planche.

«Chaque chose en son temps», songea-t-elle en titubant jusqu'à la salle de bains. Là, de son pied nu, elle traîna la balance sur le carrelage jusqu'à l'endroit spécial où elle avait sa place, face au miroir au-dessus du lavabo, bien alignée par rapport au meuble. Le coin supérieur droit de la balance devait parfaitement coïncider avec le bord du carrelage.

Satisfaite, elle ôta sa chemise de nuit et monta sur la balance.

Première lecture. On redescend.

Deuxième lecture. Même manège.

La troisième lecture était la bonne, l'officielle.

Quarante kilos. Elle en pesait soixante-quatre quand la Zone avait fait son apparition.

Pourtant, elle se trouvait toujours grosse. Elle avait encore des bourrelets ici et là, quoi qu'en disent les autres. Mary voyait la graisse superflue, elle. Conclusion : pas de petit déjeuner pour elle, ce qui n'était pas une grande perte, étant donné qu'à la crèche le premier repas de la journée consistait en un bol de flocons d'avoine additionnés de lait en poudre et d'un sachet rose d'édulcorant. Un petit déjeuner plutôt sain et bien meilleur que celui de la plupart des enfants de la Zone, qui cependant ne valait pas les kilos superflus qu'elle ne manquerait pas de reprendre.

Mary avala son antidépresseur ainsi que deux comprimés de coupe-faim et un de vitamines. Voilà qui l'aidait à rester en forme, du moins l'espérait-elle.

Elle s'habilla en hâte : tee-shirt, pantalon de jogging, baskets. Une tenue confortable. Elle était déterminée à ne rien porter de moulant avant d'avoir réellement perdu du poids. Dans la buanderie, elle vida le sèche-linge plein à craquer de couches en tissu dans un grand sac en plastique. Il leur restait encore quelques couches jetables en réserve, qu'ils gardaient pour les urgences. Ils étaient passés aux couches lavables un mois plus tôt. Tout le monde s'accordait à dire que c'était dégoûtant mais, comme l'avait souligné Mary à l'intention des râleurs, Pampers n'effectuait plus de livraisons.

Elle descendit l'escalier en traînant le sac. Sam était dans la cuisine avec Astrid et le petit Pete. Mary n'avait pas envie de s'imposer – ni qu'on la force à prendre un petit déjeuner ; elle se faufila donc sans bruit vers la porte d'entrée.

Cinq minutes plus tard, elle était arrivée à la crèche. Le bâtiment avait beaucoup souffert lors de la bataille. Le mur mitoyen avec la quincaillerie avait été littéralement soufflé ; désormais, une bâche en plastique qu'il fallait refixer tous les jours ou presque masquait le trou béant. Ce spectacle leur rappelait sans cesse qu'ils avaient frôlé le désastre. La meute de coyotes avait retenu les enfants en otage dans cette même pièce pendant que Drake Merwin se pavanait et jubilait.

John, le frère de Mary, était déjà sur les lieux.

— Salut, Mary, lança-t-il. Qu'est-ce que tu fais là ? Tu devrais être encore au lit.

John s'occupait des petits le matin, entre 5 heures et midi. Mary était censée prendre le relais du déjeuner jusqu'au coucher, vers 22 heures. Souvent, elle restait pour organiser les emplois du temps et nettoyer. Ensuite, elle rentrait chez elle et se démenait sur le tapis de jogging en regardant des DVD. Une fois sa routine achevée, elle disposait, conformément à son planning, de huit heures de sommeil et de quelques heures de liberté dans la matinée. Or, dans les faits, elle sacrifiait souvent deux ou trois heures de sommeil pour faire du sport, se débarrasser des derniers kilos qu'elle souhaitait perdre sur le tapis installé au sous-sol, là où Astrid ne viendrait pas lui demander ce qu'elle fabriquait.

— Quoi de neuf, petit frère ? dit-elle en étreignant John. C'est quoi, le problème, aujourd'hui ?

John tenait une liste dans un cahier.

— Pedro a perdu une dent, lut-il à voix haute. Et il a eu un petit accident hier soir. Alice prétend que Julia l'a frappée : elles passent leur temps à se chamailler et refusent de jouer ensemble. Je crois que Collin a de la fièvre… En tout cas, il est grognon. J'ai surpris Brady qui essayait de filer, ce matin. Elle voulait retrouver sa mère.

La liste s'étirait interminablement. Tandis que John faisait la lecture à sa sœur, des enfants se jetaient dans ses bras, réclamaient un baiser, sollicitaient son avis sur leur coupe de cheveux ou quémandaient un compliment sur leur brossage de dents.

Mary se contentait de hocher la tête. La liste ne variait pas beaucoup d'un jour à l'autre.

Un dénommé Francis entra en la bousculant puis, s'apercevant de sa présence, se tourna vers elle, la mine renfrognée, et lança :

— C'est bon, je suis là.

— Enfin, rétorqua-t-elle.

— Quoi, faut que je m'excuse ? Je ne suis pas baby-sitter, moi.

Cette scène-là aussi se répétait tous les jours depuis que le calme était revenu à Perdido Beach.

— Écoute, mon grand, dit Mary. Je sais que tu n'as aucune envie d'être là, et je m'en contrefiche. C'est pareil pour tout le monde. Il faut quelqu'un pour s'occuper des petits, alors arrête ton numéro.

— Et pourquoi tu ne t'en occupes pas, toi ? T'es une fille, après tout.

— Et moi, je suis quoi ? intervint John.

— Tu vois le tableau là-bas ? reprit Mary sans se démonter. Il y a trois listes épinglées dessus, une pour chaque personne de corvée aujourd'hui. Contente-toi de suivre les instructions. Avec le sourire.

Francis s'avança d'un pas raide vers le tableau.

— Je te parie un biscuit qu'il va se dispenser de corvée de couches, déclara John.

— Je ne marche pas, répliqua Mary. Et il n'y a plus de biscuits, de toute manière.

— Ça me manque, observa John avec mélancolie.

— Hé ! se récria Francis. Cette liste est vraiment merdique !

— Oui, on est d'accord là-dessus, marmonna Mary.

— Toute cette situation est merdique !

— Change de vocabulaire. Je n'ai pas envie d'entendre ce mot dans la bouche d'un gamin de trois ans.

— Le jour de mon anniversaire, je tire ma révérence, grommela Francis.

— Bien. Je veillerai à rayer ton nom sur le planning. Maintenant, prends une liste et mets-toi au travail. Je n'ai pas l'intention d'appeler Sam : il a mieux à faire que de te botter les fesses.

Francis s'exécuta, l'air furieux.

— « Je tire ma révérence » ? répéta Mary avec une grimace exaspérée. Ils sont combien à avoir atteint le chiffre fatidique jusqu'ici ? Deux seulement ont disparu. Tout le monde ne parle que de ça, mais rien ne se passe.

La Zone continuait à éliminer tous les plus de quinze ans. Personne ne savait pourquoi. Mary, en tout cas, n'en avait pas la moindre idée, bien qu'elle ait surpris des bribes de conversation à voix basse entre Sam et Astrid, qui laissaient supposer qu'ils en savaient plus qu'ils ne voulaient bien l'admettre.

Le jour de son quinzième anniversaire, elle aussi disparaîtrait, pour peu qu'elle décidât de «tirer sa révérence».

Tout le monde ou presque savait désormais ce qu'il advenait lors du «grand pouf», comme on l'appelait. Le temps s'arrêtait. La personne que vous chérissiez le plus et à qui vous faisiez entière confiance apparaissait soudain pour vous inciter à la suivre loin de la Zone, et se transformait en monstre pour peu que vous résistiez.

Chacun avait le choix : rester dans la Zone ou... C'était bien le problème. Nul ne savait en quoi consistait l'alternative. Le retour dans l'ancien monde ? Un voyage vers une autre contrée ? La mort ?

Mary s'aperçut que John la fixait avec insistance.

— Quoi ?

— Ne me dis pas que...

Mary sourit en ébouriffant sa tignasse rousse.

— Jamais je ne te laisserai. Papa et maman te manquent ?

John hocha la tête.

— Je n'arrête pas de penser à toutes les fois où je leur ai pourri la vie.

— John...

— Je sais. Ça n'a pas d'importance. Pourtant...

À court de mots, il fit mine de se transpercer le cœur avec un couteau imaginaire.

Une petite main tira Mary par le dos de sa chemise. Elle se retourna et reconnut, le cœur serré, un

petit garçon nommé... Comment s'appelait-il, déjà ?
Le bambin qui l'accompagnait, lui, se prénommait
Sean, si sa mémoire était bonne. Elle devinait la
raison de leur présence ici. Récemment, tous deux
avaient fêté leur cinquième anniversaire. Or, à la
crèche, la limite d'âge était de quatre ans. Au-delà,
ses pensionnaires n'étaient plus pris en charge.
Avec de la chance, ils trouveraient une place dans
une maison occupée par des aînés responsables.

— Bonjour, les enfants. Ça va ? demanda Mary
en se penchant vers eux.

— Euh... fit le premier avant de fondre en larmes.

Mary savait bien qu'elle n'aurait pas dû, pourtant
elle ne put s'empêcher de prendre le petit garçon
dans ses bras. Quand Sean se mit à pleurer, lui aussi,
elle l'attira à son tour contre elle. John les rejoignit
bientôt, et Mary s'entendit affirmer que, bien sûr,
ils pouvaient revenir juste pour aujourd'hui, juste
pour un petit moment.

4

LE PENSIONNAT COATES était en piteux état. Les affrontements successifs avaient endommagé la façade du bâtiment principal. Il y avait un trou énorme dans la paroi en brique, qui laissait voir une salle de classe entière au premier étage et s'étendait jusqu'aux fenêtres du rez-de-chaussée. La plupart d'entre elles n'avaient plus de vitres. Pour se protéger des éléments, les enfants avaient scotché çà et là des bâches en plastique, mais l'adhésif se décollait et le vent s'engouffrait à l'intérieur. L'édifice semblait avoir vécu la guerre. Et c'était bien le cas.

Le terrain alentour n'avait pas non plus été épargné. Le gazon, toujours entretenu avec une méticulosité obsessionnelle par le passé, avait poussé à certains endroits tandis qu'à d'autres il était jaune comme de la paille. Le chiendent avait envahi l'allée de gravier où les parents d'élèves garaient leurs minivans, leurs 4 x 4 et leurs luxueuses berlines.

La plomberie ne fonctionnait plus dans la moitié des locaux, les toilettes refoulaient en répandant une odeur nauséabonde. Les bâtiments secondaires, les ateliers d'arts plastiques et les dortoirs étaient en meilleur état, cependant Drake s'obstinait à rester dans le bâtiment principal. Il occupait le bureau du psychologue scolaire, où il avait dû subir d'innombrables tests et entretiens.

— *Tu rêves encore de torturer des animaux, Drake ?*

— *Non, monsieur. C'est vous que je rêve de torturer.*

Le bureau en question avait été transformé en arsenal. Les armes à feu de Drake, au nombre de neuf, du fusil de chasse à lunette au pistolet, étaient disposées sur une table. Elles n'étaient pas chargées, à l'exception des deux qu'il gardait sur lui en permanence. Il avait dissimulé les munitions des autres armes derrière le faux plafond et dans les conduites d'aération car, selon Drake Merwin, on ne pouvait se fier à personne.

Drake était en train de regarder un DVD sur l'écran plasma qu'il avait dérobé. Les effets spéciaux du film, *Saw II*, étaient incroyables. Il avait poussé le volume à en faire trembler les quelques vitres restantes, aussi n'entendit-il pas la voix de Diana.

— Il veut te voir.

Sentant une présence dans la pièce, Drake se retourna. Il déplia son bras terminé par un tentacule, qui lui valait le surnom de Fouet, et baissa le son.

— Qu'est-ce que tu veux ? lâcha-t-il d'un ton bourru.

— Il veut te voir, répéta Diana.

Drake lut de la peur dans ses yeux, et s'en réjouit. Diana la dure à cuire et son sarcasme, son mauvais caractère, ses grands airs. N'empêche qu'elle avait peur de lui.

— Qui ça, « il » ?

— Caine. Il est réveillé.

— Ce ne serait pas la première fois.

— Cette fois, il est sur pied. Enfin, je crois. Il veut vous voir, Bug et toi.

— Ah ouais ? Eh ben, j'irai quand j'aurai un moment.

Dépliant de nouveau son tentacule, il remit le son.

— Super, j'ai raté le meilleur moment. Où est passée la télécommande ? Je ne peux pas rembobiner sans.

— Tu veux que je demande à Caine d'attendre ? s'enquit Diana en prenant l'air innocent. Pas de problème, je lui dirai que tu es trop occupé pour le voir.

Drake inspira profondément et lui jeta un regard noir. Lentement, son fouet rampa dans sa direction, prêt à s'enrouler autour de son cou.

— Vas-y, fais-le, lança-t-elle. Allez, Drake. Défie Caine.

Drake cilla imperceptiblement, vit qu'elle s'en était aperçu et cela le mit hors de lui. « Pas aujourd'hui.

Pas encore, songea-t-il. Pas avant que Caine ait réglé son compte à Sam. »

Comme à son habitude, Drake enroula son fouet autour de sa taille. La chose, toujours en mouvement, évoquait un anaconda rose et gris qui emprisonnait son corps comme s'il était sa propre proie.

— Ça te plairait que je me batte avec Caine, hein ? Désolé de te décevoir. Je suis cent pour cent loyal envers lui. On est comme frères. La confrérie de l'Ombre, Diana. On est tous les deux allés là-bas. On l'a rencontrée.

Drake savait que Diana crevait d'envie d'en apprendre davantage sur le monstre de la mine. C'était à lui qu'il devait son fouet après que Sam eut brûlé son bras. Cependant, Drake n'avait pas l'intention de révéler quoi que ce soit à cette fille. Qu'elle s'interroge et qu'elle s'inquiète !

— Allons voir le boss, dit-il.

Caine semblait en bien meilleure forme. Apparemment, il avait fini par vaincre le mal mystérieux qui le rongeait depuis trois mois, lui causant des cauchemars et des accès de fièvre terribles. Chunk, lui, ne s'était pas relevé. Ce souvenir arracha un sourire à Drake. Ce gros tas de Chunk avait volé dans les airs avant de heurter un mur avec tant de force qu'il était passé au travers. Un sacré spectacle !

Par la suite, personne – pas même Drake – n'avait été assez fou pour approcher le malade. Désormais Drake gardait ses distances. Seule Diana était assez acharnée pour rester au chevet de Caine, changer ses draps souillés et le nourrir à la cuillère.

— T'as l'air en forme, Caine, observa Drake.

— J'ai une tête à faire peur, oui. Mais j'ai les idées claires.

Drake le soupçonnait de ne pas dire la vérité. Il avait passé quelques heures à peine en compagnie de l'Ombre, et il ne s'en était pas remis, loin de là. Parfois, il entendait encore sa voix dans sa tête. Et il était à peu près certain qu'il en allait de même pour Caine. Une fois que vous aviez entendu cette voix, elle ne vous lâchait plus. Cette pensée le réconforta.

— Bug, tu es là ? lança Caine.

— Oui, juste à côté de toi.

Drake faillit sursauter quand Bug se matérialisa à trois pas de lui. Sans être complètement invisible, il se fondait dans le décor : à l'instar du caméléon, il possédait le don du camouflage. Lorsque Bug avait recours à son pouvoir, on pouvait parfois deviner sa présence à une légère ondulation en arrière-plan et à un changement ténu de lumière.

— Arrête ton numéro, grogna Caine.

Bug – ce petit morveux malsain – se décida à apparaître.

— Pardon. C'est juste que…

— T'inquiète, je ne suis pas d'humeur à jeter quelqu'un contre un mur, l'interrompit Caine d'un ton sec. J'ai une mission pour toi, Bug.

— Je vais encore devoir retourner à Perdido Beach?

— Non, c'est justement ce qu'attend Sam. Doré-navant, on se tient à l'écart de Perdido Beach. Qu'ils gardent la ville, on n'en a pas besoin. Pour le moment, du moins.

— C'est ça, laissons-leur ce qu'on ne peut pas leur prendre. C'est très généreux, ironisa Diana.

Ignorant sa remarque, Caine posa la main sur l'épaule de Bug.

— Bug, tu vas jouer un rôle clé dans cette his-toire. J'ai besoin de tes dons.

— Je ne vois pas ce que je peux faire de plus à Perdido Beach, protesta Bug.

— Oublie Perdido Beach. C'est de nucléaire que je veux parler.

Caine adressa un clin d'œil à Diana et gratifia Drake d'une claque dans le dos, usant de ses bonnes vieilles méthodes de charme. Mais Drake n'était pas dupe : il voyait bien que Caine était affaibli physiquement et qu'il n'avait pas les idées claires. Privé de son assurance habituelle, il n'était que l'ombre de lui-même. Une ombre capable de pro-jeter n'importe qui contre un mur, cependant. Le tentacule de Drake, enroulé autour de lui, frémit au creux de son dos.

— La centrale, c'est le nerf de cette ville, reprit Caine. Si on contrôle l'électricité, Sam nous obéira au doigt et à l'œil.

— Tu penses bien qu'il y a réfléchi ! objecta Diana. Il a dû poster des gardes là-bas.

— Je n'ai aucun doute là-dessus. Mais ils ne pourront pas voir Bug. Allez, file, petit ! Et reviens me faire ton rapport.

Bug et Diana s'éloignèrent, lui tremblant d'excitation, elle excédée, tandis que Drake restait en arrière. Caine s'en étonna ; il semblait même un peu nerveux.

— Qu'est-ce qu'il y a, Drake ?

— Diana. Je ne lui fais pas confiance.

Caine soupira.

— Oui, Drake, j'ai cru comprendre que tu n'aimes pas Diana.

— Ce n'est pas la question, que j'apprécie ou non cette p…

Les yeux de Caine étincelèrent, et Drake reformula sa réponse.

— Ce n'est pas la question. C'est au sujet d'elle et de Jack que je m'interroge.

Cette remarque lui valut toute l'attention de Caine.

— Où tu veux en venir ?

— Jack détient des pouvoirs, maintenant. Et je ne parle pas seulement de ses talents d'informaticien. Bug l'a espionné à Perdido Beach. Tu sais, la pelleteuse ? Le métèque était en train de creuser une tombe quand elle a basculé dans le trou. D'après Bug, c'est Jack qui l'a sortie de là, comme si ce machin ne pesait pas plus lourd qu'un vélo.

Caine s'assit au bord du lit. Drake eut l'impression qu'il avait encore du mal à rester debout plus de quelques minutes.

— Il doit avoir au moins deux barres, voire trois, observa-t-il.

Diana avait inventé ce système de barres en s'inspirant des téléphones portables. Son pouvoir à elle consistait à évaluer celui des autres.

Drake savait qu'officiellement deux personnes seulement possédaient quatre barres : Sam et Caine. Les hypothèses allaient bon train sur le petit Pete, qui avait montré quelques talents spectaculaires mais, franchement, un gamin de cinq ans à moitié débile ne pouvait pas être bien dangereux.

— OK, Jack a peut-être trois barres. Mais pas d'après Diana, non ? Elle prétend qu'elle n'a rien lu en lui. Admettons que son pouvoir se soit développé sur le tard… Mais passer de zéro à trois barres ?

Drake haussa les épaules. Inutile de pousser le raisonnement plus loin, sachant que Caine, même malade, même affaibli, finirait par en tirer ses conclusions tout seul.

— On n'a jamais compris pourquoi Jack avait changé de camp, poursuivit-il à voix basse.

— Peut-être que quelqu'un l'a poussé, suggéra Drake.

— Peut-être, oui, admit Caine, réticent. Il faut la surveiller de près. Mets quelqu'un sur le coup. Pas toi, elle sait que tu la tiens à l'œil.

Du point de vue de Duck Zhang, le pire dans la Zone, c'était la bouffe. Au début, c'était le pied : sucreries, chips, sodas, glaces. Cette période n'avait malheureusement duré que quelques semaines. Il en aurait été autrement sans tout ce gâchis : les enfants laissaient fondre les glaces, moisir le pain, ou se gavaient de gâteaux puis abandonnaient le reste du paquet aux chiens.

Quand ils eurent épuisé les sucreries et les sandwiches, il était trop tard : la viande, hormis un peu de charcuterie – saucisses, jambon, bacon –, et tous les produits frais, à l'exception des patates et des oignons, avaient dépassé la date de péremption. Duck avait dû aider à débarrasser l'épicerie de toute cette nourriture avariée. Pendant des jours entiers, une équipe de gamins grincheux avait vidé des tas de laitues pourries et de viande en décomposition. Mais que faire d'autre quand Sam pointait le doigt sur vous en vous regardant droit dans les yeux ? Ce type-là pouvait vous faire frire d'un simple geste. Et puis c'était le maire, après tout.

Enfin était venu le temps de la soupe en boîte, des céréales, des crackers et du fromage. Désormais, Duck aurait donné n'importe quoi pour une soupe. Au petit déjeuner, il avait eu droit à des asperges en conserve qui avaient un goût de vomi. Après, ça puait quand on faisait pipi.

Cependant, la Zone avait aussi apporté son lot de compensations. La première, d'après Duck Zhang, c'était cette piscine. Ce n'était pas tout à fait la sienne, mais quelle importance ? En ce lundi matin du début du mois de mars, il se laissait flotter sur ses eaux turquoise, alors qu'il aurait dû être à l'école.

Fini la classe. Rien d'autre au programme que la piscine. Il en oubliait presque la faim qui lui tenaillait l'estomac.

Duck avait onze ans, mais il était petit pour son âge. D'origine asiatique, sa famille avait émigré aux États-Unis dans les années trente. Avant, ses parents s'inquiétaient de son poids. Ce temps-là était révolu. À présent, plus personne n'était gros, dans la Zone.

Si Duck adorait l'eau, il n'aimait pas l'océan, qui l'effrayait. Il n'arrivait pas à s'ôter de l'esprit qu'un monde à part entière, invisible mais bien réel, vivait sous la surface : pieuvres, murènes, méduses et surtout requins, qui, eux, pouvaient le voir.

Les piscines, en revanche, n'offraient que des avantages : au moins, on voyait le fond. Or, il n'en avait jamais eu une à lui. Il n'y avait pas de piscine municipale à Perdido Beach ; il ne pouvait donc profiter des joies de la baignade que lorsqu'un ami l'invitait à venir faire trempette chez lui ou quand il partait en vacances avec ses parents dans un hôtel équipé d'un bassin.

À présent que les enfants de Perdido Beach pouvaient vivre où bon leur semblait et aller n'importe où ou presque, Duck s'était dégoté la piscine parfaite, un endroit paisible à l'écart du monde. À qui appartenait-elle ? Duck n'en savait rien. Mais, qui que soient ces gens, ils étaient sacrément bien installés. La piscine, grande, en forme de haricot, était profonde, si bien qu'on pouvait y plonger la tête la première. Elle était tapissée de petits carreaux du plus beau bleu avec un motif de soleil au fond. L'eau – une fois qu'il avait compris comment ajouter du chlore et nettoyer les filtres – était transparente comme du verre.

Une jolie table en fer forgé flanquée d'un parasol trônait au centre du jardin, ainsi que des chaises longues confortables pour lézarder au soleil si l'envie lui en prenait. Cependant, il préférait se laisser flotter sur le matelas au milieu du bassin, une bouteille d'eau posée sur un coussin pneumatique à côté de lui. Une paire de chouettes Ray-Ban sur le nez, un peu d'écran total, et il était heureux. Mort de faim, mais heureux.

Parfois, dans ces moments de félicité absolue, Duck avait l'impression qu'il n'avait plus besoin du matelas pour flotter. Parfois, il allait jusqu'à sentir diminuer la pression de son dos contre le plastique, comme s'il était devenu plus léger qu'une plume.

À vrai dire, un jour, il s'était éveillé brusquement d'un rêve agréable et il avait fait une chute d'un mètre avant de toucher l'eau. Du moins, c'était ce qu'il lui avait semblé ; à l'évidence, il était encore en train de rêver.

À d'autres moments, si par exemple il se mettait en colère au souvenir de quelque humiliation passée, il avait l'impression que le matelas s'enfonçait dans l'eau, comme s'il pesait plus lourd.

Mais Duck expérimentait rarement des joies ou des colères intenses. La plupart du temps, il n'éprouvait qu'un sentiment de plénitude.

— Yiii-ahhhh !

Un cri sorti de nulle part, suivi d'un plouf retentissant, rompit le silence. Duck se redressa sur son matelas, aspergé d'eau. Quelqu'un s'était invité dans la piscine. *Sa* piscine. Deux silhouettes se précipitèrent vers le bord, et deux autres cris retentirent, suivis de deux autres énormes ploufs.

— Hé ! brailla Duck.

L'un des intrus était un crétin prénommé Zil. Les deux autres, Duck ne les reconnut pas tout de suite.

— Hé ! répéta-t-il.

— On peut savoir pourquoi tu cries ? lança Zil.

— C'est ma piscine, répondit Duck. Je l'ai trouvée le premier, je l'ai nettoyée. Vous n'avez qu'à vous en chercher une autre.

Si Duck avait conscience d'être moins costaud que ces trois-là, la colère lui donnait du courage.

Le matelas s'enfonça sous lui et, l'espace d'un instant, il craignit que l'un des garçons l'ait percé.

— Je suis sérieux, reprit-il, furieux. Barrez-vous !

— Ouh, il est sérieux, ironisa l'un des garçons.

Avant qu'il ait pu esquisser un geste, Zil surgit de l'eau et le saisit par la nuque. Duck tomba de son matelas et manqua s'étouffer tandis que l'eau s'insinuait dans ses narines. Il remonta tant bien que mal à la surface en faisant des moulinets de ses bras soudain lourds comme du plomb. Ses assaillants revinrent à la charge : c'était juste pour le chahuter, ils n'avaient pas l'intention de lui faire de mal, mais ils le maintinrent de force sous l'eau. Cette fois, il toucha le fond et dut donner un coup de pied pour remonter en suffoquant. Comme il s'agrippait au matelas, l'un des garçons le lui arracha des mains en riant à gorge déployée.

Une rage soudaine s'empara de Duck. Cette piscine, c'était la seule chose de bien qui lui soit arrivée, et ces abrutis avaient tout gâché.

— Dehors ! cria-t-il, mais la dernière syllabe fut noyée dans un glouglou, et il coula comme une pierre.

Que se passait-il ? Voilà qu'il n'arrivait plus à nager. Il gisait au fond de la piscine, à deux mètres sous la surface, incapable de remonter. Quand il frappa du pied pour se donner de l'élan, le carrelage vola en éclats qui s'éparpillèrent dans l'eau turquoise. La panique succéda à la colère. Qu'est-ce qu'ils lui avaient fait?

Il refit une tentative et, cette fois, ses deux pieds s'enfoncèrent dans le sol en projetant des débris de ciment et de béton, et rencontrèrent la boue.

Impossible. Duck Zhang s'enfonçait de plus en plus profondément dans la piscine comme dans des sables mouvants. D'abord jusqu'aux genoux, puis jusqu'aux cuisses, jusqu'à la taille. Plus il se débattait, plus il s'enfonçait. Les carreaux cassés lui égratignaient les flancs. De la boue s'infiltrait dans son maillot de bain. Ses poumons étaient en feu, sa vision se troublait, le sang battait à ses tempes, et toujours il se sentait aspiré par la terre, comme si le sol était devenu de l'eau.

Embourbé jusqu'à la poitrine, Duck tenta de freiner sa descente en prenant appui sur ses bras, mais ils laborèrent le carrelage et s'enfoncèrent dans le ciment puis dans la terre au-dessous. Soudain, tout tourbillonna autour de lui.

L'eau de la piscine s'engouffra dans la brèche, s'infiltrant dans sa bouche et ses narines. Il entrevit, au-dessus de sa tête, des battements de pied, un rai de soleil, puis sa vision rétrécit et les ténèbres engloutirent la lumière.

Au début, ils avaient bien rigolé. Zil Sperry s'était réjoui de flanquer une peur bleue à cet imbécile de

Duck Zhang. Hank, Antoine et lui avaient contourné sans bruit la maison en réprimant un fou rire.

C'était Hank qui avait découvert le repaire secret de Duck. Ce gars-là était un espion-né. Cependant, c'était Zil qui avait eu l'idée d'attendre que Duck ait tout nettoyé et remis en marche le système de filtration.

— D'abord, on le laisse s'occuper du sale boulot. Ensuite, on s'incruste.

Antoine et Hank étaient cool, mais Zil s'était vite aperçu qu'en matière de stratégie et de décisions, c'était à lui de jouer. La surprise avait été totale. Duck s'était sans doute pissé dessus en les voyant, cette grosse andouille pleurnicharde.

Puis, les choses s'étaient corsées. Duck avait coulé comme une pierre. Soudain, un tourbillon d'une violence rare s'était formé dans les eaux paisibles mouchetées de soleil. Hank, qui se tenait sur les marches de la piscine, avait réussi à sortir de l'eau, mais Antoine et Zil se trouvaient au fond quand Duck avait coulé.

Zil était parvenu à s'agripper *in extremis* au bord du plongeoir. L'eau l'entraînait avec elle, et il avait bien failli y laisser son maillot de bain. Il avait dû se cramponner de toutes ses forces à la planche en la lacérant de ses ongles.

Antoine avait été aspiré par le tourbillon, projeté contre l'échelle, et sa grosse jambe s'était retrouvée coincée entre les barreaux chromés et le bord de la piscine. C'était un miracle qu'il ne se soit pas cassé la cheville.

Hank hissa Zil hors de l'eau puis, ensemble, ils aidèrent Antoine à grimper maladroitement sur le bord, où il se laissa tomber telle une baleine échouée sur une plage.

— On a bien failli se noyer, souffla-t-il.

— Qu'est-ce qui s'est passé ? s'écria Hank. Moi, je n'ai rien vu.

— Duck, répondit Zil d'une voix tremblante. Il a coulé.

— J'ai failli me faire aspirer, gémit Antoine, au bord des larmes.

— Ouais, comme une grosse crotte engloutie par une chasse d'eau, renchérit Hank.

Zil n'était pas d'humeur à plaisanter. Il se sentait humilié. Il s'était accroché comme un forcené au plongeoir, et il avait eu la peur de sa vie. Il ouvrit les mains, contempla ses doigts égratignés qui le brûlaient. Il s'imaginait suspendu au bout de la planche, à moitié déculotté, avec l'eau en dessous qui l'aspirait, et il ne voyait rien de drôle là-dedans. Zil ne supportait pas qu'on se moque de lui.

— Qu'est-ce qui vous fait marrer, tous les deux ?

— Ben, c'était plutôt… dit Antoine.

Zil l'interrompit brutalement.

— C'est un dégénéré. Duck Zhang est un mutant et il a essayé de nous tuer.

Hank lui jeta un regard perçant et parut hésiter un quart de seconde avant de répéter ses mots.

— Ouais. Le mutant a essayé de nous tuer.

— Pas cool, renchérit Antoine.

Il se pencha pour masser sa cheville endolorie.

— On pouvait pas savoir que ce type est un dégénéré. On rigolait, c'est tout. À croire que maintenant, il faut toujours se demander si on a affaire à quelqu'un de normal ou pas.

Zil se leva et scruta le fond de la piscine. Les bords du trou était hérissés de fragments de céramique pareils à des dents acérées, comme si une gueule énorme s'était ouverte pour engloutir Duck. Zil avait bien failli être avalé, lui aussi. Qu'il soit encore en vie ou pas, Duck l'avait fait passer pour un idiot. Et quelqu'un allait devoir payer pour ça.

5

— UNE BALLE, ça va très vite. C'est le but, observa Jack le Crack d'un ton condescendant. Sinon, ça ne servirait pas à grand-chose.

— Moi aussi, je vais vite, rétorqua Brianna. Ce n'est pas pour rien qu'on me surnomme la Brise.

Mettant sa main en visière, elle fixa la cible qu'elle s'était désignée, le panneau d'une agence immobilière planté devant une parcelle de terrain déserte qui s'étendait sur le versant de la montagne.

Jack sortit son ordinateur de poche et tapa une série de chiffres sur le clavier.

— Une balle lente parcourt 330 mètres par seconde. J'ai dégoté un livre rempli de moyennes de ce genre. Bon sang, qu'est-ce que je regrette Google !

Il s'étrangla sur ce dernier mot, comme si l'émotion lui nouait la gorge. Brianna réprima un fou rire. Ça, c'était du Jack tout craché ! Pourtant, il était mignon avec ses gestes maladroits et sa voix pas tout à fait muée de garçon de douze ans à peine pubère.

— Bref, une heure égale 3 600 secondes, d'accord? Ce qui nous fait 1 188 000 mètres, soit 1 188 kilomètres/heure, c'est-à-dire à peu près la vitesse du son. Il existe des balles plus rapides.

— Je te parie que j'en suis capable, déclara Brianna. J'en mets ma main au feu.

— Je n'ai aucune envie de me servir de ce machin-là, protesta Jack en jetant un regard dubitatif au pistolet qu'il tenait dans sa main.

— Allez, Jack… On est de l'autre côté de l'autoroute, on vise la montagne. Tu risques quoi, à part tuer un lézard?

— Je ne me suis jamais servi d'une arme à feu.

— C'est à la portée du premier crétin venu, le rassura Brianna alors qu'elle-même n'avait jamais posé les mains sur un pistolet. Il faut se méfier du recul, je suppose, alors tiens ton arme fermement.

— T'inquiète, j'ai de la force dans les mains.

Il fallut quelques secondes à Brianna pour saisir l'ironie de cette remarque. Elle se souvint avoir entendu dire que Jack avait acquis des pouvoirs, et qu'il possédait désormais une force exceptionnelle.

Pourtant, il ne semblait pas bien costaud. Sa tignasse blonde en bataille et ses lunettes de guingois lui donnaient l'air ahuri, et on avait toujours l'impression qu'il ne voyait rien d'autre que son propre reflet dans les verres de ses lunettes.

— Bon, prépare-toi, lui dit Brianna. Tiens bien ton arme. Vise. Faisons un...

Le coup partit avant qu'elle ait pu achever sa phrase. Une détonation assourdissante retentit, accompagnée d'un nuage de fumée bleue et d'une odeur étonnamment satisfaisante.

— J'allais dire : faisons un essai, reprit-elle.

— Désolé. J'ai plus ou moins pressé la détente sans le faire exprès.

— Plus ou moins, oui. Cette fois, vise bien. Le panneau, hein, pas moi !

Jack leva son arme.

— Je lance le compte à rebours ?

— Oui.

— À zéro ?

— À zéro.

— Prête ?

Brianna enfonça ses baskets dans la poussière, se pencha, un bras tendu devant elle, l'autre derrière son dos, comme figée à mi-course.

— Prête.

— Trois. Deux. Un.

Brianna bondit un quart de seconde avant que Jack ait pressé la détente. Elle comprit immédiatement son erreur : la balle était derrière elle. Or, il valait mieux poursuivre une balle que l'inverse.

Elle se sentit littéralement pousser des ailes. Il lui suffisait d'ouvrir les bras et de se laisser porter par le vent pour flotter sur une quinzaine de mètres : elle courait beaucoup plus vite qu'un jet filant sur une piste juste avant de prendre son envol. Elle se mouvait bizarrement, en bougeant les bras comme n'importe quel coureur, mais les paumes tendues car, pour la plupart des mutants de la Zone, le pouvoir résidait dans les mains.

Le vent sifflait à ses oreilles et plaquait ses cheveux courts sur son crâne ; ses joues tremblaient et ses yeux la piquaient. Respirer nécessitait un effort terrible, et elle suffoquait à chaque bourrasque. Le monde autour d'elle devint un magma de couleurs et d'objets défilant si vite que son cerveau ne parvenait pas à les identifier. Ils se réduisaient à des traînées de lumière sans forme précise.

Elle savait d'expérience qu'il lui faudrait plonger ses pieds dans de la glace, après, pour éviter qu'ils n'enflent trop. Elle avait déjà gobé deux antalgiques pour prévenir la douleur.

Mais si elle courait à une vitesse incroyable, elle n'allait pas plus vite qu'une balle. Elle risqua un regard dans son dos. La balle gagnait du terrain. Elle distingua une petite tache grise fonçant dans sa direction. Elle fit un léger écart à droite, et le projectile passa tout près d'elle en sifflant. Elle s'élança à sa poursuite, mais il toucha le sol – très loin de la cible – alors qu'elle se trouvait à une douzaine de pas derrière lui.

Elle ralentit brutalement et prit appui sur le sol pentu pour s'arrêter en douceur. Jack attendait, à une

centaine de mètres derrière elle. La course avait duré
à peine plus d'une seconde, bien que, pour Brianna,
le temps se soit écoulé beaucoup plus lentement.

— Tu as réussi ? cria Jack.

Elle revint vers lui d'un pas tranquille – du moins
c'est ce qu'il lui sembla : en réalité, elle se déplaçait
à plus de cent kilomètres/heure – et partit d'un
éclat de rire.

— Carrément !

— Je ne t'ai même pas vue. Tu te tenais à côté de
moi et, l'instant d'après, tu étais cent mètres plus loin.

— Ce n'est pas pour rien qu'on m'appelle la Brise,
se vanta-t-elle en lui faisant un clin d'œil désinvolte.

Soudain, une douleur dans l'estomac lui rappela
qu'elle venait de brûler en quelques fractions de
seconde son apport calorique quotidien. Il se mit
à gargouiller bruyamment. Jack l'avait forcément
entendu.

— Bien sûr, tu sais qu'une brise est un vent peu
violent qui souffle par intermittence, déclara-t-il
doctement.

— Et tu sais aussi que je peux te claquer huit
fois chaque joue en un battement de cils ? rétorqua
Brianna.

Devant l'air éberlué de Jack, elle sourit.

— Tiens, dit-il en lui tendant le pistolet par la
crosse. Prends-le.

Brianna glissa l'arme dans le sac à dos posé à
ses pieds, et en sortit un ouvre-boîte ainsi qu'une

conserve de sauce tomate qu'elle avait mise de côté. Après l'avoir ouverte, elle but la sauce épicée à longs traits avant de tendre la boîte à Jack.

— Il en reste un peu.

Sans répondre, Jack porta la boîte à ses lèvres et attendit patiemment que le fond de sauce coule dans sa bouche. Puis il lécha les bords de la conserve et en nettoya le fond avec son index.

— Bon, t'en es où avec le téléphone ? s'enquit Brianna.

Jack se tut un instant, comme s'il hésitait à lui faire part des dernières avancées.

— Ça fonctionne. J'attends juste que Sam donne le signal.

Brianna lui lança un regard interloqué.

— Comment ça ?

— Le problème est simple. On dispose de trois antennes relais, une ici à Perdido Beach, une autre à côté de l'autoroute et une troisième en haut de la montagne. Il existe un programme qui vérifie que la facture est payée avant d'autoriser tel ou tel numéro. Évidemment, ce programme a été conçu en dehors de la Zone. Bref, je l'ai bidouillé pour qu'il autorise tous les numéros.

— Je peux appeler ma mère ?

Si Brianna connaissait d'avance la réponse, elle ne pouvait pas s'empêcher d'espérer. Jack lui jeta un regard perplexe.

— Bien sûr que non. Pour ça, il faudrait franchir le mur.

— Oh.

Brianna eut un pincement au cœur. Comme la plupart des enfants de la Zone, elle avait appris à vivre sans parents, sans grands-parents ni frères ni sœurs plus âgés. Cependant, de là à renoncer à l'espoir de leur reparler un jour…

C'était sa mère qui lui manquait le plus. Elle avait trop de différence d'âge avec ses sœurs cadettes pour bien s'entendre avec elles. Son père avait disparu de sa vie depuis le divorce. Sa mère s'était remariée avec un abruti qui lui avait donné des jumeaux. Brianna les aimait bien, mais du fait de leurs huit ans d'écart, ils ne partageaient pas grand-chose.

C'était son beau-père qui avait insisté pour l'envoyer en pension sous prétexte que ses notes avaient baissé. Piètre excuse : des tas de gamins avaient des problèmes en maths sans pour autant échouer à Coates. Brianna avait convaincu sa mère de la défendre auprès de lui. Cette année devait être sa dernière au pensionnat. L'année suivante, elle retrouverait les bancs de Nicolet, le collège public de Banning. Là-bas, elle était chez elle. Nicolet comptait aussi des gros durs parmi ses élèves, mais là-bas au moins, il n'y avait pas de Caine, de Benno, ou de Diana et, surtout, pas de Drake. À Nicolet, on ne lui aurait pas emprisonné les mains dans un bloc de ciment. On ne l'aurait pas laissée crever de faim.

Comme elle aurait aimé épater ses anciens amis avec son nouveau pouvoir ! Ils n'en seraient pas revenus, les pauvres. Elle aurait fait un malheur sur les terrains de sport.

— Il n'y a pas de satellites auxquels se raccorder, poursuivit Jack de son ton pédant.

Pas de doute, il était mignon. Et intéressant par-dessus le marché. Son charme venait surtout du fait qu'il associait une certaine innocence à une intelligence redoutable. Elle l'avait déjà remarqué à l'époque où Coates n'était encore qu'un triste pensionnat de seconde zone ; Jack fréquentait alors vaguement Caine et sa clique.

— Pourquoi Sam n'en a parlé à personne ? demanda-t-elle. Pourquoi il n'a pas remis en marche le réseau ?

— On ne pourrait pas empêcher ceux de Coates de s'en servir aussi, à moins de détruire l'antenne installée dans la montagne. Ou alors, il faudrait que je trouve un moyen de revoir tout le protocole d'autorisation pour bloquer une partie des numéros. Ce qui implique un gros travail de programmation puisque je devrais repartir de zéro.

— Oh…

Brianna fixa Jack avec insistance.

— Il ne faudrait pas faciliter la tâche à Caine, à Drake et à cette sorcière de Diana, pas vrai ?

Jack haussa les épaules.

— D'accord, Drake me faisait peur. Honnêtement, qui n'a pas peur de lui, hein ? Mais Caine et
Diana ne m'ont jamais rien fait.

Cette réponse ne plut guère à Brianna. Le sourire
aimable dont elle avait gratifié Jack jusqu'à présent
mourut sur ses lèvres et elle montra ses mains :
les cicatrices laissées par le bloc de ciment avaient
disparu, mais le souvenir de cet acte cruel et de la
faim atroce – sensation qu'elle avait retrouvée ces
temps-ci – était encore vivace.

— Je n'ai pas eu cette chance, moi.

— Non, admit Jack en baissant les yeux. Mais
Sam, Astrid et les autres… Ils m'ont chargé de
m'occuper du téléphone. Et je l'ai fait. Je… je l'ai
fait. Ça marche. Alors on devrait s'en servir.

Les traits de Brianna se durcirent.

— Non. Si, d'une façon ou d'une autre, ceux du
pensionnat doivent en profiter, alors non. Je n'ai
aucune envie de leur faciliter l'existence. Je veux
qu'ils souffrent par tous les moyens. J'aimerais
qu'ils meurent.

L'étonnement se peignit sur le visage de Jack. Il
n'était pas différent des autres, en fin de compte,
songea Brianna avec amertume : il ne la prenait pas
au sérieux. Bien sûr, elle devait maintenir une aura
de désinvolture et de mystère autour d'elle : après
tout, elle était la Brise, une super héroïne, elle se
devait donc d'adopter un certain style. Cependant,
elle était aussi une fille comme les autres.

— Oh, j'ai eu la dent trop dure, c'est ça? lâcha-t-elle sans prendre la peine de masquer son agacement.

— Oui, un peu, répondit Jack.

— Ah ouais? Bon, merci pour ton aide. À plus!

Et, sur ces mots, elle s'éloigna avant qu'il ait pu formuler une remarque stupide.

Duck s'éveilla, complètement désorienté. Il gisait dans le noir, sur le dos, trempé, avec pour seul vêtement son maillot de bain. Il grelottait et l'extrémité de ses doigts était tout engourdie. Il promena un regard médusé autour de lui: un rayon de soleil filtrant faiblement au-dessus de sa tête éclairait une paroi de terre.

Il s'efforça de recouvrer ses esprits. Tout lui revint en mémoire: d'abord, il avait coulé au fond de la piscine, puis il était passé à travers le carrelage. Il se rappelait avoir suffoqué, les poumons en feu. Il s'aperçut qu'il avait des égratignures sur les flancs et à l'intérieur des bras.

À présent, voilà qu'il se retrouvait coincé au fond d'un puits insondable aux parois boueuses, qu'il avait mystérieusement creusé lui-même en s'enfonçant dans la terre.

Impossible de déterminer à quelle distance de la surface il se trouvait. Néanmoins, à en juger par le point lumineux au-dessus de lui, il devait être à six ou sept mètres de profondeur. La peur lui noua le ventre. Il était enterré vivant. Il ne parviendrait jamais à escalader cette paroi pour regagner la surface.

— Au secours ! cria-t-il.

Seul l'écho lui répondit. Au bout de quelques instants, il s'aperçut qu'en réalité il n'était pas prisonnier d'un espace confiné. Il y avait de l'air qui circulait, et le sol semblait trop dur pour être de la terre. Il se redressa sur les genoux puis se leva péniblement, le sommet du crâne à quelques centimètres de la paroi. Il tendit les bras, rencontra un mur à sa gauche, le vide à sa droite.

— C'est un tunnel.

Des deux côtés, il faisait noir comme dans un four.

— Ou une caverne. Comment j'ai fait pour atterrir ici ? s'étonna-t-il, furieux, en claquant des dents de froid et de peur.

Levant la tête, il appela de nouveau à l'aide tout en sachant qu'il n'avait aucune chance d'être entendu. À moins, bien sûr, que Zil et ses autres agresseurs soient partis chercher du secours. C'était possible, non ? Ces gars-là étaient peut-être des crétins, mais ils iraient forcément demander du renfort. Ils ne pouvaient pas l'abandonner ici. Pourtant, Duck ne voyait aucun visage anxieux penché au bord du trou.

— Allez, Duck, réfléchis.

Il avait échoué dans un tunnel, ou quelque chose d'approchant, loin sous la surface. Sous ses pieds, le sol était mouillé et boueux, et cependant l'atmosphère n'était pas particulièrement humide comme dans un égout. Duck lui-même était beaucoup moins sale qu'il ne l'aurait pensé.

— J'ai traversé la paroi, j'ai failli me noyer puis j'ai tourné de l'œil. L'eau a dû s'engouffrer derrière moi et continuer sa route : c'est ce qui m'a lavé.

Il se réjouit d'avoir élaboré ce raisonnement tout seul. D'un pas mal assuré, il s'avança dans le tunnel en tendant les bras devant lui. Il était mort de peur. Jamais il n'avait connu pareil effroi, même lors de la grande bataille : ce jour-là, il s'était planqué dans un placard avec une lampe torche et des bandes dessinées.

À présent, il était coincé là-dessous, tout seul, sans Iron Man ni Batman pour le distraire. Et il se gelait. Il se surprit à sangloter et s'efforça en vain de se calmer : il avait besoin de pleurer tout son soûl sur sa mère, son père, sa grand-mère, ses oncles et tantes, et même son grand frère, aussi insupportable soit-il. Il avait besoin de pleurer sur ce monde disparu qui l'avait abandonné, seul, dans ce tombeau.

— Au secours ! Au secours ! brailla-t-il, et cette fois encore personne ne lui répondit.

Deux choix s'offraient à lui : emprunter le tunnel obscur qui s'étendait à sa gauche ou le passage tout aussi sombre à sa droite. Un souffle d'air léger, presque imperceptible, lui chatouilla le visage. Il semblait provenir de sa gauche.

Duck s'avança prudemment dans la galerie, les bras tendus, comme un aveugle. Les ténèbres étaient si épaisses qu'il ne distinguait pas sa main devant lui. Il s'aperçut bientôt qu'il progressait plus facilement en s'appuyant contre la paroi rocheuse, rugueuse et pleine d'aspérités ; il nota cependant que les creux et les bosses étaient comme érodés au toucher. Quant au sol sous ses pieds, il n'était pas aussi inégal qu'il l'avait présagé.

— Cette grotte doit bien mener quelque part.

Il trouva le son de sa voix rassurant car familier.

— Faites que ce soit un tunnel.

Un silence.

— Un tunnel, au moins, ça mène quelque part.

Il essaya tant bien que mal de se repérer dans le noir et pria pour ne pas s'aventurer trop loin vers l'ouest, car c'était la direction de l'océan. Il poursuivit sa route en étouffant un sanglot de temps à autre, sans la moindre notion du temps. Cependant, il s'aperçut bien vite que l'endroit qu'il avait quitté était accueillant en comparaison de celui où il se trouvait désormais. Au moins, là-bas, il y avait un peu de lumière. Dans ce tunnel, il n'y voyait rien.

— Je ne veux pas mourir ici, gémit-il.

Il regretta immédiatement d'avoir formulé sa pensée. La dire tout haut, c'était lui donner plus de réalité. À cet instant précis, il se cogna la tête contre quelque chose qui n'aurait pas dû se trouver là. Il poussa un juron furieux, porta la main à son front, sentit du sang sur ses doigts, et prit conscience que ses pieds s'enfonçaient dans le sol.

— Non ! glapit-il.

Brusquement, à mi-genoux, il cessa de s'enfoncer. Avec des gestes précautionneux, il dégagea ses jambes et se hissa sur la terre ferme.

— Qu'est-ce qu'il m'arrive ? se lamenta-t-il. Pourquoi...

La réponse à sa question l'assomma comme un coup de massue. Pourquoi n'y avait-il pas pensé plus tôt ?

— Bon sang, je suis un mutant !

Un mutant affligé d'un pouvoir minable. En quoi consistait-il au juste, Duck ne savait pas trop. Apparemment, il possédait le don de s'enfoncer dans le sol. Ce qui était d'autant plus ahurissant qu'il n'avait rien prémédité. Il ne s'était pas dit : « Enfonce-toi ! »

Il reprit sa marche en s'efforçant de retracer les derniers événements. Primo, les deux fois où ce phénomène s'était produit, il était furieux. D'après ce qu'il avait entendu dire, Sam n'avait découvert ses pouvoirs que lorsqu'il était sujet à la colère ou à la peur.

Pourtant, Duck mourait de peur depuis un bon bout de temps : à vrai dire, il n'avait pas cessé d'être terrifié depuis l'apparition de la Zone. Or, il avait fallu qu'il se mette en colère pour que ce pouvoir se manifeste.

— Peut-être qu'en m'énervant assez, je continuerai à m'enfoncer et j'atterrirai en Chine, chez mes ancêtres.

Il fit quelques pas de plus dans le tunnel et distingua une faible lueur au loin.

— C'est vraiment de la lumière ? s'interrogea-t-il.

Une chose était certaine, ce qu'il voyait devant lui ne brillait pas beaucoup. Il ne pouvait pas s'agir d'une lampe ni d'une étoile. Disons plutôt que les ténèbres semblaient s'atténuer. À cette distance, il était impossible de se faire une idée précise.

Duck était certain d'être l'objet d'une hallucination. Il voulait y croire, et en même temps il craignait que cette lumière ne soit que le fruit de son imagination. Il n'en continuait pas moins d'avancer, et plus il se rapprochait moins il lui semblait avoir affaire à un mirage. Il y avait bel et bien une lueur là-bas dans le tunnel, un léger miroitement, un éclat froid, ténu, inquiétant.

Il avait beau avancer, il ne discernait que de la roche. Il lui fallut scruter longtemps les ténèbres avant de s'apercevoir que la clarté diffuse émanait essentiellement du sol. Et qu'elle provenait d'un étroit passage transversal au tunnel qu'il suivait. Il pouvait toujours emprunter cette nouvelle galerie. Au moins, il y avait quelque chose au bout, la preuve qu'il n'avait pas perdu la vue. Pourtant, son instinct lui soufflait de rebrousser chemin.

— Il y a de la lumière là-bas. Ce passage mène forcément quelque part.

Bien qu'il n'ait jamais été un élève très attentif et qu'il possédât très peu de connaissances scientifiques, Duck était un grand fan des *Simpsons*, et il avait déjà vu cette lueur dans un épisode de la série. En outre, elle figurait dans bon nombre de bandes dessinées.

— Des radiations !

«C'est criminel», songea-t-il avec une indignation toute légitime. Tout le monde prétendait qu'il ne restait aucun stigmate du terrible accident survenu à la centrale treize ans plus tôt, lorsqu'une météorite s'était écrasée sur le dôme. Mais dans ce cas, d'où pouvait bien provenir cette lueur qui semblait suinter des fissures de la roche ?

Ils avaient menti. Ou alors ils n'étaient pas au courant.

— Ce n'est pas une bonne idée de continuer. Mais c'est la seule source de lumière que j'aie trouvée.

Duck versa des larmes de frustration : apparemment, il n'avait pas d'autre choix que de rebrousser chemin dans l'obscurité. C'est alors qu'un bruit retentit. Duck se figea et tendit l'oreille. Un bruissement à peine perceptible lui parvint. Un long silence lui succéda, puis le bruit se répéta. Il n'y avait pas prêté attention, trop obnubilé qu'il était par l'étrange lueur. Ce bruit, familier, n'avait – Dieu merci ! – aucun rapport avec la caverne radioactive. C'était le clapotis des vagues qu'il entendait.

Duck détestait l'océan. Mais, tout bien considéré, il détestait encore plus cet endroit. Laissant la lueur derrière lui, il reprit sa progression dans les ténèbres insondables en prenant garde à ne pas cogner son front meurtri.

6

HEURES
MINUTES

— ÉCOUTE, ALBERT, si c'est pour m'annoncer qu'on a un problème et que je ne pourrai pas le résoudre, tu peux t'abstenir, aboya Sam en se dirigeant vers l'église au pas de charge.

Albert et Astrid accélérèrent le pas pour le rattraper.

Le soleil se couchait sur l'océan. La lumière déclinante traça un long point d'exclamation rouge à la surface de l'eau. Sam distingua un petit canot à moteur au large. Il poussa un soupir : sans doute un gamin qui finirait par tomber à la flotte.

Il s'arrêta si brusquement qu'en l'imitant Albert et Astrid se cognèrent l'un à l'autre.

— Désolé, je n'avais pas l'intention de passer mes nerfs sur toi. Oui, je suis en colère, mais ça n'a rien à voir avec toi, Albert. C'est juste que je suis censé faire appliquer la loi et, désolé, mais cette histoire de vers n'arrange rien.

— Alors lâche du lest pendant quelques jours, suggéra calmement Albert.

— Lâcher du lest ? Albert, c'est toi qui affirmais, il y a quelques semaines voire quelques mois, qu'il fallait mettre tout le monde au boulot.

— Je n'ai jamais dit qu'il fallait les forcer. Je pense juste qu'il faudrait trouver un moyen de les rémunérer pour leur travail.

Sam n'était pas d'humeur à débattre. Si la perte d'un enfant était une tragédie aux yeux de toute la communauté, pour lui c'était un échec personnel. Il avait été désigné comme responsable du groupe, ce qui sous-entendait que tout ce qui tournait mal lui retombait sur le dos. E.Z. était sous sa protection, et il ne restait de lui qu'un tas de cendres.

Sam aspira une bouffée d'air frais et jeta un regard morose sur le cimetière de la place. Trois tombes étaient venues s'ajouter aux autres ces trois derniers mois, depuis que Sam avait été officiellement élu maire de la ville. En guise de sépulture, E.Z. n'aurait droit qu'à un signe commémoratif. Au train où allaient les choses, la place serait bientôt trop petite pour contenir tous les cadavres.

L'église était ouverte aux quatre vents depuis que la porte et la majeure partie du toit avaient été endommagés lors de la grande bataille de Thanksgiving. Les lourds battants en bois avaient été littéralement soufflés et seul le linteau de pierre avait échappé au désastre : l'édifice n'était plus qu'une ruine.

Caine avait bien failli détruire l'église dans son intégralité. Cependant, elle était encore aux trois quarts debout grâce à la solidité de ses matériaux. Une petite partie des gravats avaient été déblayés et abandonnés dans une rue voisine, à l'image de tant d'autres projets ambitieux, restés inachevés parce que les enfants quittaient leur travail un jour ou l'autre et refusaient d'y retourner.

Sam se dirigea droit vers l'entrée de l'église et gravit les trois petites marches qui le séparaient de ce qu'il considérait comme une scène, bien qu'Astrid lui ait expliqué à maintes reprises qu'il s'agissait d'un chœur. La grande croix, qui n'avait pas été réinstallée à son emplacement d'origine, était appuyée contre un mur. Un examen plus poussé du bois révélait des taches de sang à l'endroit où elle avait heurté l'épaule de Cookie.

Sam se retourna et considéra l'assemblée clairsemée. Il s'attendait à y trouver près de deux cent cinquante enfants, sans compter les occupants de la crèche et les personnes de garde ici et là. Or, ils étaient moins d'une centaine, dont la moitié très jeunes, et Sam comprit qu'ils avaient été abandonnés là par des frères et sœurs plus âgés en quête de baby-sitting gratuit.

Astrid et Albert prirent place sur le premier banc. Le petit Pete restait à la crèche. Maintenant que Mary bénéficiait d'une aide supplémentaire, Astrid pouvait, à l'occasion, laisser son frère là-bas pour s'accorder un bref répit. Dès lors que l'enfant s'absorbait dans son jeu vidéo, n'importe qui pouvait le garder. En revanche, si quelque chose le contrariait...

Quant à Mary Terrafino, elle s'était assise deux rangs derrière, trop humble sans doute pour s'installer dans la partie de l'église réservée aux personnages de premier plan. Sam fut frappé par sa silhouette longiligne, qui résultait probablement d'une surcharge de travail. Ou peut-être refusait-elle de se servir dans le stock de conserves que les habitants de Perdido Beach donnaient à des fins caritatives avant l'apparition de la Zone. Toujours est-il qu'elle était mince, un adjectif qui ne s'appliquait guère à Mary en temps normal. Mince comme un fil.

Affalée au dernier rang, Lana Arwen Lazar avait l'air fatiguée et un rien maussade, comme souvent, mais au moins elle était venue, contrairement à beaucoup d'autres. Sam serra les dents. Le fait qu'ils soient si nombreux à sécher la réunion le mettait en fureur : qu'est-ce qu'ils pouvaient avoir de si important à faire ?

— Tout d'abord, déclara-t-il, je suis désolé pour E.Z. C'était un bon gars. Il ne méritait pas...

Il se tut quelques instants, submergé par une émotion soudaine.

— C'est une grande perte pour nous.

Quelqu'un se mit à sangloter bruyamment.

— Bon, je ne vais pas y aller par quatre chemins : nous avons trois cent trente-deux... pardon, trois cent trente et une bouches à nourrir. On n'était déjà pas loin de la pénurie. Mais depuis l'attaque de la supérette... la situation est carrément désespérée.

Il laissa ses paroles s'imprimer dans les esprits. Cependant, que pouvaient comprendre des gamins de six à huit ans ?

— Trois cent trente et une personnes. Et de quoi tenir une semaine tout au plus. Ce n'est pas grand-chose, une semaine. Et, comme vous le savez tous, ce qui nous reste en stock est à peine mangeable.

Un concert de gémissements dégoûtés accueillit ces paroles.

— Ça suffit ! cria Sam. Comme je le disais, la situation est désespérée.

— Et les réserves dans les maisons ? lança quelqu'un.

Les rayons du couchant filtrèrent à travers la façade endommagée ; ébloui, Sam cligna des yeux et fit deux pas vers sa gauche.

— Hunter ? C'est toi ?

Hunter Lefkowitz était plus jeune que Sam d'un an. Comme la plupart des enfants, excepté ceux qui avaient pris l'initiative de se les couper eux-mêmes, il avait les cheveux longs. Avant l'apparition de la Zone, ce n'était pas un élève très populaire à l'école.

Cependant, songea Sam, les facteurs de popularité qui régentaient la cour de récré par le passé ne signifiaient plus grand-chose, désormais.

Hunter avait commencé à développer des pouvoirs. Sam avait choisi de ne pas révéler cette information : il soupçonnait Caine de dépêcher des espions à Perdido Beach. Or, il projetait d'utiliser Hunter comme une arme secrète dans le cas d'un nouvel affrontement avec la bande de Caine. Mais c'était difficile de garder un secret dans une petite ville où tout le monde se connaissait.

— Hunter, nous avons fouillé toutes les maisons et entreposé dans la supérette ce que nous avons trouvé. Le problème, c'est qu'on a laissé pourrir les fruits et les légumes pendant qu'on se gavait de chips et de gâteaux. La viande s'est gâtée. On a été bêtes et négligents, et on ne peut plus rien faire pour y remédier.

Sam ravala son amertume et sa colère face à sa propre inconséquence.

— En revanche, il y a de quoi se nourrir dans les champs. Ce n'est pas forcément ce qu'on préfère manger, mais on aurait de quoi subsister pendant plusieurs mois si on se donnait la peine de récolter les fruits et les légumes avant qu'ils pourrissent ou soient dévorés par les oiseaux.

Une voix s'éleva :

— Peut-être qu'on viendra nous sauver et qu'on n'aura plus à s'inquiéter de ces problèmes.

— Peut-être qu'on apprendra à vivre d'amour et d'eau fraîche, marmonna Astrid à mi-voix; assez fort, cependant, pour que quelques-uns l'entendent.

— Pourquoi on n'irait pas récupérer ce qui nous appartient chez Drake et son équipe de gros durs?

C'était Zil qui venait de prendre la parole. Un dénommé Antoine, qui faisait partie de sa petite bande, le gratifia d'une tape dans le dos pour le féliciter.

— Parce que ça impliquerait d'autres morts, répondit Sam de but en blanc. Hormis le fait qu'on n'est pas sûrs de récupérer quoi que ce soit, on finirait par creuser d'autres tombes sur la place. Et ça ne résoudrait pas notre problème pour autant.

— Tu n'as qu'à mettre tes mutants sur le coup. Tes mutants contre les leurs.

«Mutant.» Sam n'aimait pas beaucoup ce terme, qui était en passe de remplacer «dégénéré» dans la bouche des enfants.

— Assieds-toi, Zil. On a vingt-six personnes dans… On a décidé? «Notre armée»? C'est comme ça qu'on l'appelle? demanda Sam en se tournant vers Edilio.

Celui-ci était assis au premier rang. Il baissa la tête, l'air gêné.

— Il y en a qui l'appellent comme ça. Moi, je ne sais pas. Une milice? Ce n'est pas très important, j'imagine.

— Mary a quatorze personnes sous ses ordres, y compris les intérimaires, déclara Sam en cochant sa liste. Ellen dirige une équipe de six personnes à la caserne, qui se tiennent prêtes en cas d'urgence. Dahra gère seule l'infirmerie, Astrid est ma conseillère. Jack se charge des problèmes techniques. Albert a vingt-quatre enfants sous sa responsabilité, qui se partagent la surveillance de la supérette et la distribution des rations. Moi inclus, on arrive à un total de soixante-dix-huit personnes assignées à toutes sortes de corvées.

— Quand elles se donnent la peine de venir, lança Mary Terrafino.

Cette remarque suscita des gloussements nerveux parmi l'assistance mais Mary, elle, ne souriait pas.

— OK, admit Sam. Quand ils viennent. Le hic, c'est qu'on aura besoin de bras supplémentaires pour se charger des récoltes.

— Mais nous, on est des gosses, protesta un gamin d'une dizaine d'années.

— Ça ne vous empêchera pas de crever de faim, aboya Sam. Écoutez-moi bien : on va au-devant d'une famine qui nous tuera TOUS !

Il mit dans ce dernier mot toute la conviction dont il était capable. À cet instant, il croisa le regard réprobateur d'Astrid et poussa un profond soupir.

— Désolé. Je n'avais pas l'intention de crier. Seulement voilà, on est dans de sales draps.

Une petite fille leva la main. Sam poussa un soupir, sachant d'ores et déjà à quoi s'attendre, et lui fit signe de parler.

— Je veux ma maman.

— Comme nous tous, répliqua-t-il avec impatience. On voudrait que le monde redevienne comme avant. Mais, apparemment, on ne peut pas le changer, donc on devra composer avec ce qu'on a. Ce qui sous-entend qu'il nous faudra des volontaires pour récolter tous ces légumes, les charger dans des camions, les mettre en conserve, les cuisiner et…

Levant les yeux, il s'aperçut que tous les visages affichaient la même expression perplexe.

— Tu es dingue de vouloir nous faire ramasser des légumes !

C'était Howard Bassem qui venait de parler, nonchalamment adossé au mur du fond. Sam ne l'avait pas vu entrer. Il chercha des yeux Orc, et ne le trouva pas dans l'assistance. Pourtant, Orc n'était pas quelqu'un qui passait inaperçu.

— Tu as une autre idée ?

— Tu t'imagines qu'on n'est pas au courant pour E.Z. ?

Sam se raidit.

— Bien sûr qu'on sait tous ce qui lui est arrivé. Personne n'essaie de le cacher. Mais, jusqu'à preuve du contraire, on n'a pas trouvé de vers ailleurs que dans le champ de choux.

— Quels vers ? demanda Hunter.

Manifestement, tout le monde n'avait pas eu vent de l'histoire. À cet instant précis, Sam aurait bien tapé sur la tête d'Howard.

— J'ai jeté un coup d'œil à ces bestioles, intervint Astrid, sentant que Sam était à bout de patience.

Plutôt que de s'avancer vers l'autel, elle se leva de son banc et se tourna vers l'assemblée désormais très attentive, à l'exception de deux bambins qui s'amusaient à se bousculer.

— Les vers qui ont tué E.Z. sont des mutants. Ils ont plusieurs rangées de dents. Leur corps, d'ordinaire voué à creuser des tunnels dans la terre, est conçu pour perforer la chair.

— Mais, jusqu'à présent, on n'en a trouvé que dans les choux, répéta Sam.

— En disséquant le spécimen que m'a apporté Sam, reprit Astrid, j'ai fait une découverte très bizarre. Ces vers ont un cerveau énorme. Enfin, comparé à l'intelligence primitive d'un ver normal qui, quand on le coupe en deux, continue à se tortiller comme si de rien n'était.

Howard s'avança vers le chœur.

— Alors ces machins sont intelligents ?

— Je ne suis pas en train d'insinuer qu'ils savent lire ou résoudre des équations. Mais leur cerveau, qui se réduisait à un tas de cellules uniquement régies par un phototropisme négatif, possède désormais des hémisphères bien différenciés et des régions distinctes, vraisemblablement spécialisées.

Sam baissa la tête en réprimant un sourire. Astrid était tout à fait capable de simplifier son raisonnement. Cependant, quand quelqu'un l'agaçait – comme Howard en ce moment même – elle avait recours aux mots savants dans le but de le rabaisser.

Si Howard se figea quelques instants, sans doute décontenancé par le mot «phototropisme», il reprit bien vite contenance.

— En gros, si tu pénètres dans un champ rempli de ces trucs, tu es mort, c'est bien ça?

— Leur cerveau surdimensionné confirme l'hypothèse que ces créatures ont développé un instinct de propriété. Ma conclusion, c'est que, d'après les observations de Sam, d'Albert et d'Edilio, ces vers resteront probablement dans les limites de leur territoire. En l'occurrence, ce champ de choux.

— Ah ouais? lâcha Howard. Moi, je connais quelqu'un qui pourrait traverser ce champ sans être inquiété une seconde.

«Nous y voilà», songea Sam. Inévitablement, Howard ramenait toujours tout à Orc.

— Tu as peut-être raison: dans ce cas, il se pourrait qu'Orc soit invulnérable. Et alors?

— Et alors? répéta Howard avec un sourire narquois. Alors, Orc peut se charger de ramasser ces choux pour toi. Évidemment, il faudra lui donner quelque chose en échange.

— De la bière?

Howard hocha la tête, un peu embarrassé.

— Il y a pris goût. Moi, je déteste ça. Mais à titre de manager, j'aurai besoin d'une petite compensation, moi aussi.

Sam serra les dents. Pourtant, il fallait bien admettre qu'Howard tenait peut-être la solution à son problème. Il leur restait encore pas mal de bière à la supérette.

— Si Orc accepte de tenter le coup, je marche, déclara-t-il. Arrange-toi avec Albert.

Astrid, en revanche, n'était pas de cet avis.

— Sam, Orc est devenu alcoolique. Tu veux lui donner de la bière?

— Une canette pour une journée de travail. Orc ne risque pas de se soûler avec…

— Pas question, l'interrompit Howard. Il lui faut une caisse par jour. Soit quatre packs de six. Après tout, il fait très chaud dans les champs.

Sam jeta un coup d'œil à Astrid; elle avait une expression sévère sur le visage. Mais il se devait de nourrir ces trois cent trente et un enfants. Orc était probablement invulnérable aux vers. Et il était si robuste qu'il pourrait sans peine récolter quinze tonnes de choux en une semaine.

— Va parler à Albert après la réunion, dit-il à Howard.

Astrid se rassit, mais elle fulminait. Howard pointa crânement l'index sur Sam pour signifier son accord. Sam poussa un soupir: la réunion ne s'était pas déroulée comme prévu. Pour changer!

Il n'oubliait pas que ce n'étaient que des enfants ; il s'attendait donc aux inévitables interruptions et à l'apathie généralisée des plus jeunes. Mais le fait que les plus âgés – ceux de treize ou quatorze ans – ne se soient pas montrés le déconcertait profondément.

Pour couronner le tout, toutes ces discussions autour de la nourriture lui avaient creusé l'estomac. Il avait avalé un maigre déjeuner avant de se rendre à la réunion. La faim était omniprésente désormais. Elle occupait toutes ses pensées, alors qu'il devait se concentrer sur d'autres problèmes.

— Bon, j'ai une nouvelle règle à vous annoncer. Ça va vous paraître un peu rude, mais c'est nécessaire.

Le mot « rude » fit tourner toutes les têtes dans sa direction.

— Vous ne pouvez pas jouer à la Wii ou regarder des DVD à longueur de journée. Il va falloir se mettre au travail dans les champs. Tous les plus de sept ans devront consacrer trois jours par semaine à la récolte des fruits et des légumes. Albert va réfléchir à un moyen de congeler ce qui peut l'être et de mettre en conserve le reste.

Un silence de mort s'abattit sur l'assemblée. Des dizaines de regards incrédules étaient fixés sur Sam.

— Demain matin, deux bus scolaires vous attendront. Chacun peut transporter environ cinquante enfants. Il va falloir les remplir : nous allons ramasser des melons, et c'est beaucoup de boulot.

Mêmes regards interloqués.

— Bon, pour vous l'expliquer simplement : parlez-
en à vos frères et sœurs, vos amis, n'importe quelle
personne âgée de sept ans et plus. Demain matin à
8 heures, rendez-vous sur la place.

— Mais...

— Soyez là, conclut Sam avec moins de fermeté
qu'il l'aurait souhaité.

Sa frustration avait laissé place au découragement
et à la lassitude.

— Soyez là, répéta quelqu'un en singeant sa voix.

Sam ferma les yeux et, pendant quelques secondes,
il parut s'être endormi. Puis il les rouvrit et parvint
à esquisser un pâle sourire.

— S'il vous plaît. Venez, dit-il calmement.

Sur ces mots, il descendit les trois marches puis
sortit de l'église, sachant, en son for intérieur, qu'ils
seraient peu nombreux à répondre à l'appel.

— ARRÊTE-TOI ICI, Panda, ordonna Drake.
— Pourquoi?

Panda était au volant du 4 x 4. S'il avait pris de l'assurance, Panda restant Panda, il refusait toujours de rouler à plus de cinquante kilomètres/heure.

— Parce que je te le demande, rétorqua Drake, agacé.

Bug savait, lui, pourquoi ils faisaient halte. Il comprenait aussi d'où venait l'irritation de Drake. Ils ne pouvaient pas courir le risque d'emprunter l'autoroute pour aller à la centrale. Durant les trois mois où Caine, en proie à des hallucinations, ne cessait de crier comme un fou, la situation s'était lentement dégradée à Coates, tandis qu'à Perdido Beach la vie suivait tranquillement son cours. Si Drake avait lancé un raid sur la supérette, il n'avait pas osé entreprendre quoi que ce soit d'autre par la suite.

Bug savait. À maintes reprises, il s'était rendu à Perdido Beach. Ils souffraient peut-être de pénurie en ville, mais la situation était moins catastrophique qu'à Coates. Bug regrettait de ne pas avoir pu se remplir davantage les poches : ses pouvoirs de caméléon ne s'appliquaient malheureusement pas à ce qu'il dérobait. Au mieux, il pouvait glisser sous sa chemise un sachet de soupe déshydratée ou une des quelques barres énergétiques encore en circulation. Or, on n'en trouvait quasiment plus, ces derniers temps.

— OK, Bug. Maintenant, on marche, décréta Drake en ouvrant sa portière.

Il s'avança sur la route ; Bug se laissa glisser de son siège et lui emboîta le pas.

Son vrai nom était Tyler. Ses camarades du pensionnat présumaient que son surnom lui venait de son empressement à accepter toutes sortes de paris idiots, comme manger des insectes. Quand on le mettait au défi, il répondait toujours : « Qu'est-ce que tu me donnes en échange ? » Dans la plupart des cas, il récoltait des sucreries ou un peu d'argent de poche. Dans l'ensemble, ces petites bestioles ne lui faisaient ni chaud ni froid. Il aimait bien les regarder se tortiller avant de les faire craquer sous ses dents.

Cependant, Bug avait hérité de son surnom bien avant son arrivée à Coates, avant d'acquérir sa réputation de mangeur d'insectes. Ce sobriquet lui collait à la peau depuis qu'on l'avait surpris en train d'enregistrer une réunion entre parents et professeurs dans son ancienne école[1]. Il avait ensuite posté les conversations sur Facebook afin d'embarrasser les élèves souffrant de troubles psychologiques, de difficultés d'apprentissage, de fuites nocturnes… soit la moitié de sa classe. Bug n'avait pas été inscrit à Coates dans le seul but d'être puni. Il avait aussi été envoyé là-bas pour sa propre sécurité.

Il fit un brusque pas de côté au moment où Drake dépliait son tentacule pour l'étirer avant de l'enrouler de nouveau autour de sa taille. Bug n'aimait pas Drake. Comme tout le monde, d'ailleurs. D'un autre côté, si on le pinçait en train de traîner autour de la centrale, mieux valait que Drake soit là pour se charger de la sale besogne. Lui n'aurait plus qu'à déguerpir : la nuit, il était totalement invisible.

Ils laissèrent Panda avec l'instruction de ne pas bouger jusqu'à leur retour. Il avait garé la voiture sur une petite route tantôt asphaltée tantôt caillouteuse, comme si ceux qui l'avaient construite n'étaient pas arrivés à se mettre d'accord.

— On a trois bons kilomètres de marche avant d'atteindre la route, déclara Drake. Alors tu ferais mieux d'accélérer.

---

1. En anglais, *bug* signifie « insecte », « bestiole » mais aussi « micro ». *(N.d.T.)*

— J'ai faim, gémit Bug.

— Tout le monde a faim ! Maintenant, boucle-la.

Quittant la route, ils s'enfoncèrent dans un champ labouré. Leur progression était ralentie par les sillons, et ils trébuchaient de temps à autre. On avait planté quelque chose à cet endroit, mais Bug ignorait quoi précisément. Il se demanda s'il s'agissait d'une culture comestible : c'est dire s'il avait faim. Peut-être qu'il trouverait de quoi manger une fois à la centrale.

Ils marchaient en silence. À l'instar de Bug, Drake n'était pas du genre bavard. Les lumières de l'autoroute scintillaient dans le lointain. Même à présent, il était impossible en les voyant de ne pas se représenter des stations-service débordant d'activité, des fast-foods brillamment éclairés, des magasins bondés, des camions, des voitures. Au sud de Perdido Beach s'étendait jadis une longue succession de restaurants, un grand supermarché où on trouvait tout et n'importe quoi, un chocolatier…

Bug en était malade de s'imaginer toute cette nourriture si près, de l'autre côté du mur. S'il existait encore quelque chose au-delà.

Le chocolatier ! Bug se serait volontiers tranché l'oreille pour passer cinq minutes dans cette boutique. Il avait un faible pour leur chocolat aux noisettes. Oh, et celui fourré à la framboise ! Sans oublier leurs bouchées au caramel. Toutes ces merveilles étaient hors de portée, désormais. Il en eut l'eau à la bouche, et son estomac se mit à gargouiller.

Il était frappé par le silence qui planait sur les lieux. Tout autour, la Zone était calme, déserte. Et, si le plan de Caine fonctionnait comme prévu, elle serait bientôt plongée dans l'obscurité. Seuls quelques tronçons d'autoroute étaient illuminés, parmi lesquels le secteur proche de la ville et l'embranchement desservant la centrale. Bug et Drake se tenaient à distance des zones éclairées.

Bug jeta un coup d'œil à sa gauche, en direction de Perdido Beach, et ne releva aucun mouvement sur la chaussée. Rien à droite non plus. Il se souvint qu'un poste de garde s'élevait de l'autre côté de l'autoroute, à quelque distance de la voie d'accès à la centrale. *A priori*, ça ne poserait pas de problème.

— Tu vas devoir quitter la route pour couper à travers champs, annonça Drake.

— Hein? Pourquoi? Personne ne peut me voir.

— Parce qu'il y a peut-être des caméras infrarouges aux environs de la centrale, andouille. C'est pas sûr que tu restes invisible dans ces cas-là.

Bug était forcé d'admettre que ces caméras étaient un obstacle potentiel. Cependant, la perspective de parcourir quelques kilomètres de plus dans des herbes hautes susceptibles de dissimuler un fossé ne le réjouissait pas beaucoup. Il risquait de se perdre, auquel cas il ne serait jamais de retour à temps pour le petit déjeuner.

— OK, finit-il par répondre, bien qu'il n'eût aucune intention d'obéir.

Sans crier gare, le tentacule immonde de Drake s'enroula autour de lui. Il lui serrait si fort le cou qu'il avait peine à respirer.

— C'est important, Bug. Ne fais pas tout foirer, sinon je te massacre. Compris ?

Bug hocha la tête et Drake desserra son étreinte. Bug réprima un frisson en voyant le tentacule s'enrouler de nouveau autour de son propriétaire. Ce truc ressemblait à un serpent, et il avait horreur de ces bestioles.

Disparaître, c'était très facile. Il lui suffisait d'y penser en passant les mains devant lui comme pour lisser son tee-shirt. Constatant que Drake le cherchait des yeux sans parvenir à le localiser précisément, il conclut qu'il était tout à fait invisible et brandit le majeur en direction de la brute.

— À plus, lança-t-il en traversant la route.

Il marcha d'un bon pas jusqu'à s'être suffisamment éloigné de Drake. Un petit croissant de lune dispensait une lueur pâle, éclairant çà et là un rocher ou une touffe d'herbe. Bug, qui n'y voyait pas grand-chose, finit par foncer sur un arbre, se cogna à une branche basse et tomba sur les fesses, la bouche en sang.

Après cette mésaventure, il décida de regagner la route qui serpentait devant lui avec la mer miroitante en contrebas, offrant une vue magnifique bien qu'inquiétante. Bug n'avait jamais beaucoup aimé l'océan.

Tant pis si les caméras infrarouges le repéraient : il pourrait toujours changer de camp, à l'exemple de Jack. Auquel cas il ne donnait pas cher de sa peau si Drake arrivait à mettre la main sur lui. Il prenait toujours les menaces de Drake très au sérieux.

Bug avait été battu à maintes occasions. Son père avait la main lourde et, quand il avait trop bu, la gifle se muait en coup de poing. Néanmoins, il connaissait ses limites, et vivait dans la crainte que la mère de Bug ne lui arrache la garde de son fils. Non qu'il l'aimât beaucoup ; c'était surtout qu'il détestait son ex-femme et aurait fait n'importe quoi pour lui nuire.

Dans les pires moments, quand son père revenait d'une soirée arrosée et se disputait avec sa petite amie, Bug n'avait pas son pareil pour se cacher. Sa planque favorite, c'était le grenier, une pièce encombrée de cartons derrière lesquels il avait déniché un recoin sous l'avant-toit. Là, il s'allongeait à même la laine de verre, sous les poutres, en attendant que l'orage passe. Son père ne l'avait jamais trouvé à cet endroit.

Au terme de ce qui lui parut une éternité, il entrevit, au détour d'un virage, les lumières aveuglantes de la centrale. Un autre laps de temps interminable s'écoula avant qu'il n'atteigne le second poste de garde, blotti de l'autre côté de la route, bordé des deux côtés par un grillage surmonté de fils barbelés.

D'après les calculs de Caine, le grillage en question, que seul un élève de Coates avait approché, était électrifié. Bug n'avait pas l'intention de vérifier cette hypothèse. Il gravit la colline en longeant la clôture, et s'enfonça dans l'obscurité afin de mettre un peu de distance entre le poste de garde et lui. Après avoir trouvé un bâton, il se mit à creuser la terre sous le grillage. Ça ne prendrait pas longtemps, il n'était pas bien gros.

Cependant, il se sentait très vulnérable. Tant qu'il était occupé à creuser, il demeurait visible : les bouts de bois ne possédaient pas l'art du camouflage. La lune, qui jusqu'alors lui avait paru inexistante, semblait soudain briller telle une torche braquée sur lui. La centrale elle-même lui évoquait une énorme bête terrifiante accroupie au bord de l'eau, illuminant les ténèbres.

Bug rampa sous le grillage, se releva en époussetant ses vêtements couverts de terre et descendit la colline en direction de la centrale. Il mourait de faim. Il était d'accord pour espionner les environs et répondre à toutes les exigences de Drake mais, dans un premier temps, il se mettrait en quête de nourriture.

Sam essayait désespérément de trouver le sommeil. Ce soir-là, il occupait la chambre d'amis dans la maison qu'Astrid partageait avec John et Mary. Allongé sur le dos dans la pénombre, il contemplait le plafond.

En bas, dans la cuisine, se trouvaient une demi-douzaine de conserves. Il avait déjà eu droit à sa ration quotidienne, et il devait montrer l'exemple. Pourtant, il était affamé, et la faim se moquait bien de son sens du devoir.

Au bas de cet escalier, des vivres. Et au bout du couloir, Astrid. Elle représentait une tentation d'une tout autre nature. Mais là encore, il fallait montrer l'exemple.

«J'en ai marre d'être exemplaire», songea-t-il avec agacement.

De toute façon, Astrid ne voudrait jamais... Comment pouvait-il en être certain?

Une liste interminable de choses à faire défila dans sa tête. Il fallait organiser les récoltes. Obliger toute la population à transporter ses ordures jusqu'à un lieu déterminé: les rats envahissaient les rues une fois la nuit tombée, trottant d'un tas de détritus à l'autre. Dresser une liste complète des enfants en bas âge placés sous la responsabilité des aînés. Il avait entendu parler de gamins de cinq ou six ans qui vivaient seuls, livrés à eux-mêmes. En plus d'être déraisonnable, c'était dangereux. La semaine précédente, l'un d'eux avait jeté un sèche-cheveux dans une baignoire et privé toute la maison d'électricité. Une chance que personne n'ait été électrocuté.

Deux semaines auparavant, un garçon de sept ans habitant seul avait mis le feu à son logement. Délibérément, semblait-il. Comme pour attirer l'attention. L'incendie avait détruit trois maisons avant que quelqu'un ne se décide à prévenir la caserne. Le temps qu'Ellen conduise l'énorme camion de pompiers sur les lieux, le feu s'était presque éteint de lui-même. Le petit pyromane s'en était tiré avec d'horribles brûlures dont Lana était venue à bout, mais avant, l'enfant avait souffert le martyre pendant des heures.

Astrid dormait-elle déjà ? Était-elle, comme lui, allongée dans le noir, l'esprit tourné vers les mêmes pensées ?

Non. Elle devait lui en vouloir de s'être acheté les services d'Orc avec de la bière, juger qu'il n'avait aucune morale, qu'il perdait la tête. Elle avait peut-être raison.

Ce n'était pas ce genre de réflexion qui l'aiderait à trouver le sommeil, pas plus que la liste des choses à faire, à laquelle s'ajoutait tout ce qu'il n'avait pas le pouvoir d'accomplir.

C'était fou d'en être réduit à fantasmer sur une boîte de chili, le dernier repas correct auquel il avait eu droit ! Combien de temps s'était écoulé depuis ? Une semaine ? Il fantasmait sur du chili en conserve. Un hamburger. De la glace. Une pizza. Et sur Astrid dans son lit.

Il se demanda ce qu'on pouvait bien ressentir quand on s'enivrait. Est-ce que l'alcool lui ferait vraiment tout oublier ? Il en restait encore beaucoup dans la Zone, bien que certains gamins se soient mis à boire. Devait-il intervenir ? S'ils devaient mourir de faim, à quoi bon le leur interdire ? Il avait vu de jeunes enfants boire du rhum ou de la vodka : la brûlure et le goût horrible de l'alcool leur arrachaient une grimace, puis ils avalaient une autre gorgée.

La semaine précédente, deux gosses avaient dû être soignés pour un empoisonnement alimentaire après s'être partagé le contenu d'une poubelle. Brûlants de fièvre, ils s'étaient traînés jusqu'à l'hôpital de fortune aménagé par Dahra. Là, ils avaient vomi le paracétamol et l'eau qu'elle tentait de leur administrer. Grâce à Lana, ils s'en étaient sortis, mais on avait frôlé la catastrophe. Le pouvoir de la Guérisseuse était plus efficace sur les blessures ou les membres cassés.

Il y aurait d'autres électrocutions. D'autres incendies. D'autres empoisonnements. D'autres accidents de toutes sortes. Comme ce garçon qui avait fait une chute de deux étages ; personne ne l'avait vu tomber. C'était sa sœur qui avait retrouvé son corps. Il reposait dans le cimetière sur la place, aux côtés des victimes de la bataille.

Caine rôdait toujours dans les parages, ainsi que Drake et Chef. Sam croyait qu'il en avait fini avec eux jusqu'à ce que Drake et sa bande attaquent la supérette.

Avant, il suffisait de passer un coup de fil et, une demi-heure plus tard, un livreur vous apportait une pizza géante dégoulinante de fromage fondu. C'était d'une banalité affligeante. Désormais, Sam aurait vendu son âme pour une pizza.

Astrid était assez croyante, donc elle ne pouvait pas penser à lui au fond de son lit. Sûrement pas. Pourtant, quand ils s'embrassaient, elle ne faisait jamais mine de le repousser. Elle l'aimait, il en était certain. Et lui l'aimait en retour. Cependant, elle suscitait autre chose chez lui, un sentiment qui venait s'ajouter à l'amour qu'il lui portait, tout en étant très différent.

Et les plats chinois ! Ces petites boîtes en carton blanc, débordant de porc sauce aigre-douce, de poulet à la citronnelle et de raviolis aux crevettes. Il n'avait jamais été très friand de cuisine chinoise, mais c'était tout de même meilleur que les fayots en conserve et ces pseudo-tortillas à base de farine, d'huile et d'eau.

Quelqu'un viendrait peut-être le secouer dans son lit ce soir. Ils venaient presque toutes les nuits. « Sam, il y a un incendie. » « Sam, quelqu'un s'est blessé. » « Sam, un gosse a embouti une voiture. » « Sam, on trouvé Orc, complètement bourré, en train de casser des vitres sans raison. » Mais pas de : « Sam, la pizza est arrivée. » Ou la voix d'Astrid disant : « Sam, je suis là. »

Il se sentit sombrer. Quelques instants plus tard, Astrid entra, fit halte sur le seuil, si belle dans sa chemise de nuit en soie, et chuchota : « Tout va bien, Sam. E.Z. est vivant. » Même endormi, Sam comprit qu'il s'agissait d'un rêve.

Une heure plus tard, Taylor se matérialisa dans sa chambre.

— Sam, réveille-toi.

Cette fois, il ne rêvait pas. Souvent, Taylor ou Brianna se chargeaient d'apporter les mauvaises nouvelles. C'étaient elles le moyen de communication le plus rapide.

— Qu'est-ce qu'il y a, Taylor ?

— Tu connais Tom O'Dell ?

Ce nom n'évoquait rien à Sam. Il avait l'esprit embrumé et n'arrivait pas à se réveiller.

— Il s'est bagarré avec ses voisines, Sandy et… J'ai oublié le nom de l'autre fille. Tom est salement amoché. Sandy l'a frappé avec une boule de bowling.

Sam s'assit au bord du lit sans parvenir à ouvrir les yeux.

— Quoi ? Pourquoi elle l'a frappé ?

— Elle prétend que Tom a tué son chat et qu'il l'a fait cuire sur son barbecue dans son jardin.

Le cerveau fatigué de Sam enregistra cette dernière information.

— D'accord, d'accord, marmonna-t-il en se levant et en cherchant son jean.

Il avait depuis longtemps dépassé le stade où ça le gênait d'être vu en sous-vêtements. Taylor lui tendit son pantalon.

— Tiens.

— Retourne là-bas, dis-leur que j'arrive.

Taylor disparut et, pendant quelques instants, Sam tenta de se convaincre que ce n'était qu'un autre rêve. Que faire ? Il n'avait pas le pouvoir de ressusciter les chats morts. Pourtant, c'était son devoir d'y aller.

— Montre l'exemple, grommela-t-il en passant devant la chambre d'Astrid sur la pointe des pieds.

Méduséе, Orsay Pettijohn observait les deux garçons. C'étaient les premiers êtres humains qu'elle voyait depuis trois mois, et tous deux avaient une allure bizarre, inquiétante, monstrueuse pour l'un d'eux.

L'un était une sorte de démon avec, en guise de bras droit, un gros tentacule. L'autre… elle l'avait seulement entraperçu. Il était là et, l'instant d'après, il avait disparu.

Le garçon au tentacule avait cherché des yeux son camarade invisible. « Enfin, pas tout à fait », songea Orsay en le regardant s'avancer dans une flaque de lumière. Puis l'inconnu au bras de python poussa un soupir, jura dans sa barbe et ouvrit la portière grinçante d'une Toyota stationnée à l'écart de la route.

À l'évidence, il cherchait à ouvrir la vitre, mais la batterie du véhicule était morte. Il dégaina un

pistolet, visa la vitre du conducteur et tira. La détonation assourdissante arracha un cri à Orsay. Elle
aurait pu trahir sa présence ; or, par bonheur, la
déflagration avait couvert sa voix. Elle se blottit
dans l'obscurité et attendit. L'inconnu finirait bien
par s'endormir. Et ça recommencerait.

Orsay occupait la maison du garde forestier dans
le parc national de Stefano Rey depuis le jour où
tout le monde avait disparu. La stupéfaction des
premiers temps avait laissé place à la peur, puis
au soulagement.

Trois mois plus tôt, elle avait imploré l'aide de
son père.

— Qu'est-ce que tu veux ? avait-il demandé.

Il était en train de remplir de la paperasse. Son
travail de garde forestier incluait beaucoup de corvées de ce genre. Il ne consistait pas uniquement
à voler au secours des randonneurs égarés et à
s'assurer que les campeurs n'incendiaient pas la forêt
en allumant leurs feux de camp. Elle aurait voulu
qu'il lui prête un peu plus d'attention. Il feignait
souvent de l'écouter tout en pensant à autre chose.

— Papa, je crois que je deviens folle.

Cette déclaration lui avait valu un coup d'œil
dubitatif.

— Tu as envie de retourner chez ta mère, c'est
ça ? Je te l'ai déjà expliqué, elle n'est pas encore prête.
Elle t'aime beaucoup, mais c'est une responsabilité
trop lourde pour elle dans l'immédiat.

Même si ça partait d'un bon sentiment, il mentait. Orsay était au courant de la toxicomanie de sa mère, des cures de désintoxication auxquelles succédait une période de retour à la normalité. Dans ces moments-là, elle décidait de reprendre sa fille auprès d'elle, l'inscrivait dans une école et préparait des petits dîners en famille. Cela durait assez longtemps pour qu'Orsay reprenne espoir et pense : « Cette fois, peut-être », jusqu'à ce qu'elle retrouve le « matériel » de sa mère au fond d'un placard et celle-ci vautrée sur le canapé, inconsciente.

Elle était accro à l'héroïne. Elle avait longtemps caché son vice, notamment dans les premières années de son mariage avec le père d'Orsay, à l'époque où ils vivaient encore à Oakland. Il travaillait alors dans les bureaux du parc régional.

Cependant, la dépendance de sa mère s'était aggravée, et bientôt il était devenu impossible de la dissimuler. Une fois le divorce prononcé, elle n'avait pas réclamé la garde de sa fille. Le père d'Orsay avait décroché un emploi à Stefano Rey afin de s'éloigner le plus possible de la ville et de son ex-femme.

Dès lors, Orsay avait mené une existence très solitaire. Son instruction se limitait à une connexion vidéo quotidienne avec une lointaine école à Sunnyvale. De temps à autre, elle se liait brièvement d'amitié avec un enfant de son âge venu camper avec ses parents. S'ensuivaient deux ou trois jours agréables de nage, de pêche et de randonnée, rien de plus.

— Papa, j'essaie de te dire quelque chose. Ça n'a rien à voir avec maman. C'est moi. Quelque chose ne tourne pas rond. Il se passe des trucs très bizarres dans ma tête.

— Chérie, tu es une ado. Bien sûr que ça ne tourne pas rond. C'est le propre de l'adolescence. À cet âge, on commence à penser diff…

C'était à cet instant précis que son père avait disparu. D'abord, elle avait cru être l'objet d'une hallucination ; elle s'était dit qu'elle avait brusquement basculé dans la folie.

Seulement, Assante, Cruz et Swallow – les collègues de son père – s'étaient eux aussi volatilisés, ainsi que tout le campement. La liaison par satellite et les téléphones portables ne fonctionnaient plus.

Au cours de cette première journée, elle avait cherché en vain âme qui vive, la peur au ventre. Mais la nuit suivante, son cerveau éreinté avait enfin connu la paix pour la première fois depuis des semaines.

Les visions atroces et terrifiantes qui l'assaillaient en permanence à propos de gens et de lieux inconnus s'étaient évanouies. Elle goûtait enfin le calme : son esprit et ses rêves lui appartenaient de nouveau. Malgré sa peur, Orsay dormit ce soir-là. La réalité avait tourné au cauchemar, mais au moins c'était le sien.

Le deuxième jour, Orsay avait marché jusqu'à ce qu'elle tombe sur le mur. Là, elle avait compris que ce qui lui arrivait était bien réel. La paroi qui se dressait devant elle était infranchissable. À son contact, on se blessait. Il était impossible d'aller au nord. La seule solution, c'était de marcher vers le sud, en direction de Perdido Beach, à quelque trente kilomètres de là.

Orsay avait résisté à la tentation de s'y rendre. Si sa solitude l'écrasait, il en allait ainsi depuis longtemps. Et le fait d'avoir de nouveau les idées claires justifiait presque son isolement.

Elle avait trouvé assez de nourriture dans la réserve pour survivre et, une fois ces provisions épuisées, dans les campements alentour. Les premiers temps, elle avait cru qu'elle était la seule personne encore en vie sur cette terre. Jusqu'au jour où elle était tombée par hasard sur un groupe d'enfants qui erraient dans la forêt. Ils étaient cinq : trois garçons et une fille, tous de l'âge d'Orsay, plus un bambin de quatre ou cinq ans.

Elle les avait suivis un moment, en gardant ses distances. On les entendait de loin : contrairement à elle, ils n'avaient pas d'expérience en forêt. La nuit tombée, elle avait attendu qu'ils dorment pour se rapprocher dans l'espoir que, peut-être...

Et tout avait recommencé. Le premier rêve était celui d'un garçon nommé Edilio. Orsay vit les flashes d'une journée éreintante : un énorme bateau qui volait dans les airs avant de s'abattre sur lui; un hôtel perché en haut d'une falaise; une course-poursuite dans une marina.

Parallèlement au rêve d'Edilio s'immisçaient les visions d'un dénommé Quinn. Elles étaient tristes, lugubres, chargées d'émotion, hantées par quelques silhouettes indistinctes. Ensuite, le bambin de quatre ans avait sombré dans un sommeil profond, et ses rêves avaient dominé ceux des autres, comme si les leurs apparaissaient sur une minuscule télé, alors que les siens étaient projetés sur écran géant avec son stéréo. Des images terriblement menaçantes ou d'une beauté saisissante qui s'entremêlaient. Elles n'obéissaient à aucune logique, pourtant Orsay ne pouvait pas se soustraire à ce tourbillon de visions, de sons, d'émotions. Autant essayer de lutter contre une tornade !

Cet enfant l'avait vue. C'était le cas de bon nombre de rêveurs, bien qu'ils ne sachent rien d'elle ni de la raison de sa présence. Ils se contentaient géné-ralement de l'ignorer, la reléguant avec les autres éléments sans queue ni tête de leur rêve. Le petit Pete, quant à lui, était venu à elle et l'avait regardée droit dans les yeux.

— Fais attention, avait-il dit. Il y a un monstre.

C'était à ce moment précis qu'Orsay avait senti rôder près d'elle une présence sinistre, tel un trou noir absorbant la lumière dans le songe du petit garçon. Cette créature portait un nom. Orsay ignorait ce que signifiait ce mot et ne l'avait jamais entendu auparavant. Dans le rêve, elle s'était détournée de l'enfant pour faire face aux ténèbres et demander ce que signifiait «gaïaphage». Le petit Pete s'était contenté d'esquisser un sourire. Il avait secoué la tête à la manière d'un adulte qui gronde un enfant.

Puis elle s'était réveillée, chassée du songe comme un indésirable éconduit d'une fête.

Aujourd'hui, malgré les mois écoulés, le souvenir de ce rêve la faisait encore tressaillir. En même temps, elle en chérissait les moindres détails. Chaque nuit, elle priait pour avoir à nouveau le privilège de s'immiscer, rien qu'une fois, dans le cerveau de l'enfant endormi. Elle savourait encore les fragments qu'elle arrivait à se remémorer, et tentait en vain de retrouver la même fièvre.

Elle avait presque épuisé sa réserve de plats préparés, ces rations trop salées conditionnées dans des barquettes destinées aux campeurs ou aux militaires. Elle avait décidé qu'elle ne sortirait pas des bois tant qu'elle ne serait pas à court de vivres.

À présent, cachée dans l'obscurité, elle regardait un monstre en chair et en os – un garçon doté d'un gros tentacule en guise de bras – faire ses adieux à un autre garçon qui disparut l'instant d'après.

Elle attendit que l'inconnu s'endorme, et alors d'étranges visions lui apparurent. Drake. C'était son nom, dont l'écho résonnait dans sa tête. Drake Merwin. *Fouet*. Pendant ce qui lui parut une éternité, elle traversa des rêves dominés par la rage et la souffrance. Elle devait refouler les souvenirs d'un véritable supplice, qui affluaient sans cesse dans les cauchemars du dormeur. Elle vit aussi un autre garçon aux yeux perçants, qui faisait léviter des objets dans les airs. Et un autre encore dont les mains lançaient des flammes. Puis vint une fille, une beauté brune aux yeux sombres, et les visions haineuses redoublèrent.

Au cours des semaines qui avaient précédé les disparitions, Orsay avait été assaillie par des rêves qu'elle n'arrivait pas à chasser. Des rêves d'adultes, pour la plupart, souvent hantés par des images inquiétantes. Cependant, jamais elle n'avait pénétré un rêve tel que celui-là.

Elle se mit à trembler, à suffoquer, et s'efforça de refouler ces cauchemars atroces nés d'un esprit malade. Mais c'était justement sa malédiction : elle n'avait pas le pouvoir de contrôler ces visions. C'était comme si, ligotée à une chaise, les yeux grands ouverts, elle était forcée de regarder des scènes qui lui donnaient la nausée.

Seul l'éloignement pouvait la protéger. Les joues inondées de larmes, Orsay rampa dans le désert, sans se soucier des pierres qui lui écorchaient les mains et les genoux.

Les images s'estompèrent. Peu à peu, elle retrouva sa respiration. Elle avait commis une grosse erreur en sortant des bois, soi-disant pour trouver de la nourriture. En son for intérieur, elle savait qu'une raison plus profonde l'avait poussée à quitter le refuge des arbres. Le son d'une voix lui manquait. Encore que ce ne soit pas tout à fait la vérité non plus. En réalité, c'étaient les rêves, bons ou mauvais, qu'elle regrettait. Ils étaient devenus sa drogue. Mais pas celui-là, non, pas celui-là.

Elle s'assit par terre, ferma les yeux, et se berça doucement contre le sable. Soudain, un tentacule s'enroula autour d'elle et la serra jusqu'à lui comprimer les poumons. Elle n'eut même pas le temps de crier. Il était tout près d'elle. Elle avait dû le réveiller en s'éloignant, il l'avait retrouvée et maintenant... maintenant... Seigneur...

Il la souleva et la fit tourner face à lui. Elle aurait trouvé beau son visage si elle n'avait pas su ce qui se cachait derrière ces yeux glacials.

— Toi, chuchota-t-il en lui soufflant son haleine au visage. Tu étais dans ma tête.

Duck avait découvert pourquoi il entendait la mer – l'océan était tout près. Ou du moins c'est ce qu'il lui semblait : il faisait toujours noir comme dans un four. En revanche, une forte odeur d'iode lui chatouillait les narines. Et l'eau affluait et refluait en lui mouillant les orteils.

Il se persuada qu'il devait faire nuit, au-delà de l'entrée de la caverne, et que c'était pour cette raison qu'il n'y voyait rien. À l'évidence, il se trouvait dans une grotte marine creusée dans la terre par le ressac. Ce qui sous-entendait qu'il existait une issue. Il s'imagina débouchant sur la plage au pied du Clifftop, ou dans les parages. N'importe où, tant qu'il parvenait à se sortir de là. Il y avait forcément une issue.

— Tu répètes tout le temps «forcément» comme si tu cherchais à te convaincre.

Après un silence, il reprit:

— Non, je réfléchissais. Je ne l'ai pas dit à voix haute.

Un autre silence.

— Génial! Voilà que je m'engueule avec moi-même.

— Bah, je pense tout haut, rien de bien méchant.

— Eh ben, tu ferais mieux de te concentrer au lieu de chercher la petite bête.

— Hé, ça fait une éternité que je suis coincé ici! Je ne sais même pas l'heure qu'il est.

Duck se baissa et ses doigts rencontrèrent du sable humide. Il les porta à sa bouche: ils avaient un goût de sel. Il frissonna. Il était transi, terrifié, mort de faim et de soif. Soudain, il sentit qu'il n'était pas seul. Un bruit sec, très différent du clapotis de l'eau, s'éleva: on aurait dit un craquement de feuilles mortes.

— Ohé? cria-t-il.

Pas de réponse.

— Y a quelqu'un?

Le craquement résonna de nouveau au-dessus de sa tête, suivi d'un couinement ténu mais bien distinct.

— Vous êtes des chauves-souris, non? demanda-t-il.

— Comme si elles allaient te répondre!

— De toute façon, elles ne risquent pas de me faire bien mal! Et puis, il faut bien qu'elles sortent à un moment ou à un autre, non? Sans quoi, comment pourraient-elles s'approvisionner en… sang?

Duck se figea, s'attendant que les chauves-souris fondent sur lui. Il ne les verrait même pas arriver. Si elles s'en prenaient à lui, il se jetterait à l'eau… à moins que, fou de terreur, il ne se remette à s'enfoncer.

— C'est ça, bonne idée: enterre-toi vivant.

Les chauves-souris – si c'en était – n'ayant apparemment aucune intention de le saigner, Duck revint à la question qui l'occupait: comment se sortir de ce pétrin? En théorie, il pouvait toujours plonger et nager jusqu'à une issue quelconque. Mais, en pratique, il ne distinguait même pas sa main devant son visage. Il s'accroupit au sec dans un recoin de la caverne, à l'écart de l'eau; à cet endroit, les couinements bizarres lui semblaient plus lointains. Il serra ses bras autour de lui et frissonna. Comment avait-il atterri ici, lui qui n'avait jamais fait de mal à une mouche? Il n'était qu'un gamin comme les autres, fan de jeux vidéo, de télé, de bandes dessinées et de musique, qui n'avait jamais rêvé de s'enfoncer dans le sol. D'où sortait ce pouvoir ridicule, d'abord?

— La foreuse humaine, marmonna-t-il. Creusator. Génial...

Il avait peu de chances de fermer l'œil, et pourtant il s'endormit. Au cours de la pire nuit de son existence, Duck Zhang sombra dans un demi-sommeil agité, peuplé de cauchemars étranges, alternant des moments de somnolence et de veille qui lui donnaient l'impression de perdre l'esprit peu à peu.

À son réveil, il distingua une faible lueur au loin.

— Hé! Je peux voir!

Son premier constat fut que la caverne se trouvait sous la mer. La lumière qu'il voyait filtrait à travers une eau bleu-vert; la surface ne devait pas être bien loin, mais il lui faudrait nager sur une trentaine de mètres pour l'atteindre.

Ce qui le frappa ensuite, c'est que la grotte était beaucoup plus vaste que ce qu'il avait cru de prime abord: elle aurait facilement pu abriter cinq ou six cars scolaires.

Enfin, il aperçut les chauves-souris agglutinées au-dessus de sa tête. Elles étaient des milliers, blotties les unes contre les autres, avec des ailes membraneuses et de gros yeux jaunes braqués sur lui. Une pensée lui traversa l'esprit: les chauves-souris ne restaient pas dans les grottes la nuit; elles ne s'y nichaient que pendant la journée. En outre, ces bêtes-là n'étaient pas bleues, en temps normal.

Sans crier gare, elles fondirent sur lui en déployant leurs ailes, et bientôt Duck fut noyé sous un déluge de chauves-souris. Il plongea dans l'eau glacée et nagea de toutes ses forces vers la lumière. Même au milieu des requins et des méduses, il était toujours plus en sécurité dans l'eau. Soudain, les flots se mirent à bouillonner. Il poussa un hurlement qui libéra un torrent de bulles. Des milliers de chauves-souris s'agitaient autour de lui en le fouettant de leurs ailes qui, tout à coup, évoquaient davantage des nageoires. Il but la tasse et battit des bras, affolé. Il était déjà à court d'oxygène, et il ne voyait toujours pas d'issue. Devait-il rebrousser chemin ? Il se figea. Avait-il assez d'air pour regagner la grotte ? Et ensuite ? Il n'avait pas l'intention de passer le reste de ses jours dans une caverne.

Duck donna un coup de pied dans l'eau et se remit à nager sans trop savoir si la direction était la bonne. Enfin, il atteignit la surface ; au même moment, des milliers de chauves-souris émergèrent de l'eau et tournoyèrent au-dessus de lui avant de replonger dans les profondeurs de la mer quelques dizaines de mètres plus loin. Il ne lui restait plus qu'à regagner la terre ferme avant qu'elles ne reviennent. Le rivage n'était pas loin. « Surtout, ne t'énerve pas, s'exhorta-t-il. C'est pas le meilleur moment pour s'enfoncer. »

9

LE JOUR SE LEVAIT. Les deux bus attendaient sur la place. Assis au volant de l'un d'eux, Edilio bâillait à s'en décrocher la mâchoire. Ellen, la responsable de la caserne, avait été désignée pour conduire l'autre. Ellen était brune, menue, toujours très sérieuse : Sam ne l'avait jamais vue sourire. Si elle lui semblait très capable, il ne l'avait jamais vraiment mise à l'épreuve. En revanche, elle était bonne conductrice.

Malheureusement, ni Ellen ni Edilio n'avaient beaucoup d'enfants à transporter. Astrid était venue soutenir les troupes avec le petit Pete.

— J'ai l'impression qu'on n'aura pas besoin de deux bus, observa Sam.

— Vous pourriez vous contenter d'un minivan, renchérit Astrid.

— C'est quoi, leur problème ? Je dis qu'il nous faut une centaine de personnes et il y en a treize qui se pointent ? Allez, quinze ?

132

— Ce ne sont que des enfants.

— Oui, et bientôt ce seront des enfants affamés.

— Avant, c'étaient leurs parents et leurs profs qui les guidaient. Tu dois te montrer plus direct, du genre : « Allez, au boulot ! Maintenant ! »

Astrid réfléchit un instant avant d'ajouter :

— Ou sinon…

— Ou sinon quoi ?

— Je ne sais pas. Ce que je sais, par contre, c'est qu'il ne faut pas s'attendre que des gosses adoptent automatiquement le bon comportement. Quand j'étais petite, ma mère me donnait une médaille si j'étais sage et dans le cas contraire j'étais punie.

— Qu'est-ce que tu veux que je fasse ? Les priver de DVD ? Confisquer leur iPod ? On parle de trois cents gamins éparpillés dans soixante-dix ou quatre-vingts baraques !

— Pas facile de jouer les pères pour trois cents gosses, admit Astrid.

— Je ne suis le père de personne, aboya Sam.

Une nuit blanche, consécutive à beaucoup d'autres, l'avait mis de très mauvaise humeur.

— Je suis censé être le maire et rien de plus, grogna-t-il.

— Ils ne voient pas la différence. Il leur faut des parents. Alors ils se tournent vers toi ou Mary, voire moi, parfois.

Le petit Pete choisit ce moment pour se mettre à léviter de cinquante centimètres, les bras en croix, la pointe des pieds tournée vers le sol. Contrairement à Astrid, Sam s'en aperçut aussitôt.

— Qu'est-ce que… lança-t-il, abasourdi.

Tandis que l'enfant flottait dans l'air, son inséparable Game Boy était tombée de sa poche. À quelques pas devant lui, quelque chose se matérialisa. La chose en question, pas plus grande que l'enfant lui-même, d'un rouge vif moucheté d'or, avait un visage de poupée aux yeux vides et un corps en forme de quille.

— Nestor, dit le petit Pete d'un ton presque joyeux.

Sam reconnut l'apparition. C'était la poupée russe qui trônait sur une commode dans la chambre du petit garçon. Un jour, il avait questionné Astrid à son sujet ; elle avait répondu qu'il s'agissait d'un souvenir de Moscou envoyé par un oncle voyageur.

Bien qu'à l'origine elle soit destinée à Astrid, le petit Pete s'était immédiatement pris d'affection pour elle. Il lui avait même donné un nom : Nestor. Et comme l'enfant ne s'identifiait guère à ses jouets, Astrid l'avait laissé garder la poupée.

— Nestor, répéta-t-il, l'air troublé, indécis cette fois.

Sous le regard médusé de Sam, la matriochka changea d'apparence. Sa surface lisse, laquée, se mit à onduler. Les couleurs de sa tenue fusionnèrent pour former un nouveau motif. Son visage peint prit une expression sinistre. Des bras pareils à des

brindilles lui poussèrent ainsi que des mains grif-
fues. Puis le sourire peint de la poupée s'agrandit,
révélant des dents acérées.

Le petit Pete tendit les bras, mais la créature flot-
tante semblait insaisissable : les doigts de l'enfant
glissaient sur elle sans parvenir à la toucher.

— Pas les bras ! cria-t-il.

Les bras de la poupée s'atrophièrent avant de
disparaître dans un nuage de fumée.

— Pete, arrête ! dit Astrid entre ses dents.

— Qu'est-ce que c'est que ça ? demanda Sam.

Pour toute réponse, Astrid murmura :

— La fenêtre, Pete. La fenêtre.

Elle avait souvent recours à ces mots pour calmer
l'enfant. Parfois, il réagissait. Mais dans le cas
présent, il n'avait pas l'air effrayé ; au contraire, il
semblait fasciné. Or, c'était un spectacle étrange de
voir autant d'intérêt, de vivacité, voire d'intelligence
se peindre sur son visage d'ordinaire impassible.

La bouche de la poupée s'ouvrit comme pour
parler. Ses yeux se posèrent sur l'enfant. Ils brillaient
d'une lueur haineuse, malveillante.

— Non ! lança-t-il.

La créature ferma la bouche, qui reprit son aspect
initial, et la lueur dans ses yeux s'éteignit. Astrid
réprima un sanglot puis s'avança vers son frère et,
après s'être excusée à voix basse, elle lui donna une
grande claque sur l'épaule. L'effet fut immédiat.

La créature disparut, et l'enfant retomba lourdement dans l'herbe jaunie.

— Tu n'aurais peut-être pas dû… intervint Sam.

Nul ne savait précisément de quoi le petit Pete était capable. Sam et Astrid n'avaient qu'une certitude : l'enfant était de loin le mutant le plus puissant de la Zone.

— J'étais obligée de l'arrêter, expliqua Astrid d'un ton morne. Sinon, c'est pire. Ça commence avec l'apparition de Nestor. Puis de ses bras et de sa bouche. On dirait que cette chose essaie de prendre vie…

Elle s'agenouilla près du petit Pete et le serra contre elle.

Sam jeta un coup d'œil vers les bus. Il obtint immédiatement la réponse à la question qui venait de surgir dans son esprit – quelqu'un avait-il assisté à la scène ? – en avisant le regard médusé des enfants, le nez collé aux vitres poussiéreuses. Edilio, qui paraissait bien réveillé à présent, s'avançait vers eux d'un pas décidé. Sam jura tout bas.

— C'est déjà arrivé avant, Astrid ?

Elle le défia du regard.

— Deux fois.

— Tu aurais pu me prévenir.

— Qu'est… qu'est-ce que c'était, ce truc ? s'écria Edilio.

— Demande à Astrid.

Après avoir rendu sa Game Boy à son petit frère, celle-ci le releva avec douceur en gardant les yeux baissés pour ne pas croiser le regard accusateur de Sam.

— Je n'en sais rien, répondit-elle enfin, d'une voix où perçait le désespoir. C'est une espèce de cauchemar éveillé, je crois.

— Cette poupée… cette chose, quelle qu'elle soit, elle agressait Pete, et il a riposté. On aurait dit qu'elle essayait de s'animer contre sa volonté à lui.

— Oui, murmura Astrid.

Hormis eux deux, Edilio était le seul à connaître toute la vérité sur le petit garçon. C'était lui qui avait récupéré l'enregistrement vidéo de l'accident à la centrale, montrant comment le petit Pete, présent sur les lieux avec son père, avait créé la Zone dans un moment de panique.

Edilio posa la question qui taraudait Sam.

— Cette chose l'agressait ? Qui a le pouvoir de se mesurer à lui ?

— On n'en parle à personne, décréta Sam. Si on vous demande, répondez que c'était…

— Que c'était quoi ?

— Une illusion d'optique, intervint Astrid.

— Oui, ça va sûrement les convaincre, répliqua Edilio d'un ton sarcastique, avant d'ajouter avec un haussement d'épaules : Ils ont d'autres chats à fouetter. Quand on a faim, on ne se pose pas de questions.

Si d'autres découvraient la responsabilité du petit Pete et l'étendue de son pouvoir, il ne serait plus jamais en sécurité. Caine ferait l'impossible pour capturer sinon éliminer cet étrange petit garçon.

— Edilio, fais-les tous monter dans le même bus. Prends deux de tes gars avec toi, et allez faire du porte-à-porte. Rassemblez autant d'enfants que possible. Une fois le bus rempli, emmène-les ramasser des melons.

Edilio semblait dubitatif, pourtant il se contenta de répondre :

— À vos ordres, monsieur le maire.

— Astrid, tu viens avec moi.

Sam s'éloigna au pas de charge, Astrid et le petit Pete sur les talons.

— Oh, épargne-moi tes grands airs ! cria-t-elle dans son dos.

— J'aimerais juste que tu me préviennes quand un nouveau truc bizarre se produit ! rétorqua Sam sans faire mine de ralentir.

Comme Astrid le rattrapait par le bras, il balaya les alentours du regard pour s'assurer que personne ne les écoutait.

— Que voulais-tu que je te dise ? chuchota-t-elle avec rage. Que mon frère a des hallucinations ? Qu'il lévite ? Dans les deux cas, tu ne peux rien y faire !

Sam leva les bras en signe d'apaisement ; cependant, sa voix tremblait toujours de colère.

— J'essaie seulement de suivre ! J'ai l'impression de participer à un jeu dont les règles changent sans arrêt. À l'ordre du jour, on a des vers tueurs et des gamins de cinq ans victimes d'hallucinations. Oui, je ne peux rien y faire, mais je préfère être au courant.

Astrid allait répliquer, mais elle inspira profondément pour se calmer puis, d'un ton plus mesuré, elle déclara :

— Sam, j'ai pensé que tu avais suffisamment de soucis comme ça. Je m'inquiétais pour toi.

— Je vais bien.

— C'est faux. Tu ne dors pas. Tu n'as jamais une minute à toi. Chaque fois que la situation tourne mal, tu te comportes comme si c'était ta faute. Tu t'angoisses pour tout.

— Oui, je m'angoisse. Hier soir, un gamin a tué un chat pour le manger. Tout en me racontant ça, il n'arrêtait pas de pleurer. Il avait un chat, lui aussi. Il adore les chats. Mais il avait tellement faim…

Sam s'interrompit. Il se mordit la lèvre et refoula un accès de désespoir.

— Astrid, on est fichus. Tout le monde…

Leurs regards se croisèrent et il sentit les larmes lui monter aux yeux.

— Bientôt, ils feront bien pire que s'attaquer à des chats.

Comme Astrid gardait le silence, il reprit :

— Oui, je m'angoisse. Regarde autour de toi. Tu vois cette place ? Dans deux semaines, ce sera le Darfour si on ne trouve pas une solution. Dans trois semaines ? Je n'ose même pas y penser.

En chemin vers son bureau, il trouva deux enfants en train de se battre comme des chiffonniers. Ils étaient frères, Alton et Dalton. Manifestement, ils se querellaient depuis un bon bout de temps.

Dans des circonstances normales, Sam n'y aurait pas prêté grande attention – des disputes éclataient sans arrêt –, mais les deux garçons portaient une mitraillette en bandoulière. Sam vivait dans la crainte que l'un des soldats d'Edilio commette un acte stupide. Ces gamins de dix, onze ou douze ans armés jusqu'aux dents n'avaient rien d'un corps d'élite de l'US Army.

— Qu'est-ce qu'il y a encore ? cria-t-il.

Dalton pointa un doigt accusateur en direction de son frère.

— Il m'a piqué mes M & M's.

La simple mention de la nourriture fit gargouiller l'estomac de Sam.

— Tu as...

Il se fit violence pour ne pas demander : des sucreries ? Comment Dalton s'était-il débrouillé pour s'en procurer ?

— Réglez ça tout seuls ! lança-t-il en faisant mine de s'éloigner.

Puis, se ravisant brusquement, il s'exclama :

— Attendez une seconde ! Vous n'êtes pas censés être à la centrale ?

— Non, on était de garde hier soir, répondit Alton. On est rentrés ce matin. Et ce n'est pas moi qui ai volé ses fichus M & M's. Je ne savais même pas qu'il en avait.

— Alors qui les a pris ? rétorqua son frère. J'en mangeais deux chaque fois que j'étais de garde. Un au début, un à la fin. Je les ai comptés hier en arrivant. Il m'en restait sept. Et ce matin, quand j'ai voulu me servir, le sachet était vide.

— Ça pourrait être un des autres gamins d'astreinte, tu y as pensé ? dit Sam.

— Non. Heather et Mike étaient au poste de garde. Et Josh a roupillé tout le temps.

— Comment ça ? Josh s'est endormi ?

Les deux frères échangèrent un regard coupable, puis Dalton haussa les épaules.

— Ça lui arrive, des fois. Pas la peine d'en faire un fromage. Il se réveille en cas de pépin.

— Ce n'est pas Josh qui est censé garder un œil sur les caméras ?

— D'après lui, il ne se passe jamais rien. On n'y voit que la route, les collines et le parking.

— La plupart du temps, on est réveillés, renchérit Alton.

— Ça veut dire quoi, « la plupart du temps » ?

N'obtenant pas de réponse, Sam reprit :

— Allez, ouste ! Et je ne veux plus vous voir vous disputer. De toute façon, c'est interdit de stocker de la bouffe, Dalton. Ça te servira de leçon.

S'il mourait d'envie de leur demander où ils avaient trouvé ces bonbons, il avait conscience que ce n'était pas l'exemple à montrer. Mais s'il restait vraiment des sucreries dans la Zone... ?

Le bus d'Edilio se mit en branle. Ellen faisait partie des passagers, et Sam supposa qu'Edilio emmènerait peut-être quelques-uns de ses soldats pour l'aider à mobiliser des travailleurs. Sam se représenta la scène qui se jouerait dans chaque maison. Les pleurnicheries, les plaintes, les dérobades. Tout ça pour une récolte qui s'annonçait d'ores et déjà peu fructueuse, les gamins n'ayant aucune envie de travailler pendant des heures sous un soleil de plomb.

Il eut une brève pensée pour E.Z. Albert emmenait Orc dans le champ de choux ce matin pour vérifier les dires d'Howard, à savoir que son ami était invulnérable. Il ne restait plus qu'à prier pour que ça marche.

L'espace d'un instant, Sam craignit que les vers se soient propagés. Quand bien même, ils n'avaient pas pu envahir le champ de melons : il se trouvait à plus d'un kilomètre des choux. Or, c'était une longue distance pour un ver.

— Donne-moi de la bière ! rugit Orc.

Albert jeta à Howard une canette rouge et bleue. Après l'avoir décapsulée, Howard la tendit à Orc qui s'en empara au moment où ils s'engageaient sur le chemin terreux sillonné d'ornières.

Orc était assis à l'arrière du pick-up car il était trop massif pour entrer dans la cabine. Howard conduisait, Albert installé à côté de lui, une grosse glacière remplie de bières entre les jambes.

— Tu sais quoi ? On aurait dû se fréquenter, dans le temps, dit Howard à Albert.

— Tu ne savais même pas que j'existais, répliqua ce dernier.

— Quoi ? Allons, mon pote, on était une douzaine de Blacks à l'école et je ne t'aurais pas remarqué ?

— On a la même couleur de peau, Howard. Ça ne fait pas de nous des amis, déclara froidement Albert.

Howard se mit à rire.

— T'as toujours été du genre premier de la classe. Qui lit trop. Qui pense trop. Qui ne rigole jamais. Le petit gars de bonne famille qui fait la fierté de sa maman. Et maintenant, regarde-toi : tu es devenu quelqu'un d'important dans la Zone.

Albert l'ignora. Il n'aimait pas ressasser le passé. Encore moins avec Howard. L'ancien monde était bel et bien mort. Seul l'avenir comptait. Comme s'il lisait dans ses pensées, Howard lança :

— T'es toujours à faire de grands projets, hein ? Allez, tu sais que j'ai raison. Les affaires, y a que ça qui t'intéresse.

— Je ne suis pas différent des autres. J'essaie juste de trouver un moyen de survivre.

Howard changea d'angle d'attaque.

— Tu veux mon avis ? C'est Sam le big boss. Pas de doute là-dessus. Astrid et Edilio ? S'ils comptent, c'est juste parce qu'ils font partie de sa bande. Mais toi, mon pote, t'es un mec à part.

— C'est-à-dire ? demanda Albert d'un ton égal.

— Tu as deux douzaines de mômes sous tes ordres. Tu es chargé de l'approvisionnement. Entre nous, je suis sûr que tu planques de la bouffe quelque part.

Albert ne cilla pas.

— Si c'est le cas, comment ça se fait que j'aie aussi faim ?

Howard éclata de rire.

— Parce que t'es un petit malin, voilà pourquoi ! Moi aussi, je suis malin dans mon genre, tu sais.

Albert ne répondit pas. Il savait où menait cette conversation et il n'avait pas l'intention de faciliter la tâche à Howard.

— On fait la paire, tiens. Deux frangins dans une ville de Blancs. Toi et la bouffe. Moi et Orc.

Il montra d'un geste le monstre assis à l'arrière du pick-up.

— Le jour viendra où tu auras besoin de muscles pour réaliser tes grands projets.

Albert se tourna vers Howard avec l'intention de délivrer un message clair, sans ambiguïté.

— Howard ?

— Ouais ?

— Je ne trahirai pas Sam.

Howard rejeta la tête en arrière et rit.

— Je te charrie, mon pote ! Personne ne trahira Sam. Sam le surfeur, l'homme aux rayons laser !

Ils avaient atteint les abords du champ de choux. Howard freina et coupa le moteur.

— Donne-moi de la bière ! cria Orc.

Albert fourragea dans la glacière et tendit une canette à Howard.

— C'est la dernière avant qu'il se mette au boulot.

Howard la tendit à son tour à Orc.

— Ouvre-la, crétin ! rugit ce dernier. Tu sais bien que je peux pas la décapsuler tout seul.

— Désolé, Orc.

Howard s'exécuta. La bière pétillait comme un soda. Orc saisit maladroitement la canette de son énorme main et en vida le contenu d'un trait. Il avait les doigts trop gros pour tenir un objet délicatement. Chacun d'eux, de la taille d'un salami, était recouvert d'une espèce de gravier mouillé. Tout son corps, hormis les quelques centimètres carrés de peau de sa bouche maussade et le côté gauche de son visage, était constitué de la même substance visqueuse. Lui qui avait toujours été robuste, était désormais beaucoup plus large, et plus grand de plusieurs dizaines de centimètres. Bizarrement, la minuscule portion d'humanité qu'il avait conservée ajoutait au sentiment de malaise que suscitait son apparence. Il semblait avoir fusionné avec une statue de pierre.

— Une autre, grogna-t-il.

— Non, décréta Albert. D'abord, voyons de quoi tu es capable.

Orc se laissa tomber de la plate-forme en faisant trembler toute la camionnette, puis il s'avança vers la portière du passager et son visage hideux s'encadra dans la vitre. Albert recula en se cramponnant à la glacière.

— Je peux me servir tout seul. T'es pas de taille à m'en empêcher.

— C'est vrai, admit Albert. Mais tu as fait une promesse à Sam.

Orc prit le temps de digérer cette remarque. Il n'était pas bête au point de ne pas saisir la menace qu'elle impliquait. Et il n'avait aucune envie de se frotter à Sam.

— D'accord, je vais m'occuper de ces vers ! beugla-t-il avant de s'éloigner en titubant.

Il portait sa tenue habituelle, un short en toile mal coupé. Albert devina que c'était Howard qui l'avait cousu pour son ami, car il n'existait pas de vêtements à sa taille.

Tandis qu'Howard retenait son souffle, Orc s'avança dans le champ. Albert n'en menait pas large non plus : chaque détail atroce de la fin d'E.Z. resterait à jamais imprimé dans sa mémoire.

La réaction des vers ne se fit pas attendre. En un éclair, ils jaillirent de terre et se jetèrent sur l'intrus. Orc s'immobilisa pour observer les créatures, bouche bée. Lentement, il se tourna vers Albert et Howard.

— Ça chatouille.

— Ramasse un chou, l'encouragea Howard.

Orc se baissa, fouilla la terre de ses gros doigts et arracha un chou. Il le contempla quelques instants avant de le jeter en direction de la camionnette. Albert ouvrit la portière du véhicule, se baissa pour examiner le légume tout en gardant une distance prudente.

— Howard, donne-moi un bâton.

— Pour quoi faire ?

— Je veux vérifier qu'il n'y a rien dans ce chou.

Dans le champ, les vers attaquaient sans relâche le monstre dont la chair résistait à leurs dents. Orc ramassa trois autres choux puis rebroussa chemin en courant. Les vers renoncèrent à le suivre. Parvenus au bord du champ, ils battirent en retraite sous la terre.

— Donne-moi de la bière ! cria-t-il.

Albert obéit. Il se demanda comment Sam s'en sortait avec son équipe de travailleurs. « Pas très bien, j'imagine », marmonna-t-il pour lui-même.

La solution au manque de nourriture était très simple, en réalité : les fermes requéraient des fermiers, lesquels avaient besoin d'un salaire. Comme n'importe qui. C'était l'argent, et non le sens du devoir, qui motivait les foules. Mais Sam et Astrid étaient trop bêtes pour le comprendre.

« Non, pas bêtes », se reprit Albert. C'était en grande partie grâce à Sam qu'ils n'étaient pas tombés sous la coupe de Caine. Sam était un type génial. Et Astrid était probablement la personne la plus intelligente de la Zone. Cependant, lui aussi avait des idées. Il avait pris la peine de s'instruire, assis pendant des heures devant des livres ennuyeux dans la bibliothèque municipale poussiéreuse et mal éclairée.

— Mon pote va avoir besoin d'une autre canette très vite, dit Howard en étouffant un bâillement.

— Ton pote aura droit à une bière pour cent choux ramassés, rétorqua Albert.

Howard lui jeta un regard mauvais.

— À t'entendre, on dirait que c'est toi qui les as payées.

— Pour l'instant, ces bières sont la propriété de la communauté. Et le tarif est toujours de cent pour une canette.

Au cours des deux heures qui suivirent, Orc ramassa des choux et but de la bière pendant qu'Howard jouait sur sa console portable et qu'Albert réfléchissait.

Howard avait raison sur ce point: Albert gambergeait beaucoup depuis le jour où il était entré dans le McDonald's abandonné. Il avait acquis une grande popularité auprès de la communauté en reprenant le restaurant. Et le repas de Thanksgiving qu'il avait organisé sans la moindre fausse note avait fait de lui un petit héros. Évidemment, il n'était pas Sam; il n'y avait qu'un seul Sam. Il n'avait pas non plus l'étoffe d'un Edilio ou d'une Brianna, qui s'étaient illustrés pendant la terrible bataille qui avait opposé le camp de Caine à celui de Perdido Beach.

Soudain, Orc poussa un hurlement. Howard se redressa brusquement et sauta au bas de la camionnette. Albert se figea. Sans cesser de crier, Orc se frappa frénétiquement la joue, à l'endroit où son visage était encore humain. Howard courut à sa rencontre.

— Howard, non! s'écria Albert.

— Ils l'ont eu! Ils l'ont eu! brailla Howard, paniqué.

Orc se démena comme un beau diable, puis piqua un sprint vers la camionnette. Derrière lui, ses pieds gigantesques laissaient de profondes traces dans la terre. Un ver avait réussi à ramper jusqu'à la petite parcelle de peau de son visage. Parvenu au bord du champ, le géant trébucha et s'étala de tout son long en territoire neutre.

— Au secours ! Howard, viens m'aider ! pleur-nicha-t-il.

S'arrachant à sa stupeur, Albert courut rejoindre Orc. De près, il vit nettement le ver dont la tête noire s'enfonçait dans la joue d'Orc. Il distingua aussi ses minuscules pattes qui l'aidaient à creuser plus profondément la chair. Orc tenait l'autre extrémité de la chose à pleines mains et tirait dessus comme un dément. Mais le ver n'était pas près de lâcher prise. Orc tirait si fort qu'Albert craignit qu'il n'arrache la dernière partie de chair vivante de son visage.

Howard se précipita à son tour et se mit lui aussi à tirer sur le ver en sanglotant et en jurant, sans se soucier de voir la créature lâcher Orc pour s'en prendre à lui.

— Mords-le ! cria Albert.

— Ma langue ! gargouilla Orc, tandis que le ver s'enfonçait un peu plus profondément dans sa joue.

— Mords-le, Orc ! répéta Albert.

D'instinct, il s'agenouilla et, rassemblant toutes ses forces, il balança un uppercut dans le menton du géant. C'était comme frapper un mur de brique. Il poussa un hurlement et tomba à la renverse, certain de s'être fracturé la main.

Quant à Orc, il avait cessé de crier. Il ouvrit la bouche pour recracher la tête du ver ainsi qu'un jet de bave sanguinolente. Le corps du ver roula dans la poussière ; Orc l'écrasa d'un coup de talon. Il avait un trou de deux centimètres de diamètre dans la joue. Un filet de sang s'écoula le long de son cou avant de disparaître dans les plis de sa chair rocailleuse, comme des gouttes de pluie tombant sur un sol desséché.

— Tu m'as frappé, grommela-t-il en fixant Albert d'un air ahuri.

— Il t'a sauvé la vie, Orc, intervint Howard.

— Je crois que je me suis cassé la main, gémit Albert.

— Bière ! rugit Orc.

Howard s'empressa de satisfaire sa demande. Orc renversa la tête en arrière, broya la canette dans sa main pour l'ouvrir et engloutit le liquide jaunâtre. Une bonne moitié de la bière ressortit, avec un flot d'écume rosâtre, par le trou sanglant au milieu de sa joue.

10

— ELLE ÉTAIT DANS MA TÊTE. Je l'ai vue dans mon rêve, insista Drake.

— Tu as perdu le peu de raison qu'il te restait, répliqua Diana.

Ils se trouvaient dans le réfectoire. Il n'y avait personne à table. À Coates, les repas se limitaient désormais à quelques boîtes de conserve que tout le monde se disputait. Certains étaient allés jusqu'à manger de l'herbe bouillie pour calmer les tourments de la faim.

Dans le réfectoire en ruine s'étaient rassemblés Caine, Drake, Bug, Diana et la fille qui prétendait s'appeler Orsay. D'après Diana, elle devait être âgée d'une douzaine d'années. Elle avait remarqué une lueur étrange dans les yeux de l'étrangère. Elle y avait lu de la peur, forcément : c'était Drake qui l'avait traînée ici une fois que Bug avait accompli sa mission à la centrale. Mais ce n'était pas tout : Orsay avait dévisagé Diana comme si elle la connaissait déjà. Ce regard-là n'augurait rien de bon. Diana en avait eu la chair de poule.

— Je ne l'avais jamais vue avant, et pourtant elle était dans mon rêve !

Drake jeta un regard haineux à la fille.

— En me réveillant, je l'ai trouvée qui rôdait dans les parages.

C'était une situation étrange pour Diana de se retrouver dans la même pièce que Drake sans être le principal objet de sa haine.

— Ça va, Drake, on a compris, marmonna Caine. Avant, je t'aurais traité de dingue. Mais maintenant…

D'un geste nonchalant, il fit signe à Diana d'approcher.

— Diana, essaie de l'évaluer.

Elle s'avança vers la fille, qui leva vers elle des yeux écarquillés d'effroi.

— N'aie pas peur de moi, la rassura Diana. Je dois juste te tenir la main.

— Qu'est-ce qui se passe ? Quelqu'un peut m'expliquer ? Où sont tous les adultes ? demanda Orsay d'une voix tremblante.

— C'est la Zone, ma grande. Tu as vu ce mur qui…

— Hé, Caine t'a demandé de l'évaluer, pas de lui faire la conversation ! aboya Drake.

Diana allait répliquer, mais le regard d'Orsay, qui trahissait à la fois la terreur et la compassion pour elle, la mit mal à l'aise. À croire que cette fille savait quelque chose à son sujet. Diana avait l'impression d'avoir affaire à un médecin détenteur d'un diagnostic fatal, qui n'avait pas le courage de l'annoncer à sa patiente. Elle prit la main d'Orsay et, immédiatement, elle mesura l'étendue de son pouvoir. Il restait à déterminer si elle devait ou non révéler la vérité à Caine. Dans son monde à lui, il n'existait que deux catégories de mutants : ceux qui restaient loyaux envers lui quoi qu'il leur en coûte, et ceux dont il fallait se débarrasser.

Au moins, Orsay n'avait pas quatre barres, auquel cas il l'aurait sans doute livrée à Drake.

— Accouche ! grogna ce dernier.

Diana lâcha la main de la fille et tourna délibérément le dos à Drake.

— Elle a trois barres.

Caine se rassit avec un soupir et considéra la fille terrorisée pendant quelques instants.

— Parle-moi de ton pouvoir. Si tu me dis toute la vérité, il ne t'arrivera rien. Si tu me mens, j'en conclurai que je ne peux pas te faire confiance.

Orsay tourna les yeux vers Diana comme pour chercher son appui.

— Obéis, lâcha celle-ci.

— Tout a commencé il y a cinq mois environ. Ça se passait la nuit, le plus souvent. J'ai cru que je devenais folle. Je n'y comprenais rien. J'avais la tête pleine d'images, de conversations, de visages et de lieux. Parfois, c'étaient juste des flashes de quelques secondes. À d'autres moments, ça durait une demi-heure : les visions s'enchaînaient, poursuites, chutes, scènes de... de sexe, quoi.

Gênée, elle baissa les yeux.

— C'est bon, arrête de jouer les saintes nitouches, lança Drake.

— Comment tu as découvert que tu pouvais t'insinuer dans les rêves des gens ? s'enquit Diana.

— Une nuit, j'ai rêvé d'une femme rousse aux traits doux. Elle a débarqué le lendemain matin. C'était la première fois que je la rencontrais dans la réalité, mais je l'avais vue la veille dans le rêve de son mari. C'est là que j'ai compris.

— Alors pendant tout ce temps, tu es restée dans la forêt ? Tu as dû te sentir très seule.

Caine esquissa un sourire, usant un peu de son charme pour la mettre à l'aise.

— J'ai l'habitude.

— Tu sais garder un secret ? demanda Diana d'un ton désinvolte.

Mais elle fixa Orsay droit dans les yeux pour lui faire comprendre qu'elle courait un grand danger.

Orsay cilla et marqua une pause avant de répondre.

— Je n'ai jamais parlé à personne de ce que j'avais vu.

— C'est une question intéressante, Diana, observa Caine.

Elle haussa les épaules.

— Un bon espion sait être discret.

Devant l'air impassible de Caine, elle s'empressa d'ajouter :

— Enfin, c'est ta façon de voir, j'imagine. On a déjà Bug pour espionner mais Orsay pourrait s'introduire dans les rêves de nos ennemis.

Comme Caine restait sceptique, elle poursuivit :

— Je me demande de quoi rêve Sam, par exemple.

— Pas question, intervint Drake. Vous l'avez entendue, elle s'insinue dans les rêves du premier qui passe. Ça veut dire qu'elle peut aussi entrer dans notre tête.

— Je doute qu'elle ait envie d'aller jeter un coup d'œil dans la tienne.

Drake déplia son tentacule et, rapide comme l'éclair, l'enroula autour d'Orsay. Elle poussa un cri et se figea.

— C'est moi qui l'ai amenée ici. Elle est à moi. C'est moi qui décide de son sort.

— Et qu'est-ce que tu comptes faire d'elle ?

Drake sourit.

— Je ne sais pas trop. La faire cuire pour la bouffer ? Après tout, c'est de la viande, non ?

Diana se tourna vers Caine dans l'espoir de lire sur son visage le dégoût ou la désapprobation. Pourtant, il se contenta de hocher la tête comme s'il réfléchissait à la suggestion de Drake.

— D'abord, voyons de quoi elle est capable. Orsay, jusqu'à quelle distance tu peux entrer dans les rêves de quelqu'un ?

Orsay voulut hausser les épaules, mais Drake l'étouffait comme un python, resserrant son étreinte chaque fois qu'elle essayait de respirer.

— Une… une centaine de mètres, peut-être, bégaya-t-elle.

— C'est la moitié de la distance qui sépare la maison de Mose du pensionnat.

— J'ai dit non, dit Drake d'un ton menaçant. Cette fille était dans ma tête.

— On sait déjà que c'est tout pourri, là-dedans.

— C'est pas juste, Caine ! Tu as une dette envers moi. Tu as besoin de mes services. Me cherche pas, t'entends ?

— Me cherche pas ? répéta Caine.

Cette fois, Drake était allé trop loin. Caine se leva d'un bond en faisant voler sa chaise, et leva les bras, les paumes tendues.

— Tu tiens vraiment à me défier, Drake ? Je peux te faire passer à travers ce mur avant que tu aies le temps de lâcher cette fille.

Drake tressaillit. Il voulut répondre mais Caine ne lui en laissa pas le temps. La fureur le submergea.

— Grosse brute sans cervelle ! hurla-t-il. Tu crois que tu peux me remplacer ? Tu t'imagines que, sans moi, tu pourrais vaincre Sam et sa bande ? Tu n'as même pas été capable d'arrêter Orc !

Le sang avait quitté le visage de Drake. Ses yeux lançaient des éclairs, son bras monstrueux tremblait, incontrôlable. Il étouffait littéralement de rage.

— C'est moi le cerveau, ici ! hurla Caine. Moi ! Moi qui détiens le véritable pouvoir, le seul et l'unique, les quatre barres ! Moi ! À ton avis, pourquoi l'Ombre m'a gardé pendant trois jours, hein ? Pourquoi elle est toujours dans ma... dans ma...

La voix de Caine se brisa. Il avala péniblement sa salive et s'appuya d'une main tremblante au dossier d'une chaise. Puis, voyant le regard compatissant de Diana et une lueur de triomphe s'allumer dans les yeux de Drake, il poussa un rugissement de fou et tendit les bras en direction du garçon.

Un bruit assourdissant retentit, des pierres volèrent à travers la pièce tandis que le sol explosait en soulevant un geyser de carreaux cassés et de poussière. La colonne s'éleva, percuta le plafond déjà mal en point et retomba en une pluie de gravats au moment où Caine refermait la bouche. Pendant quelques secondes, on n'entendit que le bruit des gravats qui continuaient de pleuvoir. Caine fixait le vide, une expression indéchiffrable sur le visage. Le silence s'étira, interminable ; personne n'osait parler. Puis, comme sous l'effet d'un interrupteur, le visage de Caine s'anima de nouveau. Il esquissa un sourire.

— Cette fille peut nous être utile, Drake, dit-il calmement.

Puis, se tournant vers Orsay, il reprit :

— N'est-ce pas que tu peux nous aider ? Tu feras ce que je te dirai ? Et tu n'obéiras qu'à moi ?

Incapable de proférer un son, Orsay hocha vigoureusement la tête.

— Bien. Parce que si jamais je dois douter de toi, je te livrerai à Drake.

Caine courba le dos, épuisé, et, sans ajouter un mot, il se dirigea vers la porte.

Lana caressa la tête de Pat.

— Prêt ?

Le chien émit un faible gémissement, celui qui signifiait : «Allons-y.» Elle se leva, s'assura que ses écouteurs étaient en place, ainsi que la bande Velcro qui maintenait son iPod sur son bras. Puis elle sélectionna sa playlist spécial jogging bien que, désormais, elle ne se donnât plus vraiment la peine de courir, sans quoi la faim devenait intolérable. Maintenant, elle se contentait de marcher.

Avant la Zone, elle ne pratiquait ni le jogging ni la marche. Mais, comme tout le reste, sa vision du sport avait changé. Rien de tel qu'une errance dans le désert sans eau ni boussole, puis de longues journées de captivité en compagnie d'une meute de coyotes pour comprendre la nécessité de rester en forme.

Elle aimait démarrer en douceur, entendre le frottement à peine perceptible de ses baskets sur le sol moquetté de l'hôtel, puis leurs claquements sonores, réconfortants sur le béton. Son itinéraire débutait à l'entrée du Clifftop, une fois franchie la porte automatique qui fonctionnait encore. Elle s'étonnait d'ailleurs qu'après tout ce temps, le détecteur soit capable d'attendre patiemment son signal pour que les panneaux de verre s'ouvrent en grand sur le monde extérieur.

Du Clifftop elle marchait jusqu'à Town Beach, puis coupait à travers la ville en évitant la place, rejoignait l'autoroute et, pour boucler la boucle, regagnait l'hôtel. Si la faim la tenaillait trop, elle écourtait sa promenade.

Elle savait qu'elle n'aurait pas dû brûler inutilement des calories. Pourtant, elle ne pouvait pas renoncer à son rituel. Passer la journée au lit, c'était capituler. Or, Lana ne supportait pas cette idée, elle qui n'avait jamais rendu les armes, ni face à la douleur ni devant Chef ou l'Ombre.

«Je n'abandonne jamais», se disait-elle.

Viens à moi. J'ai besoin de toi.

En quittant l'allée menant à l'hôtel pour descendre la colline, Lana alluma son iPod et les notes d'un titre de Death Cab for Cutie emplirent ses oreilles. Mais c'étaient d'autres paroles qu'elle entendait, tel un murmure, une seconde chanson qui parasitait la première.

Elle n'avait pas fait cent mètres que deux jeunes enfants l'interpellèrent en agitant les bras pour attirer son attention. Ils avaient pourtant l'air en bonne santé. Elle leur adressa un bref signe de la main dans l'espoir qu'ils s'en tiendraient là. Mais les deux petits s'avancèrent pour lui barrer le passage. Elle s'arrêta, un peu essoufflée alors qu'elle n'avait aucune raison de l'être, et ôta ses écouteurs.

— Quoi ?

Après quelques hésitations, les gamins se lancèrent.

— Joey a une dent qui bouge.

— Et alors ? Il y en aura vite une autre pour la remplacer.

— Mais ça fait mal ! C'est ton travail, de soigner les gens.

— Mon travail ? répéta Lana. Écoutez, les enfants, le jour où vous pisserez le sang, vous pourrez venir me déranger. Je ne suis pas censée m'occuper des genoux égratignés ni des dents qui bougent.

— T'es méchante, lança l'un des deux petits.

— C'est ça, je suis méchante.

Lana remit ses écouteurs en place et s'éloigna, furieuse contre eux, et encore plus contre elle-même. Mais les enfants la sollicitaient où qu'elle aille. Ils venaient la harceler quand elle mangeait ou lisait un livre sur son balcon, et ils allaient même jusqu'à frapper à sa porte quand elle était aux toilettes.

La plupart du temps, ce n'était rien qui justifiât un miracle. Car, plus les jours passaient, plus elle en venait à considérer ses pouvoirs comme surnaturels. Personne n'avait trouvé meilleure explication.

Or, les miracles, ce n'était pas quelque chose dont on pouvait abuser. Et puis elle avait droit à un minimum d'intimité. Elle n'était pas leur esclave.

Viens à moi.

Lana se mordit la lèvre. Elle n'avait pas d'autre choix que d'ignorer cette voix, cette hallucination ou quelle que soit cette chose. Elle augmenta le volume de la musique et, avant d'atteindre la plage, bifurqua vers la ville. Peut-être qu'en empruntant les ruelles ou en variant son itinéraire, elle pourrait s'éviter d'être traquée par d'autres enfants.

Sa promenade s'achevait toujours de la même manière : devant le mur de la Zone, après avoir remonté la colline jusqu'à l'hôtel. Elle prenait garde à ne pas le toucher mais s'en approchait le plus possible tout en massant son inévitable point de côté, hors d'haleine et ruisselante de sueur.

Elle éprouvait le besoin de voir l'enceinte de près tous les jours. C'était une espèce de pèlerinage, destiné à lui rappeler qu'elle n'était plus la même personne. Qu'elle était piégée par ce mur dans cette nouvelle existence.

Viens à moi. J'ai besoin de toi.

— Tu n'existes pas ! cria Lana.

Mais elle ne pouvait pas nier la réalité. Elle connaissait cette voix. Et elle savait qu'elle ne pourrait pas la chasser de son esprit. Le seul moyen de s'en débarrasser était de la réduire au silence une fois pour toutes. Elle avait le choix entre devenir sa victime ou lui imposer sa loi.

Sautant un slow, elle sélectionna un titre endiablé susceptible de bannir ses pensées folles et suicidaires, pressa le pas puis se mit à courir, forçant Pat à accélérer pour se maintenir à son niveau. Elle n'allait pas assez vite, cependant, pour distancer la camionnette qui se rapprochait dangereusement en klaxonnant. Cette fois encore, elle ôta ses écouteurs et lança :

— Quoi ?

Mais en l'occurrence, il ne s'agissait pas d'une dent branlante ou d'un genou égratigné. La camionnette freina. Howard et Albert en descendirent. Howard aida Orc à sauter de la plate-forme. La créature s'avança vers Lana en titubant comme un ivrogne. « Si ça se trouve, il est soûl, d'ailleurs », songea-t-elle. Mais peut-être avait-il toutes les raisons de l'être.

Un trou sanguinolent défigurait sa joue – un des rares vestiges de son humanité – et du sang séché maculait son visage.

— Qu'est-ce qui s'est passé ? demanda Lana.

— Les vers l'ont eu, répondit Howard, qui oscillait entre la panique et le soulagement d'avoir enfin trouvé la Guérisseuse.

Il tenait Orc par le coude comme si ce dernier avait besoin de s'appuyer sur sa frêle carcasse pour rester debout.

— Est-ce que le ver est toujours dedans ? s'enquit Lana d'un air soupçonneux.

— Non, on s'en est débarrassés, la rassura Albert. On espérait que tu pourrais l'aider.

— Je ne veux plus que du gravier me pousse sur la figure, gémit Orc.

Lana comprenait parfaitement. Orc était une brute ordinaire, dépourvue du moindre pouvoir, jusqu'à ce qu'il tombe sur les coyotes dans le désert. Ils l'avaient mordu jusqu'au sang. Il avait connu un sort bien pire que celui de Lana. Une couche de gravier avait recouvert chacune de ses morsures, formant une armure presque indestructible. Tout ce qu'il restait de l'Orc de jadis, c'était ce bout de peau incluant sa bouche et une partie de son cou, et il ne voulait pas perdre cette dernière parcelle d'humanité.

— Il va falloir cesser de remuer, Orc, dit Lana. Je n'ai pas envie que tu t'affaisses sur moi. Assieds-toi par terre.

Orc obéit un peu trop précipitamment et s'affala de tout son poids. Il laissa échapper un gémissement. Lana posa la main sur sa blessure répugnante.

— Je veux plus de gravier sur la figure, répéta-t-il.

Le sang cessa presque instantanément de couler.

— Ça fait mal ? s'enquit Lana. Je parle du gravier, pas de ta blessure. Ça, je sais que c'est douloureux.

— Non, répondit Orc en se frappant le biceps du poing avec une violence qui aurait brisé n'importe quel bras normal. Je le sens à peine. Même le fouet de Drake, quand on s'est battus, je le sentais pas.

Soudain, il éclata en sanglots. De grosses larmes roulèrent sur ses joues.

— Je sens rien nulle part sauf…

De son énorme doigt, il indiqua sa joue blessée.

— Oui, dit Lana, dont la colère s'était envolée.

Son fardeau à elle était probablement plus léger que celui d'Orc. Elle ôta sa main pour examiner les progrès de son patient. Le trou s'était réduit et ne saignait presque plus. Elle remit sa main en place.

— Encore une ou deux minutes, Orc.

— Mon nom, c'est Charles.

— Ah bon ?

— Eh oui, intervint Howard.

— Qu'est-ce que vous fichiez dans ce champ rempli de vers ?

Howard jeta un regard haineux à Albert, lequel répondit :

— Orc était en train de ramasser des choux.

— Moi, c'est Charles Merriman, répéta Orc. De temps en temps, j'aimerais bien qu'on m'appelle par mon vrai nom.

Lana et Howard échangèrent un regard.

« Tiens, voilà qu'il veut récupérer son ancienne identité », songea-t-elle. La brute épaisse qui s'était choisi le sobriquet d'un monstre, une fois devenue monstre dans les faits, voulait qu'on l'appelle Charles.

— Ça va beaucoup mieux, annonça-t-elle.

— C'est toujours de la peau ? demanda Orc.

— Oui, le rassura Lana. C'est toujours humain.

Elle prit Albert par le bras pour l'entraîner à l'écart.

— Qu'est-ce qui t'a pris de l'envoyer dans ce champ ?

Albert la dévisagea, étonné qu'elle s'en prenne à lui. Pendant un bref instant, elle crut qu'il allait l'envoyer balader. Mais il sembla se raviser, et finit par souffler :

— J'essaie juste d'aider, moi.

— En le payant avec de la bière ?

— Je lui ai donné ce qu'il voulait, avec l'accord de Sam. Tu étais à la réunion, toi aussi. À ton avis, comment on persuade quelqu'un comme Orc de trimer pendant des heures sous un soleil de plomb ? Astrid s'imagine qu'il suffit de demander pour que les enfants se mettent au boulot. C'est peut-être valable pour certains d'entre eux... mais Orc ?

Lana reconnut qu'il avait raison.

— Je n'aurais pas dû m'emporter contre toi.

— C'est pas grave. Je commence à m'habituer. Du jour au lendemain, je suis devenu le méchant de service. Mais c'est comme ça, je n'y peux rien : si on veut que les enfants travaillent, il va falloir leur donner quelque chose en échange.

— S'ils ne travaillent pas, on mourra tous de faim.

— Oui, je suis au courant, répliqua Albert d'un ton sarcastique. Seulement, voilà : ils savent qu'ils sont tranquilles tant qu'il reste de quoi manger et ils pensent qu'il y aura forcément quelqu'un pour ramasser les choux et les artichauts à leur place.

Lana avait envie de terminer son jogging, elle avait besoin de courir jusqu'au mur. Cependant, quelque chose en Albert la fascinait.

— Admettons. Et comment tu t'y prendrais, toi, pour les mettre au boulot ?

Il haussa les épaules.

— Je les paierais.

— Avec de l'argent ?

— Oui. Sauf qu'il n'y en a plus. Il était dans des portefeuilles qui ont disparu avec leurs propriétaires ! Ce qui restait dans les caisses, quelques gosses l'ont volé. Bref, revenir à l'ancien système monétaire ne servirait qu'à enrichir une poignée de voleurs. C'est un problème.

— Pourquoi un gamin irait travailler pour de l'argent s'il sait qu'on partagera la nourriture dans tous les cas ?

— Parce qu'on leur assignera des tâches différentes. Certains d'entre eux n'ont pas de compétences particulières, d'accord ? Ceux-là ramasseront les fruits et légumes contre une rémunération. Puis, avec cet argent, ils paieront quelqu'un pour les cuisiner. Ce quelqu'un aura peut-être besoin d'une paire de baskets ; il ira voir un gamin qui a rassemblé toutes les chaussures dans le coin et monté son propre commerce.

Pour la première fois depuis longtemps, Lana se surprit à rire.

— C'est ça, rigole, marmonna Albert en se détournant.

— Non, je ne me moque pas de toi ! C'est juste que… tu es le seul ici à faire des projets.

Albert parut gêné.

— Sam et Astrid se démènent pas mal de leur côté.

— Oui, mais toi, tu vois plus loin. Tu réfléchis au moyen de tout mettre en place.

Albert hocha la tête.

— Faut croire que oui.

— C'est bien, conclut Lana. Faut que j'y aille. Orc est tiré d'affaire. Enfin, pour le moment.

— Merci, dit Albert.

Il semblait sincèrement reconnaissant.

— Hé, laisse-moi voir ça.

Perplexe, Albert baissa les yeux sur sa main pâle et enflée à cause du coup de poing qu'il avait donné à Orc.

— Ah oui ! Merci encore, ajouta-t-il une fois que Lana eut fini de la manipuler.

Celle-ci remit ses écouteurs et s'éloigna. Après quelques foulées, elle s'arrêta soudain et revint sur ses pas.

— Hé, Albert ! Pour cette histoire d'argent…

— Oui?

Elle hésita, consciente à ce moment précis qu'elle risquait de provoquer une réaction en chaîne. Elle savait que c'était de la folie furieuse. C'était comme si le destin s'invitait sous les traits d'Albert pour lui montrer le moyen d'atteindre l'objectif qui venait de prendre forme dans son esprit.

— L'or, ça marcherait?

Albert la fixa, les yeux brillants.

— On devrait peut-être se revoir pour en discuter.

— D'accord.

— Passe au club ce soir.

— Au quoi?

Albert sourit. Il sortit de sa poche une feuille de papier et la tendit à Lana. Elle y jeta un coup d'œil, leva la tête vers lui et éclata de rire avant de la lui rendre.

— J'y serai.

Elle reprit sa course, mais ses pensées étaient ailleurs. Si Albert avait des projets d'avenir, dorénavant il ne serait plus le seul. C'était l'unique solution : trouver un plan. Agir. Ne pas se contenter de subir.

Viens à moi.

« Peut-être que je viendrai, songea Lana. Et peut-être que ça ne te fera pas plaisir, en fin de compte. »

—MARY VEUT DEUX PERSONNES de plus, annonça
Astrid.

— OK. Approuvé.

— D'après Dahra, on va bientôt manquer d'antalgiques pour bébés. Elle voudrait ton accord pour
leur donner des comprimés pour adultes en divisant
la dose par deux.

Sam se balança sur son fauteuil en cuir conçu
pour quelqu'un de beaucoup plus grand que lui.

— OK. Si elle le dit. Approuvé.

Il but une gorgée d'eau dans une bouteille en
plastique. Les vestiges du dîner – une soupe de pois
cassés infâme au goût de brûlé et un quart de chou
bouilli pour chacun d'eux – avaient été abandonnés
sur le meuble où trônaient jadis les photos de famille
encadrées du maire. C'était l'un des meilleurs repas
auxquels Sam ait eu droit récemment. À sa surprise,
le chou frais avait bon goût. Il ne restait quasiment

rien dans les assiettes : l'époque où l'on se permettait de chipoter était bel et bien révolue.

Astrid soupira.

— Les enfants demandent pourquoi Lana n'est pas là quand on a besoin d'elle.

— J'ai promis de ne l'appeler que pour les cas sérieux. Je ne peux pas exiger sa présence vingt-quatre heures sur vingt-quatre pour soigner le moindre bobo.

Astrid jeta un coup d'œil sur la liste qu'elle avait dressée sur son ordinateur portable.

— En l'occurrence, je crois qu'il était question d'un orteil foulé.

— La liste est encore longue ?

— Il reste trois cent cinq points.

Comme Sam blêmissait, elle reprit :

— En fait, il n'y en a que trente-deux. Soulagé, hein ?

— C'est dingue !

— Problème suivant : les Judson et les McHanrahan se partagent la garde d'un chien que les deux familles nourrissent – il leur reste encore un sac de croquettes – mais les Judson l'appellent Trésor et les McHanrahan Chouchou.

— Tu plaisantes !

— Pas du tout.

— C'est quoi, ce bruit ?

Astrid haussa les épaules.

— Quelqu'un qui pousse le volume de sa chaîne à fond, on dirait.

— Ça ne peut plus continuer, Astrid.

— Quoi, la musique ?

— Non, toute cette comédie. Chaque jour, j'ai une centaine de problèmes débiles à régler. À croire que c'est moi, le père de tout ce petit monde, maintenant. Je suis là à les écouter se plaindre que leur grande sœur les oblige à prendre leur bain. Je dois m'interposer dans leurs disputes pour décider à qui appartient le costume de Zorro… et maintenant un nom de chien ?

— Ce sont encore des enfants, Sam.

— Certains d'entre eux développent des pouvoirs qui m'inquiètent. Et ils n'arrivent pas à se mettre d'accord sur *La Petite Sirène* ou *Shrek 3* ?

— Eh non ! Ils ont besoin d'un parent pour les guider. Et ce parent, c'est toi.

D'ordinaire, Sam accueillait sa dose d'aberrations quotidiennes avec magnanimité ou, tout au moins, un humour ronchon. Mais, aujourd'hui, il n'en pouvait plus. La veille, il avait perdu E.Z. Le matin même, presque personne ne s'était présenté pour aller travailler dans les champs. Edilio avait été contraint de traquer des enfants pendant deux heures. Ils étaient rentrés avec une quantité dérisoire de melons qui parviendraient à peine à nourrir la crèche. Pour couronner le tout, Duck Zhang avait débarqué avec une histoire à dormir debout au sujet d'un tunnel radioactif peuplé de chauves-souris amphibies.

Le seul qui se soit révélé efficace, c'était Orc. Il avait réussi à ramasser plusieurs centaines de choux avant que les vers ne s'attaquent à lui.

— C'est quoi, cette musique ? cria Sam.

Décidément, il avait besoin de passer sa colère sur quelqu'un. Il courut à la fenêtre, l'ouvrit et soudain, le volume sonore, ponctué de basses vibrantes, devint intolérable.

Sur la place plongée dans le noir, la seule lumière émanait de quelques lampadaires et d'un stroboscope clignotant derrière la vitrine du McDonald's.

— Qu'est-ce qui...

Astrid vint le rejoindre.

— Albert donne une fête, ce soir ?

Sam sortit de la pièce sans un mot, agacé, furieux et secrètement soulagé d'avoir trouvé une excuse pour échapper à ces problèmes idiots.

Il descendit les marches quatre à quatre, franchit la grande porte, ignora le salut du gamin qu'Edilio avait posté à l'entrée de la mairie et dévala l'escalier de marbre qui donnait sur la place. Il tomba sur Quinn qui, manifestement, se dirigeait vers le McDonald's.

— Salut, frangin ! lança-t-il.

— Qu'est-ce que c'est, t'es au courant ? demanda Sam.

— Un night-club, répondit Quinn en souriant. Tu travailles trop dur, mon pote. Tout le monde est d'accord là-dessus.

Sam dévisagea son ami sans comprendre.

— Un quoi?

— Le McClub, frangin. Tout ce qu'il te faut pour entrer, c'est des piles ou du papier toilette.

Cette explication laissa Sam sans voix. Il s'apprêtait à demander des éclaircissements à Quinn quand Albert apparut, habillé comme pour un mariage. Il portait une veste de costume noire, un pantalon plus clair et une chemise bleu pâle soigneusement repassée. En voyant Sam, il s'avança vers lui, la main tendue.

Ignorant son geste, celui-ci s'écria:

— Albert, qu'est-ce qui se passe ici?

— Rien. On danse.

— Pardon?

Quinn les rattrapa et s'interposa pour serrer la main toujours tendue d'Albert.

— Salut, mon pote. J'ai des piles.

— C'est cool de te voir, Quinn. Le tarif, c'est quatre grosses piles, huit standard ou douze petites. Si tu as un mélange des trois, on peut s'arranger.

Quinn fouilla sa poche et en sortit des piles de tailles différentes qu'il tendit à Albert. Après avoir convenu d'un prix, il les jeta dans un sac en plastique à ses pieds.

— Bon, la règle est la suivante : pas de nourriture, pas d'alcool et pas de bagarre. Quand je dis que c'est l'heure, on ne discute pas. D'accord ?

La main sur le cœur comme s'il prêtait allégeance au drapeau, Quinn répondit : « D'accord » puis, montrant Sam, il ajouta :

— T'occupe pas de Sam, il ne danse pas.

— Bonne soirée, Quinn, dit Albert en ouvrant la porte.

Ébahi, Sam regarda son ami s'éloigner. Il oscillait entre le fou rire et l'indignation.

— Qui t'a donné l'autorisation ?

Albert haussa les épaules.

— Personne. Quand j'ai ouvert le McDo, je n'ai pas demandé la permission non plus.

— D'accord mais c'était gratuit. Là, tu fais payer. Ce n'est pas bien, Albert.

— Tu essaies de faire du profit ? intervint Astrid, qui avait suivi Sam avec le petit Pete.

À l'intérieur, une chanson que Sam adorait venait de succéder à un morceau de hip-hop : *Into Action*, un titre ridiculement accrocheur de Tim Armstrong. S'il était capable de danser, c'était peut-être sur cet air-là.

— Oui, répondit Albert. Je fais du profit. J'utilise les piles et le papier toilette comme monnaie d'échange. Un jour ou l'autre, ça finira par manquer.

— Tu es en train de faire main basse sur tout le papier toilette de la ville ? se récria Astrid. C'est une blague !

— Non, Astrid, c'est très sérieux. Écoute, les enfants s'amusent avec. J'ai vu deux gosses balancer des rouleaux dans leur jardin comme s'il s'agissait de serpentins.

— Et ta solution, c'est de tout confisquer ?

— Tu préfères qu'ils le gâchent ?

— Franchement, oui, rétorqua Astrid. Tu te comportes comme un salaud.

Albert ouvrit de grands yeux.

— Maintenant, ils savent qu'ils peuvent payer leur entrée en boîte avec. Crois-moi, Astrid, ils ne vont plus le jeter par les fenêtres.

— Tu penses, ils le garderont pour toi ! Et qu'est-ce qui se passe quand ils en ont besoin ?

— Ils l'économiseront maintenant que, grâce à moi, ils en ont compris la valeur. C'est pour leur bien.

— Pour ton bien à toi, oui. Tu profites de leur crédulité. Sam, il faut que tu mettes un terme à tout ça.

Sam, accaparé par la musique, n'écoutait plus la conversation. Une fois revenu de sa surprise, il déclara :

— Elle a raison, Albert. Tu n'as pas obtenu de permission…

— L'idée de la demander ne m'a pas effleuré une seconde. Je leur donne ce qu'ils veulent. Je ne menace personne. Je leur dis simplement que, s'ils veulent danser, ils devront payer.

— Je respecte ton ambition. Mais tu vas devoir fermer. Tu ne nous as même pas demandé notre avis.

— Sam, j'ai beaucoup de respect pour toi. Et, Astrid, je sais que tu es bien plus maligne que moi. Mais je ne vois pas comment vous pourrez m'obliger à fermer.

Pour Sam, Albert dépassait les bornes.

— Bon, j'ai essayé d'être sympa, mais c'est moi le maire ici. J'ai été élu, comme tu t'en souviens sans doute puisque tu as voté pour moi.

— C'est vrai. Et je recommencerais. Mais sur ce coup-là, vous avez tort. Ce club, c'est tout ce qu'ils ont pour se rassembler et passer un bon moment. Ils restent enfermés chez eux, le ventre vide, à ressasser des idées noires. Quand ils dansent, ils oublient leur faim et leurs soucis. Mon idée part d'une bonne intention.

Sam jeta à Albert le genre de regard que les enfants de Perdido Beach prenaient au sérieux. Il ne céda pas pour autant.

— Sam, combien de melons Edilio a-t-il réussi à ramasser avec l'équipe qu'il a forcée à travailler?

— Pas beaucoup, admit Sam.

— Orc a rempli une remorque entière de choux avant que les vers trouvent son point faible. Tu sais pourquoi? Parce qu'on l'a rémunéré pour ce travail.

— Non, c'est juste parce que c'est un alcoolique et que tu l'as payé en bières, aboya Astrid. Je vois clair dans ton jeu, Albert. Tu cherches à te tailler la part du lion, à devenir le caïd du coin. Mais on assiste à la naissance d'un nouveau monde. Et on a une chance de le rendre meilleur. On n'est pas obligés de se marcher dessus. La notion d'égalité, ça te dit quelque chose?

Albert éclata de rire.

— Tous égaux devant la faim, oui! D'ici une à deux semaines, ce sera la famine!

Un groupe d'enfants sur le départ poussa la porte. Sam les reconnut aussitôt: désormais, il connaissait tous les habitants de la ville de vue, sinon par leur nom. Ils riaient à gorge déployée et semblaient heureux.

— Salut, Big Sam, dit l'un deux.

— Tu devrais y aller, suggéra un autre. C'est super.

Sam se contenta de hocher la tête.

Sa décision ne pouvait pas être reportée. Il fallait dès maintenant fermer le club ou laisser faire. Repousser la fermeture, c'était donner l'avantage à Albert et risquer une autre dispute ridicule avec Astrid, qui se sentirait ignorée. Pour la énième fois, Sam regretta d'avoir accepté le rôle de leader. Il jeta un coup d'œil à la montre d'Albert: il était presque 21 heures.

— Tu fermes à 22 h 30. Ils ont besoin de sommeil.

À l'intérieur du club, Quinn se relaxait au son de la musique. C'était du ska punk, apparemment. Peut-être qu'il y aurait du hip-hop et des vieux tubes par la suite.

Il fallait bien lui concéder ça : Albert avait fait du McDo un night-club tout à fait acceptable. La salle, débarrassée de ses néons, n'était éclairée que par les panneaux sur lesquels étaient affichés les menus. Albert les avait recouverts de crépon rose, et ils dispensaient une lumière tamisée ; juste de quoi illuminer le blanc des yeux des enfants et leurs dents quand ils souriaient.

Hunter – quel âge avait-il, douze ans ? – était derrière les platines. Sans être professionnel, il se défendait pas mal. « Un type cool, ce Hunter », songea Quinn même si, d'après la rumeur, il développait des pouvoirs inquiétants. Allait-il rester le même ou deviendrait-il aussi arrogant que certains mutants ? Comme cette Brianna qui se faisait appeler « la Brise » et qui se prenait pour une super héroïne tout droit sortie d'une bande dessinée. La Brise. Et dire qu'avant il l'aimait bien.

Justement, elle était là, en train de se démener comme une folle sur la piste. On aurait dit qu'elle allait s'envoler. Elle se vantait d'avoir battu de vitesse une balle de pistolet.

À l'autre bout de la salle, le gamin bizarre prénommé Duck racontait une histoire insensée à propos de chauves-souris amphibies et d'une cité souterraine.

Dekka était là, elle aussi. Assise seule dans son coin, elle hochait la tête en rythme, le regard braqué sur Brianna. On ne savait pas grand-chose à son sujet. Elle comptait parmi les anciens pensionnaires de Coates sauvés de la torture cruelle imaginée par Caine et Drake, qui consistait à emprisonner les mains de leurs victimes dans un bloc de ciment. Il flottait autour de cette fille une aura particulière ; elle dégageait une impression de force et de danger. Il y avait sans doute quelque chose là-dessous, de l'avis de Quinn. Un passé trouble, comme chez presque tous les élèves du pensionnat. Coates était réputé pour être un établissement destiné aux enfants riches à problèmes. S'ils n'étaient pas tous pleins aux as ou délinquants, la majorité d'entre eux avaient de sérieuses difficultés.

Le regard de Quinn se posa sur deux enfants d'une dizaine d'années, un garçon et une fille, qui dansaient ensemble. À leur âge, il ne dansait jamais avec les filles. Et pas davantage aujourd'hui, d'ailleurs. Néanmoins, les choses étaient différentes, désormais. Dans la Zone, dix ans, c'était l'équivalent de la quarantaine. Lui-même était un vieux alors qu'il n'avait pas quinze ans.

Son anniversaire approchait. Que ferait-il ? Allait-il rester ou tirer sa révérence ?

Dans la plupart des cas, depuis que Sam avait survécu, ceux qui avaient atteint l'âge fatidique n'avaient pas disparu. Sam leur avait expliqué la marche à suivre.

Jack le Crack, qui était passé de leur côté après avoir quitté le camp de Caine, avait réussi à filmer un garçon de Coates au moment crucial. En arrivant à Perdido Beach, Jack avait raconté l'histoire de l'enregistrement vidéo et révélé qu'à l'instant fatal le monde s'arrêtait puis quelqu'un venait vous tenter, vous encourager à faire le grand saut.

Or, ce quelqu'un était un imposteur et un menteur. Quinn se l'imaginait sous les traits d'un démon. Il heurta une épaule en passant et se tourna pour s'excuser.

— Salut, Quinn! cria Lana par-dessus la musique.

Quinn en fut presque réduit à lire sur ses lèvres. La Guérisseuse lui adressait la parole!

— Oh salut, Lana. C'est cool, hein?

Il montra la salle d'un geste maladroit. Lana hocha la tête. Elle semblait un peu triste et seule, ce qu'il ne parvint pas à s'expliquer. Après tout, Lana arrivait en deuxième place après Sam en termes de prestige, à la différence près qu'une poignée de gens haïssaient Sam, alors que personne ne détestait Lana. Quand Sam distribuait les ordres – ramasser les ordures, prendre soin des tout-petits à la crèche, abattre quelqu'un avec une mitraillette –, Lana, elle, se contentait de guérir.

— Oui, c'est plutôt sympa, répondit-elle. Sauf que je ne connais quasiment personne.

— Arrête. Tu connais tout le monde.

Lana secoua la tête d'un air piteux.

— Non. Tout le monde me connaît, ce n'est pas pareil. Ou du moins c'est ce qu'ils croient.

— Tu me connais, moi, lança Quinn avec un sourire encourageant.

Lana opina du chef, si sérieuse, soudain, qu'il crut qu'elle allait fondre en larmes.

— Mes parents me manquent.

Quinn eut le brusque pincement au cœur qu'il éprouvait à longueur de temps au début, et qui s'espaçait à mesure que les jours passaient.

— Oui, à moi aussi, mes parents me manquent.

Lana tendit la main et, après un bref moment d'hésitation, Quinn la prit. Elle sourit.

— Tu es d'accord pour que je garde ta main dans la mienne sans… tu sais, que tu me demandes de te guérir de quoi que ce soit?

Quinn éclata de rire.

— De toute façon, mon problème à moi ne se soigne pas.

Après un silence, il ajouta :

— Tu veux danser?

— Ça fait au moins une heure que j'attends Albert, et tu es la première personne à m'inviter. Oui, j'aimerais bien danser.

Le morceau qui venait de débuter était un rap braillard et terriblement obscène qui, bien que daté de quelques années, était toujours aussi accrocheur – sans compter que, trois mois plus tôt, personne dans la salle n'aurait été autorisé à l'écouter.

Quinn et Lana dansèrent, allant même jusqu'à se donner un coup de hanche par-ci par-là. Puis Hunter passa un slow mélancolique.

— J'adore cette chanson, dit Lana.

— Je… je ne sais pas danser le slow.

— Moi non plus. On essaie quand même ?

Ils s'enlacèrent maladroitement et se balancèrent en rythme. Au bout d'un moment, Lana posa sa tête sur l'épaule de Quinn. Il sentit ses larmes lui mouiller le cou.

— C'est plutôt triste, comme chanson, observa-t-il.

— Tu fais des rêves, Quinn ? demanda Lana.

Sa question le prit de court. Il avait dû tressaillir, car elle leva la tête et l'interrogea du regard.

— Des cauchemars, plutôt. Je rêve de la grande bataille.

— Tu as été très courageux. Tu as sauvé les enfants de la crèche.

— Pas tous.

Quinn se tut quelques instants, tout à son rêve.

— Je me souviens de ce coyote… et du gamin. J'aurais peut-être pu tirer un peu plus tôt. Mais j'avais peur de toucher le gosse. Alors j'ai attendu. Et après, c'était trop tard…

Lana hocha la tête en silence. Quinn, qui s'attendait à quelques paroles compatissantes, en fut bizarrement réconforté : quiconque n'avait pas été là, la mitraillette au poing, le doigt figé sur la détente, à hurler comme un fou, quiconque n'avait pas assisté à la scène ne pouvait pas comprendre.

Soudain, Lana posa la main sur son cœur et dit :

— Je ne peux pas guérir ça.

Quinn refoula ses larmes… Combien de fois s'était-il retenu de pleurer depuis cette nuit horrible ? Voyons, ces trois derniers mois ? Des milliers de fois, pas moins, s'il fallait compter tous ces moments où il avait eu envie d'éclater en sanglots et s'était forcé à afficher un sourire insouciant.

— C'est ma part d'ombre, conclut-il après un silence. Et la tienne ?

Lana pencha la tête de côté comme pour le jauger, se demandant si elle tenait vraiment à partager son secret avec lui. Quinn l'instable. Quinn le lâche. Quinn, qui avait vendu Sam à Caine et à Drake, lesquels l'avaient torturé. Quinn, qui avait risqué la vie d'Astrid. Quinn, qui n'était toléré désormais que pour une seule raison : lors de la grande bataille, quand la situation avait tourné au désastre, il s'était enfin résolu à presser la détente et…

— Tu as déjà rencontré quelqu'un que tu n'as jamais pu oublier ensuite ? Quelqu'un qui finit par faire partie de toi éternellement ?

— Non, répondit Quinn, un peu déçu. Ce gars-là est un sacré veinard, je suppose.

Surprise, Lana éclata de rire.

— Non, ce n'est pas ce que je voulais dire. Imagine-toi suspendu à un hameçon. Tu sais que cet hameçon se termine par une pointe recourbée, de sorte que tu n'arriveras pas à te dégager sans te blesser.

Quinn hocha la tête sans comprendre.

— Et le plus bizarre, c'est que, d'une certaine manière, tu en es presque à souhaiter que le pêcheur te capture. Genre : je suis prise au piège et je souffre alors finissons-en, prends-moi. Sors de ma tête une fois pour toutes.

Si Quinn n'y comprenait toujours rien, il n'arrivait pas à chasser de son esprit l'image de ce poisson impuissant, prisonnier d'un hameçon. Quinn savait déceler le désespoir dans la voix des autres. Seulement, il n'aurait jamais pensé le trouver chez la personne la plus aimée de toute la Zone.

De nouveau, le tempo de la musique changea. Les danseurs, lassés du slow, réclamaient du mouvement. Hunter opta pour un morceau de techno que Quinn ne connaissait pas. Il se mit à bouger en rythme, mais Lana n'avait plus le cœur à danser. Posant la main sur son épaule, elle dit :

— Je vais voir si Albert est dispo, je dois lui parler.

Et elle tourna les talons. Quinn resta seul avec la certitude que ses propres cauchemars, aussi terrifiants soient-ils, ne pouvaient pas être pires que ceux de la Guérisseuse.

12

LA DISCUSSION au sujet du club d'Albert avait été plus qu'orageuse. La plupart du temps, Sam dormait chez Astrid et Mary. Pas cette nuit-là.

Ce n'était pas leur première dispute et ce ne serait sans doute pas la dernière. Sam détestait le conflit. S'il devait tenir le compte des personnes à qui il pouvait réellement parler, deux seulement lui venaient à l'esprit : Edilio et Astrid. Ses conversations avec Edilio concernaient essentiellement des questions d'ordre pratique, tandis qu'avec Astrid il abordait des sujets plus profonds et plus légers, aussi. Désormais, ils ne parlaient plus que de travail. Et ils se disputaient sans cesse à ce propos.

Sam était amoureux d'Astrid. Il aurait voulu la questionner à tort et à travers sur tout, l'histoire, voire les maths et les grandes théories cosmiques qu'il pouvait presque comprendre quand c'était elle qui les expliquait.

Et, pour être tout à fait honnête, il aurait voulu la toucher. Embrasser Astrid, lui caresser les cheveux, la sentir contre lui, c'était la seule chose qui l'empêchait de devenir fou, quelquefois.

Or, au lieu de s'embrasser ou regarder les étoiles, ils passaient leur temps à se chamailler. Ces disputes lui rappelaient sa mère et son beau-père. Ce n'étaient pas des souvenirs heureux.

Il passa la nuit sur le lit de camp défoncé dans son bureau et se réveilla de bonne heure, avant le lever du soleil. Après s'être habillé, il se glissa au-dehors avant l'arrivée des premiers pénibles.

Les rues étaient paisibles. Ces derniers temps, elles étaient généralement très calmes. Une poignée de personnes avaient la permission de conduire, exclusivement à des fins utiles, par conséquent il n'y avait pas le moindre trafic. Les rares fois où un véhicule, camion ou voiture, venait à passer, on l'entendait arriver de loin.

Or, Sam entendait un bruit de moteur, qui n'était pas celui d'une voiture. Il se hissa sur le muret en béton qui bordait la plage et repéra immédiatement l'origine du bruit. Un canot à moteur se rapprochait du rivage à faible allure. Dans la clarté grisâtre de l'aube, Sam ne distingua qu'une silhouette. Cependant, il était presque sûr d'avoir reconnu la personne à bord du bateau.

Il s'avança au bord de l'eau, mit ses mains en porte-voix et cria :

— Quinn !

Apparemment, celui-ci était en train de se débattre avec un objet que Sam ne parvint pas à identifier.

— C'est toi, frangin ? brailla-t-il à son tour.

— Ouais. Qu'est-ce que tu fabriques ?

— Attends une seconde.

Quinn se pencha pour ramasser quelque chose puis il manœuvra vers le rivage. Une fois sur la terre ferme, il coupa le moteur et sauta de l'embarcation.

— Alors, qu'est-ce que tu fais ?

— Je pêche.

— Tu pêches ?

— On a des bouches à nourrir, non ?

— Quinn, tu ne peux pas décider ça comme ça !

Quinn parut surpris.

— Pourquoi ? Ce bateau ne sert à personne. J'ai trouvé du matériel de pêche. Et ça ne m'empêche pas de m'acquitter de mes tours de garde.

À court d'arguments, Sam demanda :

— Tu as réussi à attraper quelque chose ?

Un large sourire éclaira le visage de Quinn.

— J'ai déniché un manuel de pêche. J'ai suivi les instructions… et voilà !

Il se pencha par-dessus le bateau.

— Tu n'y verras pas grand-chose avec l'obscurité, mais je parie qu'il pèse dans les dix kilos. Il est énorme.

— Sans blague ?

Malgré sa mauvaise humeur, Sam ne put s'empêcher de sourire.

— Qu'est-ce que c'est ?

— Un flétan, je crois. Je ne pourrais pas le jurer mais ça ressemble pas mal au dessin dans le bouquin.

— Et qu'est-ce que tu comptes en faire ?

— Eh bien, répondit Quinn d'un air songeur, je pense que je vais d'abord essayer d'en attraper d'autres. Ensuite, je m'en taperai une bonne ventrée puis – qui sait ? – peut-être qu'Albert me rachètera ce qu'il reste. Tu le connais : il trouvera le moyen d'en faire des bâtonnets qu'il proposera dans son McDo. Tiens, je me demande s'il lui reste du ketchup.

— Je ne suis pas sûr que ce soit une bonne idée.

— Pourquoi ?

— Parce qu'Albert ne donne plus rien. Il vend.

Quinn eut un rire nerveux.

— Attends, frangin, me dis pas que je n'ai pas le droit. Je fais de mal à personne, moi.

— Je sais bien. Mais Albert va refourguer ce poisson contre des piles et du papier toilette. Bref, tout ce qu'il peut contrôler.

— Sam, j'ai dix kilos de bonnes protéines à disposition.

— Oui, et ce poisson devrait revenir à ceux qui n'en ont pas assez. Mary pourrait en donner aux petits. Ils ne mangent pas mieux que nous, et ils ont plus de besoins.

Quinn enfouit ses orteils dans le sable humide.

— Écoute, si tu ne veux pas que j'échange ou que je vende ce poisson à Albert, c'est d'accord. Mais alors, qu'est-ce que je vais en faire ? Il faut le mettre rapidement dans de la glace. Je ne vais pas faire du porte-à-porte pour le distribuer !

Une fois de plus, Sam se sentit submergé par toutes ces questions sans réponses. Maintenant, il devait décider de ce qu'allait faire Quinn de son poisson !

— Dans un premier temps, je peux toujours l'apporter à Albert, reprit celui-ci. Il a un frigo assez grand pour le conserver. Et puis, tu le connais : il saura le nettoyer, le cuisiner et…

— D'accord, l'interrompit Sam. Comme tu voudras. Donne-le à Albert pour cette fois. Le temps que je mette au point… une sorte de règle.

— Merci, mon pote.

Comme Sam reprenait le chemin de la ville, Quinn cria :

— Tu aurais dû venir danser hier soir.

— Tu sais bien que je n'aime pas ça.

— Sam, si quelqu'un a besoin de se détendre, c'est toi.

Sam s'efforça d'ignorer cette remarque, mais le ton inquiet, compatissant de son ami le chiffonnait. Il en conclut qu'il n'arrivait pas à cacher ses émotions. Il communiquait aux autres son humeur maussade et son découragement. Mauvais exemple.

— Hé, frangin ? reprit Quinn.

— Oui ?

— Tu as entendu parler de cette histoire à dormir debout que Duck Zhang raconte partout ? Tu sais, les chauves-souris amphibies ?

— Et alors ?

— Je crois que j'en ai vu. Je ne suis pas sûr, il faisait sombre.

— OK, dit Sam. À plus tard.

En s'éloignant sur la plage, il marmonna :

— Ma vie se résume à des histoires de M. & M's et de poissons.

Un détail le tracassait. Ça ne concernait pas seulement Astrid. C'était au sujet de ce vol de M. & M's.

La fatigue le submergea et chassa ses vagues préoccupations. Il était attendu à l'hôtel de ville avant peu. Là, il aurait encore d'autres bêtises à régler.

Il entendit Quinn siffloter pour lui-même un air de Bob Marley, *Three Little Birds*. À moins que ce ne soit à son intention. Puis le vrombissement du moteur s'éleva de nouveau. Sam éprouva un pincement de jalousie.

— T'inquiète pas ! cria Quinn en écho à la chanson.

— Si, je m'inquiète, marmonna Sam.

— Caine ?

Pas de réponse. Diana frappa à la porte une nouvelle fois.

— Faim dans le noir ! cria Caine d'une voix étrange, méconnaissable. Il a faim, il a faim, faim, faim !

— Oh non, encore ! dit Diana pour elle-même.

Durant ses trois mois de divagations, Caine avait traversé des crises très différentes. Cependant, ces mots revenaient toujours : *faim dans le noir.*

Diana poussa la porte. Caine se débattait comme un forcené dans son lit. Empêtré dans ses draps, il tendait les bras vers une présence invisible. Il avait quitté la petite maison de Mose pour le bungalow jadis occupé par la directrice du pensionnat et son époux. C'était l'un des rares endroits de Coates encore intacts. La chambre possédait un grand lit confortable tendu de draps doux comme de la soie. De jolies lithographies étaient accrochées aux murs.

Diana se précipita vers la fenêtre au moment où Caine se remettait à divaguer en gémissant. Elle leva les stores et la lumière pâle de l'aube éclaira la chambre.

Il se redressa brusquement, cligna des yeux plusieurs fois et frissonna.

— Qu'est-ce que tu fais là ?

— Tu as recommencé.

— Recommencé quoi ?

— « Faim dans le noir. » C'est un de tes morceaux choisis, avec quelques variantes. Tu marmonnes, tu gémis, tu hurles toujours la même chose depuis

193

des semaines, Caine. «Noir», «faim», et puis ce mot: «gaïaphage».

Diana s'assit au bord du lit.

— Qu'est-ce que ça signifie?

Caine haussa les épaules.

— J'en sais rien.

— L'Ombre. Drake n'a que ce mot-là à la bouche, lui aussi. La créature dans le désert. Celle qui lui a fait cadeau de son bras. Celle qui te rend fou.

Caine garda le silence.

— C'est un genre de monstre?

— On peut dire ça, oui, grommela-t-il.

— C'est quoi, un mutant? Humain ou animal?

— Ni l'un ni l'autre, répondit-il, laconique.

— Qu'est-ce qu'il cherche?

Caine lui jeta un regard suspicieux.

— Pourquoi ça t'intéresse?

— Je vis ici, tu te souviens? Je suis obligée de vivre dans la Zone, comme les autres. Alors, oui, ça m'intéresse quand une espèce de créature malfaisante essaie de se servir de nous pour...

— Personne ne se sert de moi!

Diana se tut le temps de se calmer, puis reprit:

— Il te rend fou, Caine. Tu n'es plus toi-même.

— C'est toi qui as envoyé Jack prévenir Sam? C'est à cause de toi qu'il a réussi à passer l'épreuve du grand saut?

La question de Caine prit Diana au dépourvu.

Il lui fallut user de tout son sang-froid pour ne pas trahir sa peur. Elle esquissa un sourire désabusé.

— C'est ce que tu crois ? Je comprends mieux pourquoi on me suit sans arrêt.

— Je t'aime, Diana. Tu as pris soin de moi ces trois derniers mois. Je ne voudrais pas qu'il t'arrive quelque chose.

— Pourquoi tu me menaces ?

— Parce que j'ai des projets. J'ai des obligations. J'ai besoin de savoir dans quel camp tu es.

— Je bosse pour moi, répliqua-t-elle.

Sa réponse avait le mérite d'être honnête. Elle n'était pas sûre de réussir à le convaincre par un mensonge. Or, s'il se persuadait qu'elle lui mentait…

Il hocha la tête.

— Très bien. Bosse pour toi. Je respecte ça. Mais si j'apprends que tu aides Sam…

Diana décida qu'il était temps de faire une petite crise de colère.

— Écoute, espèce de minable ! J'avais le choix. Sam m'a offert de les rejoindre après t'avoir botté les fesses. J'aurais pu rester avec lui. Ç'aurait été la décision la plus sage. Je n'aurais plus rien eu à craindre de Drake. Je ne serais pas obligée de subir tes mains baladeuses chaque fois que tu te sens seul. Et, surtout, je mangerais beaucoup mieux ! Pourtant, j'ai choisi de rester avec toi.

Caine se pencha vers elle avec un regard qui ne laissait aucun doute sur ses intentions.

— C'est reparti ! gémit Diana en levant les yeux au ciel.

Cependant, quand il l'embrassa, elle se laissa faire. Et après quelques secondes d'indifférence stoïque, elle lui rendit ses baisers. Puis, sans crier gare, elle posa la main sur son torse nu et le repoussa contre les oreillers.

— Ça suffit.

— C'est toi qui le dis, mais j'imagine que je devrai me contenter de ça.

— Je m'en vais, dit-elle en se dirigeant vers la porte.

— Diana ?

— Quoi ?

— J'ai besoin de Jack.

Elle se figea, la main sur la poignée de la porte.

— Il n'est pas caché dans ma chambre.

— Tais-toi et écoute-moi, t'as compris ? Je ne me répéterai pas. Ce qui s'est passé avec Sam et Jack, c'est oublié… si tu le ramènes. Le passé, c'est le passé. Mais j'ai besoin de Jack maintenant.

— Caine…

— La ferme ! Rends-toi service, Diana. TAIS-TOI.

Diana ravala sa colère. La menace qui perçait dans la voix de Caine ne trompait pas. Cette fois, il était sérieux.

— Ramène-moi Jack. Use de tous les moyens nécessaires. Sers-toi de Bug. Et même de Drake ou de Chef, s'il le faut. Fais comme tu le sens, je m'en fiche, mais je veux que Jack soit là avant deux jours.

Diana chercha son souffle.

— Deux jours, Diana. Sinon... tu connais la suite.

Albert supervisait une de ses équipes chargée de balayer le club tout en lisant un livre sur la fusion des métaux – le plomb et l'or, en particulier – quand Quinn entra dans le restaurant en poussant une brouette où gisaient trois poissons. Le premier était énorme, les deux autres de taille moyenne.

Si la seconde pensée d'Albert fut qu'il tenait là une formidable opportunité, la faim lui noua d'abord l'estomac : il songea qu'il aurait volontiers mangé une belle portion de poisson frit. Même du poisson cru aurait fait l'affaire. En temps normal, il s'efforçait d'ignorer son ventre vide, s'alimentant très peu lui-même et s'assurant que son équipe était aussi bien nourrie que possible, mais quand un type débarquait avec du beau poisson frais...

— Waouh ! s'écria-t-il.

— Cool, hein ? lança Quinn en couvant son poisson d'un œil ravi, tel un parent fier de sa progéniture.

— Ils sont à vendre ?

— Oui, sauf ce que je peux manger. Et puis on en donnera une partie à Mary pour les mômes.

— Bien sûr !

Albert réfléchit un instant.

— Je n'ai pas de quoi préparer une pâte à beignets, mais je pourrais enrober les filets de farine pour leur donner un peu de croustillant.

— En ce qui me concerne, je pourrais les bouffer crus, observa Quinn. J'ai dû me retenir de ne pas mordre dedans pendant tout le trajet.

— Qu'est-ce que tu veux en échange ?

Manifestement, Quinn n'y avait pas réfléchi.

— J'en sais rien, mon pote.

— Bon, voilà ce que je te propose : tu auras l'accès gratuit au club. Tu pourras garder tout le poisson que tu voudras. Et je te devrai un grand service à l'avenir.

— Un grand service ?

Albert hocha la tête.

— J'ai de grands projets, et j'aurai sûrement besoin de ton aide.

— Hum, fit Quinn, l'air sceptique.

— Fais-moi confiance, Quinn. Moi, j'ai confiance en toi.

Albert savait que cet argument ferait mouche. Plus personne ne faisait confiance à Quinn.

— Comment tu t'y es pris pour pêcher ces poissons ? demanda Albert pour changer de sujet.

— Oh, c'était pas bien compliqué. D'abord, j'ai utilisé un filet pour en attraper des petits. Puis je m'en suis servi comme appâts. On les trouve en eaux peu profondes. Il y a plein de bateaux et de matériel à disposition. Après, c'est juste une question de patience.

— Ce serait génial, songea Albert tout haut.

Puis il ajouta :

— J'ai une proposition à te faire.

Quinn sourit.

— Je t'écoute.

— J'ai une équipe de vingt-quatre personnes. Pour la plupart, ils sont chargés de la protection de la supérette et de la répartition des réserves. Le hic, c'est qu'il n'y a plus grand-chose à protéger et à répartir. Donc...

— Donc ?

— Je te donne six de mes meilleurs éléments, les plus fiables que je connaisse. Tu les prends sous ton aile et tu leur apprends à pêcher.

Quinn fronça les sourcils, l'air un peu perdu.

— Toi et moi, on s'associe, poursuivit Albert. Je fournis la main-d'œuvre, je me charge de conserver le poisson, de le préparer, de le distribuer. Et quelle que soit la quantité de poisson pêché, j'en récupère soixante-dix pour cent et toi trente.

— Comment ça, soixante-dix pour cent ?

— Je paie tous ceux qui bossent sous mes ordres, expliqua Albert. Tes trente pour cent, ils sont pour toi.

— C'est trente pour cent de rien, pour l'instant.

— Ça va changer.

Albert sourit et donna une claque sur l'épaule de Quinn.

— Un peu d'optimisme, mon pote. Tout s'arrange. On a du poisson.

Mary sentit le fumet du poisson frit avant de l'avoir vu. Elle n'était pas la seule. Julia accourut en secouant sa queue-de-cheval.

— C'est quoi, cette odeur?

Une véritable émeute s'ensuivit. Les enfants entourèrent Quinn, qui apportait des morceaux de poisson empilés sur un plateau du McDonald's recouvert d'une serviette.

— Doucement, doucement, tout le monde sera servi, lança-t-il.

Mary se figea. Elle savait qu'elle aurait dû s'interposer pour rétablir l'ordre, mais l'odeur du poisson la paralysait.

Par bonheur, Francis – qui avait fait une scène à son arrivée à la crèche, prétendant qu'il détestait son nouveau travail – avait décidé au terme de sa première journée qu'il n'avait rien contre le fait de revenir le lendemain. Puis le surlendemain. Il était en passe de devenir un habitué des lieux. Une fois qu'il avait renoncé à ses grands airs, il s'était montré très doué avec les enfants.

— Allons, petits monstres, cria-t-il. Reculez.

— Désolé, j'aurais peut-être dû vous prévenir de mon arrivée, dit Quinn, l'air piteux, en se frayant un chemin parmi la marée humaine, le plateau levé au-dessus des dizaines de mains qui tentaient de l'agripper.

Mary se tordit les mains en regardant Francis et les autres aides mettre les enfants en rang. L'odeur du poisson la faisait saliver. Elle en avait la tête qui tournait.

— Bon, j'ai trente-deux parts, annonça Quinn. Comment on procède?

Francis lança un coup d'œil à Mary mais n'obtint pas de réponse. Elle était clouée sur place.

— On va commencer avec un demi-morceau par personne, décréta-t-il.

Puis il ajouta, menaçant:

— Et ceux qui poussent n'auront rien du tout.

— Mary, toi et ton équipe, vous avez aussi droit à votre part, déclara Quinn.

Mary hocha la tête. Impossible. Pas pour elle. Pour les autres, oui, bien sûr.

— Tu te sens bien? demanda Quinn.

Mary serra les dents et se força à sourire.

— Oui, oui. Merci pour ce cadeau. Les enfants n'ont pas… Ils ont besoin de protéines… Ils…

— Oui, c'est vrai, renchérit Quinn, perplexe.

— Mets-en de côté pour les bébés, dit-elle à Francis. On le mixera pour eux.

Bientôt, on n'entendit plus que des bruits de déglutition. La plupart de ces enfants détestaient probablement le poisson, autrefois. Deux semaines plus tôt, ils auraient fait la grimace. Désormais, aucun d'eux ne pouvait se permettre de dédaigner un repas. Leur corps exigeait qu'ils se nourrissent.

En revanche, le corps de Mary exigeait tout le contraire.

« Ce serait un péché de manger ce poisson pour aller le vomir ensuite », songea-t-elle. Elle ne pouvait pas faire une chose pareille à ces enfants.

Mary savait que son comportement n'était pas normal. Alors que tous les estomacs autour d'elle criaient famine, elle s'infligeait elle-même la faim qui la tenaillait. Une petite voix la mettait en garde, mais elle était trop lointaine, à peine audible.

— Tiens, Mary, goûte-moi ça, l'encouragea Francis. C'est délicieux.

Incapable de répondre, Mary lui tourna le dos et alla se réfugier dans les toilettes, poursuivie par les grognements de satisfaction de toutes ces bouches affamées.

13

CONTRAIREMENT À SON HABITUDE, Sam frappa à la porte. Astrid lui avait maintes fois répété que ce n'était pas nécessaire. Mais cette fois, il se sentait obligé de le faire.

Un long moment s'écoula avant qu'elle vienne ouvrir. Elle devait à peine sortir de la douche. Elle aimait faire du sport après le dîner, à l'heure où le petit Pete était planté devant un DVD. Ses cheveux blonds étaient plaqués sur sa nuque tandis qu'une mèche lui barrait un œil, lui donnant vaguement l'air d'un pirate. Elle était vêtue d'un peignoir et tenait une serviette à la main.

— Alors ? Tu reviens me supplier, c'est ça ? lança-t-elle.

— Est-ce qu'il faut que je m'agenouille ? demanda Sam.

Astrid fit mine de réfléchir.

— Non, ton regard de chien battu me suffit.

203

— Je ne t'ai pas vue de la journée.

— Le contraire m'aurait étonnée. Je n'avais envie de voir personne.

— Je peux entrer?

Astrid marqua une pause avant de répondre :

— Allez, viens. J'ai des haricots en boîte absolument délicieux accompagnés de tortillas maison à moitié cramées et d'un demi-chou-fleur ramassé par Orc si tu as faim. En réchauffant le tout au micro-ondes pendant trente secondes, on obtient quelque chose de franchement répugnant mais d'assez équilibré.

Sam entra et referma la porte derrière lui. Assis devant la télé, le petit Pete regardait *Le Grinch* en DVD. Jim Carrey, méconnaissable sous son maquillage, se frottait joyeusement les mains.

— C'est un de ses cadeaux de Noël, expliqua Astrid.

— Oui, je me souviens.

Les fêtes de fin d'année n'avaient été gaies pour personne. Un Noël sans parents, sans frères et sœurs, sans la vieille tante excentrique qu'on ne voyait qu'à cette occasion. Les parents d'Astrid avaient un sapin artificiel dans le grenier que Sam avait descendu dans le salon. Il s'y trouvait toujours, bien que les décorations aient regagné leur boîte.

Tout le monde avait fait un effort. Albert s'était lancé dans la confection d'un repas, qui ne pouvait cependant pas rivaliser avec sa grande fête de

Thanksgiving. Il n'y avait pas de tartes et de gâteaux au menu, et les fruits et légumes frais appartenaient au passé.

— On ne va pas se bagarrer à propos… de politique, dit Sam en guise d'entrée en matière.

— Tu sous-entends par là que je dois être d'accord avec toi sur tout ? demanda Astrid d'un ton suggérant qu'elle était prête pour un nouvel affrontement.

— Non, ton avis est important pour moi, admit Sam. Mais j'ai besoin de toi, et je n'ai pas envie qu'on se dispute chaque fois qu'on n'a pas la même opinion.

Astrid allait protester, mais elle se ravisa et poussa un long soupir.

— Tu as raison. On a assez de problèmes sur les bras. Tu as dormi hier soir ? Tu as l'air fatigué.

— Je suis crevé. La journée a été longue. Hé, tu savais que Quinn s'était mis à la pêche ? Il a pris un poisson énorme ce matin.

— Je n'étais pas au courant. Bonne initiative.

Astrid parut troublée.

— On aurait dû y penser avant.

— On ne peut pas penser à tout, déclara Sam avec lassitude.

C'était l'inconvénient de nommer un responsable : on s'attendait à ce qu'il ait toutes les réponses. Les enfants n'essayaient plus de résoudre par eux-mêmes les problèmes qui se présentaient. Quinn avait ouvert une nouvelle voie tout seul. Et voilà qu'il préférait se tourner vers Albert plutôt que Sam pour obtenir de l'aide.

— Qu'est-ce qu'il a fait de ce poisson?

— Il en a donné une grande partie à la crèche ce matin.

— Et le reste? Il ne va pas le stocker, j'espère?

— Il…

Sam s'interrompit. Il n'avait aucune envie de se brouiller avec elle au sujet de Quinn et d'Albert.

— Est-ce qu'on peut en reparler demain? Le plus important, c'est que les petits aient eu droit à leur ration de protéines aujourd'hui.

Astrid posa la main sur sa joue.

— Va te coucher.

— Oui, madame.

En montant les marches d'un pas lourd, il se sentit bien pour la première fois de la journée. Dans l'escalier, il croisa Mary qui descendait.

— Salut, Mary. Tu retournes travailler?

— À ton avis? aboya-t-elle.

Puis, d'un ton radouci, elle reprit:

— Désolée. Je suis de mauvaise humeur.

— Si quelqu'un a le droit de râler, c'est bien toi. Mais dis-moi, est-ce que tu manges assez?

Mary sursauta.

— Hein?

— Tu as perdu beaucoup de poids. Ne le prends pas mal, hein, ça te va bien.

— Merci, bafouilla-t-elle. Je… Oui, je dévore.

— Est-ce que tu as pu goûter au poisson ce matin ?
Elle hocha la tête.

— Oui, c'était vraiment délicieux.

— OK. À plus tard.

La pièce où dormait Sam était jadis la chambre d'amis. Elle était agréablement meublée et possédait sa propre salle de bains attenante avec des serviettes assorties moelleuses à souhait. Il s'efforçait de garder les lieux propres et bien rangés car, après tout, cette chambre n'était pas la sienne. Il n'aurait jamais imaginé dormir un jour dans un tel endroit. Il ne savait même pas à qui appartenait cette maison, à l'origine.

Cela ne l'empêcha pas de se glisser sous les draps et de s'endormir presque aussitôt. Cependant, il ne trouva pas la paix dans le sommeil. Sa mère lui apparut en rêve, sous les traits de la créature qui l'avait appelé à elle lors du grand saut.

Bon anniversaire, Sam. Quitte la Zone pour rejoindre… Dieu seul savait quoi. Cette femme n'était qu'une illusion. En cet instant, on voyait ce qu'on voulait voir. Et pourtant, elle semblait si réelle sur le moment ! Dans son rêve, Sam revécut cet épisode.

Il vit Caine, son jumeau, auréolé d'une lumière aveuglante. Il vit sa mère. Puis une fillette d'une douzaine d'années, maigre, les cheveux ramassés en épaisse queue de cheval, se matérialisa soudain. Il se demanda vaguement d'où elle sortait. Il n'y avait pas de fille ce jour-là.

Tout à coup le décor changea. Il se trouvait au pied des marches de la mairie, et des boîtes de conserve grosses comme des tonneaux roulaient dans sa direction. D'abord, des haricots, puis des raviolis. Les boîtes dégringolaient de plus en plus vite cependant qu'il essayait en vain de gravir les marches : chaque fois qu'il posait le pied sur la première, une autre boîte fonçait droit sur lui.

Bientôt il s'aperçut qu'une multitude de minuscules boîtes grouillaient comme des insectes à ses pieds. Il trébucha et s'affala sur elles, incapable de se relever. Redressant la tête, il aperçut la même fille aux cheveux bruns ramassés en queue-de-cheval, qui l'observait, immobile, du haut des marches.

Les boîtes qui continuaient à dévaler l'escalier arboraient maintenant le logo M. & M's sur leur étiquette. Elles roulaient, rebondissaient et tombaient sur Sam, qui fut bientôt noyé sous une mer de conserves. Il avait conscience d'une présence non humaine à son côté. Une sorte d'insecte géant de forme indéfinie. La créature ramassa un M. & M's, et, à cet instant, Sam s'éveilla en sursaut.

Le visage effrayé d'Astrid était penché sur lui.

— Réveille-toi ! cria-t-elle en le secouant.

Sam se leva d'un bond, manquant faire tomber Astrid à la renverse.

— Quoi ?

— C'est Pete !

Une lueur affolée brillait dans les yeux d'Astrid. Sam se précipita dans la chambre du petit Pete et s'arrêta net devant la porte ouverte. L'enfant était couché dans son lit, immobile, les paupières closes, le visage paisible. Il semblait dormir profondément, et Sam se demanda comment c'était possible car, autour de lui, du sol au plafond, la pièce grouillait de monstres sortis d'un millier de cauchemars, rampant sous son lit, dans son placard, flottant dans les airs tels des ballons de baudruche. On aurait dit une de ces parades miniatures qu'on voit dans les vitrines des grands magasins à l'occasion des fêtes de fin d'année, sauf que Shrek et le Chat potté avaient laissé place à des créatures beaucoup plus sinistres.

L'une d'elles, minuscule, était dotée de trois paires d'ailes violacées, de tentacules visqueux qui lui sortaient du ventre, et d'un museau allongé surmonté de deux yeux injectés de sang. Une autre, énorme, au poil hirsute, évoquait un grizzly monstrueux avec des pattes hérissées de griffes interminables. Certaines semblaient avoir été conçues avec des rasoirs et des couteaux de cuisine, tandis que d'autres n'étaient qu'une boule de magma rougeoyante.

— C'est comme sur la place l'autre jour, murmura Sam d'une voix tremblante.

— Non, regarde ! s'exclama Astrid, paniquée. Celles-ci projettent des ombres, elles font du boucan, elles puent.

Le monstre hirsute changea de forme sous leurs yeux. Sa fourrure brune blanchit puis passa brutalement au vert. Sa bouche s'ouvrit grand, un miaulement étranglé s'en échappa, et elle se referma avec un claquement sonore avant de disparaître sous la nouvelle fourrure de l'animal.

— Il essayait de parler, chuchota Astrid.

Une créature jaune moutarde, dont la silhouette évoquait vaguement celle d'un chien malgré son crâne en forme de pioche et ses antennes, se métamorphosa alors qu'elle était toujours suspendue dans les airs : des griffes acérées lui poussèrent sur les pattes, et elle les fit cliqueter comme si elle en découvrait l'usage. Une fois qu'elle eut trouvé son apparence définitive, elle essaya, elle aussi, de parler et ne parvint qu'à émettre un son indéfinissable, pareil aux stridulations d'un insecte, qui cessa brusquement lorsqu'une membrane épaisse se forma sur sa bouche.

— Est-ce qu'ils peuvent nous voir ? demanda Sam.

— Je n'en sais rien. Tu as remarqué la façon dont ils regardent Pete ?

Bien qu'il soit absurde de chercher à lire une émotion sur le visage de ces monstres – certains avaient cinq yeux, d'autres en étaient dépourvus –, Sam eut l'impression qu'ils couvaient d'un regard révérencieux l'enfant qui sommeillait dans une ignorance béate de ce qui se passait autour de lui.

Un serpent de la taille d'un python glissa près du lit puis se contorsionna. De minuscules pattes, presque identiques à celles des vers, se formèrent le long de son corps, sauf que, cette fois, elles semblaient recouvertes de bande Velcro. Le serpent émit un sifflement, qui s'enfla avant de s'interrompre brutalement lorsque la tête de la créature disparut.

— Ils essaient de communiquer, observa Astrid. Quelque chose les en empêche.

— Ou quelqu'un, renchérit Sam. S'ils nous attaquent…

Il leva les bras, paumes tendues. Astrid lui saisit les mains.

— Non, Sam. Tu risquerais de blesser Pete.

— Qu'est-ce qui se passera s'il se réveille ?

— En d'autres occasions, ses visions se sont volatilisées. Mais cette fois, c'est différent. Regarde les rideaux : ils ont frémi quand cette… chose s'est approchée.

— Réveille-le.

— Et si…

— Écoute, ils sont peut-être inoffensifs. Dans le cas contraire, je n'ai pas l'intention de les laisser te faire du mal. Je les carboniserai. Enfin, si je peux, ajouta-t-il après un silence.

— Pete, lança Astrid d'une voix tremblante.

Jusqu'alors, les créatures n'avaient prêté aucune attention aux deux humains qui les observaient, sidérés. Mais à présent, tous les regards étaient

braqués sur eux. Des pupilles rouges, noires, glo-
buleuses ou fendues d'un trait jaune regardaient
maintenant dans la direction de Sam et d'Astrid.

— Essaie encore, chuchota-t-il en tendant les
bras vers les monstres, prêt à riposter.

— Pete, répéta Astrid d'un ton plus pressant.

Dans un ensemble parfait, ces horreurs se tournèrent vers eux, avec des gestes d'automates répon-
dant au même signal. L'une après l'autre, leurs
gueules s'ouvrirent. S'ensuivit un concert de grognements, de sifflements, de grincements épouvan-
tables, de stridulations de criquets et d'aboiements
féroces qui communiquaient tous la même fureur, la
même frustration. Ils se turent aussi brusquement
que si quelqu'un venait de débrancher la prise d'une
chaîne stéréo, et jetèrent un regard haineux à Sam
et à Astrid, semblant les rendre responsables de ce
silence soudain.

Sam jura tout bas.

— Retourne dans le couloir. Ils seront obligés de
nous attaquer un par un et Pete ne sera pas dans
ma ligne de mire.

— Sam...

— Ce n'est pas le moment de discuter, Astrid,
dit-il entre ses dents. Recule doucement.

Astrid obéit. Il la suivit à reculons, les bras toujours levés. Cependant, il savait pertinemment
qu'il ne pourrait pas venir à bout de toutes ces
créatures. Il en aurait peut-être quelques-unes,

si du moins son pouvoir avait un effet sur elles. Comment espérer réduire en cendres une créature faite de magma ?

Pas à pas, ils parvinrent au milieu du couloir. Pour les atteindre, les monstres devraient sortir de la chambre. Sam avait donc l'avantage, et Pete ne serait pas en danger.

— Appelle-le encore. Plus fort, cette fois.

— Il ne réagit pas toujours dans ces cas-là.

— Tente le coup.

— Pete ! cria Astrid d'une voix stridente, altérée par la peur. Pete, réveille-toi ! Debout !

Au-delà de la porte, Sam vit les créatures suspendues dans l'air – du moins toutes celles qui n'étaient pas ailées – se laisser tomber sur le sol avec un bruit sourd. Le plancher trembla. La créature dotée de six ailes fut la première à monter à l'assaut. Rapide comme l'éclair, elle fonça droit sur Astrid. Un rayon de lumière verte jaillit des mains de Sam. La chose s'enflamma comme une torche, mais elle avait déjà pris trop d'élan.

Sam plongea à terre, tendit le bras pour entraîner Astrid, et s'aperçut qu'elle s'était recroquevillée au sol. La créature en flammes passa au-dessus de leur tête tandis que ses ailes se racornissaient comme des feuilles mortes.

Mary Terrafino surgit dans le couloir.

— Qu'est-ce qui se passe ?

— Mary ! Recule ! Recule ! cria Sam.

Mary retourna s'enfermer dans sa chambre au moment où la créature jaune moutarde passait à l'attaque en faisant cliqueter ses griffes sur le plancher. Deux tubes saillaient de son crâne. Sam était certain qu'ils n'étaient pas là quelques instants plus tôt. Un liquide bleu pâle, épais et visqueux, en jaillit et se répandit sur la main du garçon. De son autre main, il fit feu une deuxième fois. La chose s'enflamma et ralentit sa progression, sans toutefois s'arrêter. À présent, tous ces monstres de cauchemar se pressaient vers la porte en se bousculant.

Et tout à coup, ils disparurent. Seuls demeurèrent les restes fumants de l'insecte à six ailes et du chien cracheur de glu bleue. Astrid se précipita dans la chambre de son frère, Sam sur les talons. Le petit Pete était assis dans son lit, les yeux perdus dans le vague.

— Oh, Pete, Pete! s'écria Astrid en le serrant dans ses bras.

Sam se dirigea en hâte vers la fenêtre. Le rideau qu'avait frôlé la créature se consumait; il l'arracha en renversant une étagère chargée de poupées russes et, après l'avoir jeté à terre, entreprit de le piétiner. Dans l'affolement, son pied écrasa l'une des figurines colorées. Elle vola en éclats, libérant une autre poupée qui roula dans les flammes. Les piétinements de Sam redoublèrent.

— Vous avez un extincteur ici ? demanda-t-il en s'efforçant vainement de se débarrasser de la substance visqueuse qui souillait sa main. Juste par précaution, on devrait…

C'est alors que, regardant à travers la vitre, il fit une découverte qui lui glaça le sang presque autant que la ribambelle de monstres. Il y avait une fille postée de l'autre côté de la rue. Elle l'observait de ses immenses yeux noirs. Ses cheveux bruns étaient ramassés en une épaisse queue-de-cheval.

La fille de son rêve.

Sam courut hors de la chambre, dévala l'escalier et sortit dans la rue. La fille avait disparu.

En retournant à l'intérieur, il trouva une Mary terrifiée et Astrid qui, à sa stupéfaction, prenait des notes sur un carnet tout en étreignant son frère.

— Qu'est-ce que… commença-t-il.

— Ils ont subi des mutations sous nos yeux, Sam, l'interrompit Astrid. Tu n'as pas vu ?

Elle continua à griffonner en essuyant de temps à autre les larmes qui coulaient sur ses joues.

— Qu'est-ce qui se passe ? demanda Mary dans un souffle.

Sam se tourna brusquement vers elle.

— N'en parle à personne, tu m'entends ?

— C'est lui, hein ? lança-t-elle en regardant le petit Pete qui, bâillant à s'en décrocher la mâchoire, semblait sur le point de se rendormir. Il y a quelque chose de bizarre chez lui.

— Un tas de choses, Mary, admit Sam avec lassitude. Mais ça doit rester entre nous. Je compte sur toi.

Mary hocha la tête. Elle paraissait tiraillée entre l'envie de rester pour en savoir plus et le besoin de regagner la tranquillité relative de sa chambre. Cette dernière option l'emporta.

— Ce n'est pas normal, murmura Astrid en recouchant son frère.

— Sans blague ? répliqua Sam d'une voix stridente.

Astrid caressa le front du petit Pete.

— Pete, ne recommence pas. Tu risques de blesser quelqu'un. Et ensuite, hein, qui prendra soin de toi ?

— Oui, fini les monstres, renchérit Sam.

L'enfant ferma les yeux.

— Fini les monstres, répéta-t-il en bâillant. Je l'ai fait taire, ajouta-t-il après un silence.

— Qui ça ? demanda Sam.

— Pete. Qui ? supplia Astrid. Qui c'était ? Qu'est-ce qu'il voulait dire ?

— Faim, répondit l'enfant. Faim dans le noir.

— Qu'est-ce que ça signifie ? le pressa Astrid.

Mais il s'était déjà rendormi.

14

— Elle est comme ça depuis son retour.

Bug agita la main devant Orsay, qui était assise, prostrée, sur les marches du pensionnat. Caine la dévisagea avec intérêt, posa la main sur sa tête et nota qu'elle tressaillait à son contact.

— Elle y est bien allée, j'ai l'impression.

Diana réprima un bâillement. Elle était encore en pyjama de soie et robe de chambre, dont elle serrait les pans autour d'elle. Pourtant, il ne faisait jamais froid dans la Zone. Quant à Bug, il tanguait d'un pied sur l'autre et avait toutes les peines du monde à garder les yeux ouverts.

— Qu'est-ce qui s'est passé pour qu'elle tombe en léthargie comme ça? demanda Caine à Bug.

— Hein?

Bug releva brusquement la tête.

— Elle est entrée dans le rêve de Sam. Une histoire de boîtes de conserve. Et soudain, une lumière

217

bizarre a jailli dans une autre chambre de la maison, et Orsay est devenue toute drôle, comme si elle avait fumé de la drogue.

— Qu'est-ce que t'y connais à la drogue, toi? lança Diana.

Bug haussa les épaules.

— Joe junior, mon grand frère, il se défonçait beaucoup.

Caine s'agenouilla devant Orsay et, d'un geste doux, lui releva le menton.

— Secoue-toi.

Comme il n'obtenait pas de réaction, il la gifla violemment. Sa main laissa une marque rouge sur la joue de la fille, qui battit des paupières avec l'air de quelqu'un qu'on vient de réveiller au beau milieu de la nuit.

— Désolé, dit Caine.

Il était tout près d'elle. Assez près pour sentir son haleine et entendre les battements frénétiques de son cœur, semblables à ceux d'un petit animal pris au piège.

— Je dois savoir ce que tu as vu, reprit-il.

Une grimace tordit la bouche d'Orsay: elle trahissait le chagrin, la peur et une autre émotion indéfinissable.

— Allons, dit Caine d'une voix caressante. Quels que soient les rêves que tu as vus, j'en ai fait de bien pires. Des cauchemars terribles, tu ne peux même pas imaginer.

— Ces rêves-là n'avaient rien de terrible, répondit Orsay d'une petite voix. Ils étaient… grisants. J'avais envie d'en voir plus.

Caine recula.

— Alors pourquoi tu t'es mise dans cet état-là ?

— Dans ses rêves… le monde… tout est si…

Elle esquissa un geste comme pour tenter de décrire ce que les mots ne pouvaient pas traduire.

— Tu parles des rêves de Sam ? demanda Caine, mi-sceptique, mi-agacé.

Orsay lui jeta un regard sévère.

— Non, pas Sam. Ses rêves à lui sont simples. Il n'y a aucune magie là-dedans.

— Raconte-les-moi. C'est pour ça que je t'ai envoyée là-bas.

Orsay haussa les épaules.

— Il est… Je ne sais pas. Inquiet. Distrait, lâcha-t-elle avec mépris. Je crois qu'il ne gère plus rien, et qu'il a envie de tout laisser tomber. Et puis, bien sûr, il est obsédé par la bouffe.

— Pauvre chéri, ironisa Diana. Tout ce pouvoir. Toutes ces responsabilités.

Caine ricana.

— J'ai l'impression qu'il ne s'attendait pas à ça en devenant le patron.

— Au contraire, objecta Diana. Il l'avait vu venir, à mon avis. Tout ça ne l'a jamais vraiment intéressé. Il voulait juste qu'on lui fiche la paix.

Elle insista sur les derniers mots.

— Il ne faut pas s'attendre à ce que je laisse les gens tranquilles quand ils me cherchent des noises. Souviens-t'en, Diana.

Caine se leva.

— Alors, Sam commence à avoir les jetons. Mais il n'a pas peur de moi. Très bien. Il a trop de souci à se faire avec son rôle de maire dans sa ville de minables. Parfait.

Il tapota la tête d'Orsay.

— Hé! Tu as vu la centrale dans les rêves de Sam?

Orsay secoua la tête. Elle semblait de nouveau absente, plongée dans une espèce de transe où elle revivait quelque hallucination étrange.

— Bon, reprit Caine en frappant dans ses mains. Sam n'est pas focalisé sur la centrale. L'ennemi se concentre sur les affaires intérieures, ajouta-t-il d'un ton pompeux. En fait, on pourrait attaquer à n'importe quel moment. Seulement voilà…

Il fixa Diana avec insistance.

— Je te le ramènerai.

— Je ne peux rien faire sans Jack, Diana.

— Je te le ramènerai, répéta-t-elle.

— C'est Jack que tu veux? intervint Drake. Moi, je peux aller te le chercher.

— Tu oublies qu'il a des pouvoirs, maintenant, objecta Caine.

— Je m'en fiche, de ses pouvoirs, grommela Drake.

— C'est Diana qui ira. Ensuite on éteindra les lumières et on pourra nourrir...

Caine s'interrompit brusquement et cligna des yeux, l'air égaré.

— Quoi ? fit Drake, perplexe.

Caine ne parut pas l'entendre. Son cerveau patinait comme un disque rayé. La cour familière du pensionnat dansait devant ses yeux.

Nourrir ? Qu'est-ce qu'il avait voulu dire par là ? Et de qui parlait-il ?

— Vous pouvez partir, lança-t-il, songeur.

Comme personne ne réagissait, il cria :

— Du balai ! Laissez-moi seul !

Après un silence, il ajouta :

— Elle, elle reste.

Une fois Drake et Diana partis, Caine s'agenouilla de nouveau.

— Tu l'as vu, hein ? Tu as senti sa présence. Il est entré en contact avec toi. Je le sais.

Orsay n'eut pas la force de nier. Son regard se planta dans celui de Caine sans ciller.

— Il était dans le rêve du petit garçon.

Caine fronça les sourcils.

— Le petit Pete ? C'est de lui que tu parles ?

— Il a besoin de lui. Cette chose... Le gaïaphage. Il voulait...

Elle chercha le mot exact. Quand elle l'eut trouvé, la stupéfaction se peignit sur son visage.

— Il voulait apprendre.

— Apprendre?

Caine agrippa violemment le bras d'Orsay; elle tressaillit.

— Apprendre quoi?

— Apprendre à créer, répondit-elle.

Caine la dévisagea sans comprendre. Que voulait créer l'Ombre? Qu'avait-elle à apprendre d'un gamin autiste de cinq ans?

— Retournes-y, murmura-t-il en lâchant le bras d'Orsay. Ouste!

Une fois seul, il fouilla ses souvenirs, les yeux fixés sur les arbres qui bordaient le domaine, comme si les réponses à ses questions se cachaient parmi les ombres du jour naissant.

Ensuite on éteindra les lumières et on pourra nourrir...

Sa langue n'avait pas fourché. Cette phrase n'était pas anodine. Il y avait une idée bien définie là-dessous, une tâche dont il faudrait s'acquitter.

Faim dans le noir.

Caine avait l'impression qu'un être invisible, tapi dans les ténèbres, avait noué une corde autour de son cerveau. C'était l'Ombre qui en tenait l'autre extrémité et tirait dessus quand bon lui semblait.

Il se faisait l'effet d'un poisson suspendu à un hameçon.

Il se laissa tomber sur une marche. Le granit était froid. Il se sentait vulnérable et ridicule d'être assis là, presque plié en deux, le front perlé de sueur.

Elle le tenait toujours sous son emprise et jouait avec sa proie, relâchant un peu la ligne pour lui donner l'illusion d'être libre, puis la ferrant de nouveau.

Un souvenir à moitié enfoui refit surface dans l'esprit de Caine. Il revit son « père », assis sur un transat, sa veste mouchetée d'embruns, en train de lancer sa longue canne souple. C'était la seule fois où il avait proposé à Caine de l'accompagner. Cet homme, qu'il tenait pour son père à l'époque, n'était pas du genre à privilégier de petits moments de complicité avec son fils autour d'un seau de vers à pêche et de cannes en bambou.

Ils étaient en vacances au Mexique. Ils avaient laissé la « mère » de Caine faire des emplettes à Cancún, et Caine avait eu le rare privilège d'accompagner son père lors de ce qui était en réalité un voyage d'affaires maquillé en expédition de pêche avec fiston. Caine et son père ; un certain Paolo et son géniteur ; une fille prénommée… Il ne se rappelait pas son prénom. Trois hommes faisant des affaires et pêchant l'espadon à bord d'un yacht de vingt mètres.

Cette fille, comment s'appelait-elle ?

Bon sang, elle s'appelait Diana ! Une autre Diana, évidemment, très différente, pas très jolie, avec des cheveux roux et des yeux globuleux.

Diana les avait conduits, Paolo et lui, dans cet espace étroit situé à l'avant du bateau, où étaient entreposés l'ancre et les cordages. Là, elle avait sorti de sa poche un petit joint de marijuana roulé avec soin. Paolo, un Italien plus âgé que Caine de deux ans, avait haussé les épaules et déclaré : « *No problem* », en singeant l'argot américain. Caine s'était senti obligé de se défoncer sur ce bateau en compagnie de ces deux gamins. Piégé.

Ce n'était pas le genre de situation qu'il affectionnait. Assis dans cet espace étroit, sombre et humide, il avait tiré sur le joint en regrettant de ne pas être ailleurs. Paolo avait essayé d'emballer la fille. Éconduit, le gamin avait fini par aller chercher quelque chose à manger. Une fois seule avec Caine, la fille s'était collée à lui, signifiant par là qu'elle comptait tirer le meilleur parti de leur tête-à-tête et des effets de la drogue.

Comme Caine la repoussait, elle avait lancé :

— Oh, tu te trouves trop bien pour moi, c'est ça ?

— C'est toi qui le dis.

— Tu sais quoi ? Ton père a besoin du mien. Qu'est-ce qui se passera si je raconte à mon père que tu m'as forcée à fumer de l'herbe ? Ton père perdra son marché et il te le fera payer.

Une lueur de triomphe brillait dans les yeux de l'adolescente. Elle le tenait à sa merci, au bout de son hameçon, comme ces trois hommes hilares sur le pont avec leurs fichus poissons. Elle était sûre de son petit manège.

Cependant, Caine avait ri.

— Vas-y.

— Je vais me gêner !

— C'est ça. Va lui dire.

Ce jour-là, il avait pris conscience d'une vérité simple : ce ne sont pas les autres qui nous piègent, c'est notre propre peur. Pour vaincre, il fallait la mettre au défi. Or, ce jour-là sur le bateau, Caine avait eu moins peur que cette fille. Et il avait su d'instinct qu'en agissant ainsi il prenait la main.

Défier pour vaincre.

Le problème, à présent, c'est que Caine avait une peur bleue de la créature tapie au fond de la mine. Il ne pouvait pas bluffer l'Ombre. Elle savait qu'il était terrorisé. Une corde emprisonnait son esprit et son âme. La chose dans la mine en tenait l'autre bout. Caine s'imagina en train de couper cette corde : ramasser une hache, la lever au-dessus de sa tête et l'abattre de toutes ses forces. Être déterminé, impitoyable. Comme il l'avait été avec Diana. Avec les deux Diana.

— Il le faut, murmura-t-il pour lui-même. Il faut trancher le lien. Je vais le faire.

Mais en son for intérieur, il ne s'en sentait pas capable.

— Il a faim, dit le petit Pete.

— Tu veux dire que toi, tu as faim, le corrigea mécaniquement Astrid, comme si le principal problème de l'enfant, c'était la grammaire.

Ils étaient dans le bureau de Sam à la mairie. Les enfants défilaient l'un après l'autre pour se plaindre ou quémander un service. Astrid réglait certaines questions seule et notait le reste pour Sam. Il avait raison sur un point : la situation ne pouvait pas durer.

— Il a faim, répéta le petit Pete, penché sur sa Game Boy, les yeux fixés sur l'écran.

— Tu veux manger un morceau ? demanda Astrid d'un ton absent. Je vais peut-être te trouver quelque chose à grignoter.

— Il ne sait pas parler.

— Bien sûr que tu sais parler quand tu t'en donnes la peine, Pete.

— Je le laisserai pas. Ses mots, ils sont vilains.

Astrid leva les yeux vers son frère. L'ombre d'un sourire flottait sur les lèvres de l'enfant.

— Et il a faim.

Le petit Pete chuchotait à présent.

— Faim dans le noir.

— Parce que c'est Sam qui l'a dit, voilà pourquoi, répéta Edilio pour la énième fois. Si on ne s'occupe pas des récoltes, on finira par crever de faim.

— Et si je promets de le faire une autre fois ? suggéra le gamin.

— Écoute, mon petit bonhomme, tout le monde me ressert la même rengaine : une autre fois ! Le problème, c'est qu'on a des melons à ramasser. Alors, monte dans ce bus. Prends ton chapeau, si t'en as un. Allez, en route.

Edilio attendit, la main sur la porte, que le gamin ait trouvé sa casquette. Son humeur, déjà mauvaise, ne s'améliorait guère à mesure que la matinée avançait. Il avait fait monter vingt-huit enfants dans le bus, et tous se plaignaient, tous voulaient aller aux toilettes, tous avaient faim ou soif, geignaient, pleuraient, se chamaillaient.

Il était déjà près de 11 heures. Le temps qu'ils atteignent le champ, il serait midi et les enfants réclameraient leur déjeuner. Ils n'auraient qu'à le ramasser, il n'y avait qu'à se baisser. Et il se moquait bien qu'ils n'aiment pas les melons.

Trente personnes, y compris Edilio. En travaillant dur pendant quatre heures d'affilée, ils pouvaient espérer rapporter soixante-dix à quatre-vingt-dix melons chacun. Ce qui représentait une belle récolte. Seulement voilà, il y avait plus de trois cents bouches affamées à nourrir, et il fallait beaucoup de melon pour remplir un estomac.

Edilio était soucieux : déjà, un grand nombre de fruits avaient commencé à pourrir dans le champ. Les oiseaux pillaient la récolte. Et personne ne prévoyait de replanter en vue de la saison prochaine. Or, même en s'acquittant du ramassage, tôt ou tard ils connaîtraient la famine. Et là, bonne chance pour maintenir l'ordre !

Il avait été trop optimiste, en fin de compte. Il était presque une heure de l'après-midi quand ils arrivèrent sur les lieux après un trajet infernal au cours duquel deux enfants de onze ans s'étaient battus à coups de poing. Évidemment, les premiers mots qui sortirent de la bouche des travailleurs furent : « J'ai faim. »

— Eh bien, voilà votre déjeuner, annonça Edilio en montrant le champ, tout heureux de les rappeler à leur devoir.

— Quoi, ces trucs ronds ?

— Ce sont des melons. Et c'est délicieux, d'ailleurs.

— Et les vers ? demanda une fille.

Edilio poussa un soupir.

— Ils sont dans le champ de choux. C'est à plus d'un kilomètre d'ici.

Pourtant, personne ne fit mine de s'attaquer au ramassage. Tous se mirent en rang docilement mais se tinrent à une distance respectable du champ.

— D'accord, marmonna Edilio. L'immigré va vous montrer de quoi il est capable.

Il s'avança dans le champ d'un pas nonchalant, se baissa, arracha un melon et le brandit à l'intention du groupe. Il ne dut son salut qu'à la chance. Qu'au seul fait de laisser tomber son melon. Baissant les yeux, il vit la terre bouger à ses pieds. Il fit un bond de côté, trébucha, parvint à rétablir son équilibre, et courut, courut – jamais il n'avait couru aussi vite – en martelant de ses bottes le sol grouillant de vers, puis s'affala dans la poussière, face contre terre, à la limite du champ.

Ramenant ses jambes contre lui, il examina ses bottes, affolé. Elles portaient des traces de morsures mais pas le moindre trou. Les vers n'avaient pas réussi à se frayer un chemin jusqu'à lui.

Levant les yeux, il vit les visages bouleversés des enfants autour de lui. Et dire que, quelques instants plus tôt, il s'apprêtait à les expédier dans ce champ. La plupart d'entre eux étaient chaussés de baskets. Aucun ne savait à quoi ressemblaient ces créatures. Il avait été à deux doigts d'envoyer vingt-neuf enfants à la mort.

— Remontez dans le bus, ordonna-t-il d'une voix tremblante.

— Et notre déjeuner? demanda quelqu'un.

15

SAM PRIT LA LISTE des mains d'Astrid. Il parcourut des yeux les deux premières lignes et se retint de la déchirer.

— La même que d'habitude ?

Astrid hocha la tête.

— Je crois que tu apprécieras tout particulièrement…

Jack le Crack fit irruption dans la pièce. D'ordinaire, les enfants n'étaient pas censés entrer sans frapper, mais Jack n'était pas un enfant comme les autres.

— Qu'est-ce qui se passe, Jack ? demanda Sam en s'asseyant dans le vaste fauteuil en cuir derrière le bureau qui avait appartenu au véritable maire de la ville, avant d'être brièvement réquisitionné par Caine.

Jack était dans tous ses états.

— Tu devrais me laisser remettre en marche le téléphone.

— Quoi ? En te voyant débouler, j'ai cru qu'il y avait une urgence.

— Tout le monde n'arrête pas de me demander quand ce sera prêt, reprit Jack, visiblement au supplice, et je dois inventer des prétextes idiots. Ils croient que j'ai échoué.

— Jack, on en a déjà parlé. Je te suis sincèrement reconnaissant pour tout le travail que tu as fourni, mon pote, personne d'autre que toi n'aurait réussi. Mais on a d'autres problèmes, OK ?

Jack devint tout rouge.

— Tu m'as demandé de m'en occuper. J'ai dit à tout le monde que j'y arriverais. Et maintenant tu m'empêches de terminer. C'est pas juste ! cria-t-il en suffoquant presque d'indignation.

— Écoute, Jack. Tu tiens vraiment à ce que Caine et Drake puissent joindre n'importe qui ? Tu veux qu'ils se mettent à menacer les enfants, à les baratiner, à leur offrir de la bouffe en échange d'armes ? Tu as vu comment ils ont réussi à embobiner tout le monde la première fois !

— Tu veux tout contrôler, y a que ça qui t'intéresse ! lança Jack d'un ton accusateur.

Ses paroles firent mouche. Sam allait rétorquer mais les mots s'étranglèrent dans sa gorge. Pendant quelques instants, il s'efforça de maîtriser sa colère. «Évidemment !», avait-il envie de répondre. Bien sûr qu'il ne voulait pas que Caine bourre le crâne des enfants avec ses mensonges. Ils étaient assez désespérés pour écouter quiconque se proposant de leur offrir une vie meilleure, même Caine. Jack ne voyait donc pas qu'ils étaient à deux doigts d'un désastre et que Sam gérait une situation pour le moins précaire ?

Peut-être pas, non.

— Jack, les enfants ont peur. Ils sont désespérés. Peut-être que tu ne t'en rends pas compte parce que tu as d'autres préoccupations. Mais on est à ça de la catastrophe, dit Sam en joignant le geste à la parole. Tu veux que ça vienne aux oreilles de Caine ? Tu tiens vraiment à ce qu'il sache qu'on est dans la mouise ?

Voyant que Sam s'énervait de plus en plus, Astrid s'interposa.

— Jack, qu'est-ce qui s'est passé pour que tu te mettes dans cet état ?

— Rien, répondit-il puis, après un silence : C'est Zil. Il m'engueule devant tout le monde. Soi-disant que, maintenant que je suis un mutant, mon cerveau ne fonctionne plus aussi bien.

— Comment ? fit Sam.

— Il prétend que développer des pouvoirs fait chuter le QI. Je cite : « Ce pauvre Jack qui peut soulever une maison mais qui n'est même pas capable de faire marcher le téléphone. »

— Je suis désolé si tu es vexé, Jack, mais j'ai des problèmes à régler, là, répliqua Sam, exaspéré.

L'expert, c'est toi. Tu le sais, je le sais, Astrid le sait, alors on se fiche pas mal de ce que pense Zil.

— Écoute, pourquoi tu ne te remettrais pas à travailler sur cette histoire de connexion Internet ? suggéra Astrid.

Jack lui jeta un regard noir.

— Pour que vous décidiez de ne pas vous en servir non plus ? Je passe déjà pour un débile !

Sam mourait d'envie d'envoyer balader Jack, mais il avait conscience que ce n'était pas une bonne idée. Aussi il inspira profondément et, faisant appel à toute sa patience, il déclara :

— Jack, je ne peux rien promettre. J'ai beaucoup de questions à régler. La priorité, avant les détails techniques...

— Les détails techniques ? répéta Jack, indigné.

— Ce n'est pas une critique. J'essaie juste...

Il s'interrompit en voyant apparaître sur le seuil Edilio, pâle et solennel.

— Les vers. Ils sont dans le champ de melons, maintenant.

— Ils prolifèrent, observa Astrid.

— Tous ces gosses qui auraient pu mourir par ma faute ! reprit Edilio d'une voix tremblante.

Il avait la tête de quelqu'un qui aurait vu un fantôme.

— Bon, ça suffit, dit Sam.

Il se leva en repoussant sa chaise d'un geste brusque. Enfin, il avait une occasion d'agir. Il aurait dû s'inquiéter. Pourtant, en quittant la pièce d'un pas décidé, il éprouvait surtout du soulagement.

— La liste va devoir attendre, Astrid. Je vais aller dégommer des vers.

Deux heures plus tard, Sam se tenait au bord du champ de melons, Dekka à son côté. Edilio, qui les avait emmenés en Jeep, n'avait pas voulu descendre de voiture.

— Comment tu vois la suite ? s'enquit-elle.

— Tu les soulèves, je les crame, répondit Sam.

— Je ne peux les atteindre que dans un rayon de quelques mètres chaque fois.

La rumeur s'était déjà propagée en ville. Des enfants s'étaient empilés dans des voitures et des camionnettes pour assister au spectacle, et à présent deux douzaines d'entre eux observaient la scène à une distance prudente. Certains, tels des touristes ou les supporters d'une équipe, avaient apporté leur appareil photo. Howard et Orc avaient fait le voyage, eux aussi. Sam n'était pas mécontent de les voir. Il avait fait savoir à Howard qu'il aurait peut-être besoin d'Orc.

— Quoi de neuf, Sammie ? lança Howard.

— Encore des vers. On va tenter une petite opération de nettoyage.

Howard hocha la tête.

— OK. Et qu'est-ce que mon pote peut faire pour toi ?

Il montra Orc qui s'était adossé au coffre d'une voiture, dont les pneus s'aplatissaient sous son poids.

— On ne pourra pas tous les tuer. Mais d'après Astrid, ces bestioles sont intelligentes. Alors on va leur transmettre un message : ne nous cherchez pas.

— Je ne vois toujours pas ce qu'Orc vient faire là-dedans.

— C'est notre canari.

— Quoi ?

— Autrefois, les mineurs descendaient dans la mine avec un canari. Si un gaz nocif se propageait, l'oiseau était le premier à mourir. Tant qu'il vivait, les mineurs se savaient en sécurité.

Il fallut un moment à Howard pour digérer l'information. Il éclata d'un rire sardonique.

— Et moi qui te prenais pour un tendre, Sam ! Voilà que, maintenant, tu veux envoyer Orc au casse-pipe ! Espèce de sans-cœur !

— Ils ont mis du temps à trouver son point faible, la dernière fois. Dès qu'il repère leur présence, il sort du champ.

— Sans-cœur, répéta Howard avec un sourire narquois. Je vais en toucher deux mots à mon pote. Mais il ne bosse pas pour des prunes, comme tu le sais. Quatre caisses de bière.

— Deux.

— Trois.

— Deux, et si tu pinailles encore, je vais te prouver que tu ne m'as pas traité de sans-cœur pour rien.

Une fois le marché conclu, Sam se tourna vers Dekka.

— Prête ?

— Oui, répondit-elle.

— Allons-y.

Dekka leva les bras, les paumes tendues vers le bord du champ. Soudain, melons et mauvaises herbes s'élevèrent dans un nuage de poussière. On voyait nettement les vers se tortiller en dessous. Sam leva les mains à hauteur d'épaules en écartant les doigts.

— Ça va me faire du bien, grommela-t-il.

Une colonne de feu verte jaillit de ses paumes. Les melons explosèrent comme du pop-corn tandis que des mottes de terre fumantes se désagrégeaient. Les vers éclataient sous la pression de leur sang chauffé à blanc ou se ratatinaient comme des serpentins du 14 Juillet. Sam faisait pleuvoir des flammes sur la colonne de terre, visant dès qu'il distinguait du mouvement, s'attardant à certains endroits, si bien que, par moments, la terre chauffait au point de devenir incandescente et de former des gouttelettes de lave.

— OK, Dekka, lâche tout ! cria-t-il.

Dekka s'exécuta. La gravité se rétablit et la colonne de terre fumante retomba en projetant une pluie d'étincelles. Quelques enfants qui se tenaient trop près du champ reculèrent en glapissant. Sam et Dekka s'écartèrent promptement ; pas assez vite cependant : Sam reçut un fragment de terre brûlante sur la cuisse.

— De l'eau ! brailla-t-il.

Il prit la bouteille qu'on lui tendait et aspergea d'eau son jean.

— Ouille, ça fait mal !

— T'en as fait griller quelques-uns, commenta Howard.

— Si tu es prête, Dekka, on y retourne.

— J'adore le melon, lança-t-elle. Je ne vais pas laisser ma part à ces sales bestioles.

Ils se déplacèrent vers la gauche du champ pour répéter l'opération, puis s'attaquèrent à un autre périmètre.

— Bon, voyons s'ils ont reçu le message, déclara Sam quand ils eurent fini. Howard ?

Howard fit signe à Orc d'approcher, et la créature se dirigea d'un pas lourd vers le champ.

— Essaie d'abord dans un endroit qu'on a cramé, dit Sam.

Orc s'exécuta. Si le sol encore bouillant lui brûlait les pieds, il ne parut pas s'en inquiéter.

— Bien, reprit Sam. Maintenant, va un peu plus loin. Essaie de ramasser un melon.

— Je veux une bière, grogna Orc.

— Je n'en ai pas sur moi.

— Comme par hasard.

Orc s'avança vers un carré de terre intact, se penchа pour ramasser un melon et revint avec deux vers qui se tortillaient autour de sa main. Il les jeta au loin et regagna en courant le bord du champ.

Sam était désemparé. Là encore, il avait échoué. Et dans l'intervalle, il avait convaincu un garçon alcoolique de jouer les appâts en lui faisant miroiter de la bière.

— C'est pas mon jour de gloire, marmonna-t-il pour lui-même.

La foule, déçue, lui jetait des regards obliques. Faisant mine de les ignorer, il grimpa dans la Jeep à côté d'Edilio.

— Tu veux ma place ? grommela-t-il.

— Pas pour tout l'or du monde, mon pote.

Lana avait découvert qu'on ne pouvait rien coller sur la paroi. Munie de gants, elle avait essayé d'y scotcher une cible. L'adhésif n'avait pas tenu. La superglu n'avait pas eu davantage de succès. Ils n'étaient pas près d'afficher des posters de leurs groupes favoris sur le mur de la Zone.

Elle avait tenté sa chance avec une bombe de peinture. Elle trouvait amusante l'idée de couvrir l'enceinte de graffitis. Mais la peinture s'était mise à grésiller comme si elle l'avait fait frire dans une poêle avant de s'évaporer sans laisser de trace. Lana s'était sentie frustrée ; elle avait besoin d'une cible, et l'idée de tirer sur la paroi lui plaisait beaucoup.

Pour finir, elle avait traîné un transat de la piscine jusqu'aux courts de tennis, à l'endroit où l'enceinte était le plus accessible. Après l'avoir appuyé contre le mur, elle avait scotché une cible dessus. C'était la photo d'un coyote.

Puis elle avait sorti le pistolet de son sac à dos. Il était lourd dans sa main. Elle n'avait aucune idée de son calibre. Elle l'avait trouvé dans une des maisons qu'elle avait occupées, ainsi que deux boîtes de munitions.

Elle avait appris comment le charger. Cela ne lui avait pas pris bien longtemps. Le chargeur pouvait contenir jusqu'à douze balles. Il y avait aussi un second chargeur, amovible celui-là. C'était facile d'en ôter un pour enclencher l'autre. Elle s'était salement pincé le doigt la première fois qu'elle avait tenté de le faire, mais être guérisseuse comportait quelques avantages. Cependant, savoir charger cette arme n'était pas suffisant.

Elle leva le pistolet. Il pesait si lourd qu'elle dut le tenir à deux mains pour éviter de trembler. Elle visa la photo du coyote, pressa la détente. L'arme recula dans sa main. La détonation était beaucoup plus forte que dans les films. On aurait dit que le monde entier venait d'exploser.

Un peu tremblante, elle alla vérifier la cible. Rien. Elle avait manqué son coup. Bien entendu, derrière la photo, le mur de la Zone était intact.

Cette fois, elle s'appliqua davantage. Elle avait observé Edilio pendant qu'il entraînait ses troupes. Elle connaissait les bases. Elle visa juste en dessous de la tête du coyote et tira. En retournant examiner la cible, elle y trouva un impact de balle ; il n'était pas tout à fait là où il aurait dû être mais elle se rapprochait du but, et cela la remplit de joie.

— Alors, on a bobo, Chef ?

Lana vida deux chargeurs sur la cible. Seule la moitié des balles firent mouche, mais c'était mieux que rien.

Quand elle eut fini, ses oreilles bourdonnaient et elle avait les mains meurtries. Elle n'aurait aucun mal à soigner ses blessures. Cependant, elle ne détestait pas la sensation qu'elles lui procuraient et ce qu'elles représentaient. Elle rechargea soigneusement son arme et la glissa dans son sac à dos.

Viens à moi. J'ai besoin de toi.

Elle jeta son sac sur son épaule. Le soleil descendait sur l'horizon en nimbant d'une pâle lumière orangée la paroi grisâtre.

Demain. Elle serait bientôt là-bas.

16

DIANA N'AVAIT PAS ENVIE de couper ses cheveux, qu'elle préférait longs. Néanmoins, elle prenait les menaces de Caine très au sérieux. Elle devait lui livrer Jack.

Aussi s'installa-t-elle devant le miroir avec la tondeuse électrique qu'elle avait trouvée dans la chambre de l'ancienne directrice du pensionnat. Pas la peine de faire dans la demi-mesure, de chercher à fignoler pendant des heures avec une paire de ciseaux. Bizarrement, le bruit de la tondeuse lui parut agréable ; il changeait chaque fois que la lame s'attaquait à une nouvelle touffe de cheveux. En moins d'un quart d'heure, sa chevelure sombre s'était répandue dans le lavabo et sur le sol.

Elle rassembla ses mèches éparses, les jeta dans une poubelle et rinça le lavabo. Puis elle nettoya les dernières traces de maquillage sur ses yeux. Si elle ne pouvait pas remédier à ses sourcils bien dessinés,

241

elle avait quantité de vêtements à sa disposition. Sur le lit l'attendaient un tee-shirt noir deux fois trop grand pour elle, un sweat à capuche gris, un jean baggy de garçon et une paire de baskets.

Elle s'habilla en hâte et s'examina dans le miroir en pied du placard. Elle avait toujours l'apparence d'une fille. De loin, elle pourrait faire illusion mais, de près, il était impossible de se méprendre. Le problème ne venait pas tant de son corps dissimulé par ses vêtements que de ses traits irrémédiablement féminins : le nez, les yeux, les lèvres et même les dents.

— Je ne peux pas faire grand-chose pour ma bouche, songea-t-elle à voix haute, à part éviter de sourire.

Puis, comme si elle se disputait avec son propre reflet, elle ajouta :

— Tu ne souris jamais, de toute façon.

Elle fouilla la salle de bains en quête d'une trousse à pharmacie, et trouva un pansement qu'elle appliqua sur l'arête de son nez. Peut-être que ça aiderait à renforcer l'illusion.

Elle sortit dans le couloir. Il était désert, ce qui ne l'étonna guère : l'heure du dîner – aussi maigre soit-il – était passée. Les enfants, affamés et affaiblis, n'avaient plus l'énergie nécessaire pour sortir de leur chambre.

Diana n'était pas assez bête pour prendre une voiture. Un garde était posté à l'entrée du pensionnat :

il ne manquerait pas de l'arrêter et d'appeler Drake. Celui-ci la laisserait peut-être partir. Après tout, elle obéissait aux ordres de Caine. Mais s'il en décidait autrement? C'était le moment idéal pour manigancer un petit «accident», non?

Elle préféra donc quitter le dortoir par la porte de derrière, qui donnait sur les bois. Levant les yeux, elle scruta le ciel qui se teintait déjà de bleu sombre: la nuit tombait de bonne heure sous les arbres.

Il lui fallut une heure pour se frayer un chemin parmi les ronces et les ravines. Elle craignit un moment de ne pas retrouver la route; pour elle, les arbres se ressemblaient tous. Mais après avoir franchi un talus glissant baigné par le clair de lune, elle sentit le goudron sous ses pieds. Elle n'avait échafaudé aucun plan pour approcher Jack. Elle se voyait mal l'assommer et rentrer au pensionnat en le portant sur son dos. Elle devrait s'en remettre à l'improvisation. Jack avait toujours craqué pour elle sans jamais tenter la moindre approche.

Dommage qu'elle ressemble à un garçon, désormais.

Elle n'eut qu'à suivre la pente jusqu'à l'autoroute. Là, les rares lampadaires qui fonctionnaient encore, dispensant çà et là des flaques de lumière, ainsi que la faible clarté émanant des devantures de quelques magasins déserts, éclairèrent ses pas. Quand elle atteignit Perdido Beach, elle était fourbue, ses pieds la faisaient souffrir et elle aurait donné cher pour se reposer. Pas de doute, la nuit serait longue.

Elle parcourut Sherman Avenue et Golding Street dans l'espoir de trouver une habitation vide. Elles ne manquaient pas. Rares étaient les fenêtres éclairées, et la maison qu'elle dénicha était si délabrée que personne n'aurait eu l'idée de se risquer à l'intérieur. Elle était plongée dans le noir et, après maintes tentatives, Diana ne trouva qu'une seule lampe en état de marche dans le petit salon encombré d'objets. Avec un soupir de gratitude, elle se laissa tomber dans un fauteuil recouvert d'un plaid en crochet qui trônait au milieu de la pièce.

— Une vieille dame devait habiter ici, songea-t-elle à voix haute.

Elle cala ses pieds sur la table basse – geste qui aurait sans doute suscité la désapprobation de l'ancienne occupante des lieux – et se demanda combien de temps il lui faudrait attendre ici avant de se risquer dans la rue. Jack ne logeait qu'à quelques pâtés de maisons de là, mais pour s'y rendre elle devrait traverser le centre-ville beaucoup plus peuplé.

— Je tuerais pour une télé, marmonna-t-elle.

Comment s'appelait cette série qu'elle aimait regarder ? Une histoire de médecins avec toutes sortes d'intrigues dignes d'un soap opera. Comment avait-elle pu en oublier le nom ? Elle ne ratait aucun épisode… Tous les combien déjà ? Quel soir était-il diffusé ?

En trois mois, elle avait oublié la télé.

— Peut-être que MySpace et Facebook fonctionnent encore quelque part de l'autre côté.

Les messages et les invitations devaient s'amonceler sur son profil. «Où es-tu, Diana?» «Est-ce que je peux être ton ami(e)?» «Tu as lu mon mot?»

«Qu'est-il arrivé à Diana?»

«*Diana est...............* (compléter avec la mention appropriée).»

En ce moment même, elle se posait les mêmes questions que n'importe qui d'autre dans la Zone. Où étaient passés les adultes? Qu'était-il advenu de leur monde? Ceux «de l'autre côté» étaient-ils toujours vivants? Ou toute autre vie que celle qui subsistait dans cette bulle avait-elle été annihilée? Est-ce que ceux de l'extérieur étaient au courant de ce qui s'était passé ici? Ou la Zone était-elle une sorte d'œuf géant, impénétrable, qui avait surgi du jour au lendemain sur les côtes californiennes? En avaient-ils fait une attraction touristique pour que des bus entiers de curieux viennent se faire photographier devant cette mystérieuse sphère?

«*Diana est... perdue.*»

Elle chercha la cuisine. D'après ce qu'elle distingua dans les ténèbres épaisses, les étagères étaient vides. Évidemment. Sam avait dû veiller au grain.

Le réfrigérateur était vide, lui aussi.

«*Diana est... affamée.*»

Par chance, elle trouva une lampe électrique en état de marche dans un tiroir, au moyen de laquelle elle put explorer la seule autre pièce de la maison : la chambre de la vieille dame. Elle n'y trouva que des vêtements, de vieilles culottes et des aiguilles à tricoter plantées dans une pelote de laine.

Est-ce qu'elle serait encore prisonnière de la Zone dans ses vieux jours ? « Tu es déjà vieille, pensa-t-elle. On est tous vieux, maintenant. » Ce n'était pas tout à fait vrai, cependant. S'ils étaient obligés de se comporter en adultes, ils n'en étaient pas moins des enfants. Diana autant que les autres.

Un livre était posé près du lit. Elle crut d'abord qu'il s'agissait d'une bible, mais en braquant sa lampe sur la couverture, elle distingua une femme à moitié dévêtue et un type avec une sale tête qui portait une espèce de costume de pirate. Des lettres brillantes et tarabiscotées étincelèrent sous le faisceau de sa torche.

La vieille lisait des romans d'amour. Au moment de sa disparition, elle se demandait peut-être si Caitlin, la jeune fille téméraire, trouverait le véritable amour auprès du beau pirate ? « Voilà comment je peux coincer Jack, songea Diana. En jouant les demoiselles en détresse. Sauve-moi, Jack ! »

Est-ce que Jack répondrait à son appel au secours ? Tomberait-il dans le panneau ? Accepterait-il d'être son pirate ?

— Tu peux m'appeler Caitlin, susurra Diana avec un sourire moqueur.

Elle jeta le livre au loin puis, prise de remords, le ramassa et le reposa soigneusement à l'endroit où la vieille dame l'avait laissé. Après quoi elle s'enfonça dans la nuit à la recherche d'un garçon doté d'une grande force mais aussi, elle l'espérait, d'une grande faiblesse.

Au moyen d'un câble, Astrid relia son ordinateur à l'appareil numérique qu'Edilio avait apporté à sa demande. Selon ses dires, un certain nombre d'enfants avaient pris des photos, parmi lesquels un certain Matteo, âgé de onze ans. C'était lui le propriétaire de l'appareil. Les photos défilèrent à mesure que l'ordinateur les chargeait. Sur les premières, on voyait des enfants qui attendaient, sur d'autres, le champ. Puis un gros plan des melons. Sam, les yeux étincelant de fureur. Orc affaissé contre le coffre d'une voiture. Dekka avec sur le visage une expression indéchiffrable. Howard, Edilio, d'autres enfants. Puis le moment où le sol s'était mis à bouger. Sam faisant jaillir des flammes de ses mains.

Une fois les photos chargées, Astrid les passa en revue une par une en commençant par celle qui montrait Dekka en train de suspendre la gravité. Ce Matteo possédait un bon appareil, et il avait pris d'excellentes photos. En zoomant, Astrid distingua nettement les vers flottant dans les airs. Sur un autre cliché spectaculaire, le photographe avait réussi à capturer le moment où avaient jailli les premières flammes vertes. Il y en avait plusieurs du même genre, pris à quelques secondes d'intervalle, certains flous, d'autres parfaitement cadrés.

Astrid continua à cliquer sur les photos, puis se figea, revint en arrière et zooma sur l'une d'elles, où l'on voyait un ver, la bouche hérissée de dents tournée vers l'appareil. Il n'y avait là rien d'étonnant, si ce n'est que sur l'image suivante, son congénère regardait dans la même direction avec la même attitude. Elle recensa dix-neuf clichés différents montrant des vers qui affichaient le même rictus diabolique à l'intention de Sam.

D'une main tremblante, elle cliqua sur un dossier plus ancien contenant les photos qu'elle avait prises du ver mort que Sam lui avait apporté et zooma sur la tête de la créature. À ce moment, Sam entra dans la pièce et se posta derrière elle, les mains posées sur ses épaules.

— Ça va, ma puce ?

Récemment, il s'était mis à l'appeler par de petits noms. Elle n'était pas certaine d'aimer ça.

— J'ai passé une mauvaise soirée. Pete m'a fait une crise pendant deux heures. Il s'est rendu compte, pour Nestor.

— Nestor ?

— La poupée russe, tu te souviens? Ces petites figurines qui s'emboîtent les unes dans les autres. L'autre soir, tu en as écrasé une.

— Ah oui. Désolé.

— C'est pas ta faute, Sam.

Si elle n'était pas sûre d'apprécier les petits noms qu'il lui donnait, en revanche elle aimait le contact de ses lèvres sur son cou. Au bout de quelques secondes, elle le repoussa.

— Hé! Je travaille.

— Qu'est-ce que tu regardes?

— Les vers. Ils te fixaient tous de la même manière.

— J'étais en train de les faire rôtir, je te rappelle. Pour ce que ça a donné!

Astrid se tourna vers lui.

— Oh, je connais ce regard, dit-il. Vas-y, Petit Génie, éclaire-moi.

— Avec quoi ils te regardaient?

Sam réfléchit quelques instants, puis:

— Ils n'ont pas d'yeux.

— Exactement. Je viens de vérifier encore une fois. Ils n'ont pas d'yeux. Mais pendant que tu les passais au lance-flammes, tous se contorsionnaient pour «regarder» – du moins, c'est ce qu'il semble sur les photos – dans la même direction. C'est-à-dire vers toi.

— Génial. Donc, d'une façon ou d'une autre, ils peuvent voir. Ce qui compte, à mon avis, c'est que j'en ai tué un paquet mais qu'ils n'ont pas eu l'air d'avoir reçu le message.

Astrid secoua la tête.

— Je ne suis pas sûre que tu les aies vraiment atteints. Et si, comme les fourmis, ils n'agissaient pas en tant qu'individus ? S'ils faisaient tous partie du même super organisme ? Comme une ruche, par exemple.

— Alors tu penses qu'ils ont une reine ?

— Peut-être. Il se peut aussi qu'ils soient moins hiérarchisés.

— Tout ça, c'est très bien, Astrid. Mais moi, comment je fais pour les éliminer ?

— J'ai deux idées. L'une est très pragmatique, tu vas aimer. L'autre est beaucoup plus folle, ça m'étonnerait qu'elle te plaise.

Il était l'heure de mettre au lit le petit Pete. Astrid appela l'enfant, qui lui lança un regard vague, comme s'il l'avait entendue sans comprendre ses paroles. Puis il se leva de sa chaise et se dirigea docilement vers l'escalier, obéissant non pas à l'autorité de sa sœur mais à un rituel programmé.

— J'ai une ronde à faire, et toi tu dois coucher ton petit frère, déclara Sam, alors donne-moi la version courte.

— D'accord. Un 4 x 4 débarrassé de ses pneus. Les vers ne pourront pas s'attaquer à l'acier des jantes. Ça, c'est l'option pragmatique.

— Ça pourrait marcher, Astrid ! observa-t-il, tout excité. On pourrait ramasser les melons ou les choux avec des cannes équipées de crochets. Ça demanderait un peu d'entraînement mais, à moins que les vers aient appris à voler, les ramasseurs seraient en sécurité dans le 4 x 4.

Sam sourit.

— Tu vois, c'est pour ça que je te garde, même quand tu joues les bêcheuses.

— Moi, bêcheuse ? Ça n'a rien à voir, rétorqua Astrid en riant. J'ai conscience de ma supériorité, c'est tout.

— Et l'autre idée ?

— Négocier.

— Quoi ?

— Ces bestioles sont trop malignes pour des vers. Elles se comportent en prédateurs et elles ont l'instinct de propriété. Elles agissent ensemble, du moins la plupart du temps. Elles te « regardaient » alors qu'elles n'ont pas d'yeux. Je n'ai aucune preuve, évidemment. Ce n'est qu'une intuition. Mais à mon avis, ces vers ne font qu'un.

— Aller parlementer avec Super-Ver, c'est ce que tu proposes ?

Sam secoua la tête.

— Cette histoire de 4 x 4 prouve que c'est toi le cerveau de la Zone. Par contre, ne te vexe pas, mais ton autre idée montre pourquoi, malgré ton intelligence, ce n'est pas toi qui commandes.

Astrid réprima l'envie de lui faire ravaler sa condescendance.

— Il faut garder l'esprit ouvert, Sam.

— Négocier avec un ver ? Et puis quoi encore ! Je crois que ton cerveau surchauffe. Faut que j'y aille.

Quand il s'avança pour l'embrasser, elle se détourna.

— Bonne nuit. Espérons que Pete n'aura pas d'autres cauchemars intéressants. Oh, attends, pas de quoi s'inquiéter, c'est sûrement mon cerveau qui surchauffe.

Jack cliqua à toute allure sur un nombre incalculable de fenêtres en faisant voler le curseur de sa souris sur la page virtuelle. Ça ne marchait pas. Il avait peut-être une chance d'y arriver avec du matériel supplémentaire, un bon routeur, un bon serveur.

Celui qu'il avait trouvé était loin d'avoir la capacité qu'il recherchait. Mais, s'il était un peu obsolète, il n'en restait pas moins fonctionnel. Et il y avait sûrement assez de Mac et de PC en ville pour que chacun ait droit à son propre ordinateur. On pourrait toujours désosser le reste pour en réutiliser certaines pièces.

Cependant, Jack n'avait pas de routeur digne de ce nom ; or, c'était ce qui différenciait le véritable Internet d'un vulgaire ordinateur à se partager.

Un routeur de grande capacité. L'équivalent du Saint-Graal.

Jack s'imaginait le jour où tous les enfants de Perdido Beach seraient équipés du Wi-Fi. Ils pourraient lancer un blog, créer des bases de données, poster des photos. Peut-être qu'il pourrait installer une version de MySpace ou de Facebook, un nouveau site de réseautage social, voire un YouTube ou un Wikipedia. Le WikiZone! Tout était possible. Mais pas sans matériel.

Il recula en s'appuyant sur son bureau. Mal lui en prit: la chaise roulante, et lui avec, volèrent à travers la pièce. Au passage, il se prit les pieds dans un pull abandonné par terre, trébucha et amortit sa chute juste avant que sa tête ne heurte une porte close. Il devait encore apprendre à contrôler sa force. Jusqu'à présent, elle ne lui avait été d'aucune aide. Au contraire, elle était plus dangereuse qu'utile.

Jack se releva et redressa la chaise. On frappa à la porte. Une série de coups tellement rapprochés qu'on aurait dit un pivert.

— Qui est-ce?

— Brise.

— Qui?

— Brianna.

Jack ouvrit la porte. C'était bien elle, vêtue d'une courte robe bleue à fines bretelles. Troublé, il formula la première pensée qui lui vint à l'esprit.

— Comment t'arrives à courir, habillée comme ça ?

— Pardon ?

— Euh… Je ne voulais pas…

— Laisse tomber.

— J'ai besoin d'un routeur, lança-t-il pour mettre un terme à cet échange embarrassant. Sans ça, je ne peux rien faire.

Brianna le considéra un moment avant de demander :

— Est-ce que j'ai l'air débile dans cette robe ?

— Non, t'as rien d'une débile.

— Merci, répondit-elle d'un ton sarcastique. Je suis ravie de l'entendre.

— Ah, fit-il, se sentant lui-même un peu bête.

— Je vais au club. J'ai des piles pour entrer. Voilà.

— Oh, super.

— Et ?

Jack haussa les épaules, déboussolé.

— Et… euh… bonne soirée.

Brianna l'observa fixement pendant cinq secondes interminables, puis disparut. Il referma la porte et retourna s'asseoir devant l'ordinateur pour procéder à l'analyse du vieux serveur.

Quelques minutes plus tard, il commença à se demander s'il n'avait pas loupé un détail lors de sa brève conversation avec Brianna. Pourquoi était-elle venue ?

Encore six mois auparavant, Jack ne pensait jamais aux filles. Mais, depuis quelque temps, elles avaient tendance à s'immiscer de plus en plus souvent dans ses réflexions, pour ne pas mentionner des rêves très embarrassants.

Il regrettait le bon vieux temps où il serait allé chercher une explication sur Google. Ses parents ne l'avaient jamais vraiment éclairé sur les mystères de la puberté. Il connaissait les changements liés à cette étape de la vie, mais il ne savait pas s'il pouvait les contrôler.

De toute façon, il avait besoin d'un routeur. Il avait aussi besoin de voir Brianna pour… pour lui parler. De son routeur, éventuellement.

Une pensée lui traversa l'esprit et son cœur bondit dans sa poitrine. Et si Brianna était venue pour lui demander de l'accompagner au club ?

Non. Jamais il ne lui serait venu à l'idée de l'inviter à danser, lui ! Si ?

L'écran de l'ordinateur le rappela à ses devoirs. Pour Jack, c'était mieux que les sucreries. Mieux que tout au monde.

Jack avait accès gratuitement au club d'Albert. Il avait passé une grande partie de la journée à l'aider à installer la sono – un jeu d'enfant – et bénéficiait par conséquent d'une espèce de passe VIP. Donc, si Brianna était là-bas, si elle comptait sur sa présence, il était libre d'y aller.

Il se décida sur un coup de tête et se mit en route sans attendre de peur de changer d'avis.

Le club était bondé et très bruyant : apparemment, la sono fonctionnait à merveille. Albert refusait du monde à l'entrée.

— Désolé, les gars, mais le nombre maximum de personnes admises est de soixante-quinze, annonça-t-il. Puis, apercevant Jack, il lança : Comment ça va, Jack ?

— Oh, bien.

Jack hésita. Il ne voulait pas attendre dans la queue si Brianna n'était pas à l'intérieur.

— Toi, tu as une question à poser, non ? l'encouragea Albert.

— Eh bien, je cherche plus ou moins Brianna. On a… un problème technique à régler. Tu comprendrais pas.

— Brise est déjà là.

L'un des enfants qui attendaient dans la file intervint :

— Bien sûr qu'elle est là. C'est une mutante. Eux, on les laisse toujours entrer.

— Ouais, eux ils ne font pas la queue, renchérit un autre. Je te parie aussi qu'elle n'a pas payé.

— Hé, elle est arrivée un peu avant vous, protesta Albert. Elle a attendu. Et elle a payé. Il se tourna vers Jack et ajouta : Vas-y, passe.

— Tu vois ? s'écria le premier râleur. C'est un des leurs.

— Il a installé ma sono ! Et vous, à part m'engueuler, qu'est-ce que vous savez faire ?

Mal à l'aise, Jack se glissa derrière Albert et pénétra dans la salle. La moitié des personnes présentes dansaient. Les autres bavardaient, assis sur des chaises ou des tables. Il lui fallut un bon moment pour s'acclimater à la pénombre et au vacarme.

Il chercha des yeux Brianna en s'efforçant de paraître désinvolte. Il repéra Quinn, qui dansait tout seul sur la piste, et Dekka, assise dans un coin, l'air sombre. Puis il aperçut, debout non loin d'elle, un garçon qui lui rappelait vaguement quelqu'un. Âgé de douze ans tout au plus, il avait le crâne rasé et un pansement sur le nez. Jack remarqua sa présence car il avait les yeux fixés sur lui. Quand leurs regards se croisèrent, l'inconnu détourna la tête.

Soudain, des cris d'encouragement et des applaudissements s'élevèrent. Suivant la direction du chahut, Jack vit Brianna, qui dansait seule – personne n'aurait pu la suivre – à son rythme, c'est-à-dire dix fois plus vite que la musique. Sa robe flottait autour d'elle tel un halo bleuté. Jack trouva l'effet visuel particulièrement fascinant. Brianna n'était pas ce qu'on pouvait appeler un canon ; elle entrait dans la catégorie « mignonne ». Cependant, elle n'était pas le genre de fille à passer inaperçue. Et sa singularité n'était pas seulement due à son pouvoir.

— Vas-y, Brise ! cria quelqu'un.

Une autre voix s'éleva.

— Arrête de te la péter, sale mutante !

Brianna s'arrêta net.

— Qui a dit ça ?

Zil. Le même crétin qui avait critiqué Jack au sujet du téléphone.

— Moi, répondit-il en s'avançant. Et pas la peine de jouer les dures. J'ai pas peur de toi, dégénérée.

— Tu devrais, répliqua Brianna.

Soudain, Dekka, qui s'était levée de sa chaise, s'interposa entre Brianna et Zil.

— Non, dit-elle de sa voix grave. Pas de ça ici.

Quinn se joignit à elle.

— Dekka a raison, on ne va pas commencer à se battre. Sam fermerait le club.

— Peut-être qu'on devrait en ouvrir un autre, lança un dénommé Antoine. Comme ça, y aurait un club pour les mutants et un pour les gens normaux.

— C'est quoi, ton problème, mon vieux ?

— Elle me gonfle, à faire son intéressante, lâcha Zil en se postant près d'Antoine.

— Tu devrais être de notre côté, Quinn. Tout le monde sait que, toi, t'es normal ! s'écria un certain Lance. Enfin… si on veut. T'es Quinn, faut pas l'oublier.

— La ferme, grommela Dekka.

— Je n'ai pas besoin de ton aide, aboya Brianna en se tournant vers Dekka. Je peux gifler ces deux petits merdeux tellement vite qu'ils le verront même pas venir.

— Calme-toi. Va t'amuser au lieu de nous déballer ton numéro.

Pendant une seconde, Brianna sembla sur le point de mettre Dekka au défi. Mais celle-ci soutint son regard sans ciller. Brianna poussa un soupir théâtral.

— OK. La Brise n'aime pas les histoires, elle préfère s'éclater.

Elle fit une courbette à Dekka, qui répondit par un hochement de tête. La musique reprit aussitôt et les enfants retournèrent à leurs danses ou à leurs bavardages.

— Salut, Jack, lança Brianna. Tu es venu, finalement.

— Oui.

— Dis-moi, tu crois que tu pourrais battre Dekka ?

Jack, déconcerté par la question de Brianna, la considéra bouche bée.

— Je plaisante ! reprit-elle. Dekka est très cool, en fait. Pas aussi cool que moi, évidemment.

— Personne n'est aussi cool que toi, bafouilla Jack.

Brianna accepta son compliment comme un dû.

— Tu danses ?

— Je ne sais pas danser.

— Ah bon ? Je peux t'apprendre.

— J'aurais l'air idiot.

Brianna haussa les épaules.

— Personne ne va se moquer de toi, je t'assure.

— Bien sûr que si !

Elle secoua la tête.

— Impossible. Ils espèrent tous que tu vas réparer le téléphone et Internet. Tout le monde t'aime. Enfin, le mot est peut-être un peu fort mais... tout le monde compte sur toi.

— Je t'ai dit que je l'avais déjà réparé.

Brianna plissa les yeux.

— Surveille tes paroles, Jack. C'est censé être un secret, tu te souviens ?

Puis son regard se posa sur quelqu'un juste derrière lui.

— Qu'est-ce que t'as entendu, toi ?

Tournant la tête, Jack vit l'inconnu au crâne rasé hausser les épaules.

— Moi ? Rien du tout.

Cette voix. Jack connaissait cette voix.

— C'est ça, rien du tout, répéta Brianna. Tu as intérêt à tenir ta langue.

Jack observa attentivement le garçon et, soudain, il comprit.

— Allez, viens danser, dit Brianna en l'entraînant par le bras.

— Je... euh... je dois y aller, bredouilla-t-il en essayant de se dégager, incapable de détacher les yeux du « garçon ».

— Personne ne va se moquer de toi.

Sans un mot, Jack libéra sa main et courut vers la sortie.

— C'est bon, oublie ! cria Brianna. Crétin !

Puis, haussant la voix pour que tout le monde l'entende, elle ajouta :

— Je parie qu'il a peur des filles.

DIANA SUIVIT JACK dans la rue. Elle était soulagée de fausser compagnie à Brianna et à Dekka. Toutes deux la connaissaient bien. Ni l'une ni l'autre ne la portaient dans leur cœur.

Heureusement, Dekka n'avait d'yeux que pour Brianna, et celle-ci était obnubilée par Jack. Diana avait passé un sale moment lorsque Brianna lui avait adressé la parole, mais elle s'était empressée de baisser les yeux, et la mutante ne l'avait pas reconnue.

Ignorant le «bonsoir» poli d'Albert, Jack s'éloigna en hâte du club. Il se retenait de prendre ses jambes à son cou. Elle le rattrapa bientôt.

— Jack !

Il s'arrêta, jeta un regard autour de lui, effrayé à l'idée qu'on les surprenne.

— Diana? chuchota-t-il.

— Tu aimes ma nouvelle coupe de cheveux?

Elle passa la main sur son crâne rasé. Pour un garçon qui possédait la force de dix hommes adultes, Jack semblait terriblement nerveux.

— Qu'est-ce que tu fiches ici?

— J'ai besoin de toi, Jack.

— Toi, tu as besoin de moi?

Elle pencha la tête de côté et le jaugea du regard.

— Alors comme ça, tu as le béguin pour Brianna? Je croyais que c'était moi, la fille de tes rêves.

Sous la lumière crue du lampadaire, tout avait pris une teinte bleutée, pourtant Diana était sûre qu'il rougissait.

— Viens, dit-elle. Allons marcher sur la plage. On ne sera pas dérangés, là-bas.

Comme elle l'avait prévu, il la suivit sans protester. Il avait peut-être un faible pour la petite Brianna, mais les regards à la dérobée qu'il lui jetait depuis leur première rencontre ne lui avaient pas échappé. Elle avait encore de l'emprise sur lui. Après avoir enjambé le muret qui délimitait la plage, ils marchèrent dans le sable sous le ciel nocturne. Diana aurait voulu vivre à cet endroit, tout près de la mer. Perdido Beach, aussi délabrée soit-elle, était toujours plus vivable que le pensionnat Coates, rebaptisé par certains Fear Factory, l'Usine à peur.

— Qu'est-ce que tu veux? demanda Jack, au désespoir.

— Alors, tu as réussi à remettre en marche le téléphone? Je m'étonne que tu aies mis aussi longtemps. Tu me disais toujours que ce serait un jeu d'enfant.

— Je n'ai pas le droit d'en parler, marmonna-t-il.

— Sam ne te laissera pas aller jusqu'au bout, pas vrai ? Pourquoi ?

Comme Jack ne répondait pas, elle lui donna sa propre explication.

— Pour ne pas qu'on s'en serve, nous aussi. Intéressant. Pauvre Caine ! Il faut toujours qu'il sous-estime son frère.

Jack cheminait à côté de Diana. Sous la pression surnaturelle de ses jambes, ses pieds s'enfonçaient profondément dans le sable.

— Maintenant, Caine sait que tu es un mutant. Et que ton pouvoir est à prendre au sérieux.

— Ah bon ?

La voix de Jack monta d'une octave. Diana sourit intérieurement. Elle arrivait encore à l'effrayer. Bonne nouvelle.

— Oui. Il est courant de tout. Il sait par exemple que ce n'est pas ta faute si tu as échoué ici. C'est la mienne.

— C'est lui qui t'a obligée à te couper les cheveux ?

La question de Jack prit Diana au dépourvu.

— Oh, Jack ! s'exclama-t-elle en riant. Non. Caine m'a pardonné. Tu sais comment il est. Il se met dans tous ses états, mais au final il est très indulgent.

— Ce n'est pas l'impression que j'ai eue.

Diana jugea inutile de le contredire.

— Comment ça se passe avec Internet ?

— Il me faut un routeur et un serveur dignes de ce nom.

— C'est quoi ? Du matériel ?

Devant l'ignorance de Diana, Jack eut l'impression de reprendre le dessus pendant un bref instant. Elle s'en aperçut à son éternel ton pédant.

— Oui, c'est ça.

— Tu as cherché partout ?

— Oui.

— Tu as pensé à fouiller le pensionnat quand tu étais encore avec nous ?

— Évidemment. J'ai recensé le moindre câble qui traîne à Coates, et pareil ici, à Perdido Beach.

C'était donc avec ça qu'elle devait appâter Jack ? Bien sûr. Quoi d'autre ? Il avait peut-être du désir pour elle et de l'affection pour Brianna, mais son véritable amour était en composants informatiques.

— Même si tu déniches un routeur, qu'est-ce qui te fait croire que Sam te laissera installer ton propre réseau Internet ?

La longue hésitation qui suivit était la seule confirmation qu'elle attendait. Enfin, il répondit :

— Je n'ai aucune certitude.

— Je sais que Sam est un type sympa, concéda Diana. Plus sympa que Caine. Mais lui au moins, il a toujours eu du respect pour tes compétences, Jack. Même avant la Zone. Tu sais qu'il te laissera toujours le champ libre.

— Peut-être, marmonna Jack.

— Tu imagines, même une seconde, Caine te confier un boulot aussi difficile que le rétablissement d'une ligne téléphonique puis te laisser tomber?

Le silence de Jack était éloquent.

— On a besoin de toi, Jack. Il faut que tu reviennes.

— J'ai du pain sur la planche, ici.

Diana le retint par le bras et, les yeux plantés dans les siens, s'approcha tout près de lui pour s'assurer que le disque dur qu'il avait à la place du cœur se détraquait peu à peu. Elle lui caressa le visage du bout des doigts, sans y mettre trop de familiarité, d'un geste qui n'était pas vraiment une promesse. Juste de quoi le désorienter, le pauvre garçon.

— Reviens, Jack, souffla-t-elle. Caine a une mission à te confier. Un truc inimaginable. Le défi ultime.

Elle parlait lentement en marquant des pauses pour plus d'effet dramatique. Les yeux de Jack s'agrandirent.

— Qu'est-ce que c'est?

— Une tâche que toi seul peux accomplir.

— Tu ne voudrais pas m'en dire plus? supplia-t-il.

— Un truc énorme, Jack. Au-delà de tout ce que tu as tenté jusqu'ici. Des ordinateurs plus puissants. Des programmes beaucoup plus complexes. C'est peut-être trop… même pour toi.

Il secoua mollement la tête.

— C'est une ruse. Tu essaies de me convaincre de rentrer pour que Caine et Drake puissent me donner une bonne leçon.

— Ne te surestime pas trop, gamin, rétorqua Diana, consciente qu'il était temps pour elle de régler l'affaire une fois pour toutes. Tu n'es ni Jack le Vaillant, ni Jack le Roi de la bagarre, ni même Jack le Joli Cœur malgré tes petits fantasmes pathétiques. Tu es Jack le Crack. Sam ne te laissera jamais le champ libre. Caine, si. Pense à toutes ces machines, à ce grand défi. Toi seul est capable d'y arriver.

— Il… il faut que j'y réfléchisse.

— Non, Jack. C'est maintenant ou jamais.

À ces mots, elle tourna les talons et s'éloigna. Jack ne fit pas mine de la suivre. Mais elle savait. Elle l'avait lu dans ses yeux.

— Hé ! Quelqu'un est entré dans ma chambre ! s'indigna Zil Sperry en dévalant l'escalier.

Hunter Lefkowitz était vautré sur le canapé, une jambe appuyée sur le dossier, les bras croisés derrière la nuque. Il regardait la même comédie pour la dixième fois. Il en arrivait à connaître toutes les répliques par cœur.

— Comment tu le sais, avec tout le bazar qu'il y a là-dedans ? répliqua-t-il avec indifférence.

Zil éteignit la télévision.

— Je trouve pas ça drôle, mutant. Quelqu'un est entré dans ma chambre et il a pris un truc qui m'appartient.

Hunter partageait la maison avec trois autres garçons : Zil, Charlie et Harry. Avant l'apparition de la Zone, ils étaient amis. Ils fréquentaient la même classe de cinquième et ce qui les avait réunis, c'était leur passion commune pour les San Francisco Giants. Perdido Beach comptait essentiellement des fans des Dodgers, voire quelques supporters des Angels, mais Zil et Charlie avaient longtemps vécu dans la baie de San Francisco, Harry était originaire du lac Tahoe, situé non loin de la ville, et Hunter aimait tout simplement cette équipe de base-ball.

Les quatre garçons avaient donc bientôt formé une bande et prenaient plaisir à énerver leurs camarades en s'habillant exprès dans des tons noir et orange des Giants. Les après-midi d'été, ils se réunissaient pour regarder les matchs. Mais il n'y avait plus de supporters dans la Zone. Et plus de télé. Les quatre amis ne partageaient plus la passion qui les avait rapprochés au début. Et récemment, la distance s'était creusée entre Hunter et les trois autres garçons pour une raison propre à la Zone : Hunter était un dégénéré. Ses colocataires étaient normaux. D'abord, ils en avaient discuté ensemble et en avaient conclu qu'ils finiraient probablement tous par posséder un pouvoir ; Hunter était juste le premier.

Cependant, à mesure que les semaines passaient, aucun des trois autres n'avait changé, tandis qu'il développait rapidement des dons susceptibles d'en faire un mutant très puissant. Zil en avait pris ombrage. Et sa rancœur grandissait de jour en jour.

— Hé, rallume la télé ! s'écria Hunter en pointant un doigt rageur sur le poste.

— Rends-le-moi, Hunter.

— Te rendre quoi, gros naze ?

Zil hésita.

— Tu sais bien.

Hunter se rassit en soupirant.

— Bon, tu m'accuses de t'avoir volé quelque chose et tu refuses de me dire ce que c'est. Toi, tu dois vraiment t'ennuyer pour me faire un fromage à propos de rien.

— Un fromage, justement ! lança Zil d'un ton accusateur.

Alerté par leurs cris, Harry sortit de la salle à manger où il s'occupait à créer une œuvre complexe avec des Lego.

— Qu'est-ce qui se passe ?

— Le mutant m'a piqué quelque chose dans ma chambre, brailla Zil.

— Tu mens, rétorqua Hunter. Et je t'interdis de m'insulter.

— Quoi, mutant ? C'est la vérité. T'es un mutant, alors je peux t'appeler comme ça.

— Qu'est-ce qui se passe ? répéta Harry, perplexe.

— Rends-le-moi !

— Espèce de débile, je ne sais même pas de quoi tu me parles !

Hunter s'était levé, le visage cramoisi.

— Tu as dit « fromage », alors arrête de jouer au plus malin. Tu sais exactement de quoi je cause, parce que tu l'as volé. Il me restait un petit bout de fromage.

— C'est donc ça ? s'exclama Hunter, incrédule. Premièrement, pourquoi tu te l'es gardé pour toi, hein ? Je croyais qu'on partageait...

— La ferme, dégénéré ! Je ne partage pas avec toi. Avec les humains, d'accord, mais pas avec les erreurs de la nature.

Ils avaient déjà eu des désaccords par le passé. Voire des disputes. Et ce n'était pas la première fois que Zil attaquait Hunter au sujet de ses pouvoirs. Mais ce coup-ci, la tension était palpable et la bagarre menaçait. Hunter pourrait-il l'emporter ? Zil était plus grand et plus costaud. Pourtant, Hunter ne pouvait pas se débiner.

— Recule, Zil, ordonna-t-il, menaçant.

— Ferme ta sale gueule de mutant, espèce de taré, rugit Zil en serrant les poings, prêt à bondir.

— C'est ta dernière chance.

Zil n'hésita qu'un bref instant, puis fit volte-face et s'empara d'un tisonnier en bronze. Hunter recula, ébahi. Zil pouvait le tuer avec ça. Il n'était plus seulement question d'en venir aux mains. Il leva les bras, paumes tendues. Rapide comme l'éclair, Harry s'interposa entre les deux garçons pour s'efforcer de les calmer. Il poussa un hurlement, se tint la gorge à deux mains puis se tourna lentement vers Hunter et lui lança un regard horrifié. Ses lunettes glissèrent de son nez, ses yeux roulèrent dans leurs orbites et il s'affaissa sur le sol.

Hunter et Zil se figèrent, les yeux baissés sur Harry.

— Qu'est-ce que tu lui as fait ? s'écria Zil.

Hunter secoua la tête.

— Rien du tout.

Zil tomba à genoux et tâta le cou de Harry.

— Sa peau est brûlante !

Hunter recula.

— J'ai rien fait du tout !

— Espèce d'assassin ! Tu l'as tué !

— Il n'est pas mort, il respire, protesta Hunter. Je ne voulais pas... Il s'est interposé...

— C'est moi que tu visais !

— Tu allais me frapper avec ce tisonnier !

— Tu lui as grillé le cerveau avec tes mains magiques, c'est ça, hein ?

Affolé, Hunter contempla la paume de ses mains en refusant d'y croire. Il n'avait pas l'intention... Harry était son ami...

— Sale mutant ! Meurtrier !

— Je vais chercher Lana. Elle peut le sauver. Il va s'en sortir.

Mais une énorme cloque s'épanouissait sur la nuque de Harry, à la base de son crâne. Elle atteignit bientôt la taille d'une orange et en l'observant de plus près, Hunter vit qu'elle était remplie de liquide. Il prit ses jambes à son cou, poursuivi par les cris et les accusations de son ancien ami : « Sale mutant ! Meurtrier ! »

Sam somnolait dans la chambre d'amis chez Astrid quand il entendit quelqu'un vomir dans la salle de bains attenante.

Malgré son épuisement, il se traîna hors du lit, enfila un tee-shirt et alla frapper à la porte de la salle d'eau.

— Hé !

— Quoi ? répondit la voix tremblante de Mary.

— Ça va ?

— Oh, pardon. Je t'ai réveillé ?

— T'es malade ?

— Non, non, je vais bien.

Il crut déceler un sanglot dans la voix de Mary.

— Tu es sûre ?

D'une voix plus ferme, elle dit :

— Oui, je vais bien, Sam. Retourne te coucher. Désolée de t'avoir réveillé.

Sam jugea sa suggestion excellente. Il regagna son lit, arrangea ses oreillers comme il les aimait puis jeta un coup d'œil sur le réveil. Minuit. Il ferma les yeux tout en sachant que le sommeil n'était pas près de revenir. Bientôt, les soucis resurgirent et, avec eux, sa vieille compagne la faim. Ce n'était pas facile de s'endormir avec l'estomac vide.

Il entendit le bruit de la chasse d'eau puis la lumière de la salle de bains s'éteignit. Et si Mary tombait malade ? Qui prendrait le relais à la crèche ? Astrid devait déjà s'occuper de son petit frère, alors qui d'autre ? Il dressa une liste des gens possédant la maturité et le sens de la débrouillardise nécessaires pour ce genre de fonction. Les seules personnes qui lui venaient à l'esprit pour remplacer Mary n'accepteraient sans doute ce travail que pour avoir accès à la réserve de flocons d'avoine de la crèche.

Soudain, Sam s'aperçut qu'il avait somnolé. Il avait même rêvé… de M. & M's. C'était ça, le détail qui l'asticotait dans un recoin de sa conscience. Cette histoire de M. & M's.

— La faim me fait perdre les pédales, voilà ce qu'il m'arrive. Lentement mais sûrement, je deviens cinglé.

Il se força à fermer les yeux, mais la petite voix dans sa tête, de plus en plus forte, refusait de le laisser tranquille.

— *Ça pourrait être un des autres gamins d'astreinte, tu y as pensé ?*

— *Non, Heather et Mike étaient au poste de garde. Et Josh a roupillé tout le temps.*

— *Comment ça ? Josh s'est endormi ?*

Les M. & M's. La carte de la Zone et la centrale nucléaire en son centre. Le souvenir du jour de la bataille. Bug le caméléon.

Sam bondit hors du lit tel un projectile expulsé d'un canon. Après avoir enfilé un jean et cherché en hâte ses chaussures sous le lit, il courut vers la chambre d'Astrid et entra sans frapper. Elle dormait, ses cheveux blonds épars sur l'oreiller.

— Astrid, réveille-toi!

Comme elle ne réagissait pas, il toucha son épaule nue et ressentit, malgré son affolement, une bouffée d'excitation.

— Réveille-toi!

Astrid ouvrit les yeux.

— Quoi? C'est encore Pete?

Soudain, il se rendit compte qu'il n'était jamais entré dans sa chambre auparavant. Mais le moment était mal choisi pour y penser.

— Bug. C'est lui qui a volé les M. & M's.

Elle lui jeta un regard ébahi.

— C'est pour ça que tu me réveilles?

— La centrale. Alton et Dalton. Ils disaient tous les deux la vérité. Ce n'est pas non plus Josh qui a volé les bonbons. Quelqu'un d'autre était là. Quelqu'un qu'ils ne pouvaient pas voir!

— Qu'est-ce que Bug irait fabriquer à la centrale?

Soudain, les yeux d'Astrid s'agrandirent. Elle venait de comprendre.

— Quel idiot je fais ! s'emporta Sam. Il faut que j'aille chercher Edilio. C'est toi qui prends le relais jusqu'à mon retour.

— Tu te fais peut-être des idées...

Mais il s'éloignait déjà. Il dévala l'escalier et sortit dans l'obscurité glaciale. Il trouva Edilio à la caserne, où il passait la plupart de ses nuits.

— Qui garde la centrale ? demanda Sam après avoir arraché son ami à un profond sommeil.

— Josh, Brittney... euh... Mickey et Mike Farmer.

— Mike est costaud. Et les trois autres ?

Edilio haussa les épaules.

— Je prends ce que j'ai sous la main. Mickey, c'est le gars qui s'amusait avec une arme : il a tiré dans le plancher de sa maison et flingué la machine à laver entreposée au sous-sol. Brittney, je crois qu'elle assure. Elle est motivée, en tout cas. Josh ? J'en sais rien, mec.

Ils sautèrent dans la Jeep. Il leur fallut passer la ville au peigne fin pendant une bonne heure pour rassembler Dekka, Brianna, Taylor, Orc et une poignée des soldats d'Edilio. Une berline et un énorme 4 x 4 vinrent s'ajouter au convoi. Orc s'installa à l'arrière du 4 x 4 et s'endormit.

Au total, dix personnes s'entassaient dans trois véhicules. Ils firent halte devant la mairie. Sam se percha sur le trottoir et haussa la voix, de sorte que tout le monde l'entende.

— Je suis désolé de vous tirer du lit mais je pense que Caine va essayer d'attaquer la centrale.

— Laisse-moi courir jusque là-bas pour les avertir, supplia Brianna.

— Si tu parcours quinze kilomètres avec le ventre vide, tu seras morte avant d'arriver.

— La Brise peut faire quinze bornes en moins d'une minute, protesta-t-elle en claquant des doigts.

Sam hésita. Brianna disait vrai : elle serait là-bas bien avant eux. Il savait aussi que ce trajet l'éreinterait. Il l'avait déjà vue accomplir ce genre d'exploit : elle n'avait pas seulement l'air fatiguée, elle semblait à deux doigts d'y laisser sa peau.

— Vas-y. Mais sois prudente.

Ses derniers mots s'adressèrent à un courant d'air : Brianna avait déjà disparu.

Sa réaction était probablement exagérée. La disparition d'un sachet de M. & M's ne justifiait sans doute pas cette panique. Il allait passer pour un idiot. Cependant, son instinct lui soufflait qu'il avait raison : à la place de Caine, il s'y serait pris de la même façon. Il aurait dû prévoir le coup, tout comme il aurait dû anticiper le raid sur la supérette.

Ils se mirent en route, longèrent le cimetière, qui comprenait beaucoup trop de sépultures, puis les ruines de l'immeuble calciné, la crèche endommagée, l'église à moitié détruite.

Ils avaient parcouru deux pâtés de maisons quand, soudain, au beau milieu d'une rue sombre, le faisceau lumineux des phares captura la silhouette de Zil. Il courait dans leur direction en gesticulant comme un fou.

— Qu'est-ce que je fais? demanda Edilio.

Sam jura entre ses dents.

— Arrête-toi. Voyons ce qu'il veut.

Edilio s'exécuta et Zil s'avança, à bout de souffle, le visage écarlate. Il se pencha vers la vitre que Sam venait d'ouvrir.

— C'est Hunter. Ce sale mutant. Il a tué Harry.

Dekka émit une sorte de grognement et Zil recula d'un pas mais il ne fit pas mine de s'excuser.

— Oui, c'est bien ça, un mutant. L'un des vôtres. Il s'est servi de ses pouvoirs pour massacrer Harry. Et tout ça pour rien.

— Tu as trouvé Lana? s'enquit Edilio.

— Je ne sais pas où elle est.

— C'est marrant, la Guérisseuse, tu ne la traites pas de mutante, elle, observa Dekka.

— Lana est au Clifftop, déclara Sam. Super! Maintenant, j'aurais bien besoin des services de Brianna. Bon, on n'a plus qu'à espérer que je sois parano. Edilio, dépose-moi chez Hunter et Zil. Demande à ton équipe de retourner sur la place et de nous y attendre. Puis va chercher Lana au Clifftop. Compris? Dekka, reste avec moi, tu veux bien?

— Je vais prévenir les autres, les normaux, annonça Zil. Ils doivent savoir ce qui s'est passé.

Sam braqua l'index sur lui.

— Tu ne vas pas les réveiller à cette heure ! Tu viens avec nous.

— Hors de question que je reste seul avec deux mutants. Faut toujours que vous preniez parti les uns pour les autres.

— Arrête de jouer les idiots, Zil. Je ne te laisserai pas ameuter toute la rue.

— Qu'est-ce que tu comptes faire ? Me cramer ?

Zil écarta les bras.

— N'importe quoi ! Allez, monte, Zil. On perd du temps à se disputer.

— Pas question, mec. Pas question.

À ces mots, Zil tourna les talons et s'éloigna en hâte.

— Tu veux que je l'arrête ? proposa Dekka.

— Non.

— Il va semer la pagaille.

— J'ai l'impression que Hunter s'en est chargé avant lui. On y va, Edilio. Au moins, Brise les réveillera en arrivant à la centrale. Plus j'y réfléchis, plus je me dis que j'ai dramatisé. Je ne crois pas que Caine va nous déclarer la guerre ce soir.

— On devra peut-être mener notre propre guerre ici, en ville, observa Edilio.

P AT S'EN FAISAIT TOUTE UNE FÊTE. Sa maîtresse
s'était levée au beau milieu de la nuit, ça pro-
mettait donc d'être amusant. D'ailleurs, elle venait
de monter dans une camionnette.

Quinn était au volant, Albert assis à côté de lui.
La banquette arrière était un peu étroite pour Lana
et Cookie, qui était très corpulent, mais Quinn avait
avancé son siège au maximum pour atteindre les
pédales. Pat s'engouffra à l'intérieur et se glissa sur
les genoux de Cookie.

— Tu veux mettre le chien derrière ? suggéra
Albert.

— Pour qu'il réveille tout le monde avec ses
aboiements ?

— D'accord.

Albert jeta un regard mauvais au labrador. Il
n'aimait pas les chiens, et ça ne plaisait pas beaucoup à Lana. Cependant, le moment était mal choisi

pour se disputer à ce sujet. Au moins, Albert ne parlait pas de manger Pat ; elle avait entendu cette plaisanterie plus d'une fois.

Tous quatre – cinq, en comptant Pat – s'étaient donné rendez-vous devant un garage sur l'aire d'autoroute. Là, les attendait un gros pick-up tout-terrain, idéal pour la traversée du désert et le transport de l'or.

— Je ferais bien d'apprendre à manœuvrer cet engin, déclara Quinn.

— Je croyais que tu savais conduire, maugréa Albert.

— J'ai déjà conduit la Jeep d'Edilio. Mais ce truc est plus gros.

— Génial, marmonna Albert.

Quinn tourna la clé de contact et le moteur émit un rugissement assourdissant, qui leur fit craindre d'avoir réveillé toute la ville. Il appuya sur la pédale d'accélération et le monstre fit un bond en avant, heurta le trottoir puis s'engagea à toute allure sur l'autoroute.

— Hé, tu vas nous tuer ! cria Albert.

Quinn reprit le contrôle du véhicule et bientôt, ils roulaient à cinquante kilomètres/heure au milieu de la double voie déserte.

— Je te trouve un peu grincheux, Albert, lança Quinn d'un ton badin. Est-ce que tu vas enfin m'expliquer pourquoi on part en expédition ? Il est

3 heures du matin. On ne va pas tuer quelqu'un, tout de même?

— On te paye, non? répliqua Albert.

— Tu ne lui as rien dit? intervint Lana. Albert, il faut le mettre au courant.

Comme Albert ne répondait pas, elle reprit:

— On va chercher de l'or, Quinn.

Elle vit Quinn écarquiller les yeux dans le rétroviseur.

— Quoi?

— La cabane de Jim l'Ermite. L'or, résuma-t-elle.

Une lueur d'inquiétude traversa le regard de Quinn.

— Pardon, mais la dernière fois qu'on est allés là-bas, on a failli se faire bouffer par des coyotes.

— Tu sais te servir d'une arme, maintenant. Et tu as un flingue sur toi, objecta Albert avec calme. Cookie est armé, lui aussi. Tous les deux, vous avez suivi un entraînement.

— D'accord, concéda Cookie. Mais moi, je ne veux tirer sur personne. Sauf si on cherche des noises à la Guérisseuse.

— Et à quoi il va nous servir, cet or? demanda Quinn d'une voix stridente.

— On a besoin d'argent, expliqua Albert. On n'ira pas bien loin avec le troc. Il nous faut un vrai système monétaire.

— Mmm.

— Bon, prenons l'exemple du poisson...

— Ce n'est pas vraiment un business, grommela Quinn. Hier, j'ai à peine attrapé de quoi préparer des appâts.

— Il y a des bons et des mauvais jours, rétorqua Albert avec impatience. Une autre fois, ta pêche sera bien meilleure. Bref. Disons que tu voudrais échanger du poisson contre des oranges.

— Bonne idée, tiens. Tu connais quelqu'un qui en a?

— Tu as pêché assez de poisson pour en troquer une partie contre des oranges, une autre contre du pain et le reste contre une heure de ménage. Ça fait trois moyens de paiement différents.

— Est-ce que quelqu'un d'autre a vraiment les crocs, là? plaisanta Quinn. Tu t'entends, mon pote? Oranges, pain... Arrête!

Albert ignora sa remarque.

— Avec une monnaie, plutôt que de troquer différentes marchandises, on ouvrira un marché où n'importe qui pourra apporter ce qu'il a à vendre, pigé? Tout ça au même endroit. C'est plus pratique de s'y balader avec des pièces d'or qu'avec un poisson ou une brouette pleine de maïs.

— Peut-être, mais moi je reste avec mon poisson. Soit je vais le vendre sur ton marché, soit j'attends dans mon coin qu'on vienne me l'acheter. Dans l'un ou l'autre cas...

— Non, l'interrompit brusquement Albert. Tu fourgueras ton poisson à quelqu'un qui se chargera de le vendre. Toi, tu t'occupes de pêcher, c'est ton rayon. Tu ne vends pas le poisson, tu te contentes de l'attraper.

Quinn fronça les sourcils.

— Tu veux dire que je te le vends à toi.

— Possible, admit Albert. Puis moi, je le vends à Lana, par exemple. Comme ça, tu fais ton boulot, je fais le mien, et pour que tout roule, il nous faudra une monnaie d'échange.

— Ouais, ben, vu que je vais passer la nuit debout, il ne risque pas d'y avoir du poisson demain, marmonna Quinn avant de poser la question que Lana attendait : Pourquoi tu viens, toi, la Guérisseuse ?

Sans trop savoir pourquoi, Lana n'aimait pas qu'on l'appelle par son « titre ». Et la question de Quinn ne l'enchantait pas non plus. Elle se tortilla sur la banquette et regarda par la vitre.

— Elle vient parce qu'il me faut un guide, répondit Albert. Je la paierai quand j'aurai l'or. Ce qui nous renvoie à un autre système appelé crédit.

« Pauvre Albert », songea Lana, tandis qu'il se lançait dans une démonstration interminable de l'utilité du crédit. Un gamin intelligent. Un jour, il finirait sans doute par devenir le propriétaire de la Zone. Pourtant, dans l'immédiat, il ignorait tout des raisons qui l'avaient poussée à entreprendre ce voyage.

Tout l'or du monde ne suffirait pas à la payer. Le précieux métal ne pouvait rien contre l'angoisse qui lui rongeait le cœur. Et il ne lui serait d'aucune utilité si elle échouait.

— Il y a plus important que l'argent, laissa-t-elle échapper.

— Quoi, par exemple ? s'enquit Albert.

— La liberté.

Sur ce, Albert reprit son monologue afin de prouver que l'argent pouvait même acheter la liberté. Lana le soupçonnait d'avoir raison dans l'ensemble. Mais dans le cas présent, il se trompait.

Elle ne pourrait pas acheter l'Ombre. En revanche, peut-être parviendrait-elle à la tuer.

Assis à l'avant de la voiture, Caine se rongeait l'ongle du pouce. Panda conduisait. Jack se serrait à l'arrière avec Diana et Bug. Leur voiture avait pris la tête du convoi. Le second véhicule, un 4 x 4, les suivait de près. Il transportait à son bord Drake et quatre de ses soldats, tous armés jusqu'aux dents.

Ils roulaient prudemment, Caine avait insisté sur ce point. La conduite de Panda s'était nettement améliorée. Néanmoins, s'il avait gagné en assurance, ce n'était qu'un garçon de treize ans qui conduisait la peur au ventre.

Derrière eux, le 4 x 4, sur les instances de Drake, s'accrochait pratiquement à leur pare-chocs. Après avoir dépassé les commerces abandonnés sur l'autoroute en zigzaguant entre les voitures accidentées et les camions renversés sur la voie – rebuts de la

Zone laissés par les disparus –, ils s'engagèrent sur la route menant à la centrale.

— Ne nous envoie pas dans le décor, lança Caine. On ferait un sacré plongeon.

— T'inquiète pas, dit Panda.

— Mmm, fit Caine.

Sur leur gauche, une falaise haute d'une trentaine de mètres s'enfonçait dans l'océan. Caine se demanda s'il pourrait recourir à ses pouvoirs pour empêcher la voiture de s'écraser au cas où ils tomberaient dans le vide. Il avait peut-être intérêt à s'entraîner, histoire de vérifier si ses dons de télékinésie lui permettaient de suspendre la chute d'un objet dans lequel il se trouvait. Il suffisait sans doute de repérer le point d'équilibre.

— C'était quoi, ça ? s'écria Panda.

— Hein ?

— Je l'ai vu, moi aussi, intervint Diana.

— Vu quoi ?

— Une espèce de truc qui nous a dépassés à toute allure.

Un silence. Puis Caine poussa un juron.

— Brianna. Accélère, Panda !

— Je ne tiens pas à nous…

— Accélère, j'ai dit, siffla Caine.

Le talkie-walkie de Caine se mit à grésiller puis la voix de Drake retentit dans le récepteur.

— Vous avez vu ça ?

— Oui. Brianna. Ou alors c'était une tornade.

— Elle sera là-bas avant nous, maugréa Diana.

— Elle y est déjà.

— Tu ne crois pas qu'on devrait remettre notre expédition à une autre fois?

Caine ricana.

— Chambouler notre plan à cause d'elle? Elle ne me fait pas peur.

Sa bravade sonnait faux. La présence de Brianna signifiait peut-être qu'on leur avait tendu une embuscade, ou que Sam avait été prévenu et qu'il était déjà en route.

Il pressa le bouton émetteur de son talkie-walkie.

— Drake, ils s'attendent peut-être à notre visite.

— Cool. Je suis d'humeur à me battre.

Caine se tourna vers Diana. Son crâne presque chauve le perturbait : bizarrement, il mettait en valeur ses yeux et ses lèvres.

— Drake n'est pas inquiet, déclara-t-il en lui adressant un clin d'œil.

Diana ne fit aucun commentaire.

— Et toi, tu as peur, Panda? reprit Caine.

Panda était trop terrifié pour répondre. Les jointures de ses doigts étaient blanches tellement il s'agrippait au volant.

— Personne ne s'inquiète à part toi, Diana.

Caine n'avait pas interrogé Jack. Il avait décidé de rester sur ses gardes avec lui dans un premier temps. Du moins jusqu'à ce que le petit génie de l'informatique lui ait donné ce qu'il voulait.

— On approche de la grille, annonça Bug.

Un corps de garde en brique flanqué de part et d'autre d'un haut grillage marquait l'entrée du site. Des lumières aveuglantes installées sur le toit et le long de la clôture éclairaient les lieux. Au-delà du grillage, on distinguait les contours gigantesques de la centrale qui vibrait et bourdonnait telle une créature sinistre tapie dans le noir. Elle était plus grande que Caine se l'était figuré, et comprenait plusieurs bâtiments, dont le plus imposant avait l'aspect d'une prison. L'endroit aurait presque pu passer pour une petite ville autonome. Le parking était rempli de voitures qui étincelaient à la lumière des lampadaires.

— Voilà Brianna ! cria Caine en montrant du doigt la mutante qui s'était baissée pour agripper le grillage et tirait en vain dessus.

Elle leur jeta un regard apeuré, le visage d'un blanc bleuté dans la lumière artificielle, cria quelque chose que Caine n'entendit pas puis secoua frénétiquement le grillage, incapable de le franchir ni, semblait-il, d'attirer l'attention des occupants du poste de garde. S'il y avait quelqu'un à l'intérieur.

Panda écrasa la pédale de frein et la voiture s'arrêta dans un crissement de pneus. Caine bondit de son siège et leva les bras en direction de Brianna, mais elle s'était déjà volatilisée pour réapparaître sur la colline à sa droite.

— Salut, Brianna ! Ça fait longtemps, cria-t-il.

— Salut, Caine! Comment va ta jambe? Il me semble que Sam l'avait pas mal amochée.

Caine sourit.

— Descendez tous de voiture, dit-il dans un souffle. Maintenant!

Panda, Jack et Diana s'exécutèrent. Caine n'aurait su dire si Bug avait suivi le mouvement: il était désormais invisible.

— Qu'est-ce que tu manigances? demanda Brianna.

Elle mâchait un chewing-gum en prenant l'air nonchalant, cependant Caine voyait bien qu'elle n'avait pas encore récupéré de son effort. Elle devait être épuisée et affamée. Il aurait aimé avoir de la nourriture à lui offrir, comme on propose un os à un chien pour tester sa loyauté.

— Oh, rien de bien méchant, Brianna.

Croisant les bras sur la poitrine, il orienta discrètement ses paumes vers la voiture garée derrière lui. Puis, rapide comme l'éclair, il leva les mains au-dessus de sa tête avant de les ramener brusquement le long de son corps. Le véhicule s'envola, projeté dans le ciel tel un yo-yo géant, décrivit un arc de cercle à une dizaine de mètres au-dessus du sol et s'écrasa dans la poussière avec une violence inouïe. Le pare-brise et les vitres volèrent en éclats; on aurait dit que quelqu'un venait de jeter une grenade à l'intérieur de l'habitacle. Deux des pneus explosèrent. Le capot se détacha, fit un vol plané et tomba un peu plus loin.

Brianna se tenait à quelques mètres de l'impact.

— Waouh ! Impressionnant, Caine, railla-t-elle. Tu t'es cru super rapide sur ce coup-là, je parie. La voiture a carrément volé dans les airs. Essaie encore, pour voir !

— Elle te provoque, Caine, dit Diana en le rejoignant. Elle essaie de gagner du temps. Sans compter qu'on a dû l'entendre depuis le poste de garde.

Le 4 x 4 de Drake s'était arrêté juste derrière eux. Il descendit de voiture et s'élança vers Brianna en dépliant son tentacule. Elle éclata de rire et lui fit un bras d'honneur.

— Allez, Drake, viens m'attraper !

À peine s'était-il jeté sur elle qu'elle était déjà derrière lui.

— Laisse tomber, Drake, cria Caine. Tu n'y arriveras pas. Tout ce qu'on fait là, c'est attirer l'attention et perdre du temps.

— La grille est fermée, annonça Brianna en se matérialisant à deux pas de Caine.

En s'arrêtant, elle vibra comme une flèche qui vient de se planter dans une cible.

Caine tendit les mains vers la voiture fracassée. Elle s'éleva du sol et vola dans les airs en éparpillant des débris de verre, telle la queue d'une comète, puis s'abattit sur la grille qui, arrachée à ses gonds, alla s'écraser quelques mètres plus loin sur un minivan en emportant un bout de clôture avec elle.

— Maintenant, elle est ouverte, lâcha Caine. *Bye bye*, Brianna.

Elle lui jeta un regard noir et disparut.

— Drake, laisse deux de tes gars dans le poste de garde, ordonna-t-il. Finissons-en.

Edilio gara la Jeep dans l'allée de la maison que partageaient Zil, Hunter, Lance et Harry. Sam et Dekka descendirent de voiture. La porte d'entrée était entrouverte.

— Edilio ? Va chercher Lana. Si tu peux, récupère Taylor au passage… enfin, si elle est toujours sur la place. Elle pourra t'aider dans tes recherches.

— Tu es sûr que tu ne veux pas que je…

— Trouve Lana. Dépêche-toi !

Joignant le geste à la parole, Sam frappa du poing le capot de la Jeep. Edilio manœuvra en marche arrière et s'éloigna dans la rue.

— Et maintenant ? demanda Dekka.

— D'abord, on voit ce qui se passe. Si Hunter a pété les plombs, fais-le léviter pour l'empêcher de s'enfuir. Je n'ai pas l'intention de lui faire du mal, je veux juste lui parler.

Sam poussa la porte.

— Hunter ? T'es là ?

Pas de réponse.

— C'est Sam. Je vais entrer.

Il omit volontairement de mentionner la présence de Dekka.

Puis il prit une grande inspiration et s'avança à l'intérieur. Le portrait d'une belle femme rousse à la mine sévère était suspendu dans le hall d'entrée. Quelqu'un, probablement l'un des occupants actuels de la maison, s'était appliqué à dessiner une moustache au feutre noir au-dessus de sa lèvre supérieure. Le hall était sens dessus dessous : un frisbee abandonné sur une petite table, une chaussette de sport sale pendue au chandelier, un miroir craquelé accroché de guingois. L'endroit ne différait guère de quantité d'autres maisons de la Zone depuis la disparition des parents.

La première pièce à gauche, une salle à manger, était plongée dans les ténèbres. La cuisine se trouvait au bout du couloir après l'escalier. Quant au salon, il était situé à droite. Dekka passa la tête dans l'embrasure de la porte pour inspecter la salle à manger, jeta un coup d'œil sous la table et murmura : « Personne. » Sam pénétra dans le salon où régnait un désordre encore plus impressionnant que dans l'entrée : des DVD, des canettes de soda vides et des balles en mousse jaune vif traînaient un peu partout, des photos de famille encadrées – la femme rousse, encore, et celui qui devait être son mari – étaient renversées sur le manteau de la cheminée et la poussière s'accumulait sur les étagères.

Sam ne vit pas Harry tout de suite, car il était tombé entre le canapé et une table basse imposante. Il fit un pas dans cette direction et l'aperçut qui gisait, le visage contre le sol. Il avait sur la nuque une cloque qui ressemblait à un ballon de baudruche dégonflé. Sam essaya en vain de pousser la table.

— Dekka?

Dekka leva la main et la table s'éleva dans les airs. Sam l'éloigna d'un geste; elle continua à flotter jusqu'à ce qu'elle soit sortie du champ de lévitation de Dekka, puis s'écrasa sur le sol. Il s'agenouilla auprès de Harry et, prenant soin d'éviter l'horrible cloque, il appuya deux doigts sur son cou.

— Je ne sens rien. Essaie, toi.

Dekka parcourut la pièce du regard et alla chercher une petite boîte tapissée de miroirs. Elle tourna de côté la tête de Harry et approcha la boîte de ses narines.

— Qu'est-ce que tu fabriques?

— S'il respire, on le verra. Condensation.

— Je crois qu'il est mort.

Dekka éloigna la boîte d'un geste précautionneux, comme si Harry dormait et qu'elle ne voulait pas le réveiller. Sam et elle se levèrent puis reculèrent de quelques pas.

— Qu'est-ce qu'on va faire? se lamenta-t-elle.

— Très bonne question, marmonna Sam. J'aimerais connaître la réponse.

— Si Hunter l'a tué...

— Oui.

— Ce sera les normaux contre les mutants...

— On ne peut pas laisser faire, dit Sam avec véhémence. Si Hunter est vraiment responsable... il va devoir s'expliquer.

— On devrait peut-être demander conseil à Astrid.

Sam partit d'un rire amer.

— Elle dira qu'il doit être jugé.

— On pourrait... tu sais... faire disparaître les preuves.

Sam ne répondit pas.

— Tu vois ce que j'entends par là.

Il hocha la tête.

— Oui. On se bat contre la famine. On essaie de se tenir prêts au cas où Caine tenterait un sale coup. La dernière chose qu'il nous faut, c'est une guerre entre normaux et dégénérés.

— Bien entendu, Zil n'acceptera jamais de la boucler, quoi qu'on fasse. On peut toujours dire qu'en arrivant ici on n'a rien trouvé. Que Harry avait disparu. Mais Zil ne nous croira jamais, et ils seront nombreux à prendre son parti.

— Oui, murmura Sam. On est coincés.

Ils étaient debout côte à côte, les yeux fixés sur Harry. La cloque sur sa nuque continuait à désenfler lentement. Puis, Sam précédant Dekka, ils retournèrent attendre dans l'allée. Edilio revint dix minutes plus tard avec Dahra Baidoo comme passagère.

— Salut Dahra, dit Sam. Merci d'être venue.

— Je n'ai pas trouvé Lana, annonça Edilio. Elle n'est pas dans sa chambre au Clifftop. Son chien a disparu, lui aussi. J'ai demandé à Taylor de passer les environs au peigne fin. Les autres attendent toujours sur la place au cas où on aurait besoin d'eux.

Sam hocha la tête. Il s'était habitué aux bizarreries et aux déménagements soudains de Lana.

— Dahra, va jeter un coup d'œil, tu veux ? Dans le salon. Par terre.

Edilio interrogea Sam du regard. Celui-ci secoua la tête et détourna les yeux. Dahra revint moins d'une minute plus tard.

— Je ne suis pas Lana, mais même elle n'y pourrait rien. Elle ne peut pas ressusciter les morts.

— On avait encore un peu d'espoir, dit Dekka.

— C'est bel et bien fini. Vous avez remarqué ? Ses cheveux et la peau de son cou ne sont pas brûlés. Ce qui signifie qu'on lui a cuit l'intérieur du crâne. Te voilà écarté de la liste des suspects, Sam : je t'ai déjà vu à l'œuvre. Tu transformes les gens en guimauve fondue.

— Hé ! s'emporta Edilio. Pas la peine de t'en prendre à Sam, il n'y est pour rien !

— Ça va, Edilio, dit ce dernier d'une petite voix.

— Non, il a raison, bredouilla Dahra en posant la main sur l'épaule de Sam. Pardon, Sam. Je suis fatiguée et je n'aime pas examiner des cadavres.

— Rentre chez toi. Désolé de t'avoir tirée du lit.

Elle lui jeta un regard intrigué.

— Qu'est-ce que vous comptez faire ?

— Je n'en sais rien. Quoi que je décide, il y aura toujours des mécontents, de toute manière. Edilio va te raccompagner.

— Pas la peine, j'habite à cinq minutes à pied.

Et, après lui avoir de nouveau tapoté l'épaule, elle s'éloigna.

— Il va falloir qu'on ait une petite conversation avec Hunter, annonça-t-il, une fois Dahra partie.

— Tu crois ? ironisa Edilio. On ne peut pas laisser passer ça. C'est un meurtre.

— Orc a tué Betty. Et pourtant, il est toujours en liberté.

— Tu n'étais pas maire à l'époque. On n'avait pas établi de système.

— On n'en a toujours pas, Edilio. Et je me fais harceler au moindre problème. C'est pas un système, ça. T'as vu un tribunal dans le coin, toi ? Tout ce que je vois, moi, c'est toi, moi et une poignée d'autres contre tout le reste qui s'en fout.

— Tu insinues qu'on va devoir laisser des gamins s'entretuer ?

— Non ! Bien sûr que non ! C'est juste… rien.

— Je vais mettre mes gars sur le coup pour retrouver Hunter. Mais il faut que je sache : s'il refusait de se rendre ? Ou s'il s'en prenait à l'un des nôtres ?

— Dans ce cas, viens me chercher.

Edilio ne semblait pas satisfait de cette réponse. Cependant, il hocha la tête et tourna les talons. Dekka le regarda s'éloigner.

— Edilio, c'est un type bien.

— Mais ?

— Mais ce n'est pas l'un des nôtres.

— On ne va pas commencer avec la discrimination, répliqua Sam d'un ton ferme.

Dekka étouffa un ricanement.

— Sam, c'est génial, ton concept. T'as l'air d'y croire. Mais moi, je suis noire et lesbienne, alors laisse-moi te donner mon avis : d'après mon expérience, il y aura toujours de la discrimination.

19

L E 4 x 4 S'ENGOUFFRA dans la brèche, contourna les débris de grillage et s'arrêta sur le parking de la centrale dans un crissement de pneus.

La taille de l'édifice était intimidante. Les enceintes de confinement étaient aussi hautes que des gratte-ciel. Le vaste bâtiment qui abritait les turbines était aussi terne et hostile qu'une gigantesque prison sans fenêtres.

Une porte, d'une taille insignifiante comparée au reste, était entrouverte. Aucune lumière ne filtrait de l'intérieur, mais Caine distingua une silhouette accroupie dans l'ombre.

— Hé ! Qu'est-ce que vous fichez ici ? lança une voix juvénile.

Caine ne distingua pas le visage de son interlocuteur. Comme la centrale était bruyante, il feignit de ne pas avoir entendu. Portant la main à son oreille, il cria :

— Quoi?

— Stop! N'approchez pas!

— Tu veux qu'on approche? OK.

Caine continua à marcher, cependant que Jack et Diana restaient en arrière. Drake lui emboîta le pas. Il tenait dans son unique main un pistolet automatique. Son fouet ondulait contre son flanc tel un serpent prêt à mordre.

— Stop! J'ai dit stop!

La porte n'était plus qu'à une trentaine de mètres. Caine ne trahissait pas la moindre hésitation.

— Arrêtez ou je tire! cria la voix effrayée, presque suppliante.

Caine s'immobilisa, Drake à son côté.

— Quoi? lança-t-il d'un ton perplexe. Toi, tu veux me tirer dessus?

— C'est ce qu'on nous a ordonné.

Caine éclata de rire.

— T'es qui, au fait? Si tu dois me tirer dessus, j'aimerais au moins connaître ton nom.

— Josh. C'est moi, Josh, bafouilla le garçon.

— Moijosh? répéta Caine, hilare.

— Tu ferais mieux de t'écarter de mon chemin, Moijosh, rugit Drake, ou Moifouet va te donner une leçon.

Une rafale de mitraillette déchira le silence. Josh tirait à l'aveuglette; les balles firent voler en éclats les pare-brise des voitures garées à leur droite. Caine se jeta à terre mais Drake ne flancha pas:

levant son pistolet, il visa avec soin et tira. Bang. Bang. Bang. À chaque coup de feu, il avançait d'un pas. Josh poussa un gémissement de terreur. Bang. Bang. Bang.

Chaque détonation était assourdissante. Chaque fois, un éclair jaillissait du canon du pistolet, éclairant le regard froid, inexpressif de Drake. Soudain, il s'élança vers la porte, sans cesser de tirer avec une précision effrayante. Josh riposta mais, cette fois encore, les balles se perdirent dans l'obscurité sans arrêter la progression inexorable de Drake et manquèrent même les voitures stationnées.

Bang. Bang.

Clic.

Toujours allongé sur le sol, Caine regarda, fasciné, Drake éjecter son chargeur qui tomba par terre dans un bruit de ferraille. Puis, tenant délicatement son pistolet avec l'extrémité de son tentacule, il sortit un second chargeur de sa veste de chasse et l'introduisit dans son arme.

Josh ouvrit de nouveau le feu et prit la peine de viser, cette fois. Les balles ricochèrent sur le béton aux pieds de Drake. Celui-ci leva lentement son pistolet, tira et fit un pas, puis recommença. Josh courut se réfugier à l'intérieur du bâtiment en criant à l'aide. Caine se leva, humilié par la démonstration de sang-froid de Drake. Il courut pour rattraper son lieutenant, qui avait déjà disparu derrière la porte.

Une autre détonation retentit, plus étouffée cette fois. Le coup de feu illumina brièvement le seuil. Un cri de douleur.

— Je me rends ! Je me rends !

Caine franchit la porte et pénétra dans la salle des turbines. Là, il trouva Josh assis par terre entre d'énormes machines ronronnantes, impitoyablement éclairé par une étrange lumière fluorescente, et baignant dans une mare de sang, l'air ahuri, la jambe repliée dans une position impossible.

Une bouffée de colère submergea Caine. Josh n'était qu'un gosse ; il ne devait pas avoir plus de dix ans. Quelle mouche avait piqué Sam d'imposer à ces enfants pareille responsabilité ?

— Ne tirez pas ! Ne tirez pas ! gémit le blessé.

Rapide comme l'éclair, Drake abattit son fouet sur les mains levées de Josh, qui poussa un long hurlement en se tordant de souffrance.

— Laisse-le, aboya Caine. Va dans la salle de contrôle.

Drake poussa un rugissement bestial en posant sur Caine ses yeux de dément brillant de fureur et de mépris. Caine leva les mains, prêt à frapper, et attendit que son lieutenant se retourne contre lui. Ce dernier se contenta de donner un coup de pied dans la jambe blessée de sa victime prostrée avant de s'éloigner au pas de charge. Josh rampa tant bien que mal jusqu'à la porte en sanglotant.

La situation était devenue irréelle, comme dans un cauchemar. Drake ouvrit le chemin, son arme encore fumante, son fouet frémissant d'impatience. Caine entendit ses soldats lui emboîter le pas, tandis que Jack et Diana fermaient la marche.

— La porte est verrouillée, cria Drake.

Caine le rejoignit et secoua la poignée. Le battant en acier avait manifestement été conçu pour résister à une attaque. En faisant appel à son pouvoir, il parviendrait peut-être à le forcer. Cependant, dans l'espace confiné du couloir, il risquait d'être balayé par l'explosion.

— Elle ne restera pas fermée longtemps.

Caine chercha du regard un objet lourd susceptible de lui être utile. Dans la salle des turbines, il trouva un établi en fer monté sur roulettes, haut d'un mètre environ. Après l'avoir fait léviter, il le projeta contre la porte et se réjouit en voyant Drake s'aplatir au sol pour éviter les clés, pinces et autres tournevis qui volaient comme autant de balles. Cependant, si l'établi avait beaucoup souffert, la porte, elle, était à peine éraflée. Caine le précipita de nouveau sur le battant et, cette fois encore, des outils volèrent dans toutes les directions. L'établi fut réduit en bouillie mais la porte demeura intacte.

Caine sentit la main de Diana sur son bras.

— Et si tu laissais Jack essayer ?

Il hésita, tiraillé entre la peur d'échouer une troisième fois et la perspective d'être humilié par le petit expert en informatique. L'attaque de la centrale tournait au règlement de comptes avec Drake.

— Montre-nous ce que t'as dans le ventre, Jack, dit-il enfin.

Pressé par Diana, Jack s'avança d'un pas hésitant. Il posa les mains sur le battant en s'efforçant de prendre appui sur ses pieds et poussa de toutes ses forces. Mais il dut bientôt mettre un genou à terre.

— C'est trop glissant.

— On doit entrer là-dedans avant l'arrivée de Sam. Il nous faut des otages.

Le regard de Caine tomba sur une grosse clé à molette.

— Écartez-vous.

Il fit léviter l'outil à la verticale jusqu'au plafond et, d'un geste brusque, le projeta vers le sol. La clé se planta dans le carrelage comme un piton d'alpiniste dans le flanc d'une montagne. Caine répéta trois fois l'opération avec d'autres outils.

— Tiens, essaie avec ça.

Après avoir calé ses pieds contre les outils, Jack s'arc-bouta contre la porte.

Faute de trouver Hunter, Edilio tomba sur Zil qui avait pris la tête d'une douzaine d'enfants. Eux, en revanche, avaient réussi à mettre la main sur le fugitif, qu'ils avaient acculé sous le porche de la maison qu'Astrid partageait avec Mary.

Edilio devina sans mal pourquoi Hunter s'était réfugié là : Astrid se montrerait calme et raisonnable, et elle accepterait de le protéger, pour quelque temps du moins.

Cependant, la scène qui se déroulait était tout sauf calme et raisonnable. Astrid, en chemise de nuit, les cheveux ébouriffés, se tenait au sommet des marches, un doigt braqué sur Zil. Hunter se trouvait juste derrière elle : s'il n'essayait pas de se cacher, il ne cherchait pas non plus à s'interposer.

Zil et ses amis qui, nota Edilio avec consternation, étaient tous des « normaux », semblaient très en colère. La plupart, du moins, étaient furieux ; d'autres étaient juste venus semer la pagaille, tout heureux d'avoir trouvé un prétexte pour déambuler dans les rues au beau milieu de la nuit. Beaucoup étaient armés de battes de base-ball ou de pieds-de-biche. Edilio constata avec effroi que l'un d'eux, un dénommé Hank, tenait à la main un fusil de chasse. Dans le temps, c'était un garçon sans histoires mais, à présent, il ne donnait plus du tout la même impression.

Edilio gara sa Jeep le long du trottoir. N'ayant pas eu le temps de rassembler sa propre équipe, il était seul. Si son arrivée ne passa pas inaperçue, les cris ne cessèrent pas pour autant.

— C'est un meurtrier ! braillait Zil.

— Qu'est-ce que vous allez faire ? Le lyncher ? s'indigna Astrid.

Sa question réduisit la foule au silence pendant un bref instant, les enfants s'efforçant de comprendre la signification du verbe « lyncher ». Mais Zil se ressaisit rapidement.

— Je l'ai vu. Il s'est servi de ses pouvoirs pour tuer Harry.

— J'essayais de t'empêcher de m'éclater la tête ! se récria Hunter.

— Espèce de sale menteur dégénéré !

— Ils s'imaginent qu'ils ont tous les droits ! rugit quelqu'un.

Usant de tout son sang-froid, Astrid répliqua d'une voix assez forte pour se faire entendre :

— On ne va pas s'aventurer sur ce terrain-là ! Il n'y a pas de différence entre les mutants et les autres.

— Bien sûr que si ! protesta Zil. C'est leur faute, à force de se la jouer tout le temps !

Cette remarque lui valut un rire ou deux.

— Et maintenant, ils nous massacrent ! poursuivit-il.

Des acclamations furieuses lui répondirent. Edilio redressa les épaules et fendit la foule. Il se dirigea d'abord vers Hank, le gamin armé du fusil de chasse, et lui dit en lui tapant sur l'épaule :

— Toi, donne-moi ça.

— Pas question, lâcha Hank d'un ton hésitant.

— Tu as envie qu'un coup de feu parte et que quelqu'un soit blessé ?

Edilio tendit la main.

— Allez, donne-moi ça.

Zil se tourna vers Edilio.

— Et Hunter, tu vas lui demander de déposer les armes ? C'est qu'il a des pouvoirs, lui, et ça gêne personne, mais les normaux peuvent pas être armés, eux ? Comment on va se défendre contre les mutants, alors ?

— Hé ! Calme-toi, d'accord ?

Edilio faisait de son mieux pour cacher sa colère et sa peur.

— Zil, tu veux être tenu pour responsable si un coup part et qu'Astrid est tuée ? Tu devrais peut-être y réfléchir.

Zil cilla mais se contenta de répondre :

— J'ai pas peur de Sam.

— C'est pas Sam ton problème, c'est moi, aboya Edilio, à bout de patience. S'il lui arrive quoi que ce soit, je t'aurai avant lui.

Zil ricana.

— Ah, le brave petit Edilio qui aime lécher les bottes des mutants ! J'ai une grande nouvelle pour toi, crétin, t'es normal comme nous autres.

— Je vais prétendre que je n'ai rien entendu, répliqua Edilio d'un ton égal en s'efforçant de garder son calme, bien qu'il ait du mal à détacher les yeux du fusil. Maintenant, je veux cette arme.

— Pas question ! beugla Hank.

Une détonation assourdissante retentit. Edilio crut qu'une bombe venait d'exploser. Un éclair l'aveugla tel le flash d'un appareil photo. Quelqu'un poussa un hurlement de douleur.

Edilio recula en chancelant ; quand il rouvrit les yeux, le fusil était par terre et le garçon qui avait tiré le coup de feu accidentel tenait sa main blessée, visiblement sous le choc. Zil se penchait pour ramasser l'arme quand Edilio s'avança pour lui décocher un coup de pied au visage. Comme Zil tombait à la renverse, il se baissa à son tour pour récupérer le fusil et ne vit pas venir le coup ; il sentit ses genoux se dérober sous lui, sa tête se mit à bourdonner et il s'affaissa comme un sac de briques. Cependant, en tombant, il se jeta sur le fusil et le couvrit de son corps.

Astrid poussa un cri et dévala les marches pour protéger Edilio. Antoine, le garçon qui l'avait frappé, leva sa batte une seconde fois mais, en prenant son élan, il l'envoya dans la figure d'Astrid. Il laissa échapper un juron, et la frayeur se peignit sur son visage. Zil cria : « Non ! Non ! Non ! » Une bousculade s'ensuivit ; les enfants s'éparpillèrent dans l'allée, puis dans la rue.

Edilio se releva à grand-peine. Ses jambes ne lui obéissaient plus. Astrid se couvrit l'œil d'une main en essayant de le soutenir de l'autre.

— Ça va ? dit-elle. Il t'a touché ?

— Pas trop.

Edilio s'examina et ne se trouva aucune blessure, à l'exception de la bosse qui enflait à vue d'œil au sommet de son crâne. Sa vue était désormais assez claire pour qu'il remarque la zébrure rouge sous l'œil d'Astrid, à l'endroit où elle avait reçu le coup de batte.

— Tu vas avoir un beau coquard.

— Je vais bien, dit-elle d'une voix tremblante.

La bande de Zil avait disparu. Il ne restait plus qu'eux trois : Edilio, Astrid et Hunter. Edilio ramassa le fusil en le manipulant avec prudence.

— On a échappé au pire. Personne ne s'est fait descendre.

— Hunter, lança Astrid, va chercher de la glace pour la tête d'Edilio.

— OK, pas de problème, répondit ce dernier en se précipitant à l'intérieur.

Une fois Hunter hors de portée de voix, Astrid demanda :

— Qu'est-ce que tu vas faire ?

— Sam m'a ordonné de lui ramener Hunter.

— Tu vas l'arrêter ?

— Ah, parce que c'est moi le shérif, maintenant ! répliqua Edilio, amer, en se massant le crâne. J'ai dû oublier que j'avais aussi signé pour ça.

— Est-ce que Hunter a vraiment tué Harry ?

Edilio hocha la tête, geste qui lui fit voir trente-six chandelles.

— Oui, il est mort. C'était peut-être un accident, comme le prétend Hunter, mais dans tous les cas, je dois l'emmener à la mairie et le garder là-bas.

— Bon, je lui parlerai. Il faudra le persuader que c'est la seule solution.

Les deux adolescents entrèrent dans la maison. Hunter n'était pas dans la cuisine en train de préparer des glaçons ; la baie vitrée qui donnait sur le jardin était ouverte.

Brittney Donegal s'éloigna de la porte quand les coups retentirent de l'autre côté. Mickey Finch et Mike Farmer étaient déjà allés se réfugier dans le bureau du directeur de la centrale. Ils attendaient les instructions de Brittney, car ni l'un ni l'autre ne connaissaient la marche à suivre.

Brittney était une adolescente un peu ronde de douze ans, avec un visage boutonneux dissimulé derrière des lunettes sévères à grosse monture. Elle était affublée d'un jogging qu'elle avait remonté trop haut et d'un chemisier rose à fanfreluches, étriqué. Ses cheveux d'un brun terne étaient rassemblés en couettes. Elle portait aussi un appareil dentaire qui, n'ayant pas été ajusté depuis trois mois, ne servait plus à rien, mais elle ne savait pas comment l'enlever.

Si par le passé Brittney avait eu un faible pour Mike Farmer, il ne l'impressionnait pas beaucoup en ce moment même.

— Faut qu'on se tire de là, Brittney, gémit-il.

— Edilio a dit que, quoi qu'il arrive, on doit verrouiller la porte et rester ici, rétorqua-t-elle.

— Ils sont armés !

Un autre coup retentit, et tous trois sursautèrent. Cependant, la porte ne bougea pas.

— Nous aussi.

— Josh est déjà parti en ville chercher du renfort, je parie, intervint Mickey. Mike a raison, faut qu'on se tire.

Brittney n'aurait pas demandé mieux que de s'en aller. Pourtant, en son âme et conscience, elle devait rester parce qu'elle était un soldat. Pour reprendre les mots d'Edilio, c'était leur devoir de protéger la centrale.

— Je sais, on est des enfants, disait-il souvent. Mais un jour, on sera peut-être obligés d'agir en grandes personnes.

Brittney se trouvait sur la place le jour de la grande bataille. Edilio avait tué le coyote qui s'en prenait à elle. La créature lui avait sauté à la gorge, puis sa mâchoire s'était refermée sur sa jambe comme un piège à ours.

La morsure du coyote ne lui avait pas laissé de cicatrice. C'était la Guérisseuse qui l'avait soignée. Elle n'avait pas non plus gardé de séquelles de la balle logée dans son bras. Lana avait fait disparaître toutes ses blessures. Cependant, Tanner, son petit frère, figurait parmi les enfants enterrés sur la place. Edilio avait creusé sa tombe avec la pelleteuse.

Brittney n'était pas attirée par Edilio ; ce qu'elle éprouvait pour lui allait bien au-delà d'un sentiment amoureux. Elle aurait préféré brûler en enfer pour l'éternité que de le laisser tomber. Si elle ne gardait aucune trace visible de ce jour funeste, elle en faisait encore des cauchemars. Il lui arrivait même de rêver éveillée. Mike était présent ce jour-là, lui aussi, et il avait été blessé plus gravement qu'elle. Mais tandis qu'il en était sorti peureux et timide, elle avait développé un tempérament farouche et déterminé.

— Le premier qui passe cette porte, je le flingue, cria-t-elle dans l'espoir d'être entendue de ceux qui se trouvaient de l'autre côté.

— Moi, je me casse, annonça Mickey.

Et à ces mots, il prit ses jambes à son cou. Brittney se tourna vers Mike.

— Toi aussi, tu préfères fuir ?

— Lana n'est pas là pour nous sauver, répondit-il. Imagine qu'ils me tirent dessus ? Je ne suis qu'un gamin, moi.

Brittney serra plus fort la mitraillette qu'elle portait en bandoulière sur l'épaule. Elle avait fini par s'habituer au poids de l'arme. Elle s'était essayée au tir par quatre fois, conformément au programme d'entraînement conçu par Edilio. La première fois, quand elle avait lâché son arme et fondu en larmes, il lui avait suggéré d'abandonner. Mais la pensée de son frère l'avait encouragée à persévérer. Lors de sa deuxième tentative, elle avait tenu bon, alors que la mitraillette tressautait entre ses doigts. Et elle avait atteint sa cible.

— Si Caine est là dehors, je l'aurai, déclara-t-elle. Je le déteste pour ce qu'il a fait. Et je vais le tuer pour l'empêcher de recommencer.

Les coups avaient cessé. Soudain, un phénomène étrange se produisit : la porte semblait gondoler. Elle se mit à grincer, puis un énorme craquement retentit. À l'évidence, elle ne résisterait pas longtemps.

— Cours, Mike ! cria Brittney.

Il était faible. Comme tous les enfants. Il ne fallait pas lui en vouloir.

— Mais laisse-moi ton pistolet.

Brittney examina la porte. Elle tremblait sur ses gonds comme si quelque chose ou quelqu'un poussait dessus de toutes ses forces.

— Laisse-le par terre sous le dernier panneau de contrôle, là où personne n'ira le chercher.

— Tu devrais venir avec moi, dit Mike d'une voix suppliante.

Brittney replia son doigt sur la détente de son arme.

— Non, je crois que je vais rester.

Elle entendit les pas de Mike s'éloigner dans le couloir. Elle s'attendait que la porte cède d'un instant à l'autre. Elle s'imagina au paradis, auprès de son petit frère, et récita une courte prière.

— C'est pas grave si je meurs, Tanner, conclut-elle, persuadée qu'il pouvait l'entendre. Du moment que Caine crève le premier.

20

EN REPRENANT LE CHEMIN de la ville, Brianna n'avait croisé Sam ni sur la route menant à la centrale, ni pendant le reste du trajet. Le seul véhicule qu'elle ait repéré, un énorme pick-up, transportait à son bord Quinn, Albert, Cookie et Lana. Pendant un bref instant, elle avait pensé les arrêter pour les envoyer à la centrale ; cependant, aucun d'eux n'avait la trempe d'un véritable combattant. Quinn et Cookie étaient censés être des soldats, mais c'était Sam qu'elle devait trouver et pas son vieux camarade de surf qui ne servirait pas à grand-chose.

Sam n'était ni à la station-service, ni sur la place, ni à la mairie. Elle eut beau chercher, il restait introuvable. En outre, les forces de Brianna s'amenuisaient. La vitesse l'éreintait. Elle n'était pas aussi fatiguée qu'elle aurait dû l'être, étant donné qu'elle venait de parcourir près de vingt-cinq kilomètres si l'on comptait ses allées et venues à travers la ville.

Néanmoins, elle ne tiendrait pas le coup très longtemps. Et la faim lui dévorait les entrailles comme
un animal féroce. Une fois de plus, ses baskets
étaient en lambeaux : elles n'étaient généralement
pas conçues pour soutenir l'allure d'une voiture
de course.

Soudain, elle entendit une énorme détonation. Il
était difficile de déterminer d'où provenait le bruit.
Sans crier gare, un groupe d'enfants déboula dans
la rue en courant aussi vite qu'ils le pouvaient.

— Qu'est-ce qui se passe ? cria-t-elle en s'arrêtant net.

Personne ne répondit. Apparemment, ils avaient
trop peur d'elle. Il était clair, cependant, qu'ils
fuyaient autre chose. Aussi décida-t-elle de remonter
la rue et, en un battement de cil, elle se retrouva
devant la porte ouverte d'Astrid.

— Hé ! Il y a quelqu'un ?

Astrid sortit, suivie d'Edilio. Manifestement,
la soirée n'avait pas été de tout repos. Astrid avait
une marque rouge sous l'œil. Edilio, armé d'un gros
fusil, se frottait la tête.

— Où est Sam ? demanda Brianna. Qu'est-ce qui
vous est arrivé ?

— Tu as manqué la fête, répliqua Edilio avec
aigreur.

— C'est plutôt vous ! Caine a envahi la centrale.

— Quoi ?

— Il est là-bas avec Drake et sa bande.

— Et nos gars?

— Je ne les ai pas vus. Caine a balancé une voiture sur la grille. Il ne plaisante pas.

— Tu sais où habite Hunter?

Brianna hocha la tête.

— Vas-y. C'est là que j'ai vu Sam pour la dernière fois. Dis-lui que je rassemble mes gars. Il me faudra une demi-heure pour réunir tout le monde. Rendez-vous à l'entrée de l'autoroute.

— Tes chaussures, observa Astrid en montrant les pieds de Brianna. C'est quoi, ta pointure?

— 38.

— Je vais t'en chercher une paire dans mon placard.

Mais avant qu'Astrid ait pu esquisser un geste, Brianna avait monté et dévalé les marches et, assise sous le porche, elle essayait une nouvelle paire.

— Merci, lança-t-elle à une Astrid médusée.

— N'oublie pas de…

Astrid s'interrompit: elle parlait dans le vide, Brianna était déjà chez Hunter.

Dekka descendait l'escalier, l'air sombre, quand Brianna se matérialisa devant elle.

— Salut, Brise, dit-elle sans manifester la moindre surprise.

— Sam est là?

— Oui.

Brianna apparut brusquement devant Sam, qui, lui, sursauta.

— Sam ! Caine est à la centrale. Je viens de tomber sur Edilio, il est parti rassembler ses troupes. Donne-moi une arme, je vais occuper Caine le temps que vous arriviez.

Sam laissa échapper un juron.

— Je le savais ! Je le savais, et je me suis laissé distraire.

— Sam, donne-moi une arme.

— Quoi ? Non, Brise, j'ai besoin de toi vivante.

— Je peux être là-bas en deux minutes, protesta-t-elle.

Sam la prit par l'épaule.

— Ton rôle à toi, c'est d'être notre messagère. Se battre, c'est l'affaire des autres. Va aider Edilio à réunir ses gars puis essaie de trouver Lana. Je ne sais pas où elle est et nous allons avoir besoin d'elle.

— Elle se balade dans un pick-up avec Quinn et Albert.

— Hein ?

— Je les ai croisés sur l'autoroute.

Sam leva les bras au ciel.

— Ils sont peut-être en chemin vers la centrale.

— Tu parles ! Albert ne serait pas avec eux. Ah ! Et Astrid s'est fait taper dessus.

Sam se figea.

— Quoi ?

— Elle va bien, mais il y a eu un petit problème devant chez elle.

— Zil, dit Sam entre ses dents.

De rage, il donna un coup de pied dans une chaise.

— Vas-y, Brise. Fais ce que je te demande.

— Mais…

— Je n'ai pas le temps de discuter.

— Hé, les gars !

Quinn se pencha pour secouer Albert, qui s'était endormi.

— Quoi ? Je suis réveillé. Quoi ?

— On s'est perdus.

— Mais non, lança Lana depuis le siège arrière.

Quinn jeta un coup d'œil dans le rétroviseur.

— Je croyais que tu dormais, toi aussi.

— On n'est pas perdus.

— Ouais, ben avec tout le respect que je te dois, on n'est pas non plus très fixés sur l'itinéraire.

Ils avaient quitté l'autoroute pour une petite route transversale qui avait bientôt laissé place à un chemin de terre, lequel n'en finissait pas. Ils n'avaient pas croisé une seule lumière depuis qu'ils l'avaient emprunté et, plus ils avançaient, moins il semblait entretenu.

— Si la Guérisseuse dit qu'on n'est pas perdus, alors c'est qu'on n'est pas perdus, grommela Cookie.

— On n'est plus très loin, renchérit Lana.

— Comment tu le sais ? Je n'ai pas été capable de retrouver mon chemin en plein jour, alors au beau milieu de la nuit…

Lana ne daigna pas répondre.

Quinn reporta son regard sur la route, puis dans le rétroviseur. Seule la clarté émanant du tableau de bord lui permettait de distinguer le visage de Lana. Elle regardait par la vitre, en direction du nord-est.

S'il ne pouvait pas déchiffrer l'expression de son visage, il sentait que quelque chose ne tournait pas rond d'après le soupir qu'elle poussait à l'occasion, sa façon de caresser Pat d'un geste absent ou le ton distant de sa voix.

— Tu vas bien ? demanda-t-il.

Après un long silence, elle répondit :

— Oui, pourquoi ?

— J'en sais rien.

La discussion tourna court. Quant à Albert, en revanche, on lisait en lui comme dans un livre ouvert. Albert, quand il était bien réveillé, n'était que détermination. Il regardait droit devant lui. Parfois, Quinn le surprenait en train de hocher la tête, comme s'il dialoguait avec lui-même.

Quinn enviait Albert. Il semblait si sûr de lui. Il donnait l'impression de toujours savoir où il allait et qui il voulait être. Quant à Cookie, il n'avait qu'un seul but : servir Lana. L'ex-brute aurait fait n'importe quoi pourvu qu'elle le lui demande.

Il y avait deux sortes d'individus dans la Zone, songea Quinn. Or ces deux catégories ne se limitaient pas aux mutants et aux « normaux ». Il y avait ceux qui avaient changé pour le pire et ceux qui avaient changé pour le meilleur. La Zone les avait tous chamboulés, mais certains d'entre eux s'étaient révélés à cette occasion. Albert faisait partie de ceux-là, et Cookie aussi, d'une autre manière.

Quinn avait conscience d'appartenir à la première espèce. Il était de ceux qui ne s'étaient jamais remis de l'apparition de la Zone. La perte de ses parents était une blessure ouverte, qui continuait à le faire souffrir. Comment pouvait-il en être autrement ?

Ce manque n'était pas seulement lié à la disparition de son père et de sa mère ; il englobait tout ce qu'il avait connu, tout ce qu'il avait été. Avant, 285 était un garçon cool. Ce souvenir lui arracha un sourire désabusé. Oui, il était cool. Unique en son genre. Tout le monde le connaissait. S'il n'était pas aimé ou compris de tous, il dégageait une aura particulière.

Et maintenant... Maintenant, il n'était qu'un figurant dans la Zone. Les enfants savaient qu'il avait trahi Sam pour Caine, et que Sam lui avait pardonné. Ils savaient aussi qu'il avait un peu perdu la boule le jour de la grande bataille. Voire plus qu'un peu.

Les souvenirs de son père, de sa mère et de son ancienne vie lui semblaient désormais lointains comme les photographies d'un vieil album. Ils avaient perdu de leur réalité, tels les souvenirs d'un autre.

Lana le ramena à la réalité.

— Bon, ralentis, on y est presque.

Les pinceaux des phares capturèrent des buissons touffus et des rochers épars, puis une poutre à moitié calcinée. Quinn dut donner un coup de volant pour l'éviter. Il écrasa la pédale de frein puis redémarra lentement.

Les phares illuminèrent un pan de mur à quelques mètres devant eux. Des bouts de bois brûlés gisaient un peu partout. Deux boîtes de conserve carbonisées traînaient dans la poussière.

Malgré lui, Quinn se demanda si quelque chose de comestible avait survécu à l'incendie. Il se remémora la nuit terrible qu'ils avaient passée, terrés dans la cabane, à attendre que les coyotes les traînent dehors un par un pour les massacrer.

C'était cette nuit-là que Sam avait enfin dévoilé l'étendue de ses pouvoirs. Pour la première fois, il avait été capable de contrôler la lumière dévastatrice qui jaillissait de ses mains.

Quinn stoppa le véhicule.

— C'était là, murmura-t-il.

— Qu'est-ce qui s'est passé ici ? s'enquit Albert.

Quinn éteignit les phares et tous quatre descendirent de la camionnette. Un silence de mort planait sur les lieux.

Sa mitraillette en bandoulière, Quinn chercha une lampe sous son siège. Albert avait emporté la sienne. Bientôt, les deux faisceaux de leurs torches éclairèrent çà et là une poutre calcinée, un bout de tapis roussi par les flammes, un ustensile de cuisine, une chaise en fer tordue.

— C'est ici qu'on a rencontré Lana pour la première fois, déclara Quinn. On essayait d'échapper à Caine. On avait traversé les bois au nord puis décidé de rentrer en ville pour se battre. Enfin, c'était la décision de Sam.

Il se baissa pour ramasser une grosse boîte de conserve dont l'étiquette avait brûlé. Elle contenait peut-être de la crème dessert. Elle avait sans doute cuit à l'intérieur, cependant la boîte était intacte. Il rebroussa chemin et la jeta à l'arrière de la camionnette.

— Qui a détruit la cabane?

— Sam, en partie. C'était la première fois qu'il se servait de son pouvoir délibérément, de sang-froid, sans céder à la panique; il savait ce qu'il faisait. Tu aurais dû voir ça, mon vieux.

Quinn se rappelait parfaitement cet épisode. C'était à ce moment précis que son vieil ami s'était clairement détaché de lui et du commun des mortels.

— Pour le reste, ce sont les coyotes qui ont mis le feu.

— Où est l'or? demanda Albert, qui n'avait pas l'air très intéressé par les explications de Quinn.

Celui-ci attendit que Lana montre le chemin, mais elle resta clouée sur place, les yeux baissés sur les restes calcinés de la pelouse que Jim l'Ermite, mû par quelque caprice, avait tenté de faire pousser au beau milieu de cette terre stérile et desséchée. Cookie se tenait juste derrière elle, un gros pistolet glissé dans sa ceinture, scrutant l'obscurité menaçante d'un œil mauvais, prêt à donner sa vie pour la fille qui l'avait arraché à son supplice.

Pat était occupé à courir çà et là pour flairer tout ce qu'il rencontrait, la queue baissée dans une posture de soumission. L'odeur de Chef devait être encore présente.

— Par ici, dit Quinn quand il devint clair que Lana ne bougerait pas.

Il se fraya un chemin parmi les décombres. Il ne restait pas grand-chose, à vrai dire : la plus grande partie de la cabane avait été réduite en cendres. Pourtant, les débris de bois étaient encore hérissés de clous, Quinn progressa donc avec prudence.

Après avoir repéré l'emplacement, il se baissa pour dégager des poutres et des fragments de bois, et constata avec surprise que le plancher en dessous était presque intact. Il avait été léché par les flammes sans se consumer dans l'incendie. Quinn trouva la trappe sans peine.

— Voyons si je peux l'ouvrir.

Il eut beau s'acharner, le feu avait endommagé les gonds. Il lui fallut l'aide d'Albert pour en venir à bout. Ce dernier braqua le faisceau de sa lampe sur la cavité.

— L'or, dit-il.

Quinn s'étonna un peu de son ton détaché; il en était presque venu à s'imaginer que, tel Gollum dans *Le Seigneur des Anneaux*, Albert répéterait à n'en plus finir : « Mon précccieuuux. »

— Il n'a pas fondu, poursuivit-il.

— On commence à le charger dans la camionnette ? Cet endroit me file les chocottes, gémit Quinn. Ça réveille des mauvais souvenirs.

Albert se pencha pour soupeser un lingot.

— C'est lourd, hein ?

— Qu'est-ce que tu vas en faire ?

— Eh bien, je vais voir si je peux le fondre et frapper des pièces. Sauf que je n'ai pas la matrice. J'avais pensé utiliser de tout petits moules à muffins.

Quinn éclata de rire.

— On va payer avec des muffins en or ?

— Pourquoi pas ? Mais entre-temps, j'ai eu une meilleure idée. En fouillant une maison, un gosse a trouvé du matériel pour fabriquer soi-même des munitions, dont des moules à balles.

Ils sortirent du trou les lingots puis les empilèrent en les croisant comme un jeu de construction.

— On va fabriquer des balles en or ?

Quinn ne riait plus.

— On se fiche de la forme tant qu'elles sont toutes pareilles.

— Des balles ? Tu ne penses pas que... c'est bizarre ?

Albert poussa un soupir exaspéré.

— On ne va pas mettre de la poudre dedans !

— J'en sais rien, moi, grommela Quinn en secouant la tête.

— Du calibre 32. C'est le plus petit qu'on ait trouvé chez ce type.

— Pourquoi il ne nous aide pas, Cookie ?

En guise de réponse, Lana, quelque part dans l'obscurité, cria :

— Les gars, je vais faire un tour pour voir si je peux trouver quelque chose à manger. Cookie m'accompagne.

— Cool, dit Quinn.

En quelques minutes, ils avaient sorti tout l'or de la cache. Ils le transportèrent jusqu'à la camionnette à raison de quelques lingots à chaque voyage. En dépit de leur petite taille, ils étaient très lourds. Quand Albert et Quinn eurent fini, ils transpiraient à grosses gouttes malgré le froid de la nuit. Albert se hissa à l'arrière de la camionnette et recouvrit l'or d'une bâche en toile.

— Écoute, dit-il en achevant de fixer la bâche, il vaudrait mieux ne pas ébruiter cette histoire. Ça reste entre nous quatre, OK ?

— Une seconde, vieux. Tu ne vas pas en parler à Sam ?

Albert descendit de son perchoir et se planta devant Quinn.

— Je n'essaie pas de lui faire de l'ombre. J'ai beaucoup de respect pour lui. Mais mon plan marchera mieux si on lui en parle après.

— Albert, je ne vais pas mentir à Sam.

— Personne ne te le demande. S'il te questionne, réponds. Sinon...

Comme Quinn hésitait toujours, Albert reprit :

— Sam est un grand leader. Mais même un grand leader commet des erreurs. Et Sam ne comprend pas mon point de vue ni ma méthode pour mettre les gens au boulot.

— Il sait qu'il faut les mettre au travail, point, protesta Quinn. Seulement, il n'a pas envie que tu t'enrichisses sur le dos des autres.

Albert essuya la sueur sur son front.

— Quinn, pourquoi les gens travaillent dur, à ton avis ? Tu crois que tes parents bossaient juste pour gagner de quoi survivre ? Non, mec, les gens cherchent à s'offrir une vie meilleure. Ils en veulent toujours plus. Et il n'y a aucun mal à ça.

Quinn éclata de rire.

— OK, tu y as beaucoup réfléchi et tu as sans doute raison. Qu'est-ce que j'en sais, moi ? T'inquiète, je ne vais pas vendre la mèche. Pour l'instant, je n'y suis pas obligé.

— C'est tout ce que je te demande, Quinn. Je ne te pousserai jamais à mentir.

— Mmm, fit Quinn avec cynisme. Et la Guérisseuse ? Elle...

Il regarda autour de lui, s'apercevant soudain qu'il n'avait pas vu Lana ni Cookie depuis un bon moment.

— Lana! cria-t-il.

Le silence lui répondit. Il braqua sa lampe sur la camionnette. Elle faisait peut-être un petit somme sur la banquette... Mais le pick-up était vide. Il balaya les alentours de sa torche, éclaira les poteaux qui avaient soutenu la citerne de Jim l'Ermite.

— Lana? Lana? On est prêts à partir.

— Où est-elle passée? s'étonna Albert. Je ne vois ni Cookie ni le chien.

— Lana! Hé, la Guérisseuse!

Pas de réponse. Quinn et Albert échangèrent un regard horrifié. Quinn se pencha par la vitre de la camionnette pour klaxonner. Elle l'entendrait forcément. Il se figea en voyant le Post-it collé sur le volant, qu'il lut à la lumière de sa lampe.

— «N'essayez pas de nous suivre. Je sais ce que je fais. Lana.»

— Bon, déclara Albert, finalement, on va peut-être devoir en parler à Sam.

21

JACK S'ARC-BOUTA de toutes ses forces contre la porte. Conçue dans un acier robuste, elle n'était pas près de céder ; cependant elle craquait et grinçait, et Jack distinguait le joint entre le montant et le battant.

Sa propre force l'époustouflait. Il n'avait pas vraiment cherché à la contrôler ni à la tester. D'ailleurs, il oubliait fréquemment qu'il détenait ce pouvoir parce qu'il ne lui correspondait en rien.

En grandissant, Jack s'était vite distingué par son intelligence. Et il aimait ça. Il revendiquait son statut d'intello à lunettes avec fierté. Ça ne l'intéressait pas d'être un mutant super costaud. En fait, tandis qu'il s'échinait à pousser la porte, il se demandait si elle n'était pas commandée par un système électronique. Si oui, où pouvait bien être le panneau de contrôle ? Peut-être qu'en coupant un fil ou en en soudant un autre, il parviendrait à l'ouvrir ? Peut-être qu'elle était commandée par un ordinateur, auquel cas il lui suffirait de s'introduire dans le système.

— Continue, Jack, l'encouragea Caine. Tu y es presque.

Jack entendit Diana interpeller Drake :

— Je t'avais bien dit qu'il était fort comme un bœuf. Et toi qui croyais qu'il suffirait d'aller le chercher là-bas et de le ramener à Coates ? Ha !

Ce n'était qu'une question de secondes, Jack le sentait.

— Dès que la porte aura cédé, jette-toi à terre, lança Caine.

Jack aurait bien voulu savoir pourquoi, mais l'effort faisait regonfler les veines de son cou, lui coupait le souffle et, d'une manière générale, rendait toute tentative de conversation difficile.

— Tu te jettes à terre, répéta Caine. Quelqu'un risque de tirer des coups de feu.

Quoi ? La détermination de Jack faiblit.

— Ce n'est pas le moment de mollir ! s'écria Caine. On s'occupe des tireurs éventuels.

Jack entendit le cliquetis d'une arme, suivi du rire cruel de Drake. Prenant appui sur ses pieds, il poussa une dernière fois de toutes ses forces, la peur au ventre : servir de cible ne faisait pas partie du contrat.

La porte céda soudain. Contrairement aux conjectures de Jack, seuls la charnière supérieure et le verrou sautèrent, si bien que le battant était encore retenu par un gond. Une autre poussée et il s'effondrerait complètement.

Une détonation assourdissante le fit plonger à terre. Se couvrant la tête et les oreilles, il cria : « Ne me tuez pas ! Ne me tuez pas ! » mais personne ne l'entendit au cours de l'échange de tirs qui suivit. Les occupants de la salle de contrôle tiraient de courtes rafales de mitraillette par le trou béant. Blam blam blam ! Drake ripostait par des coups de pistolet rapides et précis. Les balles tintaient sur le battant en acier et ricochaient dans le couloir. Drake hurlait, Jack hurlait, et de l'autre côté de la porte, une fille poussa un cri de rage et de peur. C'est alors que Caine entra en scène : il dirigea ses mains vers le battant tordu, qui soudain explosa de l'intérieur et s'écrasa sur le sol dans un grincement, fauchant au passage les jambes de la fille, qui continua de tirer des rafales de mitraillette en tombant.

Jack se plaqua au sol en sanglotant : « Ne me tuez pas ! » Drake l'enjamba, le pistolet au poing. Couché sur le flanc, Jack assistait à un spectacle insensé : la fille, incapable de bouger, les jambes tordues dans une position impossible, continuait à faire feu en direction de Drake.

Son fouet jaillit.

La fille pointa son arme sur lui.

Clic. Le chargeur était vide.

Le fouet de Drake atteignit sa cible.

Un hurlement de douleur. Puis un autre.

— Ça suffit ! cria Diana.

Caine fit irruption dans la pièce et, dans sa précipitation, donna un coup de pied à Jack. De nouveau, Drake fit claquer son fouet en poussant un cri de joie féroce. Jack, aveuglé par les larmes, se mit à ramper. Il connaissait cette fille. Elle s'appelait Brittney. Elle était en cours d'histoire avec lui, trois rangs derrière.

Drake frappa une dernière fois. Le pistolet glissa de la main de Brittney. Elle gisait dans une mare de sang, les jambes estropiées par la chute de la porte, le visage barbouillé de sang et de larmes. Diana s'en prit à Drake et à Caine qui n'avait rien tenté pour l'arrêter. Jack eut envie de crier : « Pardon ! Pardon ! », mais les mots ne venaient pas.

Diana saisit Drake par l'épaule.

— Assez, espèce de…

Drake fit volte-face et, le visage tout contre celui de Diana, rugit comme un animal en crachant un flot de bave. Caine se décida à intervenir.

— Elle a raison, ça suffit.

— Éloigne ta copine ! brailla Drake.

Caine le dévisagea froidement.

— Je t'ai laissé t'amuser. On n'est pas là pour ton plaisir.

Jack, sous le choc, était incapable de détacher les yeux de Brittney. Elle gémit, essaya de bouger puis s'affaissa.

— Mets-toi au travail, Jack, dit Caine.

Diana tourna des yeux injectés de sang vers Jack ; ils exprimaient la haine et le chagrin. Essuyant ses larmes d'un revers de manche, elle déclara :

— Jack est blessé.

— Quoi ? fit Caine. Jack ?

Elle se trompait. Il se releva péniblement, honteux de s'être traîné par terre. Mais soudain, sa jambe gauche se déroba. Baissant les yeux, médusé, il s'aperçut que son pantalon, du genou jusqu'à la cheville, était poisseux d'un liquide rouge.

— Il perd beaucoup de sang ! cria Diana.

Ce furent les derniers mots qu'il put saisir : le sol se rapprocha et le heurta en pleine face.

Lana entendit les appels de Quinn et les coups de klaxon. Elle n'était qu'à quelques dizaines de mètres d'eux, à peine hors de portée de leurs torches. Cookie marchait à côté d'elle, impassible, bien qu'elle le soupçonnât d'être en proie au doute. Elle espérait que Quinn et Albert ne se lanceraient pas à sa poursuite. Elle ne tenait pas à leur faire part de ses projets.

Pat avait entendu les cris et les coups de klaxon, lui aussi.

— Du calme, mon vieux. Chut, murmura-t-elle à son intention.

Lana s'était équipée d'une solide paire de bottes, une amélioration notable depuis la dernière fois qu'elle avait emprunté cette route. En outre, elle avait glissé un gros pistolet dans sa besace : une autre garantie. Et puis elle avait Cookie. S'ils venaient à croiser Chef, l'un d'eux – de préférence elle, plutôt que Cookie – lui logerait une balle dans le crâne.

Elle avait aussi emporté une bouteille d'eau, une boîte de champignons et un chou-fleur entier. C'était peu, surtout pour un garçon de la corpulence de Cookie, mais elle espérait trouver au moins quelques conserves dans le hangar près de la mine. Jim l'Ermite avait dû entreposer quelques vivres à cet endroit.

La dernière fois qu'elle avait pris cette route, elle cherchait la voiture du vieux Jim dans l'espoir de rentrer à Perdido Beach. En découvrant les lingots, elle s'était figuré que l'ermite excentrique était une espèce de chercheur d'or. Elle avait suivi les traces de pneus menant au village minier à l'abandon niché entre deux collines. Là, elle avait trouvé une camionnette mais pas de clés. Ensuite, elle était tombée sur le cadavre de Jim dans la mine.

Désormais, elle savait où étaient les clés.

Avant, elle aurait été terrifiée à l'idée de fouiller les poches d'un mort. Mais ça, c'était l'ancienne Lana. La nouvelle Lana avait vu des choses bien pires.

Elle savait où étaient les clés et la camionnette. Et elle se rappelait la grosse bombonne de gaz qu'utilisait Jim pour allumer sa forge. Son plan était simple : récupérer les clés. Avec l'aide de Cookie, charger la bombonne dans la camionnette. La garer devant l'entrée de la mine. Ouvrir le robinet de gaz et attendre qu'il se diffuse à l'intérieur.

Puis craquer une allumette et courir.

Elle ne savait pas si l'explosion tuerait la créature terrée au fond de la mine, mais elle espérait l'enterrer sous plusieurs tonnes de roche. L'Ombre l'appelait dans ses rêves. Elle la tenait sous son emprise.

Viens à moi. J'ai besoin de toi.

Elle la voulait.

— *Hello darkness, my old friend*, chantonna Lana. *I've come to talk with you again*[1]...

---

1. Paroles d'une célèbre chanson de Simon & Garfunkel, *The Sound of Silence* : «Bonjour ténèbres, mes vieilles amies. Je suis venu m'entretenir avec vous de nouveau.» *(N.d.T.)*

22

JACK FUT RÉVEILLÉ par la douleur.

On l'avait déplacé, mis sur le dos. Il se redressa trop brusquement, vit trente-six chandelles et crut qu'il allait de nouveau tourner de l'œil.

La jambe de son pantalon avait été déchirée en hâte pour exposer sa blessure. Un bandage de fortune en tissu bleu, trempé de sang, était noué autour de sa cuisse. La douleur était cuisante ; il avait l'impression qu'on lui avait enfoncé un tisonnier chauffé à blanc dans la chair.

Diana était à son côté. Il lui fallut quelques instants pour la reconnaître à cause de son crâne rasé.

— J'ai trouvé ça dans un bureau. Tiens.

Elle déposa dans sa main quatre comprimés d'antalgique.

— C'est deux fois la dose normale, mais ça ne va pas te tuer, à mon avis.

334

— Qu'est-ce qui s'est passé ? demanda-t-il d'une voix rauque.

— Tu as reçu une balle. C'est une chance qu'elle t'ait juste frôlé en creusant une espèce de petit sillon bien net dans ta cuisse. Tu risques de déguster mais le sang ne coule déjà plus.

— Allez, Jack, remue-toi ! lança Caine.

Il semblait tourmenté, inquiet. Les choses ne se passaient pas comme prévu.

— Tu sais pourquoi tu es là.

Deux des soldats de Drake revinrent en poussant brutalement devant eux Mickey Finch et Mike Farmer, les mains liées derrière le dos. Ils les avaient trouvés dans un des bureaux, cachés sous une table.

— Oh, parfait ! s'exclama Caine, ravi. Les otages sont là.

— On leur a dit de déposer les armes, et ce débile a obéi, annonça l'un des soldats d'un air triomphant. Tout ce qu'on avait, c'était un fusil et un pistolet contre une mitraillette. Et pourtant, il s'est rendu. Quelle mauviette ! L'autre n'était pas armé.

Mickey et Mike semblaient terrorisés. Ils se rembrunirent encore plus en voyant Brittney allongée dans une mare de sang. Drake s'avança vers les deux prisonniers, écarta Mike sans ménagement et s'empara de la mitraillette. De son tentacule, il en caressa la crosse avec des gestes presque révérencieux. Une expression tendre s'imprima dans ses yeux bleu glacier.

— Celle-là, elle me plaît. Celle de la fille était pourrie, mais avec elle, je vais m'éclater.

— Prenez une chambre, tous les deux, le railla Diana.

— Cette fois, aucun dégénéré ne pourra me battre.

— Pas même Caine, renchérit Diana. Maintenant, c'est toi le patron, pas vrai ?

Jack restait cloué sur place, les yeux fixés sur la scène qui se jouait devant lui, incapable de se concentrer sur la tâche qu'on lui avait assignée. Comment avait-il pu s'embarquer dans une galère pareille ? À quelques mètres de lui, une fille était en train de mourir, si elle n'était pas déjà morte. Trois pas de plus, et il marcherait dans son sang.

— Jack, remue-toi ! répéta Caine. Au boulot !

Jack avait l'impression de se mouvoir dans un rêve. Il secoua la tête, les oreilles encore bourdonnantes. Sa jambe le faisait horriblement souffrir. Le tissu de son pantalon ensanglanté lui collait à la peau. Il se dirigea d'un pas chancelant vers le poste le plus proche et se laissa tomber lourdement dans un fauteuil pivotant. Le matériel était vieux. L'ordinateur n'était même pas équipé d'une souris ; tout s'effectuait sur le clavier.

Son découragement redoubla. Un équipement obsolète impliquait toutes sortes de manipulations qui ne lui étaient pas familières. Il ouvrit un tiroir dans l'espoir d'y trouver un manuel quelconque ou une fiche d'instructions.

— Qu'est-ce que ça donne ? demanda Caine en lui tapotant gentiment l'épaule comme pour le rassurer.

Pour la première fois, Jack réprima l'envie de lui envoyer son poing dans la figure.

— Je ne connais rien à ce logiciel, répondit-il.

— Mais c'est dans tes cordes, pas vrai ?

— Je vais devoir procéder lentement. Il faut que je comprenne comment ça marche.

L'étreinte de Caine se resserra autour de son épaule.

— Combien de temps, Jack ?

— Hé, je suis blessé ! Je me suis fait tirer dessus !

Croisant le regard de Caine, Jack baissa la voix.

— Je ne sais pas. Ça dépend.

Il sentait la tension de Caine, cette rage contenue alimentée par la peur.

— Alors ne perds pas de temps.

Caine lâcha son épaule et se tourna vers Drake.

— Mets les otages dans un coin.

— Mmm, mmm, fit Drake, absorbé dans la contemplation de son nouveau joujou.

Caine le rejoignit en quelques enjambées et donna un coup dans le canon de la mitraillette.

— Hé ! Bouge-toi ! Brianna peut revenir d'un instant à l'autre. Si ce n'est pas elle, ce sera Taylor. T'as pas intérêt à tout faire foirer.

Brittney était toujours étendue par terre, immobile. Était-elle encore vivante ? se demandait Jack.

Vu son propre état, et la souffrance que causait le simple frôlement d'une balle, il valait peut-être mieux pour Brittney qu'elle soit morte.

Il dénicha un vieux classeur dont les feuilles déchirées étaient couvertes de Post-it noircis de notes. Il commença à les parcourir dans l'espoir d'y trouver un guide d'utilisation des touches du clavier. Sans ça, il était perdu. L'absence de souris était très handicapante : il ne s'était jamais servi d'un ordinateur qui n'en soit pas pourvu et s'étonnait que ce genre de matériel puisse encore exister.

— Diana, évalue nos deux otages, ordonna Caine. Je n'ai pas envie de m'apercevoir trop tard qu'ils cachent des pouvoirs. Drake ? Comment tu t'en sors ?

— J'installe le fil, répondit-il.

Jack lui jeta un regard à la dérobée et s'aperçut qu'il tenait à la main une bobine de fil de fer. Il examinait le chambranle de la porte, l'air de chercher quelque chose. Il haussa les épaules, mécontent de son inspection, et se mit à enrouler une extrémité du fil autour de la charnière centrale, encore intacte. La porte, très haute, en comportait trois, dont une à hauteur de tête et une autre au niveau des chevilles. Une énorme armoire de classement était calée contre le mur ; il enroula le fil autour d'une poignée de tiroir en le tendant au maximum, puis le sépara de la bobine à l'aide d'une pince.

Après avoir évalué les deux otages, Diana retourna auprès de Caine.

— Rien à signaler. L'un d'eux a peut-être une barre, mais à ce niveau-là, il ne sait même pas en quoi consiste son pouvoir.

— Parfait, dit Caine.

Diana se laissa nonchalamment tomber dans le siège voisin de celui de Jack et, l'air maussade, fixa le moniteur devant elle.

— Qu'est-ce qu'il fabrique, Drake ? chuchota Jack.

Diana lui adressa un regard languide.

— Hé ! Jack veut savoir ce que tu fais, Drake. Explique-lui.

— Jack est censé travailler, l'interrompit Caine. Il est occupé.

Jack reporta aussitôt son attention sur le classeur. « Ah, enfin ! Une liste d'instructions. » Les sourcils froncés, il se mit à tâtonner sur le clavier, pressant une touche, enregistrant le résultat, passant méthodiquement à la touche suivante.

Drake en avait presque terminé avec le fil. Il se baissa pour passer dessous et s'éloigna dans le couloir sans cesser de dévider sa bobine.

— Je suis entré dans leur répertoire, annonça Jack. Qu'est-ce qu'il est vieux ! C'est du DOS ou un truc du même genre.

Malgré lui, il était fasciné par le défi qu'on lui avait imposé. Il était confronté à la préhistoire de l'informatique. Il s'efforçait de déchiffrer un langage antérieur à Windows, à Linux, à tout. Il en oubliait presque la douleur.

— J'espère que tu n'étais pas trop amoureux de Brianna, Jack, susurra Diana.

— Hein ? Non. Non, pas du tout. N'importe quoi.

Jack se sentit rougir.

— Mmm.

Pas à pas, il progressait dans le répertoire, cherchant des commandes qui n'existaient peut-être même pas.

Drake revint en sifflotant gaiement.

— Voilà ce que j'appelle trancher dans le vif !

— Bien. Et d'une ! déclara Caine. Maintenant, au tour de Taylor. Souviens-toi, l'important c'est que personne ne prenne pour cible Jack ou le matériel.

— Je sais ce que je fais, grommela Drake.

Il pointa son tentacule vers l'un des deux garçons qui surveillaient les otages.

— Toi. Apporte le fusil. Bon. C'est très simple. Si Taylor se montre, tu tires.

Le garçon pâlit.

— Il faut que je la flingue ?

— Non, t'as le choix. C'est à toi de voir.

Le gamin poussa un soupir de soulagement.

— Évidemment, si tu hésites ou que tu rates ton coup, reprit Drake en dépliant son tentacule qui s'enroula autour de la gorge du garçon, je te fouetterai jusqu'à l'os.

Il relâcha sa victime en riant.

— Je crois qu'on est prêts. Taylor sera bien reçue à son arrivée. Quant à la petite Brianna, si elle décide de débouler ici à cent kilomètres/heure, elle se prendra les fils en pleine poire.

— Ils sont reliés à une alarme ? s'enquit Jack.

Drake partit d'un fou rire : à croire que c'était la chose la plus drôle qu'il ait jamais entendue.

— Trancher dans le vif, Jack. Trancher dans le vif.

Jack se tourna vers Diana. Ses yeux noirs semblaient deux fenêtres ouvrant sur des ténèbres insondables.

— Remets-toi au travail, Jack, ordonna Caine.

Le McClub était fermé. Sur la porte, un écriteau annonçait : « Désolé. On rouvre demain. »

Duck ignorait ce qui l'avait poussé jusqu'ici. Bien sûr que c'était fermé : il était plus de minuit. Il avait juste terriblement besoin de compagnie. Il espérait trouver quelqu'un – n'importe qui – dans les parages.

Au cours des trois jours qui avaient suivi sa chute au fond de la piscine, son existence avait tourné au cauchemar. D'abord, il avait dû tirer un trait sur son oasis de paix. La piscine était irréparable. Il avait passé des heures à en chercher une autre sans rien trouver de comparable à ce qu'il avait perdu. Ensuite, personne ne le croyait. Il était l'objet de toutes les plaisanteries. Les enfants ne se donnaient pas la peine d'aller vérifier si le trou était vraiment là. Et, bien entendu, Zil et sa bande de voyous ne s'étaient pas précipités pour confirmer son histoire.

Lorsqu'il avait évoqué ce pouvoir bizarre et très handicapant, on lui avait demandé d'en faire la démonstration. Or, Duck n'en avait aucune envie. D'abord, parce qu'il aurait fallu se mettre en colère, et que ce n'était pas dans sa nature. Ensuite, il aurait été obligé de s'enfoncer dans la terre. Et sa première expérience en la matière ne lui avait pas laissé un bon souvenir. Il remerciait le ciel de s'être évanoui avant de heurter le sol de la caverne, sans quoi il aurait pu continuer à s'enfoncer jusqu'au centre de la terre. En tout cas, c'était l'image qu'il ressassait ; il se voyait, traversant la croûte terrestre, puis le manteau et toutes ces couches dont il avait sans doute appris les noms à l'école – lesquels lui échappaient, maintenant –, jusqu'au noyau constitué de roches et de métaux en fusion. Dans son esprit, ça ressemblait à la scène finale du *Seigneur des Anneaux*. Tel Gollum, il se débattrait dans cette lave pendant quelques secondes avant de disparaître, carbonisé.

Cependant, cette image terrible était presque réconfortante comparée à cette autre possibilité : le fait d'être enterré vivant après s'être enfoncé sur une centaine de mètres, sans moyen de s'extirper de là. Il s'étoufferait lentement tandis qu'un mur de terre se refermerait sur lui en s'insinuant dans ses oreilles, sa bouche, son nez…

Il se retint à la poignée de la porte du McClub. Ces cauchemars éveillés l'envahissaient de plus en plus souvent. Le fait que personne ne le prît au sérieux n'arrangeait guère les choses. Les autres gamins se moquaient de lui. Son histoire n'était qu'une vaste plaisanterie à leurs yeux : la traversée du fond de la piscine, la caverne radioactive, les chauves-souris bleues... Après avoir émergé des vagues et atteint la plage, à moitié nu et tremblant de froid, il avait dû escalader la colline en se forçant à sourire gaiement de peur que la colère ne l'entraîne à nouveau dans les entrailles de la terre. Et encore, ça n'avait pas été le plus dur : il avait accueilli la lumière avec soulagement.

Chaque fois qu'il décrivait son martyre, les enfants hurlaient de rire. Le premier jour, il avait joué le jeu. Il aimait bien amuser les autres. Mais bientôt, de conteur d'histoires amusantes, il était devenu un objet de ridicule.

— Attends, ton pouvoir, c'est que tu deviens lourd au point de t'enfoncer dans le sol ? avait lancé Hunter qui se prenait pour un comique. Alors t'es quoi ? Fatman ?

Après quoi, tous s'en étaient donné à cœur joie : Fatman avait laissé place à Spéléoman, Super Mineur et – le sobriquet qui revenait le plus souvent – la Foreuse humaine. Ils ne voyaient donc pas que ça n'avait rien de drôle ! Il passait des nuits entières à se retourner dans son lit, craignant de s'énerver dans un rêve et d'être condamné à une mort lente, douloureuse.

Hunter avait lui aussi tourné en ridicule son histoire de chauves-souris bleues.

— Hé, la Foreuse humaine ! Les chauves-souris dorment la journée et volent la nuit. Les tiennes, à t'entendre, elles se sont réveillées en voyant de la lumière ? Comment c'est possible, ça ? Et puis, personne d'autre que toi ne les a vues, je te rappelle.

— Elles sont bleues comme le ciel. Comment tu veux les voir quand elles volent ou qu'elles nagent sous l'eau ? avait vainement protesté Duck.

Il lâcha la poignée de la porte. Ce n'était sans doute pas si mal que le club soit fermé. Certes, il était seul. Cependant la solitude était peut-être plus supportable que le ridicule.

Il regarda autour de lui, égaré. Les alentours étaient déserts. Au bon vieux temps, ses parents l'auraient séquestré dans sa chambre pendant une année s'ils avaient appris qu'il traînait dans les rues après la tombée de la nuit.

Personne sur la place. C'était un endroit sinistre, le soir. Le cimetière. La masse sombre de l'église en ruine qui se détachait sur le ciel étoilé. Les restes calcinés de l'immeuble résidentiel. Quelques lumières brillaient aux fenêtres de l'hôtel de ville : personne ne prenait plus la peine de les éteindre. Les lampadaires fonctionnaient encore, pour la plupart. Une poignée d'entre eux avaient grillé et d'autres, en particulier ceux de la place, avaient été endommagés par des vandales ou détruits pendant la bataille.

Cette place était la demeure des fantômes, désormais.

Duck rentra chez lui en traînant les pieds. Chez lui… pour ainsi dire. Il fallait longer l'église plongée dans l'obscurité. Ces temps-ci, on ne l'éclairait que pendant les rassemblements, car le système électrique d'origine n'avait pas survécu à la bataille. Il fallait dérouler un câble relié à la mairie. En général, quelqu'un se rappelait de le débrancher une fois la réunion terminée. Des gravats s'entassaient sur le trottoir bordant l'édifice, bloquant le passage. Personne ne s'était donné la peine de les dégager. Duck s'avança au milieu de la rue en scrutant les alentours d'un œil méfiant.

Il entendit un bruit de pas du côté de l'église. Un chien, probablement. Ou des rats. Soudain, un murmure affolé s'éleva parmi les ruines.

— Hé ! Hé ! Duck !

Il s'arrêta net.

— Hé, mec ! reprit la voix, plus fort cette fois.

— Qui est là ?

— C'est moi. Hunter. Parle plus bas. Ils me tueront s'ils me trouvent.

— Qui ça, « ils » ?

— Viens par ici. Je ne peux pas crier.

À contrecœur, car il craignait une entourloupe, Duck traversa la rue.

Hunter était accroupi derrière un tas de décombres duquel émergeaient des fragments de vitraux. Il se leva à l'approche de Duck, et celui-ci distingua son visage. Il n'avait pas la tête de quelqu'un qui s'apprête à jouer un mauvais tour. Il semblait terrorisé.

— Qu'est-ce qui t'arrive? demanda Duck.

— Approche-toi, que personne ne nous voie.

Duck escalada le tas de gravats en s'écorchant le mollet au passage.

— Bon, dit-il une fois qu'il eut rejoint Hunter dans sa cachette. Qu'est-ce qu'il y a?

— Tu peux me dépanner, mon vieux? Je n'ai pas dîné.

— Euh… quoi?

— J'ai faim.

— Tout le monde a faim. Je me suis envoyé une bouteille de ketchup pour le dîner.

Hunter soupira.

— Je n'ai rien avalé ce soir et j'ai à peine mangé à midi. J'essayais d'économiser sur nos réserves.

— Pourquoi t'es ici?

— Zil et les normaux… ils me poursuivent.

Duck avait la nette impression qu'on se fichait de lui ou qu'il venait de pénétrer dans le rêve insensé de quelqu'un d'autre.

— Hunter, si tu cherches à te payer ma tête, laisse tomber.

— Pas du tout! Pardon de m'être moqué de toi. Je suivais juste le mouvement, tu vois?

— Non, je ne sais pas de quoi tu parles.

Hunter hésita, parut sur le point de se mettre en colère. Puis, soudain, il s'assit lourdement par terre. Avec des gestes gauches, Duck s'agenouilla près de lui. Sa maladresse redoubla quand il s'aperçut que Hunter pleurait.

— Qu'est-ce qu'il s'est passé, mon vieux ?

— Tu connais Zil, pas vrai ? On s'est disputés. Il est devenu fou : il a essayé de me frapper avec un tisonnier. Alors moi, comment j'étais censé réagir, hein ?

— Qu'est-ce que t'as fait ?

— J'étais dans mon droit. Seulement voilà, c'est pas Zil que j'ai eu. Harry s'est interposé entre nous.

— C'est pas grave.

— Si, c'est grave, renifla Hunter. Harry est tombé par terre. Je ne le visais même pas. Il ne m'avait rien fait, lui. Il faut que tu m'aides, Duck.

— Moi ? Pourquoi moi ? Tu passes ton temps à me chambrer.

— D'accord, d'accord, c'est vrai, admit Hunter qui avait cessé de pleurer.

D'une voix plus pressante, il reprit :

— Mais, regarde, on est du même côté, toi et moi.

— Hein ?

— On est des mutants, quoi. Tu comprends ça, non ?

D'agacement, Hunter retrouvait son sang-froid.

— Zil est en train de monter les normaux contre nous.

Duck secoua la tête, l'air désorienté.

— De quoi tu parles?

Hunter le saisit par le bras.

— C'est nous contre eux, tu piges? Les dégénérés contre les normaux.

— N'importe quoi. D'abord, moi je n'ai blessé personne. Ensuite, Sam est un dégénéré et Astrid est normale, tout comme Edilio. Tu vois, ils ne veulent pas tous s'en prendre à nous.

— Tu crois qu'ils ne vont pas s'occuper de toi quand ton tour viendra? Tu t'imagines en sécurité? C'est ça. Rentre chez toi. Joue la comédie tant que tu veux. C'est nous contre eux. Tu verras quand ce sera à toi de te cacher.

Duck se dégagea brusquement.

— Je vais essayer de te trouver quelque chose à manger. Mais ne me mêle pas à tes histoires.

Et, après avoir gravi le tas de décombres, il s'éloigna dans la rue. Pendant tout le trajet, les paroles de Hunter lui trottèrent dans la tête: « C'est les dégénérés contre les normaux, Duck. Et toi, t'es un dégénéré. »

Jack suait à grosses gouttes comme dans un sauna. Sa jambe le faisait atrocement souffrir. Et puis, surtout, il y avait cette histoire de fils. Brianna ne verrait rien venir. Elle débouIerait dans la pièce à toute allure. À cette vitesse, les fils entreraient dans sa chair comme dans une vulgaire motte de beurre. Cette image s'imprima dans son esprit avec une netteté terrifiante.

— Détache ces fils.

Les mots avaient franchi ses lèvres avant même qu'il ait pu les former dans sa tête. Seule Diana l'entendit. Comme il jetait un coup d'œil dans sa direction, elle esquissa un sourire. Quant à Drake et à Caine, ils ne prêtaient aucune attention à lui, l'un s'absorbant dans ses préparatifs tandis que l'autre était en proie à une nouvelle saute d'humeur. Abandonnant son clavier, Jack répéta d'une voix tremblante :

— Il va falloir couper ces fils.

Caine se figea et Drake fit volte-face.

— Comment ?

— Détache ces fils, ou bien je...

Le fouet de Drake s'abattit sur sa nuque, comme le frôlement d'une balle mais en pire, car la peau était beaucoup plus fine à cet endroit. Jack poussa un cri de douleur. Drake allait frapper de nouveau quand Caine cria : « Non ! » Son lieutenant, bien que tenté d'ignorer l'ordre, se contenta d'enrouler son tentacule autour de la gorge de Jack, qui sentit le sang battre à l'intérieur de son crâne.

Caine s'avança vers lui et, d'un ton raisonnable, demanda :

— C'est quoi le problème, Jack ?

— Les fils, bredouilla celui-ci. Je n'aime pas ça.

Caine cligna des yeux, sincèrement surpris, et chercha une explication du côté de Diana. Elle poussa un soupir.

— Il est amoureux. On dirait que le petit Jack s'est lassé de moi. Une autre fille a décroché le premier rôle dans ses rêves inavouables.

Caine éclata d'un rire incrédule.

— T'as le béguin pour Brianna ?

— Non... ce n'est pas...

— Allons, Jack. Ne sois pas stupide, lui dit Caine d'une voix caressante. Lâche-le, Drake. On se déconcentre, j'ai l'impression. On oublie ce qui est important.

Drake desserra son étreinte, et Jack avala une grande bouffée d'air. Sa nuque et son dos le brûlaient au point qu'il en oublia sa blessure à la cuisse.

— Jack, Jack, Jack, reprit Caine sur le ton d'un professeur déçu. Les accidents arrivent, il faut l'accepter.

— Pas Brianna.

Jack vit les joues de Caine s'empourprer, ce qui n'était pas bon signe. Cependant, il se savait indispensable. Caine aurait beau se mettre en colère, il ne le tuerait pas. De ça, il était certain. Si Drake était susceptible de succomber à la colère, Caine, lui, saurait se dominer.

— Tu crois qu'elle te défendrait ? lâcha-t-il. Elle viendra peut-être armée et tirera sur tout ce qui bouge, Jack. Maintenant, remets-toi au travail et laisse-moi prendre les décisions qui s'imposent.

Jack se tourna de nouveau vers son clavier, mais ses doigts restèrent suspendus au-dessus des touches. Pas Brianna. Pas elle. Pas comme ça.

— Je pourrais la persuader de rejoindre votre camp, suggéra-t-il.

— Laisse-moi m'en occuper, le supplia Drake. Je te garantis qu'il va se remettre au boulot.

— C'est ça, Drake, cracha Diana. Torture-le. Qui sait, en l'énervant bien, tu le convaincras peut-être de noyer cette salle sous les radiations jusqu'à ce que tu aies perdu tous tes cheveux.

Cette idée n'avait pas effleuré Jack. Diana avait raison : ils ne pouvaient pas vraiment contrôler ses faits et gestes. Caine se mit à ronger l'ongle de son pouce, comme chaque fois qu'il était nerveux.

— Drake, coupe les fils. Jack, débrouille-toi pour éteindre les lumières de Perdido Beach ou j'ordonnerai à Drake non seulement de retendre les fils mais aussi de te fouetter jusqu'à ce qu'il soit trop fatigué pour lever le bras.

Jack s'efforça de masquer sa satisfaction. Drake allait protester quand Caine rugit :

— Obéis, Drake !

Jack sentit une chaleur agréable lui parcourir le corps. Il n'avait jamais rien éprouvé de tel auparavant. Son dos et sa nuque le faisaient toujours souffrir, ainsi que sa blessure à la jambe. Cependant, la douleur n'était rien comparée à ce sentiment bizarre qu'il ne parvenait pas à identifier.

Il s'était démené pour protéger quelqu'un. Brianna n'en saurait sans doute jamais rien, mais il avait risqué sa vie pour elle.

— On dirait que le petit Jack a grandi, commenta Diana d'un ton désinvolte, tandis qu'il se remettait à pianoter sur le clavier. Mais il est si naïf ! ajouta-t-elle.

Si cette dernière réflexion l'agaça un peu, Jack avait d'autres chats à fouetter : à présent qu'il s'était introduit dans le répertoire, il y avait des procédures à apprendre et des séquences à déchiffrer.

23

— Ils ont dû poster quelqu'un à l'entrée, annonça Sam. C'est juste après le tournant. Arrête-toi là.

Edilio freina, et les deux autres véhicules derrière eux l'imitèrent. Dekka transportait Orc et Howard dans un gros 4 x 4, et une poignée des soldats d'Edilio s'était entassée dans une troisième voiture. C'étaient tous les combattants que Sam avait pu rassembler. Il avait pourtant essayé de réquisitionner le plus grand nombre de personnes possible, mais ils avaient été les seuls à se présenter en apprenant qu'il faudrait se battre contre Caine et Drake. La peur qu'ils inspiraient – Drake en particulier – était toujours très présente à Perdido Beach.

Sam se tourna vers Brianna et Taylor, installées à l'arrière.

— OK, les filles, voilà notre problème : il faut que je sache où sont planqués les sous-fifres de Caine.

353

Je suppose qu'il en a laissé au moins deux à l'entrée. Armés, évidemment. Ils auront reçu l'instruction de descendre tous ceux qui arriveront par cette route.

— Je peux disparaître et réapparaître de l'autre côté sans qu'ils aient le temps de me tirer dessus, suggéra Taylor sans grand enthousiasme.

— Et moi, je peux franchir la grille, faire un petit tour dans les bâtiments et revenir, le tout en trente secondes, renchérit Brianna. Avec un peu de chance, ils ne me verront même pas.

— Si tu vas si vite qu'ils ne peuvent pas te voir, comment, toi, tu les verras ? s'enquit Edilio.

— J'ai un œil de lynx.

Sam et Edilio ne purent s'empêcher de sourire.

— Écoute-moi bien, Brise, déclara Sam, redevenant sérieux, tu n'iras pas plus loin que cette grille. Ce n'est pas une suggestion, c'est un ordre.

— Mais ça ne prendra qu'une seconde ! protesta Brianna.

— Brise, je ne veux pas que tu pénètres dans la centrale, tu m'entends ?

— C'est toi le chef, rétorqua Brianna avec une moue boudeuse.

— Bien. À toi de jou…

Il s'interrompit, s'apercevant qu'il parlait dans le vide.

— Elle n'est pas du genre à s'éterniser, commenta Edilio.

— Moi aussi, je peux vous aider, rappela Taylor avec une pointe d'amertume.

— Ton tour viendra, dit Sam.

Dekka descendit du 4 x 4.

— Vous avez envoyé Brise en éclaireur ?

— Oui, elle devrait revenir d'un instant à l'autre, répondit Edilio.

Tous quatre attendirent son retour. Même s'il ne risquait pas de la voir arriver, Sam gardait les yeux fixés sur la route.

— Elle en met du temps, grommela Taylor.

Le silence s'installa. Deux minutes passèrent, puis trois. Puis cinq. L'attente était interminable.

— Oh non, murmura Dekka. Brianna…

Elle ferma les yeux et parut s'absorber dans une prière.

— Elle devrait déjà être revenue, dit Sam, le cœur gros.

Il se sentit pris de nausée.

— Si elle pouvait revenir… implora-t-il.

Lana sentit l'angoisse monter. Elle était prête. Elle savait que le moment était venu.

— Qu'est-ce que c'est que cet endroit ? demanda Cookie qui avait senti une présence, lui aussi.

Mais il devait s'agir d'âmes errantes, et non de la créature maléfique qui était toute proche, à présent.

— Un ancien village minier bâti par des chercheurs d'or dans les années 1800, répondit Lana.

— Au temps des cow-boys ?

— Oui, je crois.

Ils pénétrèrent dans le village fantôme, longèrent les bicoques délabrées qui avaient sans doute été jadis, dans l'imagination de quelque rêveur, l'ébauche d'une future mégapole. Ces mines avaient été abandonnées pour la plupart vers la fin du XIXe siècle.

Il était encore possible de déterminer l'emplacement de la rue principale. Et, en y regardant de près, on pouvait deviner lequel de ces amas de décombres avait été un hôtel, un saloon, une quincaillerie. Çà et là, un mur ou une cheminée tenait encore debout. Cependant, la plupart des toits et les façades s'étaient effondrés depuis longtemps. Un tremblement de terre avait peut-être achevé les constructions déjà éprouvées par le temps.

Seul un bâtiment semblait à peu près intact : le hangar de bric et de broc où Jim l'Ermite entreposait sa forge et sa camionnette.

— C'est là que nous allons, annonça Lana en désignant le hangar d'un signe de tête.

Son regard se posa, au-delà du hangar, sur le sentier qui courait à flanc de colline. L'entrée de la mine se trouvait de l'autre côté. Elle devrait y descendre pour trouver les clés du chercheur d'or dans les poches de son cadavre momifié.

Cette perspective ne l'enchantait guère. Même à cette distance de la chose tapie au fond de la mine, elle sentait sa présence tout près, à laquelle s'ajou-

tait l'impression horrible que l'Ombre elle-même
savait qu'elle était là. Connaissait-elle la raison
de sa venue ? Et elle-même ? Était-elle réellement
déterminée à aller jusqu'au bout ?

— Je sais pourquoi je suis là, dit-elle.

— Bien sûr, répondit Cookie.

Il avait l'air de penser qu'elle lui faisait des
reproches. Pat se tenait immobile dans un coin.
Lui aussi se souvenait.

Ils pénétrèrent dans le hangar. Lana examina
la bombonne de gaz : d'après la jauge, elle était à
moitié pleine. Ça suffirait.

Elle s'agenouilla pour inspecter le support de la
bombonne, une espèce de structure en métal rouillé
qui, par bonheur, n'était pas fixée au sol. Elle était
simplement posée par terre. Parfait.

— Il va falloir charger cette bombonne à bord de
la camionnette, Cookie. D'abord, j'irai chercher les
clés. Puis je manœuvrerai la camionnette le plus
près possible de la bombonne. Mais avant toute
chose, voyons comment marche ce truc, d'accord ?

— C'est toi qui commandes, Guérisseuse.

Lana mesura à vue d'œil la hauteur de la bombonne puis celle de la plate-forme de la camionnette.
Bon, c'était à peu près équivalent. La bombonne
mesurait peut-être quelques centimètres de moins,
ce qui sous-entendait qu'il faudrait la soulever. Il
existait forcément un moyen : Jim l'Ermite avait dû

la hisser plus d'une fois à l'arrière de sa camionnette
pour la remplir.

— Cookie, trouve-moi une boîte à outils.

Chaque chose en son temps. D'abord s'assurer que
le robinet était fermé. Avec une clé dénichée dans
la boîte à outils que lui avait apportée Cookie, elle
essaya de dévisser l'embout censé relier la bombonne
au tuyau ; il était rouillé.

— Laisse-moi essayer, proposa Cookie.

Il pesait au moins deux fois plus lourd qu'elle.
L'embout céda facilement sous ses doigts.

Lana désigna les chevrons du toit ; une lourde
chaîne était suspendue à un système de poulies. Elle
était terminée par un crochet. Quant à la bombonne
de gaz, elle était munie d'une espèce d'anneau.

— Jim devait bien la remplir de temps à autre. C'est
comme ça qu'il la chargeait dans sa camionnette.

Cookie tira sur la chaîne, qui glissa facilement
dans la poulie bien huilée, et fixa le crochet à l'anneau de la bombonne.

— Bien, dit Lana. Je vais chercher les clés.

Quelque chose dans son intonation avait dû
effrayer Cookie, car il lança :

— Euh… je devrais peut-être t'accompagner.
C'est dangereux là-bas.

— Je sais. Mais si ça tourne mal, je veux être
sûre que quelqu'un veillera sur Pat.

Ce n'était pas la chose à dire si elle cherchait à
tranquilliser Cookie. Il ouvrit de grands yeux.

— Qu'est-ce qui peut mal tourner ? s'enquit-il d'une voix tremblante.

— Probablement rien.

— Bon, je viens avec toi.

Lana posa la main sur son bras.

— Cookie, il va falloir que tu me fasses confiance sur ce coup-là.

— Explique-moi le problème, au moins, supplia-t-il.

Lana hésita. Une part d'elle-même était tentée de laisser Cookie et Pat l'accompagner jusqu'à l'entrée de la mine. Mais elle s'inquiétait pour son chien. Et surtout, pour rien au monde elle n'aurait voulu qu'il arrive quoi que ce soit à Cookie.

Avant, ce n'était qu'une grosse brute sans cervelle, un Orc de seconde zone. Entre-temps, il n'était pas devenu un génie mais son cœur avait changé suite à son long calvaire, et il n'y avait plus une once de méchanceté en lui. Une rencontre avec l'Ombre risquait de détruire cette innocence. La créature au fond de la mine avait laissé son empreinte en elle, et elle ne voulait pas que son protecteur loyal et confiant connaisse le même sort.

Elle sortit de son sac une lettre sous enveloppe et la tendit à Cookie.

— Tiens. S'il m'arrive quelque chose, donne-la à Sam ou à Astrid, OK ?

Cookie ne fit pas un geste pour prendre la lettre.

— Lana…

— Prends-la, Cookie.

Elle posa l'enveloppe dans la main du garçon et referma ses doigts dessus.

— Bien. Maintenant, écoute-moi. J'ai une autre tâche à te confier pendant mon absence.

— Quoi ?

Elle se força à sourire.

— J'ai tellement faim que je pourrais dévorer Pat. Essaie de nous trouver quelque chose à manger. Je serai de retour dans un quart d'heure.

Sur ces mots, elle se dirigea vers la porte et s'enfonça dans la nuit avant qu'il essaie de la retenir. Elle glissa la main dans son sac et referma les doigts sur la crosse froide de son pistolet. Quoi qu'il arrive, elle irait chercher ces clés dans la poche du cadavre. Si Chef tentait de l'en empêcher, elle le tuerait sans la moindre hésitation. Et si... si elle ne trouvait pas la force de remonter, si elle s'enfonçait de plus en plus dans les profondeurs de la mine, vers l'Ombre, incapable de résister à son appel, eh bien...

Contrairement à Brianna, qui se voyait comme une super héroïne, Taylor, elle, savait qu'elle n'était qu'une fille parmi tant d'autres, à la différence près qu'elle possédait un pouvoir étrange, celui de se matérialiser dans un endroit par la pensée.

Et voilà que Brianna tardait à revenir. Or, la Brise n'était jamais en retard. Il avait dû lui arriver quelque chose.

C'était donc au tour de Taylor. Elle le sentait. Pourtant, Sam ne le lui demandait pas. Il gardait les yeux fixés sur la route, comme s'il essayait de faire apparaître Brianna par la force de sa volonté.

Taylor n'avait jamais vu Dekka aussi inquiète. Elle, d'ordinaire solide comme un roc, commençait à montrer des signes de faiblesse. Edilio demeurait impassible ; il regardait droit devant lui en attendant patiemment les ordres.

Aucun d'eux n'osait faire pression sur Sam. Pourtant, tous savaient qu'à chaque minute qui s'écoulait, agir devenait plus risqué.

C'était à Taylor de jouer. Sam ne voulait pas l'envoyer là-bas, donc c'était à elle de se porter volontaire. Elle aurait fait n'importe quoi pour Sam. Elle s'était amourachée de lui, bien qu'il soit plus âgé qu'elle et totalement hypnotisé par Astrid. Sam avait sauvé sa vie. Il l'avait empêchée de devenir folle.

Caine avait décrété que les dégénérés peu coopératifs du pensionnat Coates seraient mis sous surveillance. Il avait découvert que les pouvoirs des enfants semblaient localisés dans leurs mains et, avec l'aide de Drake, il avait frappé vite et fort. Son idée consistait à encastrer les mains des mutants dans un bloc de ciment d'une vingtaine de kilos, de sorte que ceux-ci étaient handicapés par le poids qu'ils traînaient. D'abord, les larbins de Drake les avaient nourris comme des chiens, dans des écuelles posées à même le sol. Taylor et les autres, y compris Brianna et Dekka, devaient laper leur bol de céréales et de lait tels des animaux.

Puis des dissensions avaient éclaté entre les enfants chargés de diriger Coates en l'absence de Caine, qui était allé prendre le pouvoir à Perdido Beach. Dès lors, les distributions de nourriture s'étaient faites plus rares. Puis elles avaient cessé brusquement. Taylor avait dû se nourrir de touffes d'herbe poussant entre les graviers.

C'était à Sam qu'elle devait d'être encore en vie. Elle avait une dette énorme envers lui.

— Je reviens tout de suite, annonça-t-elle.

Avant que Sam ou un autre ait pu dire un mot, elle disparut et se matérialisa au bout de la route, assez près pour voir la grille, pas aussi loin, cependant, que le lui permettaient ses pouvoirs. Se téléporter, c'était un peu comme changer de chaîne de télé ; sauf qu'en l'occurrence elle était dans le téléviseur.

Taylor soupira, tremblante. La grille se trouvait à une cinquantaine de mètres devant elle. Au-delà brillaient les lumières de la centrale, énorme masse intimidante. Ils devaient s'attendre qu'elle se matérialise à l'intérieur du poste de garde ou des locaux. Elle ne s'y risquerait pas.

Une fraction de seconde plus tard, elle réapparut sur le flanc de la colline qui surplombait le poste de garde et trébucha sur la pente abrupte. Elle se redressa, jeta un rapide coup d'œil à la ronde et, ne voyant personne, se téléporta derrière un camion de livraison garé à proximité de la grille. Un cri de surprise s'éleva et elle comprit qu'elle avait fait le mauvais choix.

Deux des larbins de Drake armés de fusils se tenaient tout près d'elle, cachés eux aussi derrière le camion, en embuscade. Pris de court, ils furent lents à réagir, et elle en profita pour disparaître. Les deux garçons levèrent leur fusil en poussant un juron, mais il était déjà trop tard.

Taylor réapparut à trois pas de Sam, qui scrutait toujours la route.

— Taylor ! Qu'est-ce que tu fabriques ? s'exclama-t-il.

Il ne s'était même pas aperçu de son absence. Elle rit de soulagement.

— Il y a deux gars planqués derrière un gros camion, à gauche juste après la grille. À mon avis, il n'y a personne dans le poste de garde. C'est une embuscade. Si vous décidiez de vous diriger vers la maisonnette, ils vous tireraient dans le dos. Ils m'ont repérée.

Ce fut au tour de Sam d'être surpris.

— Tu…

— Oui.

— Tu n'aurais pas dû.

— Il le fallait bien. Bon, et je n'ai pas trouvé Brianna.

— En voiture ! ordonna-t-il en montant dans la Jeep. Dekka ?

— C'est parti, répondit-elle en piquant un sprint vers le 4 x 4.

Edilio cria à ses soldats d'en faire autant.

— Merci, dit Sam en jetant un coup d'œil à Taylor.

Ce seul mot la remplit de joie.

— Je pourrais… suggéra-t-elle en espérant que Sam répondrait par la négative.

— Non, décréta-t-il. Et garde la tête baissée.

Puis, se tournant vers Edilio, il ajouta :

— Fonce droit sur la grille, et arrête-toi juste avant. Il faut qu'on agisse vite pour ne pas leur laisser le temps de riposter. Mais souviens-toi qu'il y a un troisième gars là-bas ; celui que Taylor n'a pas vu.

— Oui, on est prêts à l'accueillir.

Taylor se demanda de qui ils parlaient ; cependant, le moment était mal choisi pour poser des questions.

La Jeep prit le virage à toute allure et dévala la pente vers la grille. Edilio écrasa les freins ; Dekka, au volant du 4 x 4, pila au dernier moment pour ne pas emboutir la Jeep. Le troisième véhicule les rejoignit plus lentement.

Sam sauta de la Jeep et Dekka l'imita, puis tous deux s'élancèrent en direction de la grille. Taylor entendit Sam crier des instructions à Dekka et, quelques secondes plus tard, le camion s'éleva dans les airs. Les deux brutes de Drake le regardèrent léviter bouche bée.

Sam leva les mains.

— Hé, les gars ? lança-t-il aux deux garçons médusés. Vous avez le choix. Jetez vos armes et vous vivrez. Pointez-les sur moi et vous serez réduits en cendres.

Les deux fusils tombèrent bruyamment par terre, et leurs propriétaires levèrent les mains en l'air.

— Vous n'auriez pas quelque chose à manger ? s'enquit l'un d'eux.

Dekka rétablit la gravité, et le camion retomba lourdement sur le sol.

— Vous avez vu Brianna ? demanda-t-elle.

— Non, répondit le garçon.

— Si elle est entrée là-dedans, elle ne reviendra pas, ajouta son compagnon qui, les mains en l'air, s'efforçait pourtant de jouer les durs.

— Taylor, va vérifier le poste de garde, ordonna Sam.

Taylor se matérialisa à l'intérieur de la maisonnette, prête à disparaître à la moindre alerte. Les lieux étaient déserts.

Par la fenêtre, elle vit les soldats d'Edilio descendre du dernier véhicule, mitraillette au poing. Howard sortit du 4 x 4 à contrecœur, l'air terrorisé, puis ce fut au tour d'Orc, qui se déplaçait avec des gestes de vieillard arthritique. La silhouette d'Howard semblait minuscule à côté de la sienne.

Taylor les rejoignit en un clin d'œil.

— Il n'y a personne à l'intérieur du poste de garde, annonça-t-elle. Et toujours pas de Brianna.

Dekka se tourna vers Sam.

— Si quelqu'un lui a fait du mal, je ne donne pas cher de sa peau.

— Dekka, il va falloir jouer serré.

— Non, Sam ! répliqua-t-elle d'un air féroce. Le premier qui touche un cheveu de cette fille, il est mort.

Taylor s'attendait que Sam remette Dekka à sa place, mais il répondit avec douceur :

— On l'aime tous, Dekka. On fera notre possible.

Taylor posa la main sur l'épaule de Dekka ; elle tremblait comme une feuille.

24

SAM PRIAIT pour que Caine vienne le trouver. Ce serait la meilleure solution : un duel dehors, dans les règles. La dernière fois qu'ils s'étaient affrontés, Sam l'avait emporté. Mais Caine n'avait pas l'intention de sortir de sa tanière.

La guerre avait à peine commencé, et Sam avait déjà perdu Brianna. Pauvre Brise.

— Qu'est-ce qu'on fait ? demanda Edilio tout près de lui.

Là où Sam se trouvait, Edilio n'était jamais très loin, et il lui en était profondément reconnaissant. Pourtant, en ce moment même, alors qu'il faisait face à la structure imposante de la centrale, avec dans la tête l'image du prochain trou qu'il faudrait creuser sur la place pour Brianna, il aurait préféré qu'Edilio se taise et le laisse tranquille.

Cependant, le rôle de Sam, c'était de prendre

des décisions. Gagner ou perdre. Faire le bon ou le mauvais choix. La vie ou la mort.

— J'aurais dû emmener Astrid, songea-t-il tout haut. Elle connaît la centrale mieux qu'aucun de nous.

— Ils ont dû s'enfermer dans la salle de contrôle, déclara Edilio. Quel que soit le projet de Caine, il aura forcément réquisitionné cette salle.

— Oui.

— Il n'y a que deux moyens d'entrer, si je me souviens bien. Soit par le bâtiment des turbines, soit par les bureaux. Ils doivent surveiller les deux issues.

— Oui.

— Dans les deux cas, il faut emprunter des couloirs étroits. Si on passe par la salle des turbines, ils s'abstiendront peut-être de faire quoi que ce soit qui puisse endommager la centrale, non ?

Sam le dévisagea avec insistance.

— Tu as raison. C'est logique. J'aurais dû y penser. Caine n'est pas venu ici pour bousiller la centrale mais pour en prendre le contrôle et s'en servir à des fins qu'on ne connaît pas. Il est comme nous, il n'a pas envie de se retrouver dans le noir.

— Mais il ira jusqu'au bout.

— Oui. Si l'autre choix pour lui, c'est de se rendre gentiment…

Howard vint les interrompre.

— On va pas rester là toute la nuit, dites ? Orc pense qu'on devrait s'y mettre tout de suite ou rentrer se coucher.

— J'espérais qu'on pourrait prendre une minute ou deux pour réfléchir ! s'emporta Sam. On a probablement perdu Brianna. Mais si tu préfères qu'Orc déboule là-bas tout seul, parfait.

— Non, mec, répondit Howard avant de s'éclipser.

Sam prit Edilio par l'épaule.

— Il a peut-être des otages.

— Oui. Mes gars. Mike, Mickey, Brittney et Josh.

— Bon, tant qu'on s'est compris... conclut Sam.

Il échangea un regard entendu avec Edilio, qui répondit par un léger signe de tête.

— Voilà mon plan. Taylor débarque armée d'un fusil, elle ouvre le feu. Une, deux, trois balles, elle disparaît et là, on les attaque tous ensemble, en passant par la salle des turbines.

— D'accord, la salle des turbines, répéta Edilio.

L'air parfaitement désinvolte, il se mit à fouiller son sac à dos, puis appela l'un de ses soldats.

— Hé, Steve ! Où est passé mon Snickers ? Il était dans mon sac.

Les sourcils froncés, Steve s'avança vers lui, ses poches de pantalon anormalement renflées. Edilio dégaina un gros fusil en plastique coloré de son sac à dos, l'arma et tira. Un jet de peinture jaune en jaillit. Au même instant, Steve sortit de ses poches des bombes de peinture et les vaporisa devant lui.

Edilio et Steve continuèrent à pulvériser de la peinture autour d'eux en éclaboussant les voitures, les enfants et le feuillage des arbres alentour.

— Là ! cria Sam.

Bug avait beau être invisible la nuit, il l'était beaucoup moins avec une grosse tache de peinture jaune sur la poitrine. Il détala comme une flèche en criant : « Ouvrez la porte ! Ouvrez la porte ! »

Dekka leva les bras. Bug trébucha, tomba à terre. Bien que la gravité soit suspendue, il parvint à ramper à l'abri, se releva et se jeta sur la porte.

— Bien, dit Sam entre ses dents.

La porte s'ouvrit et Bug disparut dans les ténèbres.

— Tu crois qu'il a entendu ? lança Edilio.

— Oui. Il est déjà en train de cafter auprès de Caine. Maintenant, il va falloir frapper fort.

— Comment on entre ?

— On va passer par le mur, répondit Sam d'un ton résolu. Howard ! Orc !

Il montra la porte de la salle des turbines qui s'était refermée derrière Bug.

— Enfoncez cette porte. Edilio, prends ton meilleur élément et va les aider. Faites du bruit. Les autres, venez avec moi.

— Faites du bruit, faites du bruit, répéta Edilio, l'air inquiet.

Sam lui donna une claque sur l'épaule.

— Prêt ?

— Non.

— On y va ! cria Sam.

Ils traversèrent le parking en courant à perdre haleine : Edilio, Steve et un troisième soldat poussaient Orc devant eux tandis qu'Howard traînait volontairement la patte pour se donner l'illusion d'être en sécurité.

Sam, Dekka et les autres leur emboîtèrent le pas, puis se détachèrent du groupe, prirent à gauche et longèrent le bâtiment. Taylor resta sur place avec deux garçons pour protéger leurs arrières.

Sans hésiter, Orc se jeta contre la porte tel un bélier. Le bruit de l'impact se répercuta sur le parking. La porte en acier trembla mais ne céda pas. Prenant son élan, il donna un grand coup de pied sur le battant, tomba sur le dos et, cette fois, la porte s'ouvrit à la volée. Des coups de feu éclatèrent à l'intérieur du bâtiment. Orc resta à terre tandis que les autres s'écartaient.

Edilio ouvrit le feu. Les balles volèrent de toutes parts dans un raffut assourdissant. Les éclairs jaillissant du canon de son arme évoquaient des lumières stroboscopiques. Sam et Dekka se plaquèrent contre le mur, puis Sam leva les bras. Un rayon vert aveuglant jaillit de ses mains. Le mur de brique se mit à rougeoyer comme des braises et, presque immédiatement, se craquela. Puis ce fut au tour de Dekka d'intervenir et la paroi décolla du sol.

Des débris de ciment et de brique s'envolèrent, certains se calcinant dans l'air. Cependant, le mur se désagrégeait trop lentement.

— Orc ! cria Sam.

Le monstre se releva et courut vers lui.

— Dekka, recule !

Les flammes vertes moururent, le mur retomba dans une pluie de terre et de gravier. Orc heurta de son épaule massive la paroi branlante et passa au travers. Sam se précipita derrière lui mais, contrairement à Orc, il n'était pas immunisé contre la chaleur qu'il avait lui-même engendrée, et il eut l'impression de pénétrer dans un four. Il frôla une brique chauffée à blanc et poussa un glapissement de douleur. Puis il s'immobilisa.

Au lieu de faire irruption dans la salle de contrôle afin de prendre Caine au dépourvu, ils s'étaient introduits dans une pièce attenante remplie de vieilles armoires en fer. Son plan venait de capoter. Sa tentative de diversion ne servait plus à rien, désormais. Dekka pénétra dans la pièce à sa suite.

— Tant pis pour l'effet de surprise, maugréa-t-elle.

« Pas le temps de se lamenter », songea-t-il malgré son amertume. Grâce à l'effet de surprise, il aurait peut-être pu sauver les otages.

— Le prochain mur sera plus facile à détruire. Mets-toi à l'abri !

Dekka bondit derrière une armoire tandis que Sam s'attaquait à une nouvelle paroi. En quelques secondes, la chaleur devint étouffante dans la pièce. La lumière générée par Sam vint à bout de la peinture et du plâtre en quelques secondes. Au-delà, cependant, le cœur de la paroi était constitué d'une plaque de métal gris terne.

— C'est un bouclier de radiation, cria Sam à Dekka. Du plomb.

Le métal fondit rapidement au contact du feu dévastateur de Sam. Le plomb liquéfié dégoulina le long du mur avant de former une flaque qui enflamma le sol. Bientôt, la chaleur dans la pièce devint insupportable. L'air manquait ; Sam, désorienté et hagard, ne savait plus ce qu'il faisait.

— Orc ! Occupe-toi de lui ! cria Dekka en plongeant au-dehors, à moitié asphyxiée.

Sam se sentit soulevé dans les airs. Bizarrement, c'était une sensation agréable. Dehors, le choc de l'air froid sur son visage le ramena à la réalité.

Il jeta un coup d'œil à sa droite. Noyée sous les tirs, l'entrée de la salle des turbines était toujours dégagée. Edilio, plaqué contre le mur, n'avait pas d'autre choix que de tirer à l'aveuglette, ne s'arrêtant que pour recharger son arme. Ses soldats avaient reçu l'ordre de se replier derrière les voitures stationnées sur le parking.

Cependant, l'assaut faiblissait.

Luttant contre la nausée et le vertige, Sam se leva et fit de nouveau face au mur. Il pouvait viser la paroi opposée de la pièce pour transpercer le bouclier de plomb. Mais ses rayons perdraient de leur intensité à cette distance, et il n'avait pas la place suffisante pour orienter le jet de flammes afin d'agrandir le trou.

Levant les mains, il déchaîna son pouvoir sur le plomb, qui, très vite, se liquéfia. Pas assez vite, cependant, pour créer l'effet de surprise. Un trou du diamètre d'une plaque d'égout se forma, suintant du plomb fondu.

Une voix familière cria :

— Sam !

Il n'y prêta pas attention.

— Sam ! répéta la voix. Dans trois secondes, je pousse un de mes otages dans le trou.

C'était Caine.

— Un !

Sam élargit la cavité autant que possible en faisant fondre le plomb sur les bords.

— Deux !

Il ne pouvait plus reculer, désormais. Pourtant, s'il décidait de poursuivre, il ne faisait aucun doute que Caine mettrait sa menace à exécution. Rien ne l'empêchait de précipiter l'un des otages dans le trou embrasé qu'avait creusé Sam. Il baissa les bras et la lumière aveuglante disparut.

— C'est mieux ! brailla Caine.

— Maintenant, montre-toi, Caine, et t'auras peut-être une chance de t'en sortir.

— Voilà la situation, frérot. Je détiens deux de tes gars. Dites bonjour, les enfants !

— C'est moi, Sam. C'est Mike Farmer ! Mickey est avec moi. Et Britt aussi. Elle… elle est blessée.

Sam jeta un coup d'œil à Dekka. Impassible, elle lui rendit son regard. Caine avait parlé de deux otages, donc il tenait Brittney pour morte. Et il n'avait pas mentionné Brianna. Et puis, songea Sam, Mike n'avait pas fait allusion à elle, lui non plus. On pouvait au moins en déduire qu'elle n'était pas dans la pièce.

Les coups de feu en provenance de la porte avaient cessé. Edilio était toujours sur le qui-vive, mais il ignorait la marche à suivre.

— Laisse-les partir, Caine, lâcha Sam d'un ton las.

— Je ne crois pas, non.

Sam, au comble de la frustration, se passa la main dans les cheveux.

— Qu'est-ce que tu veux ? finit-il par demander. Qu'est-ce que tu manigances ?

— J'ai pris le contrôle de la centrale, ça ne fait pas de doute. C'était une belle bêtise de me laisser le champ libre.

Sam ne sut que répondre.

— Mon but, Sam, est de couper l'électricité à Perdido Beach.

— Si tu fais ça, toi aussi tu te retrouveras dans le noir.

— C'est ce que tu crois ! répliqua Caine en riant. Apparemment, on peut débrancher une partie du réseau électrique sans affecter certains secteurs.

— À mon avis, tu bluffes, Caine. J'ai vu la salle de contrôle. Il te faudrait une semaine pour comprendre comment ça marche.

Caine eut un rire désinvolte.

— Tout juste, frangin. Il me faudrait peut-être même un mois. Et Diana n'y connaît rien non plus. Quant à Drake... tu sais comment il est. Heureusement...

Sam n'eut aucun mal à deviner la suite. Il ferma les yeux, baissa la tête.

— ... notre ami commun, Jack le Crack, ici présent, a presque réussi à démêler tout ça. Comment ça se passe, Jack ? T'approches du but ?

Un murmure à peine audible s'éleva. Puis Caine reprit d'un ton railleur :

— Tu sais quoi, Sam ? Jack m'annonce que les lumières viennent de s'éteindre à Perdido Beach.

Caine éclata d'un rire triomphant, féroce. Sam croisa le regard de Taylor qui venait de se téléporter à son côté.

— Va voir, dit-il.

Elle hocha la tête et disparut.

— Tu as envoyé Brianna vérifier ? cria Caine. Ou Taylor ?

Sam ne prit pas la peine de répondre. Quelques

instants plus tard, Taylor réapparut juste à côté de lui.

— Je me suis matérialisée sur la route, au détour d'un virage, à un endroit d'où on domine toute la ville, rapporta-t-elle.

— Et?

25

Duck AVAIT TERGIVERSÉ pendant tout le trajet
jusque chez lui. Le problème de Hunter ne le
concernait pas. D'accord, peut-être que, comme lui,
il était un dégénéré, désormais. Et alors? Le fait qu'il
détienne un pouvoir idiot, inutile, ne l'obligeait pas
à partager son fardeau.

Ce gars-là était un abruti. Et les gens qui avaient
l'estime de Duck ne possédaient aucun pouvoir,
pour la plupart. Il aimait bien Sam, évidemment,
mais de loin. Pourquoi devait-il tout à coup prendre
parti dans un conflit dont il ne soupçonnait même
pas l'existence jusqu'alors?

Pourtant, il n'aimait pas l'idée de laisser Hunter
livré à lui-même, l'estomac vide, parmi les gravats
entassés devant l'église. Il trouvait ça cruel.

En atteignant la sécurité relative de sa maison,
Duck n'avait toujours pas pris sa décision.

Il se surprit à fouiller les placards de la cuisine, juste au cas où il pourrait donner un coup de main à Hunter.

Il n'y trouva pas grand-chose d'intéressant : deux conserves de légumes, une bouteille de sauce pour hot dogs, un demi-paquet de farine et de l'huile. Il avait appris à confectionner des espèces de tortillas infâmes avec de la farine, de l'huile et un peu d'eau. C'était récemment devenu le plat typique de la Zone, que même les plus mauvais cuisiniers étaient capables de réaliser.

Il n'osait même pas penser à ce qu'ils devraient avaler d'ici une semaine. D'après ce qu'il avait entendu dire, les champs étaient pleins de fruits et de légumes, mais personne ne voulait les ramasser tant qu'il y aurait les vers. Il frémit à cette seule pensée.

Il estima qu'il pourrait se passer de la sauce pour hot dogs. Ce n'était pas à proprement parler un mets de choix, mais Hunter semblait désespéré. Et, désormais, tous mangeaient des choses qui les auraient fait grimacer auparavant.

Il avait pris sa décision. Ce n'était pas une simple histoire de guéguerre entre mutants et normaux. Il ne pouvait décemment pas laisser Hunter passer la nuit seul là-bas. Il lui apporterait la bouteille de sauce puis, si Hunter avait besoin d'une cachette, il l'autoriserait à s'installer dans le sous-sol de sa maison.

Duck glissa le flacon dans la poche de sa veste et s'enfonça à contrecœur dans la nuit. Il ne lui fallut que quelques minutes pour atteindre l'église.

— Hunter ! Hé, Hunter ! chuchota-t-il.

Rien. Génial. Voilà qu'il se fichait encore de lui.

Il tourna les talons et s'éloigna. Parvenu au coin de la rue, il aperçut un groupe de gamins – au nombre de sept ou huit – qui marchaient dans sa direction. Il repéra aussitôt les battes de base-ball qu'ils tenaient à la main. Zil marchait en tête du groupe.

— En voilà un ! cria-t-il et, avant même que Duck ait pu réagir, les garçons foncèrent droit sur lui.

— Qu'est-ce qui vous arrive ? demanda-t-il.

Les garçons l'encerclèrent. Si leur attitude était indéniablement menaçante, Duck n'avait pas l'intention de leur donner un prétexte pour s'en prendre à lui.

— Qu'est-ce qui vous arrive ? le singea Zil, moqueur. La Foreuse humaine veut savoir ce qu'il se passe !

Il donna une bourrade à Duck.

— L'un des tiens a tué mon meilleur ami, voilà ce qu'il se passe !

— Ouais, on en a marre ! renchérit un autre garçon.

Un concert de grognements approbateurs s'éleva.

— Mais moi, j'ai fait de mal à personne, protesta Duck. Je…

Il s'interrompit, soudain affolé par leurs regards hostiles.

— Tu quoi, mutant ? s'enquit Zil d'un ton impérieux.

— Je me promène, c'est tout. Y a pas de mal à ça.

— On cherche Hunter, annonça Hank.

— On va lui botter les fesses.

— Ouais. Et peut-être même lui refaire le portrait, ajouta Antoine.

— Hunter ? lança Duck en s'efforçant de prendre l'air innocent.

— Ouais. Monsieur Micro-ondes. C'est un assassin.

Duck haussa les épaules.

— Je l'ai pas vu, moi.

— Qu'est-ce qu'il y a dans ta poche ? demanda Zil. Il a quelque chose dans sa poche.

— Hein ? Oh, c'est juste…

La batte de base-ball heurta la hanche de Duck avec une précision impeccable, juste à l'endroit où il avait glissé la bouteille de sauce, dans la poche de sa veste. Il y eut un bruit étouffé de verre qui se brise.

— Hé ! fit Duck.

Il voulut s'enfuir, mais ses pieds refusaient de lui obéir. Baissant les yeux, ahuri, il s'aperçut qu'il s'était enfoncé jusqu'à la cheville dans le trottoir.

— Arrêtez de m'énerver ! cria-t-il, au désespoir.

— Arrêtez de m'énerver, répéta Zil d'une voix de fausset.

— Hé, il s'enfonce! s'exclama quelqu'un.

Duck avait maintenant les jambes emprisonnées jusqu'à mi-mollet dans le ciment. Croisant le regard méprisant de Zil, il gémit :

— Pourquoi tu t'en prends à moi ?

— Parce que t'es qu'un mutant, un sous-homme, répliqua celui-ci avec un soupir dédaigneux.

— C'est Hunter que tu veux ? Il est là-bas, derrière le tas de gravats.

— Ah ouais ?

Zil adressa un signe de tête au reste du groupe et tous s'élancèrent à la recherche de leur véritable proie.

Duck prit une grande inspiration.

— Je vais bien, je vais bien, murmura-t-il.

S'il avait cessé de s'enfoncer, il était toujours pris au piège. À force de se tortiller, il parvint à libérer un pied en y laissant sa chaussure, puis l'autre qu'il dégagea plus facilement, et prit ses jambes à son cou.

— Hé, reviens ici !

— Il a menti, Hunter n'est pas là !

— Attrapez-le !

Duck courut de toutes ses forces sans cesser de crier : «Je vais bien ! Je vais bien, ah ah ah ah !» pour éloigner la colère, un sourire plaqué sur les lèvres.

Il traversa la rue à fond de train. S'il avait pris de l'avance sur ses poursuivants, il ne les avait pas suffisamment distancés pour se réfugier à l'intérieur de sa maison et verrouiller la porte avant qu'ils ne l'aient rattrapé.

— Au secours! cria-t-il. Venez m'aider!

Soudain, il sentit son pied s'enfoncer. Un autre pas, et le trottoir céda sous lui. Au troisième pas, il laboura le ciment et tomba face contre terre. Son menton heurta le sol et fit voler le béton en éclats comme un roc qui s'écrase sur une vitre. Zil et les autres l'entourèrent. Il reçut un coup dans le dos, puis un autre. Mais il ne sentait plus rien, comme si des brindilles avaient remplacé leurs battes. Bientôt, ils ne purent plus l'atteindre: après avoir traversé la couche de ciment, il s'enfonçait dans la terre.

Il entendit Zil croasser:

— Et un mutant de moins!

Puis:

— Qu'est-ce qui se passe?

— Toutes les lumières se sont éteintes, cria une voix pleine d'effroi.

Un juron s'éleva, suivi d'un bruit de pas qui s'éloignaient à toute allure. Quant à Duck Zhang, il continua à s'enfoncer, face contre terre.

Allongée dans l'obscurité de sa chambre, Mary se tâtait le gras du ventre et pensait: «Encore quelques semaines de régime, peut-être. » Ensuite, elle aurait atteint son objectif, quel qu'il soit.

La bouteille d'eau posée à côté de son lit était vide. Mary se leva péniblement, ouvrit la porte de la salle de bains et alluma la lumière. Pendant un bref moment, elle ne reconnut pas le reflet aux joues creuses et aux yeux cernés que lui renvoyait le miroir.

Puis, brusquement, ce fut le noir total.

Dans le sous-sol de la mairie, cet endroit sinistre qui servait d'hôpital, Dahra Baidoo tenait la main de Josh, qui ne cessait pas de pleurer. L'un des soldats d'Edilio l'avait ramené de la centrale.

— Je veux ma maman, je veux ma maman, répétait-il en se balançant d'avant en arrière, sourd aux paroles réconfortantes de Dahra.

— Je vais mettre un DVD, dit-elle, à court de solutions.

Elle en avait déjà vu d'autres dans le même état : ils étaient trop nombreux pour les compter. Parfois, c'en était trop pour eux et ils se brisaient comme une branche qui a trop ployé. Dahra se demandait quand elle craquerait à son tour. Combien de temps avant qu'elle aussi se mette à pleurer après sa mère ?

Soudain, les lumières s'éteignirent.

— Je veux ma maman, sanglota Josh dans le noir.

À la crèche, John Terrafino regardait la télé sans le son d'un œil distrait tout en nourrissant un bébé grincheux. Dans le biberon, le lait avait été remplacé par une mixture à base d'eau, de jus d'avoine et d'un peu de poisson réduit en purée.

Aucun manuel consacré à la petite enfance ne préconisait ce type de régime. Le bébé – qui s'appelait John, comme lui – était malade et s'affaiblissait de jour en jour. Il n'en avait probablement pas pour très longtemps.

— Ça va aller, murmura John.

À cet instant, la télé s'éteignit.

Astrid avait enfin couché le petit Pete. Elle était épuisée et inquiète. Elle avait l'œil enflé et un vilain bleu sur la joue. La glace n'avait pas servi à grand-chose.

Il était une heure du matin et elle avait besoin de sommeil. Pourtant elle ne pourrait pas fermer l'œil avant d'être sûre que Sam était sain et sauf. Elle regrettait de ne pas avoir pu l'accompagner à la centrale. Elle ne lui aurait pas été très utile mais, au moins, elle ne serait pas restée dans l'ignorance.

Elle s'étonnait qu'en à peine trois mois Sam soit devenu une part nécessaire de sa vie, voire d'elle-même, comme un bras, une jambe, un cœur.

Elle entendit du remue-ménage dans la rue. Une bousculade. Elle se raidit, épia d'éventuels bruits de pas sous son porche. Personne.

C'était peut-être Hunter qui revenait. Ou Zil qui cherchait encore des histoires. Elle ne pouvait rien y faire. Elle ne possédait pas de pouvoirs. À la rigueur, elle pourrait essayer la menace ou les cajoleries. Quand elle se posta devant la fenêtre, la rue était de nouveau calme et déserte.

Elle espérait que Hunter avait pu atteindre une cachette. Il leur faudrait trouver une solution à cette situation explosive qui ne se résoudrait certainement pas dans la nuit.

Et Sam, que faisait-il en ce moment même ? Avait-il réussi à arrêter Caine ? Était-il blessé ? « Mon Dieu, faites qu'il soit toujours en vie », pria-t-elle. Non, il ne pouvait pas être mort, elle l'aurait senti.

Elle soupira en essuyant une larme. Comme elle n'arrivait pas à trouver le sommeil, elle s'assit devant son ordinateur. Ses mains tremblaient quand elle les posa sur le clavier. Elle avait besoin de s'absorber dans quelque chose d'utile, n'importe quoi qui l'empêche de penser à Sam.

Au bas de l'écran figuraient les icônes Internet désormais inutiles. Elle cliqua sur le dossier consacré aux mutations, qui contenait toutes les photos bizarres : les serpents ailés, les mouettes pourvues de serres, les vers dotés de dents… Après avoir ouvert un document Word, elle commença à taper.

Apparemment, la seule constante est la suivante : ces mutations rendent les créatures – humaines ou pas – plus dangereuses et prennent presque toujours la forme d'une arme…

Elle fit une pause pour réfléchir. Ce n'était pas tout à fait exact. Certains enfants avaient développé des pouvoirs en apparence superflus. À vrai dire, Sam aurait souhaité qu'il y ait davantage de mutants qui détiennent des pouvoirs «sérieux», pour reprendre ses mots. Et puis il y avait Lana : son don à elle n'avait rien d'une arme.

… ou d'un mécanisme de défense. Bien sûr, il est possible que je n'aie pas observé assez de mutations pour en avoir le cœur net. Cependant, je ne serais pas étonnée que ce phénomène soit un mécanisme de survie. Car l'évolution n'est que cela : une question de survie.

Mais l'évolution, cette série de succès et de ratages qui s'étalait sur des millions d'années, n'avait rien de commun avec cette irruption de changements radicaux. Elle se fondait sur de l'ADN préexistant. Les phénomènes de la Zone se démarquaient complètement des règles vieilles de milliards d'années qui régentaient le code génétique du règne animal. S'il existait peut-être un gène de la vitesse, il n'y avait pas de gène de la téléportation, de la suspension de gravité ou de la télékinésie. Aucun gène ne prédestinait à faire jaillir des flammes de ses mains.

Le fait est que

Soudain, l'écran devint noir et la pièce fut plongée dans l'obscurité. Astrid alla à la fenêtre, écarta les rideaux et scruta les ténèbres épaisses de la rue : toutes les lumières s'étaient éteintes. Elle descendit l'escalier, s'avança sous le porche. Les maisons alentour étaient sombres. Un cri outragé s'éleva à quelques portes de là.

Caine avait réussi à pénétrer dans la centrale. Sam avait échoué. Astrid réprima un sanglot. Si Sam était blessé...Si...

La peur s'insinua en elle, tels des doigts glacés en étau sur son cœur. Elle gagna la cuisine en titubant, ouvrit un tiroir et, à force de tâtonnements, finit par trouver une lampe de poche qui s'éteignit au bout de quelques secondes. Cependant, ces brefs instants lui suffirent à dénicher une bougie. Elle essaya de l'allumer avec la cuisinière puis se souvint qu'elle fonctionnait à l'électricité. Il y avait forcément des allumettes ou un briquet quelque part. Seulement, elle ne pourrait pas les trouver sans lumière. Elle avait une bougie et aucun moyen de l'allumer.

Astrid remonta l'escalier et tâtonna jusqu'à la chambre de Pete. Sa Game Boy était posée à côté de son lit, à l'endroit où il la laissait d'ordinaire. S'il se réveillait et s'apercevait de sa disparition, il deviendrait fou. Elle n'osait pas s'imaginer ce dont il était capable en pareil cas.

Elle regagna le rez-de-chaussée, la Game Boy à la main, et fouilla de nouveau le tiroir en s'éclairant avec le voyant lumineux de la console. À défaut d'allumettes, elle finit par trouver un briquet jaune dont elle se servit pour allumer la bougie.

Absorbée par sa recherche, elle avait réussi à ne pas penser à Sam pendant quelques minutes. Mais elle ne pouvait pas se voiler la face indéfiniment : il n'avait pas réussi à arrêter Caine. La seule question qui demeurait à présent était la suivante : avait-il survécu ?

Le vers d'un vieux poème lui revint en mémoire. Debout dans la cuisine nimbée d'une lueur inquiétante, elle murmura : « Le centre ne peut plus tenir. » Les mots du poème défilèrent dans sa tête.

Tout se disloque. Le centre ne peut plus tenir.
L'anarchie se déchaîne sur le monde
Comme une mer noircie de sang : partout
On noie les saints élans de l'innocence.
Les meilleurs ne croient plus à rien, les pires
Se gonflent de l'ardeur des passions mauvaises[1].

— « Tout se disloque. Le centre ne peut plus tenir », répéta Astrid à mi-voix. Faites que Sam aille bien, chuchota-t-elle dans la pénombre.

---

1. William Butler Yeats, *La Seconde Venue* (1919). Traduction d'Yves Bonnefoy. *(N.d.T.)*

— Qu'est-ce que tu veux, Caine ? cria Sam.

Il semblait furieux, frustré. Défait.

Caine savourait sa victoire. Quatre jours s'étaient écoulés depuis qu'il avait repris le contrôle de lui-même. En quatre jours à peine, il avait réussi à triompher de Sam.

— Quatre jours, lança-t-il, assez fort pour être entendu de toutes les personnes présentes dans la pièce. C'est le temps qu'il m'a fallu pour vaincre Sam Temple.

Ses yeux se posèrent sur Drake.

— Quatre jours, martela-t-il. Qu'est-ce que t'as accompli, toi, pendant les trois mois où j'étais malade ?

Drake baissa la tête. Ses joues s'étaient empourprées, une lueur menaçante brillait dans ses yeux, cependant il ne pouvait pas soutenir le regard triomphant de Caine.

— Souviens-t'en quand tu décideras qu'il est temps de prendre ma place, Drake.

Caine se tourna vers les autres, l'air radieux. Jack, hirsute et couvert de sang, toujours assis devant son ordinateur, était tellement absorbé par sa tâche qu'il avait à peine conscience de ce qui se passait autour de lui. Bug ne cessait d'apparaître et de disparaître. Diana feignait l'indifférence. Caine lui adressa un clin d'œil, sachant qu'elle ne réagirait pas. Les deux soldats de Drake se prélassaient dans un coin.

— Ce que je veux ? cria Caine à travers le trou calciné dans le mur.

Soudain, le vide se fit dans son esprit. Pendant un bref instant, avant qu'il ne se ressaisisse, il fut incapable de répondre à cette question. Personne, sauf lui, ne remarqua son hésitation.

Qu'est-ce qu'il voulait, au juste ?

Il se creusa la tête et trouva une réponse qui ferait l'affaire.

— Toi, Sam. Je veux que tu viennes ici tout seul.

Les otages, Mickey et Mike, échangèrent un regard incrédule. Caine devinait leurs pensées : leur grand héros avait échoué.

La voix de Sam leur parvint, à peine audible.

— J'aimerais bien, Caine. À vrai dire, ce serait peut-être un soulagement. Mais on sait tous de quoi tu es capable si personne ne t'arrête. Bref, c'est non.

Caine poussa un soupir théâtral. Son visage s'éclaira d'un large sourire.

— Je n'en attendais pas moins de toi. J'ai un marché à te proposer.

— Un marché ?

— La lumière contre de la nourriture.

Portant la main à son oreille, il murmura à Diana :

— Tu entends ? Ça, c'est le silence de la défaite. Mon frère vient de s'apercevoir qu'il a perdu et qu'il est en passe de devenir mon… C'est quoi, le mot juste ? Mon serviteur ? Mon esclave ?

— J'ai l'impression que c'est toi qui es dans le pétrin, Caine, cria Sam.

Caine cligna des yeux. Un signal d'alarme se déclencha dans un recoin de son cerveau. Il venait de commettre une erreur, mais il ignorait laquelle.

— Qui, moi ? Je ne crois pas, non. C'est moi qui ai le doigt sur l'interrupteur, frérot.

— C'est ça. Tu es cerné. Si tu es à court de vivres à Coates, j'en déduis que tu n'as pas grand-chose ici. Tu risques d'avoir faim très bientôt.

Le sourire de Caine se figea.

— Tiens, voilà un rebondissement inattendu, commenta sèchement Diana.

Caine se mordilla l'ongle du pouce.

— Hé, frérot ! Faut-il que je te rappelle que j'ai deux otages ici ?

Un long silence suivit, au cours duquel Caine reprit courage. Il s'attendait à ce que son adversaire lance un nouvel assaut. Sam reprit la parole, d'un ton plus assuré, cette fois :

— Vas-y, Caine, fais-en ce que tu veux. Ça ne t'empêchera pas de crever de faim.

— Tu ne me crois pas capable de les livrer à Drake ? Je te préviens, même toi tu les entendras crier.

Il sentit le feu lui monter au visage. Il devinait la réponse de Sam, qui ne tarda pas.

— Si j'entends le moindre cri, on débarque. Je préférerais éviter un bain de sang. Mais tu sais que j'ai les moyens de t'écraser.

Caine lança un coup d'œil à Diana, dans l'espoir qu'elle ait une solution à lui proposer, mais il se garda de croiser le regard de Drake.

— Bref, j'ai une meilleure idée, reprit Sam. Tu as dix minutes pour sortir d'ici. Et je te donne ma parole que tu pourras rentrer à Coates.

Caine laissa échapper un son entre le rire et le rugissement.

— Tu rêves, Sam. J'ai pris le contrôle de cet endroit. Et toi, tu vas rentrer chez toi dans le noir.

Le silence qui suivit était éloquent. Sam n'avait plus rien à ajouter et Caine avait tout dit de son côté. Il avait l'impression d'étouffer peu à peu.

Quelque chose ne tournait pas rond. Les peurs qui hantaient ses cauchemars enflaient comme une vague à l'intérieur de son crâne. Il était pris au piège.

— Tenez-vous prêts, marmonna-t-il tandis que ses soldats échangeaient un regard sceptique.

Diana pivota sur sa chaise.

— Et maintenant, Leader Sans Peur ? Il a raison :
on n'a rien à manger.

Caine passa la main dans ses cheveux. Son cerveau bouillonnait. Il se détourna brusquement,
comme si quelqu'un venait de se faufiler derrière
lui. Il n'y avait personne, excepté la fille, Brittney,
étendue sur le sol.

Il aurait dû prévoir que son piège se refermerait
sur lui. Même s'il parvenait à entrer en contact avec
les enfants restés à Coates, ils étaient moins nombreux que l'armée de Sam. En outre, aucun d'eux
n'oserait s'aventurer jusqu'ici, maintenant que son
frère encerclait la centrale. Il pourrait rassembler
une cinquantaine de personnes en quelques heures.
Et lui, que pouvait-il faire ?

Ils contrôlaient la centrale. Ils avaient éteint les
lumières de Perdido Beach. Mais ils étaient pris
au piège.

Les sourcils froncés, Caine essaya de se concentrer. Comment en était-il arrivé là ? En l'espace d'une
minute, il était passé du triomphe retentissant à
l'humiliation totale.

Son plan ne suivait aucune logique. Il n'avait
rien à gagner là-dedans. Tout ce qu'il avait pensé,
c'était : « La centrale. Il faut prendre la centrale. »

Soudain, Caine eut l'impression qu'un gouffre
s'ouvrait sous ses pieds. Il n'avait pas attaqué la
centrale pour trouver de la nourriture, ni même

pour l'emporter sur Sam. Il n'avait pas obéi à ses propres désirs.

Livide, il se tourna vers Drake.

— C'est pour lui.

Drake le dévisagea sans comprendre.

— Il a faim, reprit Caine à voix basse.

Il constata tristement que Diana, elle, avait compris.

— Il a faim dans le noir.

— Comment tu le sais ? demanda Drake.

À court de mots, Caine écarta les bras.

— C'est pour ça qu'il m'a laissé partir, chuchota-t-il pour lui-même.

— Tu insinues qu'on a fait tout ça à cause du monstre qui te fait perdre la tête ? s'exclama Diana, incrédule, entre rire et larmes.

— Pourquoi a-t-il besoin de nous ? s'enquit Drake avec l'empressement d'un chien désireux de satisfaire son véritable maître.

— Il faut le lui apporter.

— Lui apporter quoi ?

Caine poussa un soupir et se tourna vers Jack.

— Cette chose qui éclaire ses ténèbres. La même chose qui fournit Perdido Beach en électricité. L'uranium.

Jack secoua lentement la tête comme s'il refusait de comprendre.

— Comment tu veux qu'on extraie l'uranium du cœur nucléaire ? On ne peut pas le transporter dans le désert ! C'est trop lourd, trop dangereux.

— Caine, c'est de la folie, gémit Diana. Quel est notre intérêt dans tout ça ?

Caine hésita. Elle avait raison. Pourquoi devait-il servir l'Ombre ? Qu'elle se débrouille toute seule pour se nourrir. Il avait ses propres problèmes à régler...

Un rugissement à faire vibrer les murs retentit dans la pièce. Caine tomba à genoux, les mains plaquées sur les oreilles pour faire barrage au bruit, mais rien n'y fit. Il se recroquevilla par terre et réprima un besoin soudain de vider ses entrailles.

Le bruit cessa et Caine ouvrit lentement les yeux. Diana le dévisageait comme s'il était devenu fou. Drake l'observait, incrédule, au bord du fou rire. Quant à Jack, il semblait juste inquiet. Ils n'avaient rien entendu. Le cri inhumain n'avait résonné que dans sa tête.

C'était sa punition. Le gaïaphage exigeait qu'on lui obéisse.

— Qu'est-ce qui t'arrive ? lança Diana.

Drake plissa les yeux et sourit d'un air narquois.

— C'est l'Ombre. Caine n'est plus aux commandes, on dirait. Il y a un nouveau patron.

Diana formula la pensée de Caine.

— Mon pauvre Caine, t'es fichu.

Lana avait l'impression que chacun de ses pas résonnait dans le silence, comme si elle se déplaçait sur un gigantesque tambour. Elle avait les jambes raides et sentait le moindre gravillon, pourtant elle ne marchait pas pieds nus. Son cœur battait la chamade, et il lui semblait que le monde entier pouvait l'entendre.

Non, non, ce n'était que le fruit de son imagination. On n'entendrait rien d'autre que le crissement de ses baskets sur le gravier. Son cœur ne battait qu'à ses oreilles et elle faisait à peine plus de bruit qu'une souris.

Pourtant, elle était convaincue que la chose pouvait l'entendre ; telle une chouette guettant sa proie dans les ténèbres, elle attendait, et Lana pouvait déployer des trésors de discrétion, pour l'Ombre, son arrivée était aussi bruyante que celle d'une fanfare.

La lune s'était levée et les étoiles brillaient dans le ciel. Ou ce qui passait pour la lune et les étoiles. Une lumière argentée illuminait les feuilles d'un buisson, les contours d'un rocher, et projetait des ombres alentour.

Lana se frayait un chemin dans l'obscurité en serrant dans sa main droite son pistolet, une lampe électrique glissée dans sa poche.

« Tu crois que tu peux me contrôler. Mais je n'appartiens à personne. »

Deux points lumineux clignotèrent au loin. Lana se figea. Comme ils se fixaient sur elle, elle leva son arme et visa l'espace entre les deux points. Un éclair de lumière déchira l'obscurité de la nuit. En une fraction de seconde, elle vit le coyote. Puis il disparut, la laissant seule, les oreilles bourdonnantes.

Du bas de la route lui parvint le grincement d'une porte, puis la voix de Cookie : « Lana ! Lana ! »

— Je vais bien, Cookie. Retourne à l'intérieur. Verrouille la porte, tu m'entends ? cria-t-elle.

Elle entendit le battant se refermer.

— Je sais que tu es là, Chef. Cette fois, je suis armée.

Elle se remit en marche. Bizarrement, le coup de feu, bien qu'il ait sans doute manqué sa cible, l'avait calmée. Elle savait maintenant que le coyote mutant était dans les parages et qu'il la surveillait. Elle était sûre que l'Ombre était aux aguets, elle aussi.

Parfait. Inutile de prendre des précautions, désormais. Elle pourrait marcher d'un bon pas jusqu'à la mine, récupérer les clés sur le cadavre et retourner au hangar où l'attendaient Cookie et Pat. Le contact du pistolet dans sa main était presque agréable.

— Viens, Chef, susurra-t-elle. Tu n'as pas peur d'un flingue, quand même ?

Mais en approchant de l'entrée de la mine, elle sentit son courage l'abandonner. Le clair de lune avait peint la poutre qui surmontait l'entrée d'une touche argentée. En dessous, la gueule noire de la mine attendait de l'avaler tout entière.

Viens à moi.

Son imagination lui jouait des tours. Il n'y avait pas de voix.

J'ai besoin de toi.

Lana alluma sa lampe et en dirigea le faisceau vers l'entrée de la mine. Elle aurait aussi bien pu la pointer vers le ciel : elle n'éclaira que des ténèbres.

La lampe dans la main gauche. Le pistolet dans la droite. L'odeur de poudre dans l'air. Le crissement des graviers. Les membres lourds, elle avait l'impression de marcher dans un rêve, l'esprit focalisé sur une tâche simple.

Elle s'arrêta à l'entrée de la mine. Perché juste au-dessus, sur une étroite saillie rocheuse, Chef lui montrait les crocs.

Elle braqua sa lampe sur lui mais, le temps qu'elle le vise de son arme, il avait déjà disparu. « Il n'essaie pas de m'arrêter, songea-t-elle. Il observe, c'est tout. Les yeux et les oreilles de l'Ombre. »

Lana entra dans la mine. Le faisceau de sa lampe sonda l'obscurité et s'arrêta sur ce qu'elle cherchait. On aurait dit une tête réduite, de la peau jaunâtre tendue sur des os qui attendaient patiemment d'émerger. Le coton grossier, rapiécé de ses vêtements semblait presque neuf comparé à sa chair momifiée et à ses cheveux desséchés comme de la mauvaise herbe.

Lana s'agenouilla auprès du cadavre.

— Salut, Jim.

À présent, elle devait choisir entre le pistolet et sa torche. Elle déposa l'arme sur le torse décomposé de Jim l'Ermite, puis fouilla la poche droite de son jean : vide. Elle put accéder sans mal à la poche de derrière, qui ne contenait rien non plus.

— Désolée pour ce que je vais faire.

Lana saisit le cadavre par la ceinture de son pantalon et le tourna face à elle, de sorte à atteindre l'autre poche de derrière. Vide, elle aussi.

— Humain mort.

Elle reconnut la voix instantanément. Elle n'était pas de celles qu'on oubliait, cette voix suraiguë qui avait du mal à former les mots.

— Oui, j'ai remarqué, rétorqua Lana avec un calme qui la surprit elle-même.

En son for intérieur, elle sentait que la panique était sur le point de la submerger. Il ne restait plus qu'une poche à fouiller. Et si les clés ne s'y trouvaient pas ?

— Va voir l'Ombre, lui dit Chef.

Il se tenait à quelques pas d'elle, prêt à bondir. Parviendrait-elle à atteindre son pistolet avant qu'il ne se jette sur elle ?

— L'Ombre m'a demandé de faire les poches de ce type, lança-t-elle. Elle veut un chewing-gum et elle s'est dit que le vieux Jim en aurait peut-être sur lui.

Pendant la période où elle avait été la captive de Chef, Lana en était venue à respecter la détermination inflexible du coyote, sa ruse, sa puissance. Mais pas son intelligence. Il demeurait un coyote, malgré la mutation qui lui avait donné l'usage de la parole. Il était conditionné pour chasser des rongeurs et dominer sa meute.

Lana retourna le cadavre pour vérifier la dernière poche. Son pistolet tinta contre une pierre : Jim l'Ermite faisait désormais obstacle entre elle et son arme. Elle n'avait donc aucune chance de l'atteindre avant que Chef n'attaque. Elle tâtonna, trouva la poche et sentit sous ses doigts un objet froid et pointu. Elle serra les clés dans son poing, les glissa promptement dans sa poche et braqua sa torche sur le pauvre Jim pour récupérer son pistolet.

Chef émit un grondement sourd.

— L'Ombre me l'a demandé, dit Lana.

Ses doigts se refermèrent sur la crosse de l'arme puis, lentement, elle se releva.

— J'ai oublié. Il faut que je retourne chercher quelque chose, reprit-elle en marchant droit sur le coyote, qui commençait à perdre patience.

— Va voir l'Ombre, humaine.

— Va te faire voir, coyote, répliqua Lana en levant son arme.

Elle tira à trois reprises. Bang bang bang ! Chaque coup de feu s'accompagna d'un éclair de lumière, tels les flashes d'un stroboscope. Le coyote poussa un glapissement de douleur. Lana le vit s'écrouler près d'elle. Elle se précipita au-dehors et descendit la pente à toute allure en hurlant à pleins poumons. Ce n'était pas la peur qui lui donnait des ailes. C'était un sentiment de triomphe.

Elle avait trouvé la clé.

27

Lorsque Brianna revint à elle, il lui fallut un bon moment pour comprendre où elle était. Puis la douleur dans son bras gauche, sa hanche, son mollet, sa cheville lui rafraîchit la mémoire.

Elle portait une veste en jean par-dessus un tee-shirt, ainsi qu'un short et des baskets. La manche gauche de sa veste, de l'épaule jusqu'à l'avant-bras, avait brûlé. Un trou de cinq centimètres de diamètre dans le tissu de son short laissait voir un bout de peau ensanglantée. Elle avait percuté le toit de plein fouet. À cette vitesse, le béton, c'était du papier de verre. La souffrance était insupportable.

Elle gisait sur le dos, le visage tourné vers les étoiles. Sa tête l'élançait. Ses paumes étaient égratignées ; rien de comparable, cependant, à ses autres blessures qui avaient laissé la chair à vif.

Brianna se redressa en gémissant. Elle avait l'impression que son corps était en feu.

Le toit de la centrale était éclairé comme en plein jour, et elle ne voyait que trop bien l'étendue des dégâts. Son sang paraissait bleu dans la lumière fluorescente. Elle tenta de se rassurer : ses blessures n'étaient pas mortelles, sa vie n'était pas menacée. Mais, oh, que ça faisait mal ! Et ça n'était pas près de se calmer. « Voilà ce qui arrive quand on heurte le béton à trois cents kilomètres/heure, se dit-elle. Je devrais porter un casque et un blouson de cuir, comme les motards. »

Cette pensée lui fournit une distraction bienvenue. Elle consacra quelques instants à s'imaginer une tenue de super héroïne : un casque, du cuir noir, quelques décalcomanies en forme d'éclairs.

« Ç'aurait pu être pire », songea-t-elle. En heurtant la plate-forme, elle aurait pu se casser les bras et les jambes, voire se rompre le cou. Mais elle était la Brise. Elle avait eu le réflexe de tomber sur les mains et les genoux, et sa chute, qui aurait pu être mortelle, s'était soldée par un dérapage extrêmement douloureux.

Elle s'avança au bord du toit en boitillant. L'édifice était conçu de sorte que les extrémités très pentues de la toiture formaient une espèce de voûte plutôt qu'un angle à quatre-vingt-dix degrés. Par conséquent, si elle distinguait la grille et le parking brillamment éclairés, elle ne pouvait pas voir ce qui se passait juste à ses pieds. Au loin, les montagnes et la mer se détachaient sur le ciel.

— Elle était stupide, mon idée, admit-elle.

Elle avait littéralement essayé de s'envoler, croyant que, portée par sa vitesse, elle pourrait bondir dans les airs. Sur le moment, son plan lui avait semblé très logique. Sam lui avait interdit de pénétrer dans la centrale. Pourtant, il fallait bien tâter le terrain et localiser la position des soldats de Caine. « Quel meilleur point de vue que le toit du bâtiment des turbines ? » avait-elle pensé.

Elle caressait le projet de voler depuis un bon bout de temps. Elle s'y était déjà essayé en courant le plus vite possible pour prendre son élan, puis en sautant d'un endroit chaque fois un peu plus élevé. C'était aussi simple que de sauter de rocher en rocher pour traverser un torrent, ou de monter des marches quatre à quatre.

Seulement, dans ce cas précis, les « marches » désignaient un minibus garé sur le parking, un immeuble administratif de plain-pied et, pour finir, le bâtiment des turbines. Sur les deux premières « marches », Brianna n'avait rencontré aucun problème. Elle avait probablement atteint les cinq cents kilomètres/heure avant de sauter ; après avoir rebondi sur le toit du minibus, elle avait atterri au sommet de l'immeuble administratif puis, s'efforçant de maintenir sa vitesse, elle s'était élancée vers le toit de l'énorme structure en béton.

Et c'est là que les choses avaient mal tourné.

Au lieu de retomber sur la partie plane de la toiture, elle avait heurté le bord. La suite tenait plus de la dégringolade sur le ventre que de l'atterrissage impeccable qu'elle s'était figuré.

Elle avait vu le béton se rapprocher dangereusement. En battant des jambes avec frénésie, elle avait évité de justesse le plongeon dans le vide, mais ses efforts désespérés s'étaient soldés par une chute violente qui avait manqué la tuer.

Et maintenant qu'elle se trouvait sur son perchoir, elle n'y voyait pas grand-chose.

— Sam va me tuer, marmonna-t-elle.

Elle plia le genou et poussa un gémissement de douleur. Le toit mesurait plusieurs dizaines de mètres de long et le tiers en largeur. Elle le parcourut de bout en bout en boitillant, et trouva facilement la porte accédant aux étages inférieurs : un panneau d'acier encastré dans une paroi de brique. Il devait mener à la salle des turbines, qui débouchait sur la salle de contrôle.

— Forcément qu'il y a une porte, grommela Brianna. J'aurais dû prétendre dès le départ que c'était mon plan.

Elle secoua la poignée. Verrouillée.

— La poisse !

Elle avait soif et, surtout, faim ; après avoir couru, cette sensation était souvent décuplée. Il y avait peu de chances qu'elle trouve de quoi manger sur ce toit de la taille d'un parking. De l'eau, peut-être. D'énormes climatiseurs, chacun de la taille d'un pavillon de banlieue, émergeaient çà et là du béton. Or, la climatisation générait toujours de la condensation, non ?

Elle courut – à une vitesse raisonnable – jusqu'au climatiseur le plus proche en gémissant de douleur, s'introduisit à l'intérieur, trouva un interrupteur. Son cœur bondit dans sa poitrine : elle venait d'apercevoir une boîte de beignets. Elle se jeta dessus. Malheureusement, il n'y avait rien d'autre dans la boîte qu'un emballage constellé de cristaux de sucre et de quelques vermicelles en chocolat multicolores. Brianna lécha le papier. Il y avait si longtemps qu'elle n'avait pas mangé quelque chose de sucré… Mais cela ne fit qu'accroître ses crampes d'estomac.

Elle finit par trouver ce qu'elle cherchait : une conduite d'eau en plastique. Cherchant des yeux un outil quelconque, elle dénicha une petite boîte en métal contenant un tournevis et plusieurs clés. En quelques secondes, elle avait démonté le tuyau et se désaltérait de grandes goulées d'eau glacée. Puis elle laissa couler l'eau sur ses brûlures en poussant des cris de douleur.

Ensuite, elle retourna vers la porte, le tournevis à la main, et l'inséra dans l'interstice entre le battant et le chambranle. La clenche ne céda pas d'un pouce. De frustration, elle donna un coup de tournevis qui ne laissa qu'une petite éraflure dans l'acier.

— Génial. Me voilà coincée sur le toit.

Brianna se rendait compte qu'elle avait besoin de soins. Une visite chez Lana ferait des merveilles. Le cas échéant, elle se contenterait de bandages et d'antibiotiques. Cependant, tout cela n'était rien comparé à la faim. Maintenant que les effets de l'adrénaline se dissipaient, elle lui tenaillait le ventre avec la férocité d'un lion. Brianna était partie l'estomac vide. Depuis, elle avait parcouru près de quarante kilomètres.

La situation était ridicule. Personne ne savait qu'elle était piégée ici. Sa voix ne portait sans doute pas assez loin pour être entendue par-dessus le ronronnement de la centrale. Et quand bien même, elle ne tenterait pas le coup : si Sam avait échoué, ce serait Caine qui viendrait la chercher.

C'est à ce moment précis qu'elle aperçut le pigeon.

«Oh non, songea-t-elle, puis : Pourquoi pas ?»

«Parce que… beurk !»

«Ce n'est pas différent d'un poulet.»

Elle alla chercher la boîte de beignets, déchira de petites bandelettes dans l'emballage et fit de même avec un vieux journal. Puis elle dénicha un cageot et, à l'aide d'une scie trouvée dans la boîte à outils, elle obtint bientôt, grâce à sa rapidité surhumaine, un petit tas de bois.

Il était bien dommage qu'un des ouvriers qui travaillaient sur ce toit n'ait pas laissé une boîte d'allumettes derrière lui. Cependant, de l'acier frotté à une vitesse vertigineuse contre le béton produisait des étincelles. La tâche était pénible mais bientôt, un petit feu réconfortant flambait au centre de l'immense toit.

Et voilà qu'à présent il y avait deux pigeons assoupis qui roucoulaient dans leur sommeil. L'un était gris, l'autre d'une étrange nuance rose.

— Le rose, décida-t-elle.

Les chances pour un enfant normal d'attraper l'une de ces bestioles étaient presque nulles. Cependant, Brianna n'était pas une enfant normale : elle était la Brise. Le pigeon n'eut pas le temps d'esquisser un geste. Elle referma la main sur sa petite tête ronde comme une balle de golf et lui tordit le cou. Rapidement, le feu avait brûlé le plus gros de son plumage. Et bientôt l'oiseau fut cuit à point.

À bout de patience, Brianna se servit du tournevis pour arracher à la poitrine dodue de la bête des lambeaux de viande qu'elle fourra dans sa bouche. Elle dut admettre qu'elle n'avait rien mangé d'aussi bon depuis des semaines.

— La Brise, dit-elle en s'accroupissant près du feu. Ou le fléau des pigeons.

Elle s'installa confortablement pour digérer son repas. D'ici quelques minutes, elle serait de nouveau d'attaque pour chercher un moyen de quitter ce maudit toit. Mais avec l'estomac plein, la fatigue de la journée la rattrapa.

— Je vais juste reposer mes…

Duck s'enfonçait, face contre terre, la bouche pleine de sable et de cailloux. Sa tête l'élançait, le sang battait à ses oreilles. Mue par un réflexe, sa poitrine se soulevait et s'abaissait désespérément. Mais, privé d'air, il s'étouffait.

Son heure avait sonné. Il allait mourir.

Fou de panique, il se tortilla dans tous les sens. Ses bras labourèrent la terre compacte avec autant de facilité que s'ils se mouvaient dans l'eau. Il n'agissait plus consciemment : ses membres s'agitaient spasmodiquement tandis que son cerveau sombrait dans le néant et que ses poumons s'asphyxiaient.

— Duck ! Duck ! C'est toi, là-dessous ?

La voix semblait se trouver à des millions de kilomètres de lui. Il se redressa tant bien que mal et parvint à se retourner, mais sa tête heurta la paroi de terre, et il reçut une pluie de graviers en plein visage. Il tenta d'ouvrir les yeux ; ils étaient collés par la poussière. Il cracha des débris de terre et s'aperçut qu'il pouvait respirer. À force de gigoter, il s'était creusé un petit espace autour de lui.

— Duck ! Duck ! Tu es vivant ?

Il n'était pas sûr de connaître la réponse à cette question. Prudemment, il essaya de remuer bras et jambes, et constata qu'il pouvait bouger dans une certaine mesure. La panique le submergea brutalement. Il était enterré vivant ! Il poussa un cri étouffé et recommença à s'enfoncer. Non ! Non ! Non ! Il devait à tout prix refouler sa colère. Car c'était bien elle qui le faisait dégringoler jusqu'au centre de la terre.

« Pense à quelque chose de joyeux », s'enjoignit-il.

Enterré vivant !

Quelque chose de joyeux… la piscine… se laisser flotter sur l'eau.

Duck cessa de s'enfoncer. Bien ! Joyeux… se laisser flotter… pensées positives. Cookies. Il adorait les cookies. Il n'existait rien de meilleur. Et… et la fois où Sarah Willetson lui avait souri. Il avait éprouvé une sensation agréable de chaleur et s'était dit qu'un jour, peut-être, il aurait la cote avec les filles. Et puis regarder les matchs de basket à la télé. Ça, c'était une pensée positive.

Il avait cessé de s'enfoncer. Pas de problème. Garder le sourire, c'était tout ce qui comptait. Se réjouir d'être enterré vivant.

— Duck ? fit la voix de Hunter.

Duck avait l'impression qu'il lui parlait du fond d'un puits, même si, évidemment, c'était l'inverse.

— Joyeux… joyeux, murmura-t-il.

Il n'était pas enterré vivant, non, il était au cinéma, installé dans l'un des sièges juste derrière la balustrade, de sorte qu'il pouvait reposer ses pieds. Il avait une ration de pop-corn sur les genoux. Et une boîte de cookies.

Les bandes-annonces. Il adorait ça, les bandes-annonces et le pop-corn. Et… oh, la glace à la vanille... Le film, c'était quoi ? *Iron Man*. Il adorait ce film et le pop-corn, les piscines, les filles.

Il sentit quelque chose lui gratouiller le visage, les bras, les jambes, le torse. « N'y pense pas, sinon tu vas t'enfoncer encore plus. »

— Duck !

La voix de Hunter semblait plus proche, à présent. Il regardait *Iron Man*, lui aussi ?

Les démangeaisons avaient cessé.

— Hé, mec ?

La voix était tout près. Duck sentit de l'air sur son visage. De la terre lui brouillait encore la vue. Il se frotta les yeux, et la première chose qu'il vit fut la tête de Hunter. Ou, plus exactement, le sommet de son crâne. Puis, lentement, Hunter leva vers lui un visage ahuri.

— Duck, tu voles !

Duck regarda autour de lui. Il s'était extrait du trou. Il se trouvait dans la rue en face de l'église, à deux mètres du sol.

— Waouh ! fit-il. Ça marche dans les deux sens !

— On devrait accepter la proposition de Sam et rentrer chez nous, disait Diana.

— J'ai réussi à entrer dans le répertoire, claironnait Jack.

Brittney aurait dû souffrir. Elle avait le corps en bouillie. Les jambes cassées. La porte de la salle de contrôle, arrachée de ses gonds, s'était effondrée sur elle. Elle aurait dû être au supplice. Or, elle ne sentait rien.

Elle aurait dû succomber à ses blessures. Elle avait reçu au moins une balle. Et pourtant, elle était vivante. Pour l'instant. Il y avait du sang partout autour d'elle. Tout ce sang perdu aurait dû la tuer. Et pourtant…

— Personne n'ira nulle part, décréta Caine.

— On n'a plus rien à manger, protesta Diana.

— Je pourrais aller voir si je trouve quelque chose, suggéra Bug.

— Parce que tu reviendrais partager avec nous ? cracha Drake. On n'est pas là pour nous, mais pour lui. C'est lui qu'il faut nourrir.

— «Lui»? C'est ton dieu, maintenant? ironisa Diana.

— Il m'a donné ça !

Brittney entendit le claquement sonore du fouet. Avec des précautions infinies, elle testa ses réflexes. Non, elle ne pouvait pas bouger les jambes. Elle pouvait à la rigueur faire pivoter sa hanche, et encore. Son bras droit était inutilisable ; quant à son bras gauche, il avait l'air de fonctionner. «Je devrais être morte, songea-t-elle. Je devrais être au ciel avec Tanner… Peut-être que j'y suis déjà. Non. Pas avant Caine.»

Elle se demanda si elle était devenue une guérisseuse comme Lana. Tout le monde savait comment elle avait découvert l'existence de son pouvoir. En revanche, elle avait vécu un véritable martyre.

Or, Brittney, elle, ne souffrait pas. Elle s'efforça de se focaliser sur son bras inerte, s'imaginant qu'elle pouvait le guérir.

— On est piégés, déclara Diana avec amertume.

— Pas pour longtemps. On va sortir d'ici et lui apporter ce dont il a besoin, objecta Drake.

— Le gaïaphage. C'est comme ça que l'appelle Caine quand il délire. Tu devrais connaître le nom de ton dieu.

Brittney ne ressentait toujours aucun changement dans son bras. Une pensée terrible lui traversa l'esprit. Elle tendit l'oreille. Rien. Son cœur avait cessé de battre.

— Gaïaphage ? répéta Jack, intrigué. « Phage », c'est l'autre nom qui désigne un virus informatique. C'est un ver, plus exactement.

Si son cœur ne battait plus, ça ne signifiait qu'une chose : elle était morte. « Non, impossible, se dit-elle. Les morts n'entendent rien. Ils ne peuvent pas bouger leur main valide ni remuer les doigts. »

Il n'y avait qu'une seule explication. Caine et Drake l'avaient bel et bien assassinée. Cependant, si elle avait le pouvoir de vivre encore quelque temps dans un corps mort, elle devait avoir une mission.

— Un phage, c'est un code. Une espèce de logiciel qui mange les autres, poursuivit Jack d'un ton professoral.

Brittney n'avait pas le moindre doute sur le rôle qu'elle allait jouer. De son œil valide, elle vit que

414

Mike avait laissé une arme par terre, comme elle le lui avait demandé. Elle devrait se mouvoir avec une patience infinie. Millimètre par millimètre. Imperceptiblement. Le pistolet se trouvait dans un coin, sous une table, à quelques mètres d'elle. Et Brittney avait été désignée pour arrêter Caine, Drake et Diana.

« Regarde-moi, Tanner, pensa-t-elle en silence. Tu vas être fier de moi. »

Sur le chemin du retour, Quinn et Albert gardèrent le silence. La camionnette était plus lourde de plusieurs kilos d'or. Mais plus légère de deux enfants et d'un chien.

Enfin, Quinn prit la parole.

— Il va falloir mettre Sam au courant.

— Au sujet de l'or ? demanda Albert.

— On a perdu la Guérisseuse !

Albert baissa la tête.

— Sam doit en être informé, reprit Quinn. On a besoin de Lana.

— Je sais bien, répliqua Albert. J'étais le premier à le dire.

— Elle est plus importante que ton fichu or.

Albert ne répondit rien pendant un long moment. Puis :

— Écoute, Quinn. Je sais ce que tu penses. Comme tout le monde, tu t'imagines que je ne m'intéresse qu'à moi. Que je suis cupide.

— Et ce n'est pas le cas ?

— Non... euh... peut-être un peu, admit Albert.
D'accord, peut-être que j'ai envie d'être quelqu'un
d'important, moi aussi. Peut-être que j'ai envie de
posséder plein de trucs et d'avoir des responsabilités.

Quinn ricana.

— Peut-être, en effet.

— Mais ça ne fait pas de moi un salaud, Quinn.

Quinn n'avait rien à redire à ça. Il était dégoûté
de tout. On lui reprocherait la disparition de Lana
Arwen Lazar. L'irremplaçable Guérisseuse. Sam
serait fou de rage contre lui. Astrid lui lancerait
un de ses regards froids, déçus.

Il aurait dû s'en tenir à la pêche. Il aimait bien ça,
pêcher. C'était une activité paisible. Il pouvait goûter
la solitude sans crainte d'être dérangé. Or, même
ça, c'était fichu maintenant que les gars d'Albert
travaillaient sous ses ordres. Il fallait les former,
les superviser.

Sam allait se mettre dans tous ses états. Ou lui
lancer le même regard froid et déçu qu'Astrid.

Comme ils s'engageaient sur l'autoroute, Albert
remarqua :

— Les lampadaires sont éteints.

— C'est presque le matin. Il doit y avoir une
minuterie.

— Non, mon gars. Y a pas de minuterie.

En atteignant les abords de Perdido Beach, Quinn
pressentit qu'il s'était passé quelque chose. Et c'était

peut-être beaucoup plus grave que la disparition de Lana.

— Il fait noir, dit-il.

— Il y a eu un problème, ajouta Albert.

Ils prirent la direction de la place en passant par des rues plongées dans une obscurité totale. Il régnait une atmosphère inquiétante ; on se serait cru dans une ville morte. Quinn avait l'impression qu'Albert et lui étaient seuls au monde.

Au moment où il allait se garer devant le McDonald's, quelque chose attira son attention, et il dirigea les phares de la camionnette vers la mairie.

Là, sur le mur, en lettres d'un mètre de haut, un graffiti avait été peint à la bombe rouge sang sur la pierre blanche.

— « Mort aux mutants », lut-il à voix haute.

28

LA BATTERIE DU PICK-UP était morte. Il était resté dans ce hangar pendant plus de trois mois. Heureusement, Jim l'Ermite était un homme prévoyant. Il avait laissé sur les lieux un groupe électrogène et un chargeur pour la batterie. Il fallut une heure à Lana et à Cookie pour mettre la machine en marche et effectuer le branchement. Enfin, Lana tourna la clé de contact et, après plusieurs tentatives, le moteur se mit à crachoter.

Cookie manœuvra la camionnette en marche arrière pour la rapprocher de la bombonne de gaz. Au prix d'efforts répétés, ils parvinrent à la hisser sur la plate-forme du véhicule. Quand ils eurent terminé, la nuit touchait à sa fin. Lana entrouvrit la porte du hangar pour jeter un coup d'œil au-dehors. D'après l'obscurité qui enveloppait les collines, l'aube n'était pas encore là, cependant le ciel se teintait de rose à l'horizon et les ombres avaient pris une nuance grise. Une douzaine de coyotes se prélassaient non loin de là. Ils tournèrent la tête dans sa direction.

— Cookie?

— Oui, Guérisseuse?

— Voilà ce que j'attends de toi. Je pars avec la camionnette, OK? Quand tu auras entendu une explosion, attends une dizaine de minutes. Si je ne reviens pas, tu devras quand même patienter jusqu'au lever du soleil : les coyotes sont plus dangereux la nuit. Quand il fera jour, marche jusqu'à la cabane et, de là, jusqu'à la ville.

— Je reste avec toi, protesta Cookie.

— Non, dit-elle en rassemblant toute la détermination dont elle était capable. C'est mon histoire, pas la tienne. Fais ce que je te demande.

— Je ne vais pas te laisser avec ces chiens.

— Les coyotes, ce n'est pas le problème. Explosion ou pas, tu t'en vas, c'est un ordre. Dans l'un ou l'autre cas, je veux que tu ailles trouver Sam et que tu lui remettes une lettre.

— J'aimerais prendre soin de toi comme tu l'as fait avec moi.

— Je sais, Cookie. Justement, c'est l'occasion. Sam doit être mis au courant. Raconte-lui tout. C'est un garçon intelligent, il comprendra. Et dis-lui de ne pas en vouloir à Quinn, d'accord? Ce n'est pas sa faute. J'aurais trouvé un autre moyen de me rendre jusqu'ici, même si Albert et Quinn avaient refusé de m'aider.

— Mais...

Lana posa la main sur le gros bras de Cookie.

— Fais ce que je te demande.

Il baissa la tête et se mit à pleurer sans chercher à se cacher.

— D'accord, Guérisseuse.

— Lana, le corrigea-t-elle gentiment. C'est comme ça que mes amis m'appellent.

Elle s'agenouilla pour ébouriffer le poil de Pat.

— Je t'aime, mon vieux, chuchota-t-elle en le serrant fort dans ses bras.

Le chien poussa un gémissement.

— Ça va aller. Ne t'inquiète pas, je reviens tout de suite.

Et, de peur que sa résolution ne fléchisse, elle s'empressa de monter dans la camionnette. Après avoir mis le moteur en marche, elle fit signe à Cookie qui ouvrit en grand la porte grinçante du hangar. Les coyotes se redressèrent d'un même mouvement. Chef s'avança lentement dans sa direction. Il boitait et sa fourrure était tachée de sang.

— Alors je ne t'ai pas tué, murmura Lana. Eh bien, la nuit n'est pas finie.

Elle passa la première, lâcha la pédale de frein et le pick-up se mit en branle. «Lentement mais sûrement», pensa Lana. L'étroit chemin qui menait à la mine était tortueux, escarpé et criblé d'ornières. Elle tourna le volant, ce qui n'était pas chose facile : la camionnette était très vieille et n'avait pas servi depuis longtemps. Quant à l'expérience de la conductrice, elle était très limitée.

La camionnette avançait si lentement que les coyotes la suivaient sans mal. Bientôt, ils l'encerclèrent à la manière d'une escorte. En s'engageant sur le chemin, elle fit une embardée et Lana songea : « Doucement, doucement ! » bien qu'elle fût désormais pressée d'en finir.

Une image s'imprima dans son esprit. Des flammes rouges et orangées jaillissant de l'entrée de la mine. Des débris volant en tous sens. Une détonation. Le bruit de l'éboulement. Des tonnes et des tonnes de pierres. Puis un nuage de poussière et de fumée. Alors, tout serait fini.

Viens à moi.

— Oh, j'arrive.

J'ai besoin de toi.

Elle réduirait cette voix au silence en l'enfouissant sous une montagne de rochers.

Soudain, un cahot secoua la camionnette. Jetant un coup d'œil dans le rétroviseur, Lana vit le crâne déformé et couturé de Chef. Il s'était hissé sur la plate-forme du pick-up.

— Humaine pas prendre machine, dit-il de sa voix si particulière.

— Humaine fait ce qui lui chante, rétorqua Lana. Humaine va t'exploser ta sale gueule, espèce de cabot débile et puant.

Chef prit le temps de digérer l'insulte.

La camionnette montait à l'assaut de la colline en bringuebalant. Elle avait déjà parcouru la moitié du chemin.

Viens à moi.

— Tu vas regretter de m'avoir invitée, marmonna Lana.

Mais, en voyant se profiler au loin l'entrée de la mine, elle sentit son cœur battre dans sa poitrine.

— Humaine descendre. Humaine marcher, ordonna Chef.

Lana ne pouvait pas lui tirer dessus ; elle aurait fait voler en éclats la vitre arrière, et permis aux coyotes de s'engouffrer dans la camionnette.

Arrivée au seuil de la mine, elle passa en marche arrière. Il lui faudrait effectuer un demi-tour. Elle s'agrippa de toutes ses forces au volant. La tête monstrueuse de Chef apparut dans son champ de vision tandis qu'elle vérifiait sa manœuvre. Il se trouvait à quelques centimètres, séparé d'elle par un fragile panneau de verre. Il s'élança. Lana poussa un cri. Le museau de la bête heurta la vitre, qui tint bon. Lana n'était pas inquiète : le verre résisterait. Les coyotes n'avaient pas encore appris à lancer des projectiles.

Tu m'appartiens.

— Non, dit-elle. Je n'appartiens à personne.

Le plateau de la camionnette franchit le seuil de la mine. Les coyotes s'affolèrent. L'un d'eux bondit et atterrit sur le toit du pick-up. Il saisit l'un des essuie-glaces dans sa gueule et l'arracha sauvagement.

— Humaine, arrête ! cria Chef.

Lana poursuivit sa manœuvre sans prêter attention à lui. Les roues arrière de la camionnette écrasèrent le corps momifié de son propriétaire. Le pick-up était maintenant entièrement entré dans la mine, et Lana ne pouvait pas reculer davantage. Les parois de la caverne se trouvaient à quelques centimètres de la cabine. Les coyotes, voyant les murs se refermer sur eux, durent décider s'ils devaient ou non rester piégés à l'intérieur. Ils finirent par se faufiler à l'avant du véhicule, puis bondirent à tour de rôle sur le capot en jappant et en griffant le pare-brise de leurs grosses pattes impuissantes.

La camionnette s'immobilisa. Les portières étaient bloquées. Parfait. Le plan suivait son cours.

Lana se retourna sur son siège, visa soigneusement pour éviter de toucher la grosse bombonne installée à l'arrière, et tira un seul coup de feu. La vitre vola en éclats. Tremblante de peur, elle rampa jusqu'au plateau du pick-up. Ses mouvements excitèrent encore davantage les coyotes, qui tentèrent de se glisser dans l'interstice entre le véhicule et la paroi pour l'atteindre. L'un des plus enragés se coinça la tête entre une poutre et le toit de tôle.

La voix de Chef s'éleva au milieu de leurs jappements.

— Arrête, humaine !

Lana ouvrit le robinet de la bombonne. Aussitôt, une odeur d'œuf pourri lui chatouilla les narines. Il faudrait du temps au gaz pour se propager. Étant plus lourd que l'air, il commencerait par se répandre sur le sol telle une mare invisible. Puis les effluves s'amoncelleraient dans les profondeurs de la caverne et finiraient par cerner l'Ombre. Sentirait-elle le gaz ? Saurait-elle que son heure avait sonné ?

Lana sortit d'un sac en plastique la mèche qu'elle avait fabriquée, une cordelette longue de plusieurs mètres qu'elle avait trempée dans de l'essence. Elle en jeta une extrémité dans les profondeurs de la mine puis, sans lâcher l'autre bout, elle regagna la cabine. Là, elle écrasa la pédale de frein pour allumer les feux arrière, et la caverne fut nimbée d'une clarté rougeâtre.

Elle attendit, les mains agrippées au volant. Des images sans queue ni tête se bousculaient dans sa tête. Des flashes de sa captivité parmi les coyotes et de sa rencontre avec l'Ombre. La première fois qu'elle avait…

Je suis le gaïaphage.

Lana se figea.

Tu ne peux pas me détruire.

Soudain, l'air lui manqua. Elle crut qu'elle allait s'évanouir. Jusqu'alors, l'Ombre n'avait jamais prononcé son nom.

C'est moi qui t'ai fait venir ici.

Lana tâta son briquet dans sa poche. C'était de la physique élémentaire. Elle allumerait le briquet. La cordelette imbibée d'essence s'enflammerait aussitôt. Les flammes la dévoreraient puis le gaz prendrait feu à son tour. L'explosion ferait voler en éclats le plafond et les parois de la caverne. Avec un peu de chance, la créature serait anéantie. Elle y passerait peut-être, elle aussi. Mais si elle survivait, elle serait peut-être capable de soigner ses blessures. Son pari était le suivant : si elle parvenait à rester en vie pendant quelques minutes, son pouvoir ferait le reste. Ainsi, elle serait vraiment guérie et n'entendrait plus la voix dans sa tête.

Tu te plïeras à ma volonté.

— Je m'appelle Lana Arwen Lazar, cria-t-elle de toutes ses forces. Mon père était fan de bandes dessinées, c'est pour ça qu'il m'a baptisée Lana, comme la fiancée de Superman.

Tu deviendras ma servante.

— Ma mère a ajouté Arwen à cause de la princesse elfe du *Seigneur des Anneaux*.

Ton pouvoir m'appartiendra.

— Et je ne fais jamais ce qu'on me demande !

Grâce à lui, je prendrai forme. Je me nourrirai. Je retrouverai ma force. Et grâce au corps que j'aurai modelé avec ton pouvoir, je pourrai m'échapper de cet endroit.

Ton don m'offrira la liberté.

Lana tremblait de tous ses membres. Les vapeurs d'essence lui donnaient le tournis. C'était maintenant ou jamais.

— Chef ! cria-t-elle. Je vais faire exploser cette mine, tu m'entends ?

— Chef entend, grogna le coyote.

— Toi et les tiens, sortez d'ici ou vous mourrez avec l'Ombre.

Chef se hissa lourdement sur le capot de la camionnette, le poil hérissé, la gueule dégoulinante de bave.

— Chef pas craindre les humains.

Lana brandit son pistolet et tira à bout portant. La détonation fut assourdissante. Un trou en forme d'étoile fissura le pare-brise, mais le verre tint bon. Du sang gicla. Chef glapit et sauta maladroitement du capot. Le cœur de Lana bondit dans sa poitrine. Cette fois, elle l'avait eu.

Cependant, le pare-brise ne s'était pas brisé comme elle l'avait prévu. Or, c'était son seul salut.

Ton pouvoir me rendra ma liberté.

Se servant de son arme comme d'un marteau, Lana frappa de toutes ses forces la paroi, puis y donna des coups de pied. Le verre se craquela peu à peu mais ne céda pas.

Les coyotes auraient pu se débarrasser d'elle s'ils avaient concerté une attaque. Pourtant, ils restaient à l'écart. Sans leur chef, ils se sentaient perdus. Affolée, Lana se mit à tambouriner contre le pare-brise.

Tu vas mourir.

— Tant que tu meurs avec moi ! cria-t-elle.

Enfin, un pan de la vitre s'effondra. Lana passa la tête à travers le trou, puis les épaules et atterrit à quatre pattes sur le capot. Elle s'empara de la cordelette et, de l'autre main, leva son pistolet qui répandait une odeur de poudre. Elle tira à l'aveuglette. Une fois, deux fois, trois fois. Les balles ricochèrent sur les rochers et les coyotes détalèrent.

Déposant son arme sur le capot, Lana prit le briquet dans sa poche.

Non.

Une minuscule flamme orangée en jaillit. Elle l'approcha de l'extrémité de la corde.

Arrête.

Lana hésita.

Tu ne pourras pas.

— Si, chuchota-t-elle en étouffant un sanglot.

Tu m'appartiens.

La flamme lui brûlait le pouce. Cependant, la souffrance n'était rien comparée à la douleur soudaine, dévastatrice qui explosa à l'intérieur de sa tête. Elle poussa un cri, plaqua les mains sur ses oreilles, lâcha la corde, puis le briquet. Jamais elle n'aurait pu imaginer pareil supplice. Elle avait l'impression qu'à la place de son cerveau, on avait rempli son crâne avec des charbons ardents. Elle dégringola du capot et poussa un long hurlement.

— ON PEUT TENIR plus longtemps que lui, dit Edilio à Sam. Le tout, c'est de ne pas bouger d'ici. Tu devrais même en profiter pour faire une sieste.

— J'ai l'air si mal en point?

Edilio ne répondit pas.

— Il a raison, patron, intervint Dekka. On n'a qu'à attendre. Peut-être que Brianna…

Incapable de finir sa phrase, elle se détourna. Edilio prit Sam par l'épaule et l'entraîna à l'écart tandis que Dekka fondait en larmes. Sam regarda la centrale, scruta le parking puis la mer à l'horizon. Les flots noirs scintillaient de temps à autre, reflétant grossièrement le ciel étoilé.

— C'est quand, ton anniversaire, Edilio?

— Laisse tomber, vieux. Tu sais très bien que je ne vais pas disparaître.

— Tu ne l'as même pas envisagé?

Le silence qui suivit répondit à sa question.

— Est-ce que ça finira un jour, Edilio ? Combien d'autres batailles faudra-t-il ? Combien de tombes sur la place ? Ça t'arrive d'y penser ?

— Sam, c'est moi qui les creuse, ces tombes.

— Oui. Désolé.

Sam reprit avec un soupir :

— On n'est pas près de gagner, tu sais. Je ne parle pas de cette petite guéguerre, mais du grand combat pour la survie. On n'est pas près de le remporter. On crève de faim. Les enfants en viennent à bouffer leurs animaux de compagnie. Des groupes se forment et se haïssent. La situation devient incontrôlable.

Edilio jeta un coup d'œil à Howard qui, tout en se tenant à distance, n'en perdait pas une miette. Deux des soldats d'Edilio se trouvaient aussi à portée de voix.

— Tu devrais garder ces réflexions pour toi, Sam, chuchota-t-il. Les enfants comptent sur toi. Tu ne peux pas leur annoncer qu'on est fichus.

Sam l'entendait à peine.

— Il faut que je retourne en ville.

— Quoi ? Tu me charries, là ? Tu vas pas nous lâcher maintenant !

— Dekka peut garder un œil sur Caine. Et puis, s'il se décide à sortir de sa tanière, c'est une bonne nouvelle, non ?

Sam hocha la tête comme s'il avait fini de se convaincre.

— Il faut que je voie Astrid.

— Peut-être que ce n'est pas une mauvaise idée, admit Edilio.

Abandonnant Sam, il alla trouver Dekka, l'emmena à l'écart et lui glissa quelques mots à l'oreille. Elle tourna vers Sam ses yeux embués de larmes, l'air inquiet.

— Viens, je vais te reconduire en ville, dit Edilio.

Sam le suivit jusqu'à la Jeep.

— Qu'est-ce que tu as raconté à Dekka ?

— Que tu devais aller vérifier que tout va bien en ville, maintenant que les lumières sont éteintes.

— Et elle a avalé ton histoire ?

Edilio ne répondit pas tout de suite et se garda de croiser le regard de Sam.

— C'est une coriace. Elle s'en sortira très bien toute seule.

Ils roulèrent en silence jusqu'à Perdido Beach. La place grouillait d'enfants. Sam n'avait pas vu un tel rassemblement depuis le repas de Thanksgiving. Une centaine d'yeux se braquèrent sur lui quand il descendit de voiture avec Edilio.

— Ça n'a pas l'air d'être la fête, observa celui-ci.

Astrid se détacha de la foule, courut vers la voiture et se jeta dans les bras de Sam. Elle l'embrassa sur la joue, puis sur les lèvres. Il enfouit son visage dans ses cheveux et murmura :

— Tu vas bien ?

— Mieux maintenant que je te sais en vie, répondit-elle. Les enfants ont peur, Sam. Certains sont très en colère.

Comme sur un signal, la foule les encercla.

— Y a plus de lumière !

— Où vous étiez passés ?

— On n'a plus rien à manger !

— Je ne peux même pas allumer la télé !

— J'ai peur du noir !

— Il y a un meurtrier en liberté !

— On n'a plus d'eau !

Ceux qui ne criaient pas leur indignation questionnaient Sam d'un ton plaintif.

— Qu'est-ce qu'on va devenir ?

— Pourquoi tu n'as pas arrêté Caine ?

— Où est la Guérisseuse ?

— Est-ce qu'on va mourir ?

Sam se détacha d'Astrid à regret pour leur faire face. Chaque question était une flèche plantée dans son cœur. Ces reproches, il se les était déjà infligés. Ces questions, il se les était posées. Il savait qu'il devait rétablir le calme et que plus il garderait le silence, plus ils se laisseraient submerger par la peur. Mais les réponses, il ne les connaissait pas.

La clameur était assourdissante. Un mur de visages furieux se dressait devant lui. Il en avait le tournis. Il savait ce qu'il fallait faire, or il ne pouvait pas. Il s'était plus ou moins convaincu qu'ils comprendraient. Qu'ils lui laisseraient du temps. Le problème, c'est qu'ils étaient morts de peur. Au bord de la panique.

Astrid s'était tournée pour affronter la foule. Adossée au capot de la voiture, elle était pressée de partout. Elle avait beau crier pour tenter de les calmer, tous l'ignoraient.

Edilio s'était penché vers le siège arrière de la Jeep pour prendre son fusil, comme s'il pensait devoir s'en servir pour sauver Sam ou Astrid, voire les deux.

Zil fendit la foule, entouré de cinq garçons qui se comportaient comme les gardes du corps d'une star de cinéma, poussant les enfants pour lui ménager un passage. Certains l'acclamèrent, d'autres le huèrent, mais, lorsqu'il leva la main, la foule se tut.

Le point sur la hanche, Zil montra Sam d'un geste.

— T'es censé être le big boss.

Sam ne répondit pas. Les enfants silencieux se préparaient à un face-à-face.

— T'es le big boss des mutants, reprit Zil. Mais tu ne peux rien pour nous. Tu fais jaillir des rayons laser de tes mains, mais t'es pas fichu de nous trouver de quoi manger ni de garder l'électricité. En plus, tu refuses de punir ce meurtrier de Hunter qui a tué mon meilleur ami.

Il fit une pause et conclut avec rage :

— Ce n'est pas toi qui devrais commander.

Le silence s'abattit sur l'assemblée. Zil venait de lancer un défi de taille.

Sam hocha la tête comme pour lui-même. Puis, avec des gestes lents de vieillard, il se hissa sur le siège passager de la Jeep afin que tout le monde puisse le voir. Il bouillait de colère. Il ne gagnerait rien à laisser éclater sa rage, il en était conscient. Tout en parlant, il s'efforça de maîtriser sa voix et de garder un visage impassible.

— Tu veux prendre ma place, Zil? Hier soir, tu as essayé d'organiser un lynchage. Et ne viens pas me raconter que ce n'est pas toi qui as peint le graffiti que j'ai vu en arrivant.

— Et quoi? répliqua Zil. Tous ceux qui ne sont pas des mutants pensent la même chose que moi.

Il cracha le mot « mutant » comme une insulte ou un reproche.

— Tu trouves que c'est le moment de monter les gens les uns contre les autres? Tu crois que c'est comme ça qu'on va rétablir le courant ou manger à notre faim?

— Et Hunter? Il assassine Harry en se servant de ses pouvoirs et toi tu ne fais rien!

— J'ai eu une soirée bien remplie, rétorqua Sam d'un ton sarcastique.

— Alors laisse-nous lui régler son compte, puisque t'es si débordé. Moi et ma bande, on va s'occuper de lui.

— Et qu'est-ce que vous allez lui faire ? intervint Astrid. C'est quoi, ta super idée, Zil ?

La foule avait un peu reculé, lui laissant à peine la place pour respirer.

Zil écarta les bras, mimant l'innocence.

— Hé, tout ce qu'on veut, nous, c'est lui mettre la main dessus avant qu'il blesse quelqu'un d'autre. Tu veux lui organiser un procès ? Vas-y. Mais c'est à nous de l'attraper.

— Personne ne t'empêche de partir à sa recherche, dit Sam. Va donc admirer tes graffitis et compter le nombre de vitres que tu as cassées.

— Il nous faut des armes. Je ne vais pas me lancer aux trousses d'un tueur mutant les mains vides. Et ton pote le métèque, il prétend que les normaux n'ont pas le droit d'être armés.

Sam jeta un coup d'œil à Edilio pour voir comment il recevait l'insulte. Malgré son air sévère, il gardait son calme. Sam ne pouvait pas en dire autant.

— Hunter, c'est un problème, admit-il. Et des problèmes, on en a. Mais ce n'est pas en nous montant les uns contre les autres que tu vas nous aider. Et les insultes n'arrangent rien. Au contraire, il faut qu'on se serre les coudes.

Comme Zil ne réagissait pas, Sam poursuivit en s'adressant à toute l'assemblée.

— Voilà, on a de graves ennuis. Il n'y a plus de courant. Et apparemment, ça entraîne des coupures d'eau dans certains secteurs de la ville. Alors pas de bains ni de douches, OK? Par ailleurs, on pense que Caine est à court de vivres, ce qui signifie qu'il ne pourra pas tenir bien longtemps à la centrale.

— C'est-à-dire? cria quelqu'un.

Sam secoua la tête.

— Je n'en sais rien.

— Pourquoi tu ne peux pas le chasser?

— Parce que c'est comme ça, aboya-t-il, à bout de patience. Je ne suis pas Superman! Il s'est enfermé dans la centrale. Les murs sont très épais. Il est armé, il a Jack, il a Drake, il détient des pouvoirs. Je ne peux pas le chasser sans risquer des vies. Des volontaires?

Silence.

— C'est bien ce que je pensais. Je n'arrive même pas à vous faire ramasser des melons, alors vous demander de vous battre contre Drake!

— Ça, c'est ton boulot, objecta Zil.

— Oh, je vois.

La colère que Sam avait contenue jusqu'à présent menaçait d'éclater.

— C'est mon boulot de ramasser les fruits, de collecter les ordures et de rationner la nourriture. Et puis d'attraper Hunter, d'arrêter Caine, de régler la moindre de vos disputes, de m'assurer que la souris est passée dès qu'un môme perd une dent. Et toi, Zil, à quoi tu sers, déjà? Ah oui, c'est vrai: tu peins des graffitis haineux sur les murs. Merci de t'en occuper, je sais pas comment on s'en sortirait sans toi.

— Sam... murmura Astrid sur le ton de la mise en garde.

Trop tard. Cette fois, il irait jusqu'au bout.

— Et vous autres, combien d'entre vous ont fait autre chose que jouer à la Xbox ou regarder des films ces deux dernières semaines ? Laissez-moi vous expliquer un truc. Je ne suis pas votre père. J'ai quinze ans. Je suis un gamin comme vous. Je n'ai pas le pouvoir de faire apparaître la bouffe dans vos assiettes. Je ne peux pas résoudre vos problèmes en claquant des doigts. Je ne suis qu'un gamin.

Dès que ces mots eurent franchi ses lèvres, Sam comprit qu'il avait dépassé les bornes. Il avait eu recours aux arguments fatalistes dont bien d'autres s'étaient servis avant lui. Combien de fois avait-il entendu : «Je ne suis qu'un gamin»? Pourtant, il ne pouvait plus se taire.

— Je me suis arrêté en troisième, moi. Le fait que j'aie des pouvoirs ne signifie pas que je suis Dumbledore ou Martin Luther King. Avant que tout ça n'arrive, j'étais un élève moyen. Moi, ce qui m'intéressait, c'était le surf. Je voulais devenir le nouveau Kelly Slater. Le champion du monde de surf, quoi.

La foule s'était tue. «Bien sûr qu'ils se taisent, songea-t-il avec amertume, c'est amusant de regarder quelqu'un s'effondrer en public.»

— Je fais de mon mieux, reprit-il. J'ai perdu des gens aujourd'hui. J'ai… j'ai merdé. J'aurais dû deviner que Caine essaierait de prendre la centrale.

Silence.

— Je fais de mon mieux.

Sam évita le regard d'Astrid. Il craignait, en y lisant de la pitié, de craquer complètement.

— Je suis désolé, conclut-il en sautant de son perchoir.

La foule s'écarta pour le laisser passer. Il s'éloigna dans un silence hébété.

Peu d'enfants vinrent féliciter Zil d'avoir démontré que Sam Temple était un imposteur et un incapable. Moins que ce qu'il était en droit d'espérer, en tout cas.

Cependant, Antoine était avec lui, ainsi que Lance, Hank et Turk. Les quatre garçons faisaient désormais partie de sa bande. Ils étaient à ses côtés la veille, quand il avait ameuté toute la ville.

Ils avaient vécu une folle nuit. Zil, le garçon ordinaire, était devenu un vrai chef. Le regard que les autres portaient sur lui avait changé. Avant, ils étaient ses égaux. Et voilà qu'en un rien de temps, il avait été propulsé leader. Zil était le «Sam» des normaux, à présent. Et ceux-ci constituaient de loin la majorité.

Alors pourquoi n'y avait-il pas davantage d'enfants autour de lui? Il avait eu droit à quelques hochements de tête, à des claques amicales sur l'épaule, mais aussi à des regards suspicieux. Et, foi de Zil Sperry, il ne méritait pas ça. Après tout, il avait osé défier Sam Temple face à face.

Lisant dans ses pensées, Lance lui dit :

— T'inquiète pas, ils finiront par nous rejoindre. Là, ils sont un peu secoués.

— Sam leur fiche encore la trouille, renchérit Hank. Alors que c'est de nous qu'ils devraient avoir peur.

Hank était un gamin maigre et courtaud, perpétuellement en colère, avec un faciès de rat. Il parlait sans arrêt d'en venir aux mains, à tel point que Zil devait s'empêcher de lui rappeler qu'il n'était qu'une demi-portion et qu'il ne risquait pas de casser la figure à qui que ce soit.

Lance était d'une autre trempe : grand, athlétique, beau et intelligent. Zil avait peine à croire qu'il puisse lui témoigner du respect et qu'il le laisse maître des décisions. Avant, Lance était l'un des garçons les plus populaires de l'école, contrairement à Hank, qui était en général traité avec mépris.

— Salut.

Zil se retourna et tomba nez à nez avec une fille qu'il connaissait de vue, une certaine Lisa.

— Je voulais juste te dire que je suis totalement d'accord avec toi, déclara-t-elle.

— Ah bon ?

Zil n'avait pas beaucoup d'expérience avec les filles. Il fit de son mieux pour ne pas rougir. En plus, Lisa portait une minijupe et du maquillage ; or, la plupart des filles de la Zone ne se donnaient plus la peine de soigner leur apparence.

— Les dégénérés sont devenus incontrôlables, reprit-elle, sans cesser de hocher la tête comme une poupée mécanique.

— C'est vrai, admit Zil, méfiant.

Il ne comprenait pas pourquoi cette fille se donnait la peine de lui parler.

— Je suis bien contente que tu leur aies tenu tête. T'es vraiment courageux.

— Merci.

Zil se surprit à hocher la tête à son tour. Puis, ne sachant qu'ajouter, il esquissa un sourire gêné et prit la direction de l'église.

— Est-ce que je... bredouilla Lisa.

— Quoi ?

— Qu'est-ce que vous avez prévu ? Je pourrais peut-être vous aider.

La panique submergea Zil. Qu'est-ce qu'ils avaient prévu ? Ils avaient déjà tagué l'hôtel de ville et cassé des vitres. À moins que Hunter ne montre le bout de son nez, que pouvaient-ils faire de plus ?

Puis il comprit que s'il n'agissait pas dès maintenant, il perdrait toute crédibilité. Lance, Hank, Turk et Antoine le lâcheraient. Comme tant d'autres, ils se laisseraient crever de faim sans lever le petit doigt.

Ça ne pouvait pas se terminer comme ça.

— En fait, tu pourrais m'être utile, dit-il à Lisa. J'ai des projets.

— Ah bon ? Lesquels ? demanda-t-elle avidement.

— Je vais rendre le pouvoir aux vrais humains et nous débarrasser des mutants. Ils nous obéiront, et pas le contraire.

— Ouais ! s'écria Turk.

— Nous six, c'est que le début.

— Carrément, renchérit Hank.

— La bande de Zil, annonça Turk.

Modeste, Zil balaya d'un geste sa suggestion.

— Je crois qu'on devrait s'appeler la bande des Humains.

ÉPUISÉ, CAINE S'ÉTAIT ENDORMI sur le canapé, dans le bureau du directeur de la centrale. Quand il se réveilla, il ne savait plus où il était. Il ouvrit les yeux ; les meubles poussiéreux de la pièce semblaient vibrer autour de lui.

Il se frotta les paupières et se redressa. Un homme était assis dans le fauteuil du directeur. Il était vert, et semblait irradier de l'intérieur, comme si les fluides circulant dans son corps produisaient un rayonnement sinistre. Il n'avait pas de visage et, avec sa silhouette grossière, il évoquait une statue d'argile inachevée. En y regardant de plus près, Caine distingua des millions de cristaux minuscules, certains pas plus gros qu'une tête d'épingle, d'autres de la taille d'un morceau de sucre. La masse cristalline se mouvait sans cesse, telle une colonie de fourmis déchaînées qui rampaient les unes sur les autres.

Caine ferma les yeux et quand il les rouvrit, la créature avait disparu. Une hallucination. Il avait fini par s'habituer à ce genre de phénomène.

Il se leva, les jambes flageolantes. Il se sentait faible comme s'il couvait un gros rhume ; son visage était inondé de sueur et ses vêtements collés par la transpiration. Il avait envie de vomir bien qu'il ait le ventre vide.

À travers un panneau de verre, il voyait la salle de contrôle. Assise sur une chaise, Diana somnolait, les pieds appuyés sur une table. Elle avait une drôle d'allure sans ses cheveux – Caine avait une passion pour ses longues mèches. Jack, la tête posée sur la même table, le visage bouffi, ronflait avec une moue de bébé.

Les deux otages, adossés l'un à l'autre, dormaient eux aussi. Quant à la morte, Brittney, elle gisait, le corps roulé en boule. Apparemment, quelqu'un avait essayé de pousser son cadavre sous la table pour libérer le passage. La flaque de sang formait maintenant une traînée rouge.

Drake était le seul à rester encore debout. Adossé contre un mur, le regard fixe, il avait enroulé son tentacule autour de sa taille et tenait une mitraillette à la main.

Caine chancela, redressa les épaules, essuya la bave au coin de sa bouche. Il ne devait trahir aucune faiblesse. Drake, lui, semblait invincible comme s'il était le seul maître à bord. Caine se demanda quand il se déciderait à se retourner contre lui. Drake n'avait rien tenté pendant ses longs mois d'incapacité. Mais maintenant qu'il avait repris les commandes, il savait que son lieutenant rongeait son frein.

Après s'être donné une contenance, Caine se dirigea vers la salle de contrôle. Il avait atteint la porte du bureau quand une tempête éclata à l'intérieur de son crâne et le fit presque tomber à genoux. Il s'agrippa à la poignée d'une main tremblante.

Il ressentit une faim terrible, plus pressante que ce qu'il avait jamais connu jusqu'alors. Il avait l'impression que sous sa peau se nichait un tigre rugissant, affamé.

Faim dans le noir.

Incapable de contenir sa souffrance, il poussa un gémissement. Drake l'avait-il entendu ? « Laisse-moi tranquille, supplia-t-il en silence. Je ferai ce que tu veux, mais laisse-moi tranquille. »

Levant les yeux, il s'aperçut que Drake s'était rapproché sans bruit.

— Tu te sens bien ? demanda-t-il.

— Oui, aboya Caine.

— Super. Je suis ravi de l'entendre.

Caine déboula dans la salle en lui donnant un coup d'épaule au passage.

— C'est pas le moment de roupiller ! s'écria-t-il. Sam doit être là dehors, en train d'attendre le bon moment pour nous tomber dessus.

— On n'aura plus à s'inquiéter de lui une fois qu'on aura nourri l'Ombre, rétorqua Drake.

Caine donna un coup de pied dans le fauteuil de Jack puis secoua l'otage le plus près de lui.

— Debout, tout le monde ! Il fait presque jour. Sam doit manigancer quelque chose.

— C'est quoi, ton problème ? se récria Diana. C'est ton maître qui t'a réveillé à coups de fouet dans le cerveau ?

— La ferme ! répondit Caine d'un ton féroce. Ce n'est pas le moment, Diana. Quelqu'un est allé chercher à manger ?

— Tu penses bien qu'au cours de ces trois derniers mois les amis de Sam ont fouillé cet endroit de fond en comble, répliqua Diana d'un ton radouci.

— Ce n'est pas ce que j'ai demandé ! brailla Caine. Est-ce que, oui ou non, l'un de vous a pris la peine d'aller chercher quelque chose à manger, espèces de flemmards sans cervelle ?

— Non, répondit-elle pour toutes les personnes présentes.

— Alors remuez-vous les fesses !

Diana se leva avec un soupir.

— Je n'aurais rien contre une petite promenade.

Jack l'imita, ainsi que les deux soldats de Drake. Tous quatre s'éloignèrent dans différents couloirs.

— Surtout, ne vous aventurez pas hors du bâtiment ! leur cria Caine.

Puis, entraînant Drake à l'écart, il demanda :

— Est-ce que Jack a réussi ?

— Je crois. Il avait l'air tout fier de lui avant de s'endormir.

Caine hocha la tête.

— On devrait quitter cet endroit le plus tôt possible.

— Et Sam ? Tu ne veux pas qu'on lui fasse la peau avant ?

Caine ricana.

— À t'entendre, c'est simple comme bonjour. Si on pouvait se débarrasser de lui facilement, le reste serait une promenade de santé.

Il secoua la tête.

— Non, voilà comment on va s'y prendre. S'ils essaient de nous suivre, on se servira de l'uranium pour les tenir en respect.

Drake sourit malgré lui.

— On les menace de le leur balancer dessus ?

— Exactement.

— Après ça, ils vont tous briller dans le noir, observa Drake d'un ton joyeux.

— Je n'aurai qu'une main de libre, donc tu auras peut-être enfin l'occasion de te servir de cette mitraillette que tu aimes tant.

— Est-ce qu'il faut envoyer Bug chercher des renforts à Coates ?

— Ils ne viendront pas.

Un remue-ménage leur parvint du couloir et, jetant un coup d'œil dans la direction du bruit, Caine vit Jack s'avancer vers lui d'un pas furieux, suivi de près par Diana qui s'efforçait vainement de le retenir, tel un bambin tentant d'arrêter un taureau.

— Toi ! brailla-t-il.

Il leva le bras, et Caine vit des bouts de fil de fer pareils à de minuscules serpents dépasser de son poing.

— Tu avais promis de les enlever !

— Oh zut ! J'ai dû en oublier quelques-uns, répondit Drake. Au fait, t'as vu ta copine pendant que t'y étais ?

Jack se figea.

— Hein ?

Drake déroula son fouet, prêt à l'abattre sur lui.

— Elle devait aller sacrément vite quand elle a heurté les fils. *Bye bye*, Brise.

— Elle... quoi ?

— Hop, coupée en deux ! s'exclama Drake avec un rire joyeux. Il fallait voir ça ! Tranchée net !

— Je vais te tuer, murmura Jack.

— Tu n'as pas les...

Jack écarta Diana d'un geste et s'élança vers Drake, qui eut le temps de faire claquer son fouet. Une seule fois. Jack se jeta sur lui tel un bulldozer. Drake vola dans les airs comme s'il venait d'être renversé par un bus, puis retomba lourdement par terre. Il se releva d'un bond et abattit de nouveau son fouet qui déchira le tee-shirt de Jack. Sans y prêter la moindre attention, le garçon se rua sur son adversaire et, soudain, il s'immobilisa, retenu par une force invisible. Ses jambes gigotaient dans le vide, impuissantes.

Caine, la main levée, l'avait cloué sur place.

— Lâche-moi, Caine ! cria-t-il.

— Il te cherche, espèce d'idiot, répliqua ce dernier.

En laissant Jack tuer Drake, il s'ôterait une grosse épine du pied : il savait que, tôt ou tard, Drake se retournerait contre lui. Mais pour l'heure, il avait besoin de ses services.

Drake fit mine de frapper Jack, mais son geste resta suspendu, comme s'il se heurtait à une barrière invisible.

— Ça suffit, tous les deux ! brailla Caine.

— Si tu me touches, je te tue ! cria Drake à l'intention de Jack.

— J'ai dit : fermez-la !

Caine tendit les bras vers les deux garçons, qui firent un bond en arrière. Jack atterrit sur le dos. Drake, qui était plus léger et ne bénéficiait pas de la force herculéenne de son assaillant, se cogna contre le mur puis s'effondra par terre.

Du coin de l'œil, Caine vit les deux otages s'enfuir en courant. Quand il se retourna, ils avaient déjà disparu de son champ de vision. Il entendit des bruits de pas s'éloigner.

— Attrapez-les !

Mais Drake était trop long à se relever et Jack ne serait d'aucune utilité. Les deux soldats de Drake regardaient Caine, les bras ballants. Il comprit à cet instant qu'ils attendaient les ordres de Drake, et non les siens.

Tendant les bras, il souleva de terre les deux garçons et les poussa dans le couloir, à la poursuite des otages.

— Ramenez-les-moi !

— Attention ! cria Diana.

Des coups de feu éclatèrent. Caine entendit les balles siffler près de ses oreilles.

Brittney n'était pas morte ! Tout ce temps, elle avait joué la comédie et, lentement, s'était rapprochée d'une arme qui avait glissé sous une table. Elle était toujours roulée par terre, couchée sur le flanc, incapable de se redresser.

Caine fit un bond de côté pour éviter les balles, heurta violemment la table, et tomba à genoux. Il tendit les bras, mais Brittney pointait déjà le canon de son arme sur lui. Cependant, Drake la devança. Rapide comme l'éclair, son fouet s'enroula autour du poignet de Brittney, qui eut le temps de tirer, et une volée de balles alla se ficher dans le plafond et le mur opposé.

Caine, enragé, déchaîna ses pouvoirs. Brittney glissa sur le sol et heurta le mur si vite que Drake fut entraîné avec elle. Caine se leva d'un bond sans la quitter des yeux. Il la fit léviter, et elle resta suspendue dans les airs.

— Espèce de... dit-elle, avant d'être aspirée par le trou que Sam avait percé dans le mur.

Caine n'y était pour rien. Elle avait eu de la chance. Ou alors quelqu'un veillait sur elle.

Dehors, Dekka, qui montait fidèlement la garde, entendit éclater des coups de feu dans la salle de contrôle. Elle se plaqua contre le mur au moment où quelque chose jaillissait du trou avant de s'écraser par terre avec ce bruit caractéristique que fait un cadavre en touchant le sol.

Elle resta bouche bée, trop ébahie pour réagir. Puis, à sa droite, une autre salve résonna dans la salle des turbines. Des éclairs de lumière illuminèrent le seuil. S'arrachant à sa stupeur, elle courut jusqu'à la porte. Les soldats d'Edilio se levèrent d'un bond et lui emboîtèrent le pas.

— Orc ! Orc ! cria-t-elle.

Elle entendit le monstre remuer avant de le voir. Il s'était endormi à l'arrière du 4 x 4. Il s'extirpa du véhicule en faisant grincer les amortisseurs.

Deux des tireurs de Caine se profilèrent sur le seuil du bâtiment, leur arme pointée vers deux silhouettes qui détalaient. Des coups de feu éclatèrent ; l'un des fugitifs tomba face contre terre sans même pousser un cri et s'immobilisa. L'autre continua à courir.

— Je l'ai eu ! Je l'ai eu ! cria quelqu'un d'une voix qui trahissait plus la peur que la fierté.

— Taylor ! lança Dekka. Occupe-les !

— Ça roule ! répondit celle-ci avant de disparaître.

— Je crois que je l'ai tué, gémit la voix.

Dekka leva les bras et fit léviter les deux tireurs. L'un d'eux se cogna la tête contre le chambranle de la porte. L'autre disparut à l'intérieur, hors de portée. Les coups de feu cessèrent. L'otage restant se laissa tomber, hors d'haleine, derrière une camionnette.

Taylor courait à côté de Dekka et l'instant d'après, elle se matérialisa à l'entrée de la salle de contrôle. Caine s'en prenait à Drake.

— Espèce de psychopathe sans cervelle !

Livide, Drake lui répondit :

— Je viens de te sauver la vie !

— Tu t'es comporté comme un crétin ! Tu cherchais Jack, et regarde ce qui est arrivé ! Je suis là à essayer de vous séparer, et regarde, espèce de gros débile !

— Hé ! s'écria Diana. On a de la compagnie !

Il fallut quelques instants à Taylor pour la reconnaître. Elle s'était pratiquement rasé le crâne. Caine fit volte-face et leva les mains, mais Taylor se matérialisa à l'autre bout de la salle, derrière lui.

— Jack, espèce de traître ! cria-t-elle avant de disparaître.

Taylor surgit à deux pas de Dekka.

— Ils pètent les plombs, là-dedans ! On devrait en profiter pour leur tomber dessus !

Dekka fit rapidement le calcul. Il y avait Orc, Taylor et elle, plus trois des gars d'Edilio. Le problème des otages était réglé. D'un autre côté, Caine et Drake vivaient encore. Et ils étaient très dangereux. Sans compter les deux tireurs, s'ils n'étaient pas plus nombreux.

— Non, répondit-elle, découragée. Pas sans Sam.

— On devrait y aller maintenant ! protesta Taylor en montrant le cadavre ensanglanté sur le sol. Regarde ce qu'ils ont fait ! Ce sont des bouchers !

Dekka posa la main sur son épaule.

— Si on y va maintenant, on perdra la partie. Même si Sam était là…

Elle ne l'avait jamais vu agir ainsi, il semblait avoir perdu la foi.

— Tu as peur, c'est tout, lâcha Taylor.

— Ne t'en prends pas à moi, Taylor. Ils ont le dessus. C'est aussi simple que ça. Si on attaque maintenant, on va droit dans le mur. Edilio devra creuser d'autres tombes. Je ne sais pas si Sam peut…

Elle s'interrompit.

— C'est quoi le problème avec Sam ?

Dekka haussa les épaules.

— Rien. Il est fatigué, c'est tout. Il en a assez vu pour la soirée.

Taylor allait protester, mais elle renonça.

— OK. Comme tu voudras.

— Retourne en ville. Raconte-lui ce qui s'est passé.

— Ça me prendra quelques minutes. Je ne peux pas me téléporter en une seule fois.

— Alors mets-toi en route.

Taylor disparut et, furieuse, Dekka donna un coup de pied dans la poussière. Tout s'était déroulé si vite qu'elle n'avait pu qu'observer la scène, impuissante. Mike Farmer sortit en rampant de derrière la camionnette où il s'était réfugié. Mickey gisait face contre terre, immobile. Le cadavre disloqué de Brittney était une vision d'horreur.

Dekka ne pouvait pas s'empêcher d'en vouloir à Sam. Il s'était enfui en lui laissant tout sur les bras. Or, elle n'avait pas l'âme d'un chef. Sam n'était pas le seul à s'arracher les cheveux.

Brianna… À cette pensée, son estomac se noua. Elle ne lui avait jamais avoué ses sentiments. Et maintenant, c'était trop tard.

Quelque chose atterrit à ses pieds. De prime abord, ça ressemblait à des os de poulet rôti. Dekka leva la tête et recula de quelques pas. Dix étages plus haut, une silhouette se détachait sur la lumière aveuglante des spots qui éclairaient le toit du bâtiment des turbines. Elle agitait les bras à toute vitesse. Dekka retint son souffle. Elle écarquilla les yeux pour s'assurer qu'elle n'avait pas la berlue.

— Brise?

Baissant la tête, elle remercia le ciel en silence. Dieu merci, Brianna était vivante et, comme toujours, impatiente d'en découdre.

À l'évidence, elle ne pouvait pas l'entendre par-dessus le vacarme de la centrale. Comment avait-elle atterri là-haut ? Mystère. Mais à en juger par ses appels frénétiques, elle voulait redescendre.

Dekka agita les bras à son tour et, fait rare, parvint même à sourire. Brianna était vivante. Les poings sur les hanches, elle semblait dire : « Quand tu veux ! »

Dekka réfléchit quelques instants puis montra du doigt un endroit au pied du bâtiment, à bonne distance de la porte, où s'étaient tapis les tireurs de Caine. Brianna hocha la tête. Dekka leva les bras et Brianna s'élança dans le vide. Elle resta suspendue quelques instants, puis Dekka prit une profonde inspiration et rétablit la gravité pendant une fraction de seconde. Brianna tomba comme une pierre. Alors, de nouveau, elle fut stoppée dans sa chute, et ainsi de suite jusqu'à ce qu'elle flotte à un mètre du sol. Enfin, Dekka baissa les bras et Brianna retomba gracieusement par terre en pliant les genoux pour amortir le choc. Dekka l'aida à se redresser.

— Qu'est-ce qui se passe ici ? s'enquit Brianna. J'ai été réveillée par des coups de feu.

— Contente de te revoir aussi, Brianna, répliqua Dekka. Tout le monde te croyait morte.

— Tu vois bien que non !

Dekka secoua la tête, stupéfaite. Elles rejoignirent Mike derrière la camionnette après avoir laissé les soldats d'Edilio surveiller la porte, le doigt sur la détente.

Mike parut surpris.

— Hé, Drake a dit à Jack que tu étais morte, et il a pété les plombs !

Brianna sourit.

— Ah bon ?

— Carrément ! Il a essayé de tuer Drake. C'est grâce à lui qu'on s'en est… enfin, que je m'en suis sorti.

Incapable de se contrôler davantage, il éclata en sanglots et enfouit le visage dans ses mains.

— Il se passe quelque chose entre Jack et toi ? demanda Dekka en s'efforçant de ne pas trahir son trouble.

Ce n'était pas le moment d'accabler Brianna avec des sentiments qui n'étaient sans doute pas réciproques et risquaient de la mettre en colère. Toutes deux n'étaient pas vraiment amies du temps de Coates. En outre, Dekka n'était même pas certaine que Brianna soit au courant de son homosexualité.

— Je n'en sais rien, répondit Brianna, l'air ravi. Je crois que oui.

— Ah, fit Dekka, la gorge nouée.

L'essentiel, c'était que Brianna ait survécu. Mickey et Brittney n'avaient pas eu cette chance. Maintenant que Dekka avait hérité du commandement, elle devait prendre des décisions.

— Tu veux bien m'expliquer comment tu as atterri sur ce toit ?

— Euh… non. Il y a une porte là-haut qui mène aux étages inférieurs. Avec un pied-de-biche, je pourrais l'ouvrir puis descendre là-bas et sortir avant qu'ils puissent lever le…

— Non, non ! gémit Mike entre deux sanglots. Les fils sont toujours là.

— Quels fils ?

— Drake a installé des fils un peu partout. Si tu débarques, ils te tailleront en pièces.

Sur le visage de Brianna, Dekka vit l'horreur se substituer à l'arrogance qu'elle affichait d'ordinaire.

— C'est pour ça que Jack voulait tuer Drake, reprit Mike. Il lui avait demandé de les enlever, et Drake a fait mine d'accepter mais il n'a rien touché.

— Heureusement que Jack est sensible à tes charmes, Brise, observa Dekka. Sans quoi, Mike n'aurait pas pu s'enfuir.

Brianna ne sut que répondre.

— Ne te laisse pas démonter, poursuivit Dekka. C'était pas ton jour. C'était pas le nôtre non plus.

Elle s'assit à côté de Mike et enlaça ses épaules.

— Je suis vraiment désolée pour Mickey. Je sais que vous étiez copains.

Mike se dégagea brutalement.

— Tu t'en fiches, de Mickey. Elle, par contre, elle t'intéresse parce que c'est une mutante comme toi.

Dekka préféra ne pas relever. On ne pouvait pas en vouloir à Mike de perdre un peu les pédales.

Se tournant vers Brianna, elle lança :

— Tu l'as échappé belle ! Maintenant, il serait temps d'écouter les autres et de réfléchir avant d'agir. Ça t'évitera de te retrouver piégée sur un toit alors qu'on a besoin de toi. Ou pire, de finir coupée en rondelles.

— OK, répondit Brianna, à court de mots.

Puis retrouvant un peu de son culot habituel, elle ajouta :

— Merci, maman.

Dekka aimait la témérité de Brianna, si contraire à son propre tempérament. Cependant, elle n'en laissa rien voir car, désormais, c'était elle qui commandait. Mais Brianna ne serait pas Brianna sans son grain de folie.

Elle était vivante, et c'était tout ce qui comptait. Entichée de Jack, mais vivante.

31

VIENS À MOI. *J'ai besoin de toi.*

— Je n'arrive plus à respirer, gémit Lana.

Elle n'entendait plus le son de sa voix et ne sentait plus sa langue ni ses lèvres.

C'est le gaz qui te prive d'oxygène.

Oui, bien sûr. Le gaz. Une étincelle et… elle avait un briquet quelque part. Une étincelle et elle serait libre. Ou morte. Libre dans la mort.

Elle rit et des dagues écarlates lui perforèrent le cerveau. Se prenant la tête à deux mains, elle hurla de douleur. Elle ne s'entendit pas crier. Elle ne sentait pas ses doigts pressés sur ses tempes.

Rampe jusqu'à moi.

Son corps répondait-il encore ? Marchait-elle à quatre pattes ? Était-elle devenue aveugle, ou faisait-il trop sombre pour y voir ? Avait-elle perdu connaissance ? Depuis combien de temps ? Elle bougeait, pourtant. De ça, elle était certaine. À moins que ce ne soit le vent soufflant sur son visage ?

J'expulse le composé dioxyde de carbone-hydrogène.

Le… quoi ? Carbo… quoi ? Ses pensées s'embrouillaient, et, dans les moments de lucidité, la douleur revenait l'aiguillonner. Sa tête était à deux doigts d'exploser. Son cœur battait la chamade ; elle avait l'impression qu'il risquait à tout moment de s'échapper de son corps, de faire voler ses côtes en éclats pour sortir.

Non, ce n'était qu'une hallucination. La folie qui la guettait. Des mensonges. La souffrance, en revanche, était bien réelle, tout comme la peur.

Le mélange oxygène-hydrogène se propage.

Si l'air remplaçait le gaz, elle avait toujours autant mal au crâne. Les battements de son cœur ralentirent.

Elle avait recouvré la vue en partie, et distinguait à présent le faisceau des phares projeté sur les parois de la mine, là où elle gisait face contre terre. Elle approcha la main de son visage, constata qu'elle ne voyait pas ses doigts. Elle toucha sa joue et sentit le contact de sa main sur sa peau mouillée de larmes.

Viens à moi.

« Non. »

Pourtant, elle se mit à ramper en s'écorchant les paumes et les genoux sur la roche.

« Non, je ne viendrai pas. »

Mais elle rampait toujours. Comment avait-elle pu croire qu'elle pourrait lui résister?

Je suis le gaïaphage. Tu m'appartiens.

«Je m'appelle Lana Arwen Lazar. Ce nom me vient de... de quelqu'un.»

J'ai faim. Et tu vas m'aider à me nourrir.

— Laisse-moi tranquille, protesta faiblement Lana, en continuant de ramper contre son gré, la tête basse, comme un chien.

Je suis le gaïaphage.

— Qu'est-ce que ça signifie? demanda-t-elle.

Elle reprenait peu à peu ses esprits. Fouillant dans sa mémoire, elle se rappela qui elle était et la raison de sa présence. Elle se remémora l'espoir stupide qui l'avait poussée jusqu'ici: détruire l'Ombre. Le gaïaphage.

Mais à présent, elle s'apercevait que, depuis le début, la créature contrôlait ses faits et gestes. Elle l'avait appelée auprès d'elle. Elle avait modelé ses pensées et ses actions à sa guise. Lana n'avait pas la moindre chance de lui échapper. Et maintenant, elle rampait.

Lana, l'autre petite amie de Superman. Arwen, le véritable amour d'Aragorn. Lazar, un diminutif de Lazarevic. Lazare, qui ressuscita d'entre les morts. Lana Arwen Lazar, c'était son nom.

Incapable de s'arrêter, elle s'enfonça dans les profondeurs de la mine.

Viens à moi. J'ai besoin de toi.

«Pour quoi faire? Pourquoi moi?»

Tu es la Guérisseuse. Tu détiens le pouvoir.

«Tu es blessé?» Cette perspective fit naître une lueur d'espoir chez Lana.

Ses membres pesaient une tonne à présent, si bien qu'elle pouvait à peine déplacer ses genoux de quelques centimètres sur la roche inégale. Néanmoins, elle remarqua sur les parois de la caverne la luminosité verdâtre qu'elle se rappelait de son premier séjour dans cette mine terrifiante, évoquant la pâle clarté d'un cadran de montre numérique, ou des étoiles phosphorescentes que son père avait collées sur le plafond de sa chambre quand elle était petite.

Le souvenir de son père lui serra le cœur. Son père. Sa mère. Si loin d'elle. Ou morts, comment savoir? Elle s'imagina leur réaction en voyant leur fille ramper dans le noir, terrifiée et morte de faim.

Elle rampait au-devant de l'Ombre. Elle deviendrait l'esclave du gaïaphage. Pantelante, couverte de sueur, elle s'immobilisa sous l'injonction de la voix dans sa tête.

Pose la main sur moi.

— Quoi? chuchota-t-elle. Où? Où es-tu?

Épuisée, elle tourna la tête de part et d'autre, scruta les ténèbres radioactives, et ne vit que de la roche phosphorescente. Mais en se rapprochant, en s'obligeant à regarder, elle s'aperçut que ce n'était pas de la pierre qu'elle observait, mais une masse vivante composée de milliers de particules cristallines – hexagones, pentagones, triangles –, dont les plus grosses atteignaient la taille d'une mouche, tandis que les plus petites n'étaient guère qu'un point sur une page. Chacune d'elles comptait d'innombrables petites pattes, si bien que Lana avait l'impression d'être en présence d'une vaste fourmilière ou d'une ruche grouillante d'insectes verts et scintillants qui vibraient à l'unisson comme un cœur.

Pose la main sur moi.

Lana résista de toutes ses forces, tout en sachant, alors qu'elle luttait contre la volonté terrible du gaïaphage, qu'elle était condamnée à capituler. Sa main trembla. Elle vit ses doigts se détacher, noirs sur la lumière verte. En le touchant, elle eut l'impression d'enfoncer les doigts dans du sable grossier. Seulement, ce sable-là vibrait dans sa main. Pendant quelques instants, elle n'éprouva que cette simple sensation. Mais soudain, le gaïaphage lui montra ce qu'il désirait. Des créatures se matérialisèrent devant elle. L'une, faite de feu vivant. Un serpent mécanique. Des monstres. Puis des poupées russes imbriquées les unes dans les autres.

Dans un moment de lucidité impitoyable, elle comprit qui il était. Elle ressentit sa faim. Puis sa peur. Il avait besoin d'elle, ce monstre malfaisant, mélange d'ADN humain et inconnu, de roche et de chair, qui se nourrissait des radiations enfouies dans les profondeurs de la terre. Or, il avait consommé toute la substance phosphorescente au cours des treize années où il avait muté et pris des forces dans les ténèbres.

Il était affamé. Bientôt, il serait nourri et alors, il aurait la force d'utiliser le pouvoir de Lana pour se créer un corps. Il s'était servi de son pouvoir pour transformer Drake en monstre. Il pourrait sans mal, une fois rassasié, se fabriquer avec son aide une enveloppe monstrueuse bien à lui. Des corps imbriqués les uns dans les autres ; chacun remplirait son office puis laisserait la place au suivant.

Être capable de se mouvoir afin de s'échapper de la mine, tel était son but. Ensuite, une fois dans la Zone, détruire tous ceux qui se mettraient en travers de son chemin.

Ces dernières heures, Sam avait fait l'objet de brusques changements d'humeur.

Taylor était venue lui annoncer que Mickey Finch avait été tué en tentant d'échapper à Caine, mais que Mike Farmer avait survécu. Désormais, Caine était donc privé d'otages.

Puis un incendie s'était déclenché dans une maison que deux enfants de cinq ans partageaient avec deux autres plus âgés. L'un d'eux, un garçon de neuf ans, était en train de fumer. Ellen, la chef des pompiers, s'était dépêchée sur les lieux avec le camion juste à temps pour éviter que le feu ne se propage à la maison voisine. Par bonheur, l'approvisionnement en eau avait tenu le choc dans ce secteur de la ville. Les enfants s'en étaient tous sortis indemnes.

Sam observait depuis la rue le lever du soleil et la fumée émanant des restes calcinés de la maison en se demandant s'il devait punir ce gamin pour avoir fumé et causé un incendie, quand il sentit un déplacement d'air près de lui.

— Salut, Sammy, lança Brianna.

Sam la dévisagea, bouche bée. Elle lui fit un grand sourire et il poussa un soupir de soulagement.

— Je devrais te tuer! Ça se fait pas de disparaître comme ça.

— Allez, dit-elle en ouvrant grand les bras, un câlin et c'est fini!

Elle étreignit Sam brièvement puis recula.

— Ça suffit, mon grand! Je n'ai pas envie qu'Astrid s'en prenne à moi. Bon, quand est-ce qu'on fiche Caine dehors et qu'on rétablit le courant?

Sam secoua la tête.

— Je ne peux rien faire, Brise.

— Quoi? Quoi? Comment ça? Il est coincé là-dedans et il n'a plus d'otages. Il est à notre merci.

— On a d'autres chats à fouetter. Il y a des tensions entre les normaux et les dégénérés.

Brianna fit un geste dédaigneux.

— Je vais leur donner deux ou trois gifles pour les calmer et ensuite on pourra s'occuper de la centrale.

Elle se rapprocha de Sam pour ajouter :

— J'ai trouvé un moyen d'entrer par le toit.

Cette nouvelle était assez intéressante pour que Sam reconsidère la question.

— On peut accéder à la salle des turbines ?

— Il y a une porte sur le toit. J'ignore où elle mène mais *a priori*, c'est probablement vers la salle des turbines, oui.

Sam essaya de se secouer. Mais il avait du mal à se concentrer ; il se sentait découragé et las au-delà de l'imaginable.

— Tu es blessée, remarqua-t-il.

— Ouais, et ça pique. Où est Lana ? J'aurais besoin d'être retapée. Ensuite, on pourra aller leur régler leur compte.

— Elle est partie.

— Quoi ?

Cette révélation ébranla même la belle assurance de Brianna.

— On est dans de sales draps, conclut Sam.

Il sentit le regard inquiet de Brianna sur lui. Il ne montrait pas le bon exemple. Il avait renoncé à agir. Bien que conscient de tout cela, il n'arrivait pas à s'arracher à cette indifférence qui sapait sa volonté.

— Tu as besoin de repos, déclara Brianna après un long silence.

— Oui, admit-il. Sans aucun doute.

Ces voix étaient familières. C'étaient celles de Dekka, de Taylor, d'Howard.

— Le soleil se lève, disait Taylor. Le ciel vire au gris.

— Il faut faire quelque chose pour Brittney et Mickey, lança Dekka.

— Je ne m'occupe pas des cadavres, moi, objecta Howard.

— On pourrait peut-être les ramener en ville pour qu'Edilio les enterre.

Taylor poussa un soupir.

— Ça ne va pas fort, là-bas. Je n'ai jamais vu Sam dans un état pareil. Il est vraiment...

— Ça lui passera, l'interrompit Dekka sans grande conviction. Mais tu as raison : ce n'est peut-être pas le moment de lui demander de prononcer un discours à un enterrement.

— On pourrait commencer par déplacer Mickey jusqu'ici, puis couvrir les corps.

— OK. Il doit bien y avoir un plaid qui traîne dans l'une de ces voitures. Demande à Orc de forcer un coffre ou deux, tu veux bien ?

C'est ainsi que Brittney finit collée à Mickey sous une bâche de peintre. Elle ne ressentait aucune douleur. Elle ne voyait pas la moindre lumière. Elle entendait à peine. Son cœur ne battait plus. Et pourtant, elle n'était pas morte.

Albert n'avait pas de temps à perdre. Avec Quinn, ils avaient fini par mettre Sam au courant pour l'or et la disparition de Lana et de Cookie.

Sam n'avait pas réagi, alors qu'ils s'attendaient à le voir entrer dans une colère noire. Il les avait écoutés, les yeux fermés, et par deux fois Albert avait cru qu'il s'était endormi. S'ils étaient soulagés d'avoir échappé à un sermon, ils trouvaient sa réaction inquiétante. Après tout, ils apportaient une très mauvaise nouvelle, et l'apathie de Sam ne lui ressemblait pas.

Albert y vit une raison supplémentaire de prendre les choses en main. Il renvoya un Quinn incrédule à ses filets de pêche.

— Ça m'est égal que tu sois fatigué, Quinn. On a un business à faire tourner.

À ces mots, il s'en alla travailler. L'obstacle principal, c'était de fondre l'or. Le point de fusion de ce métal était trois fois plus élevé que celui du plomb, et il ne put trouver aucun fourneau capable d'atteindre cette température. Du moins, l'équipement du McDonald's ne ferait certainement pas l'affaire, surtout à présent que plus rien ne fonctionnait faute de courant.

Albert était sur le point de désespérer quand, en fouillant la quincaillerie dans l'espoir d'y trouver une solution, il tomba sur une réserve de chalumeaux. Il en prit deux, ainsi que tout l'acétylène qu'il put trouver et s'enferma dans le McDonald's.

Il posa une grosse marmite en fonte sur les plaques et la fit chauffer au maximum. À défaut de fondre l'or, ça ralentirait le processus de refroidissement. Puis il déposa un lingot au fond de la marmite, alluma le chalumeau et dirigea la flamme bleue vers le métal, qui commença à fondre sur-le-champ en formant de minuscules rigoles dorées. Une heure plus tard, il avait obtenu ses six premières balles en or.

C'était une tâche épuisante mais, au cours de l'heure suivante, il fabriqua vingt-quatre balles. Au terme de dix heures de travail sans interruption, épuisé, affamé et déshydraté, il compta deux cent vingt-quatre balles de calibre 32.

Des enfants venaient toquer à la porte pour demander l'accès au McClub. Mais Albert avait placardé un écriteau annonçant: «Désolé, nous sommes fermés ce soir. Revenez demain.»

Il but une rasade d'eau, avala un maigre repas et se lança dans des calculs. Il avait assez d'or pour produire environ quatre mille balles, lesquelles seraient distribuées équitablement à raison d'une dizaine par habitant. Cette tâche lui prendrait des semaines. Néanmoins, il n'avait pas assez d'acétylène. Par conséquent, pour fondre tout l'or nécessaire, il devrait faire appel à la personne la moins susceptible de lui accorder son aide: Sam.

Albert avait vu Sam brûler de la brique. Il était donc certainement capable de fondre de l'or.

Dans l'intervalle, Albert avait l'intention de délivrer une seule balle à chaque personne en ville, à titre de carte de visite. Histoire de leur donner un avant-goût de la suite. Puis il ferait circuler des billets de banque et instaurerait un système de crédit.

Malgré sa fatigue, il s'assit devant un bloc-notes en fredonnant gaiement et entreprit de trouver un nom à la nouvelle monnaie. Dollars? Euros? Francs? Marks? Couronnes? Non, il leur fallait du neuf. «Alberts»? Un peu *too much*. Unités? Ce terme avait le mérite d'être fonctionnel.

— Le problème, c'est que, quel que soit le nom de ces machins, il n'y en a pas assez, marmonna-t-il. Si je ne peux pas en fabriquer plus de quatre mille, chacun vaudra forcément beaucoup. Mettons, pour commencer, que dix balles…

«Balles?» Oui, tout bêtement. On remettrait dix balles à chaque enfant. Mettons que chaque balle vaudrait, disons, plus d'une boîte de conserve. Il faudrait donc créer, en plus des balles, des espèces d'une valeur inférieure, qui correspondraient à un dixième de balle, par exemple.

Cependant, s'il se mettait en tête de fabriquer des billets de banque, tout le monde se jetterait sur la première photocopieuse venue. Il lui fallait quelque chose d'impossible à dupliquer.

Un souvenir lui revint en mémoire. Il se précipita vers la réserve désormais vide. Il restait deux boîtes sur les étagères en fer. Chacune d'elles contenait des jetons de Monopoly McDonald's, vestiges d'une vieille promotion. Il y avait douze mille pièces par boîte, toutes très difficiles à contrefaire. Soit assez de monnaie pour quatre mille balles à raison de six jetons de Monopoly par balle.

— Une balle égale six jetons, conclut Albert. Six jetons égalent une balle.

« Magnifique », pensa-t-il. Les larmes lui montèrent aux yeux. C'était vraiment magnifique. Voilà qu'il réinventait la monnaie.

32

BUG SE MÉFIAIT, désormais. La bande de Sam l'avait repéré. Ils étaient au courant depuis la bataille de Perdido Beach. Sauf que maintenant, ils commençaient à prendre des mesures. L'attaque soudaine à la bombe de peinture avait ébranlé sa confiance en lui.

Aussi, lorsque Caine l'avait pris en aparté pour que Drake ne puisse pas les entendre et qu'il lui avait confié une nouvelle tâche, Bug avait fait part de ses doutes.

— Ils attendent que quelqu'un sorte, avait-il protesté. Dekka est là, à tous les coups. Il y a toute une bande de gosses armés. Et puis Sam, qui doit se cacher quelque part.

— Baisse la voix, avait répondu Caine. Écoute, Bug, tu iras, de gré ou de force. C'est toi qui vois.

Bug avait donc dû se plier à la volonté de Caine. Il n'aimait pas ça, mais il y était obligé.

Il commença par se fondre dans le décor. Même quand il était visible, les gens avaient tendance à oublier sa présence. Une fois qu'il avait disparu, c'est tout juste s'ils se souvenaient qu'il existait.

D'abord, il resta posté dans un coin de la salle de contrôle pendant quelque temps. Là, il tâcha de se faire oublier de tous – et par « tous », il entendait surtout Drake. La tension était un peu retombée depuis qu'il était devenu évident que Sam et sa bande n'allaient pas faire irruption dans la salle avec leurs armes et leurs rayons laser. Cependant, une certaine nervosité subsistait. En bons paranoïaques, Drake et Caine s'attendaient à une attaque de l'extérieur et se surveillaient du coin de l'œil. Diana était d'humeur maussade et elle avait sommeil. Jack le Crack, qui à l'évidence souffrait beaucoup de ses blessures, avalait comprimé sur comprimé d'antalgique sans lâcher son clavier. Les brutes de Drake avaient déniché une console de jeu avec laquelle ils avaient joué à tour de rôle jusqu'à ce que les piles rendent l'âme, puis ils étaient partis en chercher d'autres. Personne ne prêtait attention à lui. Alors il se glissa hors de la pièce ; quand il frôla Drake, il retint son souffle de peur que son fouet ne s'abatte sur lui.

Dehors, la situation n'était pas aussi désespérée qu'il se l'imaginait. Dekka, assise sur le siège avant d'une voiture, somnolait par intermittence ou se disputait avec Taylor et Howard. Orc, à l'autre bout du parking, s'amusait à fracasser des pare-brise avec un pied-de-biche. Trois gamins armés, dissimulés derrière des voitures, attendaient, l'air de s'ennuyer à mourir. Tous semblaient de très mauvaise humeur. En passant près d'eux, Bug perçut des bribes de conversation.

— ... et Sam qui s'en va en nous laissant seuls ici...

— ... si t'as pas de pouvoirs, tout le monde s'en fiche...

— ... j'te jure, je vais m'amputer d'une jambe pour la bouffer tellement j'ai faim...

— ... rat, c'est pas aussi mauvais qu'on pourrait le croire. Le problème, c'est que pour en attraper un...

Bug se faufila près d'eux et gagna la route. « Les doigts dans le nez », comme on disait à la maternelle. De là, une bonne trotte le séparait de sa destination. Et il fallait marcher le ventre vide. Bug avait l'impression qu'un ennemi invisible le rongeait de l'intérieur comme un cancer. Son estomac le torturait en permanence. Il s'était surpris à saliver en entendant ce gamin parler de manger des rats. Lui l'aurait fait sans hésitation. Il en aurait peut-être été autrement la veille encore, mais à présent la question ne se posait même plus. Il n'avait rien avalé depuis des lustres. Peut-être qu'il se remettrait à manger des insectes, comme avant. Par contre, cette fois, ce ne serait pas pour gagner un pari.

Il se demanda combien de temps on pouvait tenir sans manger. Il finirait bien par trouver quelque chose à se mettre sous la dent. Auparavant, il avait déjà réussi à se glisser à l'intérieur de la supérette, qui se trouvait plus ou moins sur le trajet du pensionnat. Il avait besoin de se remplir l'estomac. Caine pouvait bien le comprendre ! Ensuite, il aurait tout le loisir d'aller chercher cette fille bizarre qui s'immisçait dans les rêves.

Bug fouilla sa poche et en sortit la carte que Caine avait dessinée. Ses explications étaient plutôt claires. Son itinéraire partait de Coates puis serpentait parmi les collines en direction du désert. Une croix marquait un lieu que Caine avait baptisé «la ville fantôme», tandis qu'une autre, située juste à la sortie de la ville en question, indiquait l'entrée d'une mine. Sur la carte, Caine avait griffonné un message destiné à quiconque tenterait de barrer le passage à son émissaire :

Bug obéit à mes ordres. Faites ce qu'il dit. Le premier qui essaie de l'arrêter aura affaire à moi. Caine.

Bug devait aller chercher la fille, Orsay, au pensionnat, et avec l'aide de tous ceux qu'il pourrait rassembler là-bas, l'emmener à la mine.

— Je ne suis pas sûr qu'il rêve, avait expliqué Caine. Mais je crois que toutes ses pensées sont plus ou moins des songes. Peut-être qu'Orsay pourrait s'insinuer dans son esprit.

Bug avait hoché la tête pour signifier qu'il comprenait, alors qu'il n'en était rien.

— Je veux connaître ses projets pour moi, avait repris Caine. Dis-le à Orsay. Si je lui apporte de quoi se nourrir, qu'est-ce qu'il m'offrira en échange ? Si Orsay parvient à pénétrer les rêves de l'Ombre, elle sera libre de s'en aller.

Puis il avait ajouté :

— Enfin, en ce qui me concerne.

C'était une mission importante. Caine avait promis à Bug qu'il serait le premier à se servir dès qu'ils trouveraient de quoi manger. Et celui-ci savait qu'il avait intérêt à ne pas échouer. Tous ceux qui décevaient Caine finissaient mal.

La route était longue jusqu'à la supérette. Elle était toujours gardée ; Bug aperçut deux enfants armés postés sur le toit, deux près de l'entrée et deux autres derrière le bâtiment, sur le parking de livraison. L'endroit était en effervescence. Des gamins attroupés devant la porte se bousculaient en criant. La plupart étaient venus réclamer leur ration quotidienne – deux boîtes de conserve au contenu répugnant –, distribuée par des gamins de dix ans déjà gagnés par le cynisme.

— N'essaie pas de tricher, disait l'un d'eux en repoussant une fille. T'as déjà eu ta part il y a deux heures. Ce n'est pas en changeant de fringues que tu m'auras.

D'autres n'étaient pas là pour la nourriture mais pour l'électricité. La supérette était située sur l'autoroute, en dehors de la ville. Manifestement, le courant fonctionnait toujours à cet endroit : on avait fait passer des rallonges électriques par la porte du magasin. Des enfants attendaient en file indienne de pouvoir recharger un iPod, une lampe ou un ordinateur portable. Bug en parlerait à Caine, ça lui ferait gagner des bons points. Caine demanderait à Jack de trouver un moyen de couper le courant à cet endroit. S'il fonctionnait encore, la porte automatique aussi : Bug avait intérêt à suivre quelqu'un de près pour entrer sans éveiller les soupçons.

La supérette était devenue un lieu inquiétant. Le rayon des produits frais, le premier qu'il vit en entrant, était vide. Il avait été débarrassé de la plupart des aliments périmés, cependant les enfants avaient travaillé à la va-vite. Une grosse citrouille abandonnée dans un coin avait atteint un tel état de putréfaction qu'il n'en restait qu'un magma gluant. Des feuilles d'épis de maïs et des peaux d'oignon traînaient par terre, et une substance grisâtre et visqueuse recouvrait le carrelage, vestige d'une tentative de nettoyage.

Le rayon boucherie empestait, bien qu'il ait été entièrement vidé. Il n'y avait rien non plus sur les étagères. Tout ce qui restait de nourriture avait été rassemblé dans l'allée centrale du magasin. Prenant soin de ne pas frôler la demi-douzaine d'enfants qui s'affairaient, Bug s'avança pour inspecter les vivres. Des pots de sauce. Des paquets d'épices en poudre. Des piments, des oignons au vinaigre. De l'édulcorant. Du chou fermenté ou des haricots beurre en conserve. Dans un rayon à part étroitement surveillé, des denrées plus alléchantes étaient disposées sur une étagère. Sur un panneau était écrit : « Uniquement pour la crèche. » Là, on trouvait des flocons d'avoine, des boîtes de lait concentré, des pommes de terre bouillies sous vide et quelques canettes de jus de fruit.

Manifestement, la situation était critique à Perdido Beach. Le temps des chips et des sucreries était bel et bien révolu. Bug comprit qu'il avait eu de la chance de tomber sur ce paquet de M. & M's lors de sa mission d'espionnage à la centrale. Et, cette fois encore, la chance était de son côté quand il découvrit le secret que renfermait la supérette.

S'étant écarté pour éviter deux garçons qui s'avançaient dans sa direction, il se retrouva devant la porte battante qui menait à la réserve. Par l'un des battants entrouverts, il vit deux enfants déplacer une bassine en plastique remplie de glace. Il ne pouvait pas entrer dans la réserve sans pousser la porte et risquer de révéler sa présence. Cependant, il estima que le jeu en valait la chandelle : ce qu'on cherchait à cacher était forcément digne d'intérêt.

Il prit une grande inspiration, se prépara à courir si nécessaire, et poussa les battants. Si les enfants qui portaient la bassine avaient disparu, il repéra du mouvement dans un coin de la réserve, derrière un mur de cartons. Là se trouvait le plan de travail des bouchers, auparavant. À présent, quatre enfants étaient occupés à y découper du poisson ; leurs tabliers de caoutchouc traînaient par terre.

Bug les observa, bouche bée. Il n'en croyait pas ses yeux. Certains poissons, énormes, devaient mesurer près d'un mètre ; ils étaient couverts d'écailles argentées et avaient une chair blanche et rosée. D'autres, plus petits, étaient bruns et aplatis. L'un d'eux était si laid que Bug se demanda s'il n'était pas malformé. Deux autres, à la chair flasque et bleue, ressemblaient davantage à des oiseaux plumés, voire à des chauves-souris.

Les enfants bavardaient joyeusement – comme des gens bien nourris, songea Bug avec amertume – tout en travaillant et s'interrompaient pour pousser des cris de dégoût – « Beuuurk ! c'est dégueu ! » – quand ils devaient laver les entrailles des poissons dans de grandes bassines. D'autres prenaient le poisson nettoyé, lui coupaient la tête et la queue puis grattaient les écailles sous un robinet.

Bug avait horreur du poisson, pourtant il aurait donné n'importe quoi pour s'attabler devant une assiette de poisson pané. Du ketchup aurait pu l'aider à faire passer le tout, mais même sans, l'idée d'un plat chaud lui paraissait merveilleuse.

Il était à deux doigts de s'évanouir. Du poisson! Frit, bouilli, cuit au micro-ondes, qu'importe! Il envisagea diverses options. Il pouvait s'emparer d'un poisson et s'enfuir en courant. Mais s'il était invisible pour ces enfants, son larcin ne le serait pas. Quant aux gamins postés devant la porte et sur le toit, ils n'avaient pas besoin d'être bons tireurs pour faire mouche avec une mitraillette. Il pourrait tenter de cacher un poisson dans son pantalon ou sous sa chemise... en partant du principe que les enfants qui maniaient le couteau seraient lents à réagir.

Un garçon entra, que Bug reconnut aussitôt. C'était Quinn, l'un des amis de Sam.

— Salut, les gars, lança-t-il. Ça avance?

— On a presque fini, répondit l'un des travailleurs.

— C'était une bonne journée, hein? dit Quinn d'un ton qui trahissait sa fierté. Vous en avez tous eu?

— C'est la meilleure chose que j'aie mangée de toute ma vie, répondit une fille avec ferveur. Et pourtant, je n'aimais pas le poisson, avant.

Quinn lui tapota l'épaule.

— Tout paraît délicieux quand on a faim.

— Est-ce que je peux en emporter chez moi pour mon petit frère?

Quinn fit une grimace attristée.

— Albert ne veut pas. Je sais, il y a beaucoup de poisson à première vue, mais ça ne représente même pas une bouchée par personne. On préfère attendre d'en avoir congelé davantage. Et puis...

— Et puis quoi?

Quinn haussa les épaules.

— Rien. Albert planche sur un petit projet. Quand il sera prêt, on mettra tout le monde au courant pour le poisson.

— Tu vas en pêcher plus, alors?

— Je ne peux rien promettre. Bon, écoutez-moi. Vous savez qu'il faut garder ça pour vous, hein? Comme Albert l'a précisé, si vous en parlez, vous perdrez votre boulot.

Les quatre gamins hochèrent vigoureusement la tête. Désobéir signifiait ne plus avoir accès au précieux poisson frit. C'était suffisant pour effrayer la plupart des enfants. L'un d'eux jeta un regard suspicieux autour de lui. Il fixa Bug sans le voir pendant quelques instants, comme s'il sentait vaguement sa présence.

Bug était à la torture. La faim lui tenaillait les entrailles. Il en souffrait déjà quand il n'espérait rien d'autre qu'une pauvre boîte de betteraves. Mais à la simple idée du poisson frit... il en imaginait déjà l'odeur et le goût. Il en salivait d'avance, son estomac...

— Si tu me donnes du poisson, je te révélerai un secret, dit-il soudain.

Quinn faillit en faire une attaque. Voyant Bug qui s'était débarrassé de son camouflage, il empoigna un couteau et cria :

— Gardes ! Gardes, par ici !

Bug leva les bras pour montrer qu'il n'était pas armé.

— J'ai faim. Je meurs de faim.

— Comment t'as réussi à entrer ?

— Je veux du poisson. Donnez-moi du poisson, gémit l'intrus. Je vous dirai tout. J'ai tellement faim.

Quinn paraissait terriblement nerveux. Deux enfants armés surgirent dans la réserve. Ils se tournèrent vers Quinn, attendirent les ordres puis, sans grande conviction, pointèrent leur mitraillette sur Bug, qui s'était mis à pleurer comme un bébé.

— Il faut juste que je mange. Je veux du poisson.

— Je vais être obligé de t'emmener voir Sam, déclara Quinn.

Visiblement, cette perspective ne l'enchantait pas beaucoup. Bug tomba à genoux.

— Du poisson ! supplia-t-il.

— Donnez-lui en un morceau. Juste une bouchée. Puis allez chercher Sam et Astrid. C'est à eux de décider s'il faut nourrir ce petit saligaud.

L'un des gardes s'éloigna. Quinn baissa les yeux sur Bug qui pleurait toujours.

— Mon vieux, t'as mal choisi ton moment pour changer de camp.

La planche de Sam était toujours adossée à la machine à laver, dans la minuscule pièce attenante à la cuisine. Il avait envie de la toucher, sans pouvoir s'y résoudre. Elle représentait tout ce qu'il avait perdu avec la Zone. Sa combinaison était suspendue à une patère. Quant à la boule de lumière, elle était toujours dans sa chambre, suspendue dans le vide, juste devant son placard. Il n'était pas rentré chez lui depuis une éternité. Il était loin de se douter qu'il la trouverait encore là. Bizarre.

Il passa la main à travers. Aucune sensation ou presque. Il se remémora la première fois qu'elle lui était apparue. Il avait peur du noir, à cette époque. Quand il était encore un gamin comme les autres, qui ne s'intéressait qu'au surf. Non, ce n'était pas tout à fait vrai. Il avait déjà cessé d'être un garçon ordinaire. Il était devenu Sam du Bus, le Cinquième intrépide qui s'était emparé du volant quand le chauffeur avait eu un malaise cardiaque.

Une nuit, il avait surpris une dispute entre sa mère et son beau-père. Pris de panique, il avait cru que celui-ci voulait la frapper. Bref, le soir où Sam, affolé, avait créé cette source de lumière qui refusait de s'éteindre, il était déjà Sam du Bus, le même Sam qui avait brûlé la main d'un adulte.

Il haïssait cette maison et cette chambre. Pourquoi y était-il retourné ? Parce que tout le monde savait qu'il détestait cet endroit ; par conséquent, personne ne viendrait le chercher ici.

Les affaires qu'il conservait dans cette chambre – vêtements, livres, vieux cahiers d'école, photos –, tout cela ne signifiait plus rien pour lui. Ces objets appartenaient à un autre Sam.

Il s'assit sur son lit avec l'impression d'être un intrus. Impression d'autant plus étrange que c'était le seul endroit, parmi tous ceux où il avait séjourné ces trois derniers mois, qu'il pouvait considérer comme chez lui.

Il fixa la boule de lumière et dit :

— Éteins-toi.

Rien ne se produisit. Levant les bras, il dirigea les mains vers la lumière et pensa à ce seul mot : obscurité. Elle disparut et la pièce se trouva plongée dans les ténèbres. Il faisait si sombre qu'il ne distinguait pas ses mains devant lui. Partout en ville, des enfants étaient assis dans le noir, eux aussi. Il s'imagina s'arrêter dans chaque maison pour créer une petite boule de lumière. Sam l'électricien.

Il n'avait plus peur du noir, désormais. Ce constat le surprit. Les ténèbres lui semblaient presque accueillantes et sûres, à présent. Là, au moins, personne ne pouvait le voir.

Une liste défilait sans cesse dans sa tête : toutes les corvées dont il devait s'acquitter. Les vers. Caine et la centrale. Le petit Pete et ses monstres. La nourriture. Zil et Hunter. Lana. L'eau. Jack. Albert.

Ça, c'était les priorités. Venaient ensuite les milliers de broutilles qui bourdonnaient à l'intérieur de son crâne comme un nid de frelons. Les bagarres entre Untel et Untel. Les chiens et les chats. Les vitres cassées. L'essence qui serait bientôt rationnée. Les ordures qui s'entassaient. Les toilettes bouchées. L'hygiène dentaire des uns et des autres à surveiller. Les gosses qui buvaient. Le couvre-feu. Les vomissements de Mary. Les cigarettes et l'herbe.

Des tâches à accomplir. Des décisions à prendre. Personne n'écoutait. Et Astrid ? Et Quinn ? Et ces gamins qui envisageaient ouvertement de tirer leur révérence le jour du grand saut ? Les pensées se bousculaient dans sa tête sans lui laisser le moindre répit. Assis dans le noir, il avait envie de pleurer. Mais s'il se laissait aller, qui viendrait lui taper sur l'épaule en lui disant que tout irait bien ? Personne. Et la situation ne risquait pas de s'arranger. Le monde s'écroulait autour de lui.

Il s'imagina devant un tribunal. Des visages de pierre le dévisageaient durement. « Tu les as laissés mourir de faim, Sam. Tu as laissé les normaux se retourner contre les dégénérés. Parlez-nous d'E.Z., monsieur Temple. Racontez-nous comment vous vous y êtes pris pour sauver les enfants à la centrale. Comment se fait-il que vous n'ayez pas trouvé le moyen de sortir de la Zone ? Dites-nous pourquoi, quand le mur s'est écroulé, nous avons découvert tous ces cadavres dans le noir ? Ils en étaient réduits à manger des rats, monsieur Temple. Nous avons même des exemples de cannibalisme. Expliquez-vous, monsieur Temple. »

Sam entendit un bruit de pas dans le salon. Évidemment. Il n'y avait qu'une seule personne susceptible de trouver sa cachette. La porte de la chambre s'ouvrit avec un grincement. Une lampe électrique se braqua sur son visage. Il ferma les yeux et la lampe s'éteignit. Sans un mot, elle vint s'asseoir à côté de lui.

Pendant un long moment, ni l'un ni l'autre ne parlèrent. Ils restèrent assis côte à côte en silence, la jambe d'Astrid frôlant la sienne.

— Je me lamente sur mon sort, dit-il enfin.

— Pourquoi ?

Il lui fallut quelques instants pour comprendre qu'elle faisait de l'ironie. Elle connaissait la liste aussi bien que lui.

— C'est quoi, la nouvelle d'une importance vitale que tu es venue m'annoncer ? Abstiens-toi, tu veux bien ? Je suis sûr que c'est une question de vie ou de mort, mais tais-toi.

Il sentit qu'elle hésitait. La mort dans l'âme, il comprit qu'il avait deviné juste. Une nouvelle catastrophe s'était produite. Un nouveau drame qui requérait l'attention de Sam, son esprit de décision, ses qualités de chef. Il s'en fichait royalement.

Astrid resta silencieuse.

— Je sais que tu n'as pas envie d'entendre ça, mais comme tu étais introuvable, c'est moi qu'ils sont venus voir. Et moi, je t'ai retrouvé.

— Ça m'est égal.

Astrid était bien décidée à poursuivre.

— Bug a rejoint notre camp. Il était en mission pour Caine. Ils retiennent une fille capable de voir les rêves. Caine voulait que Bug l'emmène auprès d'un monstre au fond d'une mine située dans les collines.

— Ah ouais? fit Sam avec indifférence.

— Cookie est rentré en ville. Il a dû marcher toute la nuit. Il m'a apporté un mot écrit de la main de Lana.

Sam n'avait rien à répondre à cela. Astrid se tut quelques instants, puis reprit:

— Bug l'appelle le «gaïaphage». Lana, l'«Ombre».

Sam enfouit son visage dans ses mains.

— Je m'en fiche, Astrid. Tu n'as qu'à t'en occuper. Va prier ton dieu, peut-être qu'il a une solution.

— Tu sais, je n'ai jamais pensé que tu étais parfait. Je sais que tu as mauvais caractère. Mais je n'aurais jamais cru que tu pouvais être méchant.

— Moi, méchant?

Il eut un rire amer.

— Oui, là c'était méchant, assena-t-elle.

Le ton monta rapidement.

— C'est tout ce que tu trouves à me dire?

— Méchant et pleurnichard. Ça te va?

— Et toi, Astrid, tu sais ce que tu es ? cria Sam. Une madame je-sais-tout prétentieuse. Tu penses qu'il suffit que tu me montres du doigt en disant : « Hé, Sam, tu prends les décisions et tu te tapes tout le sale boulot » ?

— Oh, maintenant c'est ma faute ? Non, Sam. Je ne t'ai pas désigné.

— Bien sûr que si ! Tu m'as eu à la culpabilité ! Tu crois que je ne sais pas ce que tu mijotes ? Tu t'es servie de moi pour protéger le petit Pete. Tu me manipules dès que ça te chante.

— T'es vraiment un nul, tu sais ça ?

— Non, pas un nul, Astrid. Tu sais qui je suis ? Je suis le gars qui envoie les autres au casse-pipe, répliqua Sam tranquillement. Ma tête est à deux doigts d'exploser. J'en peux plus. Je ne peux pas être ce gars-là. Je suis un gosse, moi. Je devrais réviser mon algèbre, traîner dehors, regarder la télé !

Sa voix enflait à mesure qu'il parlait.

— Qu'est-ce que tu veux de moi ? Je ne suis pas leur père ! Ça t'arrive de penser à ce qu'ils attendent de moi ? Ils espèrent que je tuerai mon frère pour rétablir le courant. Moi, tuer des enfants ! Tuer Drake. Tuer Diana. Envoyer les nôtres à la boucherie !

— Oui, c'est vrai, et alors ? Pourquoi tu n'accomplis pas ton devoir, Sam ? Dis-leur d'aller se faire manger par les vers. Dis à Edilio de creuser d'autres tombes sur la place.

Les cris de Sam avaient laissé place aux larmes.

— Je n'ai que quinze ans ! Toutes ces images dans ma tête. Je n'arrive pas à les chasser. Ça me ronge. Ça me tue. Parfois j'aimerais qu'on me tire une balle dans le crâne pour n'avoir plus à penser à tout ça.

Astrid se rassit à côté de Sam et l'enlaça. Malgré la honte, il n'arrivait pas à refouler ses larmes. Il sanglotait comme lorsque, tout petit, il venait de s'éveiller d'un cauchemar.

Peu à peu, les spasmes se calmèrent, puis cessèrent. Sa respiration devint plus régulière.

— Je suis vraiment content qu'il n'y ait pas de lumière, dit-il. C'est déjà assez gênant que tu aies entendu ça. Je suis en train de craquer, ajouta-t-il après un silence.

Astrid ne répondit rien et se contenta de le serrer plus fort. Après ce qui lui sembla une éternité, Sam s'écarta d'elle doucement.

— N'en parle jamais à personne...

— Bien sûr. Mais, Sam...

— Ne me dis pas que ce n'est rien. Arrête d'être gentille avec moi. Et surtout, ne me dis pas que tu m'aimes. Sinon je m'effondre.

— OK.

Sam poussa un profond soupir puis lança :

— Bon, de quoi parle Lana dans sa lettre ?

33

HUNTER N'AVAIT JAMAIS PENSÉ connaître pareille famine. Ça faisait longtemps qu'il ne mangeait plus à sa faim. Comme les autres, il avalait la nourriture fade et visqueuse qu'on distribuait à la supérette. Trois boîtes de mélasse par jour. C'était le terme qu'employaient les enfants. Excepté que, parfois, ce n'était pas «mélasse» qui leur venait à l'esprit mais un mot beaucoup plus grossier. Or, il avait largement dépassé ce stade. Maintenant, le temps des trois boîtes de mélasse par jour lui semblait béni.

Après avoir quitté Duck, il s'était fait repérer et pourchasser par les amis de Zil. Il leur avait échappé de justesse. Pour s'en sortir, il avait dû opter pour un choix inattendu : sortir de la ville.

Il avait traversé l'autoroute. Affolé, il courait de toutes ses forces, persuadé qu'il était toujours poursuivi alors qu'il n'en était rien. Il avait l'impression que Zil et sa bande de brutes pouvaient le rattraper à tout instant. Si cela devait arriver… il préférait ne pas trop penser à ce qui se passerait ensuite.

Quelle histoire de fous ! Zil n'avait jamais été son meilleur ami, mais ils avaient partagé une maison. Sans être proches, ils avaient été bon camarades. Ils avaient l'habitude de traîner ensemble, de regarder les matchs à la télé ou de lorgner les filles. Lui, Zil, Harry et…

Évidemment, c'était bien le problème : Harry. Il n'avait pas eu l'intention de lui faire du mal. Ce n'était pas sa faute… Si ?

En traversant l'autoroute, Hunter avait eu l'impression de franchir une frontière. Perdido Beach d'un côté, l'inconnu de l'autre. D'abord, il envisagea de se rendre à Coates. Cependant, Hunter avait beau réfléchir, le pensionnat n'avait aucune solution à lui offrir. Coates, ça signifiait Drake, Caine et cette sorcière sournoise, Diana. Drake, surtout. Hunter l'avait vu lors de la bataille de Thanksgiving. À l'époque, il ne savait même pas qu'il possédait un pouvoir. Il avait assisté au carnage en spectateur. La plupart du temps, il avait même eu le sentiment de gêner ceux qui se battaient vraiment. Alors il avait regardé, glacé d'horreur, Sam lancer des flammes et Caine faire voler les gens ou les objets avant de s'en servir comme projectiles. Sans oublier les coyotes. Eux aussi avaient participé à la boucherie.

Mais c'était Drake qui hantait ses cauchemars. Fouet, comme on l'appelait. Un surnom bien trouvé. Or, ce n'était pas ce fouet qui terrifiait Hunter mais la violence folle, animale, de son propriétaire. Sa démence.

Non, non, pas Coates. Il ne pouvait pas se réfugier là-bas. Seulement voilà, il n'avait nulle part où aller.

Il avait passé le reste de la nuit à se terrer dans l'une des maisons abandonnées qui se nichaient parmi les collines, sans parvenir à fermer l'œil. La peur et la faim ne lui laissaient pas de répit. « Bon, se dit-il, si la situation est encore aussi désespérée d'ici deux jours, il reste une solution. » Pas la meilleure, certes. Dans deux jours, Hunter aurait quinze ans. L'âge du grand saut. Ciao la Zone. On lui avait appris comment survivre. Pour rester dans la Zone, il fallait vaincre la tentation. Récemment, il avait aussi entendu des enfants, de plus en plus nombreux, déclarer : « Moi, le jour de mes quinze ans, je disparais. »

D'après la rumeur, le moment venu, on était tenté par la chose ou la personne qui nous manquait le plus. Si on résistait à la tentation, on restait dans la Zone. Si on y succombait… eh bien, là était la question. Personne ne savait ce qui se passait ensuite.

Hunter avait son idée sur ce qui lui apparaîtrait le moment venu. Un cheeseburger. Ou une part de pizza. Pas des sucreries, ça ne lui disait plus rien. Non, quelque chose de bien nourrissant. Si quelque démon se présentait devant lui avec de belles côtelettes de porc grillées, il ne doutait pas un instant qu'il se jetterait dessus, quelles qu'en soient les conséquences. Il donnerait sa vie pour un double hamburger. Sa seule crainte, c'était que le démon le fasse disparaître le ventre vide.

Effrayé à l'idée de sortir, Hunter resta caché dans la maison toute la nuit et une bonne partie de la matinée. Il eut beau fouiller les lieux de fond en comble, il ne trouva rien à manger. Tout avait été vidé : les placards et la porte du réfrigérateur étaient ouverts, signe que l'équipe d'Albert était passée par là.

Découragé, Hunter s'installa dans le salon et fixa d'un œil morne le jardin. Les animaux se nourrissaient d'herbe, après tout. En la faisant bouillir, il pourrait au moins se caler l'estomac. C'est alors qu'il aperçut le chevreuil. La bête, très alerte, avait une expression à la fois touchante et stupide. Elle cligna de ses grands yeux noirs. Elle était de la taille d'un veau. Hunter se précipita vers la porte de derrière avant même de savoir ce qu'il comptait faire et l'ouvrit d'un geste brusque. L'animal, effrayé, s'éloigna en bondissant. Hunter leva les mains et pensa : « Brûle. »

Le chevreuil ne tomba pas raide mort ; il poussa un cri aigu, et se remit à courir en traînant la patte. Hunter réitéra son geste. La bête chancela, les pattes arrière paralysées, puis tomba face contre terre. Hunter accourut et constata que l'animal s'accrochait encore à la vie. Il le fixait de ses grands yeux inoffensifs et, l'espace d'un instant, Hunter hésita.

— Je te demande pardon, dit-il.

Puis il dirigea les mains vers la tête du chevreuil, qui cessa aussitôt de se débattre. Son regard se voila. Hunter crut déceler une odeur de steak grillé. Il éclata en sanglots et pleura longtemps, sans retenue. Harry avait subi le même sort. Et maintenant, ce pauvre animal qui devait avoir faim, lui aussi.

Hunter n'avait plus envie de le manger. Une minute plus tôt, la bête broutait l'herbe paisiblement, et voilà qu'elle était morte à ses pieds, le cerveau cuit. Hunter décida qu'il n'y toucherait pas. Mais tout en se répétant qu'il ne pouvait pas, qu'il ne devait pas, il s'empara du plus gros couteau de la cuisine.

Orsay Pettijohn n'avait plus faim de rêves, elle avait faim tout court.

Depuis son arrivée à Coates, elle avait à peine avalé de quoi survivre. La situation était désespérée. Les enfants s'aventuraient dans les bois voisins pour y chercher des champignons ou y chasser des écureuils et des oiseaux. L'un d'eux avait fabriqué un piège et réussi à capturer un raton laveur. La bête l'avait mordu à plusieurs reprises avant d'être achevée avec une barre de fer.

Une dénommée Allison avait ramassé un plein panier de champignons. Elle s'était persuadé qu'en les faisant cuire elle éliminerait leurs propriétés toxiques. Elle les avait passés au micro-ondes jusqu'à ce qu'ils prennent un aspect caoutchouteux. Orsay avait cru devenir folle en sentant l'odeur des champignons cuits. Un garçon s'était jeté sur Allison et, après l'avoir frappée, s'était enfui avec l'intégralité de sa cueillette. Au bout de quelques minutes, il s'était mis à vomir. Puis il avait commencé à divaguer, à pester contre des objets ou des personnes imaginaires. Au bout d'un certain temps, il s'était tu et, depuis, personne n'avait osé franchir le seuil de sa chambre pour s'assurer qu'il était toujours en vie.

D'autres enfants avaient ramassé des végétaux pour les faire bouillir. Cette expérience leur avait valu quelques maux d'estomac, sans les rassasier pour autant.

Tous avaient maigri. Leurs joues s'étaient creusées. Ils n'étaient pas encore devenus faméliques, car ils n'étaient vraiment affamés que depuis quelques jours. Mais Orsay prédisait que bientôt leur ventre gonflerait, leurs cheveux deviendraient secs comme de la paille tandis que l'apathie et la résignation s'abattraient sur eux. Elle avait rédigé un exposé sur la famine pour l'école, sans se douter qu'un jour elle connaîtrait ce fléau. De plus en plus souvent, on échangeait des plaisanteries sinistres sur le cannibalisme. Et Orsay résistait de moins en moins à cette idée. Sauf, bien sûr, si c'était elle qui devait tenir lieu de repas.

Étendue dans son bungalow perdu au milieu des bois, à l'écart de l'école, elle se repassait l'enregistrement d'un vieux programme qui semblait provenir d'une autre planète. Il débutait par une publicité pour des chips mexicaines. Quant aux protagonistes, ils passaient leur temps à manger. Orsay avait du mal à croire que ce monde-là ait pu exister.

Soudain, elle sentit une présence dans la pièce. Elle la repéra à son odeur. Une odeur de… poisson frit. Son estomac se mit à gargouiller.

— Qui est là? demanda-t-elle, effrayée.

Bug apparut en se détachant peu à peu sur le papier peint défraîchi du salon de Mose.

— Qu'est-ce que tu veux? lança Orsay avec impatience, rassurée à présent qu'elle avait reconnu son visiteur.

L'odeur puissante et merveilleuse du poisson la faisait saliver comme un chien affamé.

— J'ai besoin de tes services, annonça Bug.

— C'est Caine qui t'envoie?

Bug hésita, jeta un regard de côté et se fondit dans le décor pendant quelques instants avant de réapparaître, le visage empreint d'une expression déterminée qui ne lui ressemblait guère. Après avoir regardé derrière lui d'un air suspicieux, comme s'il craignait qu'une autre version de lui-même ne les espionne en secret, il déclara:

— Ils ont du poisson.

— Oui, je l'ai senti.

— Je t'en ai apporté.

Orsay crut qu'elle allait défaillir.

— Je peux l'avoir ?

— D'abord, tu dois me promettre de m'obéir.

Orsay connaissait la nature de Bug. Qui savait ce qu'il était capable d'exiger d'elle ? Pourtant, elle aurait fait n'importe quoi pour manger quelque chose.

— Qu'est-ce qu'il faut que je fasse ?

— On va aller se balader. Puis, tu tiendras ta promesse. Il y a une espèce de… créature. Ils veulent connaître ses rêves pour savoir ce qu'elle mijote.

— Le poisson, chuchota Orsay d'un ton pressant. Tu l'as sur toi ?

Bug sortit un sachet en plastique de la poche de son sweat-shirt à capuche. Il contenait un morceau de poisson à moitié écrasé. Orsay s'empara du sac, le déchira de ses doigts tremblants et en dévora le contenu comme un animal. Elle ne s'arrêta que lorsqu'elle eut fini de lécher le plastique.

— Tu en as encore ? supplia-t-elle.

— D'abord, fais ce que je te dis. Ensuite, on retournera en ville pour parlementer avec eux.

— On travaille pour les enfants de Perdido Beach, maintenant ?

Bug ricana.

— On est dans le camp de ceux qui feront la meilleure offre. En ce moment, les gars de Sam ont du poisson, alors on est avec eux. Mais si Drake s'en mêle, on était de son côté depuis le début, d'accord ?

— Je suis trop faible pour marcher, objecta Orsay.

— On n'ira pas plus loin que l'autoroute. Une voiture nous attend là-bas.

34

6 HEURES
3 MINUTES

Edilio conduisait le petit mutant sournois et la fille qu'il avait amenée avec lui. Cette corvée ne l'enchantait guère. Il aurait préféré rester en ville. La nuit risquait d'apporter son lot de problèmes. En outre, Sam n'était pas lui-même depuis quelque temps.

La nuit précédente, il avait écouté la confession de Quinn et d'Albert avec une tête de zombie. Puis, ce matin, Bug lui avait raconté son histoire. Toutes les mauvaises nouvelles possibles et imaginables leur tombaient dessus, et Sam avait recueilli l'un après l'autre ces aveux embarrassés sans trahir la moindre réaction ! Heureusement, Astrid était intervenue.

Sam, Edilio, Brianna, Taylor, Quinn, Albert et Astrid, rassemblés tous les sept dans le salon de cette dernière, avaient écouté les supplications et les flatteries de Bug, puis Astrid avait lu à voix haute la lettre de Lana.

Sam,

Je vais essayer de tuer l'Ombre. J'aimerais bien t'expliquer ce qu'est cette chose, mais moi-même je l'ignore. Je sais seulement qu'il n'y a rien de plus terrifiant. J'imagine que ça ne t'aide pas beaucoup!

Je n'ai pas le choix. Elle me tient sous sa coupe, Sam. Elle est dans ma tête. Elle m'appelle depuis des jours. Elle a besoin de moi. Pourquoi, je n'en sais rien. Mais quels que soient ses projets, je ne peux pas la laisser faire.

J'espère que tout se passera bien. Dans le cas contraire, prends bien soin de Pat et de Cookie.

Lana

— Je savais qu'elle avait des problèmes, marmonna Quinn, l'air coupable. Par contre, je n'étais pas au courant pour tout le reste. J'ai l'impression que Lana s'est servie d'Albert et de moi pour retourner dans le désert.

— C'est pratique de se dédouaner comme ça, hein, Quinn? répliqua Astrid, furieuse.

— Elle m'a conduit jusqu'à l'or, observa Albert d'un ton pensif, pas le moins du monde intimidé par la colère d'Astrid. L'idée était bonne, alors j'ai saisi l'occasion. Mais c'était son plan, à l'origine. Peut-être qu'elle est de mèche avec cette créature.

— Non, dit Quinn.

Tout le monde attendit son explication. Il haussa les épaules et répéta :

— Non. Avant d'ajouter : Ça m'étonnerait.

Sam s'arracha enfin à son mutisme.

— On a besoin de Lana. À la limite, on s'en fiche qu'elle aide cette chose. Amie ou ennemie, on a besoin d'elle.

— Je suis bien d'accord, intervint Albert.

Il se comportait comme si cette conversation ne concernait que Sam et lui, comme si c'était à eux seuls de débattre de la marche à suivre.

Pour quelqu'un qui avait enfreint plusieurs règles, Albert ne semblait pas très inquiet. « Mais à quoi bon se tourmenter ? » songea Edilio. Albert avait fait main basse sur la nourriture. Or, c'était là que résidait le pouvoir, désormais. Même Astrid n'osait pas franchement s'en prendre à lui, alors qu'à l'évidence elle ne l'aimait pas beaucoup.

— Il faut découvrir ce qu'est cette chose, reprit-il.

Sam se tourna vers Bug, qui avait reçu l'ordre de rester visible.

— Qu'est-ce que cette Orsay vient faire là-dedans ?

Bug haussa les épaules.

— Elle peut s'immiscer dans les rêves, je crois.

— Et Caine veut qu'elle espionne la créature.

Malgré lui, Sam commençait à s'impliquer sérieusement. Edilio voyait son visage s'animer sous l'effort de la réflexion. Et il en éprouvait un énorme soulagement.

— Si Caine s'y intéresse, alors on devrait peut-être se pencher sur la question, nous aussi, suggéra-t-il et, l'une après l'autre, les personnes présentes hochèrent la tête. Albert a raison : il faut qu'on sache à quoi on a affaire.

C'est ainsi qu'Edilio s'était retrouvé à jouer les chauffeurs pour Bug et cette drôle de fille.

— Comment tu t'appelles, déjà ? demanda-t-il en cherchant son regard dans le rétroviseur.

— Orsay.

Dans des circonstances normales, il ne l'aurait sans doute pas trouvée laide. Mais en ce moment même, elle paraissait terrifiée. Elle avait le visage émacié, les cheveux en bataille. Et bien qu'Edilio ne soit pas du genre délicat, elle ou Bug – voire les deux – empestait, et le poisson de Quinn n'avait rien à voir là-dedans.

— Tu viens d'où, Orsay ?

— De Stefano Rey. Mon père est garde forestier.

— Oh. C'est cool.

Orsay n'avait pas l'air de cet avis.

— Tu es armé, observa-t-elle.

Edilio jeta un coup d'œil à la mitraillette posée sur le siège à côté de lui. Les deux chargeurs pleins cliquetaient à chaque cahot de la Jeep.

— Oui.

— Si on croise Drake, tu vas devoir le descendre.

Si Edilio était d'accord avec elle, il ne put s'empêcher de demander :

— Pourquoi ?

— J'ai vu ses rêves.

Quittant la route, ils prirent la direction des collines. Ils avaient retrouvé sans mal la cabane de Jim l'Ermite – Edilio avait un bon sens de l'orientation –, mais aucun d'eux ne connaissait le chemin de la mine. Tout ce qu'ils avaient, c'étaient les indications que Caine avait données à Bug. Le soleil qui se couchait derrière les collines les teintait de pourpre, leur donnant un aspect menaçant. Bientôt, il ferait nuit. Orsay n'avait aucune chance de s'acquitter de sa tâche avant que l'obscurité tombe.

— Qu'est-ce que tu dois faire, au juste ? s'enquit Edilio.

— Comment ça ?

— Ben, t'es une dégénérée, non ? Bug n'a pas précisé.

Bug leva les yeux en entendant son nom et, en guise de réponse, se fondit dans le décor.

— Comme je te l'ai dit, je lis les rêves, expliqua Orsay, le regard tourné vers la vitre.

— Vraiment ? Eh bien, ne va pas voir les miens. Ils n'ont pas grand intérêt.

— Je sais, répliqua la fille.

— Hein ?

— C'était il y a longtemps. Je suis tombée sur vous dans les bois. Toi, Sam, Quinn et une certaine Astrid.

— Ah bon, tu étais là ?

Edilio fit la moue, mécontent à l'idée qu'une fille puisse s'insinuer dans ses rêves. Même si, la plupart du temps, ils n'étaient pas très intéressants, il n'avait pas envie qu'un étranger vienne y fourrer son nez. Surtout si c'était une fille. Il se tortilla sur son siège.

— T'inquiète, lança Orsay en esquissant un sourire. J'ai l'habitude de... tu sais quoi.

— Mmm, fit Edilio.

La Jeep s'engagea en cahotant sur un terrain caillouteux. En prévision, Edilio avait solidement fixé la bâche du toit. Le véhicule soulevait beaucoup de poussière et il ne voulait pas donner à Bug l'occasion de s'échapper. Et puis, il y avait les coyotes. Edilio guettait leur arrivée.

Ils se rapprochaient des collines. L'une d'elles formait une saillie, exactement comme Caine l'avait indiqué sur sa carte. L'endroit n'augurait rien de bon : les ombres s'y creusaient plus qu'elles n'auraient dû à cette heure de la journée.

— Ça ne m'emballe pas, cette histoire, marmonna-t-il.

— Tu as de la famille ? demanda Orsay.

Sa question le surprit. D'ordinaire, on évitait d'aborder ce sujet. Personne ne savait ce qu'il était advenu de tous ces gens.

— Oui, bien sûr.

— Moi, quand j'ai peur, j'essaie de penser à mon père.

— Pas moi, intervint Bug.

— À ta mère, alors? s'enquit Edilio.

— Non plus.

— Ben moi, je pense à ma mère. Dans ma tête, elle est belle. Enfin, je ne sais pas si elle l'était... l'est vraiment dans la réalité, mais là – Edilio se tapota le crâne – elle est belle.

Puis il porta la main à sa poitrine.

— Et là aussi.

Ils contournèrent la saillie rocheuse. De l'autre côté, la ville fantôme se dressait sous le soleil déclinant. Edilio appuya sur la pédale de frein.

— Ça ressemble à ce que t'a décrit Caine?

Bug hocha la tête.

— Caine a dit de traverser la ville, de passer devant la seule maison qui tient encore debout puis de gravir la colline. L'entrée de la mine est au bout du chemin.

Edilio était d'autant plus réticent maintenant qu'ils étaient arrivés à bon port. Il n'était pas superstitieux, mais cet endroit ne lui disait rien qui vaille. Il passa la première et s'engagea dans la rue principale à faible allure; la dernière chose dont il avait envie, c'était de devoir apprendre à changer un pneu.

— Je n'aime pas cet endroit, dit Orsay.

— Oui, faudra qu'on se trouve un autre coin pour les prochaines vacances.

Ils traversèrent la ville, passèrent devant la fameuse maison. Le chemin serpentant sur la colline était très étroit, et la Jeep progressait lentement.

— Stop ! cria soudain Orsay.

Edilio freina brusquement devant un piton rocheux. « Le genre d'endroit propice aux embuscades dans un vieux western », songea-t-il.

Il s'empara de sa mitraillette, et son poids dans sa main le réconforta. Il s'assura qu'elle était armée. Le pouce sur le cran de sûreté, l'index sur la détente, comme il l'avait appris à ses recrues. Il dressa l'oreille mais n'entendit rien.

— Pourquoi on est arrêtés ?

— On est assez près, murmura Orsay. Je…

Edilio se retourna.

— Qu'est-ce qu'il y a ?

Il eut un choc en la voyant. De ses yeux exorbités, on ne distinguait plus que le blanc.

— Qu'est-ce qu'il lui prend ? demanda Bug d'une voix tremblante.

— Orsay, ça va ?

Pour toute réponse, elle poussa un gémissement inhumain, trop grave pour une fille aussi frêle. On aurait dit le grognement d'un animal.

— Elle pète les plombs ou quoi ? gémit Bug.

Orsay se mit à trembler. Bientôt, les tremblements s'intensifièrent jusqu'à devenir des spasmes. Son corps tressautait comme sous un choc électrique.

Elle se mordit la langue jusqu'au sang, donnant l'impression qu'elle cherchait à se l'arracher.

Edilio ouvrit précipitamment la boîte à gants et en vida le contenu avec des gestes affolés : un tournevis, une lampe torche, un compteur numérique pour vérifier la pression des pneus. Le compteur à la main, il se faufila à l'arrière de la Jeep.

— Tiens-la ! cria-t-il à Bug, qui se ratatina sur son siège.

Edilio saisit fermement Orsay par les cheveux, lui renversa la tête en arrière et glissa l'objet entre ses dents. Ses mâchoires se refermèrent dessus en faisant craquer le plastique. Du sang jaillit de sa bouche.

— Tiens-lui ça dans la bouche ! brailla Edilio.

Bug, paralysé de frayeur, le regarda avec des yeux ronds. Edilio poussa un juron et lança :

— Fais-le ou je te colle une balle entre les deux yeux !

S'arrachant à son hébétude, Bug prit la tête d'Orsay à deux mains. Edilio embraya et manœuvra aussi vite que possible en marche arrière. Il remarqua pour la première fois les coyotes quand la Jeep roula sur une bosse et qu'un glapissement retentit. Une main agrippée au volant, Edilio emboutit un talus en criant d'effroi, redémarra, avança sur quelques mètres, puis opéra un demi-tour en faisant crisser le levier de vitesse, tandis qu'une énorme gueule grimaçante s'encadrait dans la vitre côté conducteur.

Les crocs du coyote s'enfoncèrent dans le plastique de la bâche.

Edilio visa et tira de sa main libre. Une salve brève, cinq balles peut-être, mais plus que suffisante pour que la tête du coyote se dissolve en une brume rougeâtre. La Jeep dévala la pente en bringuebalant ; Edilio avait toutes les peines du monde à garder le contrôle de la voiture. Puis, comme ils regagnaient le plat, il donna un grand coup de volant au moment où deux coyotes se jetaient contre la bâche. L'impact fut si violent que le plastique fouetta le bras d'Edilio qui, sous le choc, lâcha le volant. Son pied écrasa la pédale d'accélération et la Jeep plongea droit sur un bâtiment délabré. Il écrasa le frein, dévia sa trajectoire au dernier moment et, après avoir effectué un demi-tour sur les chapeaux de roues, quitta la ville fantôme dans un rugissement de moteur.

Les coyotes le suivirent pendant quelque temps, puis renoncèrent quand il devint clair qu'ils ne pourraient pas le rattraper. Bug tenait toujours la tête d'Orsay qui recommençait à émettre des sons intelligibles et réclamait manifestement qu'on la libère.

— Lâche-la, ordonna Edilio.

Bug s'exécuta. Orsay essuya le sang sur sa bouche du revers de la main. Edilio ramassa un chiffon parmi le contenu éparpillé de la boîte à gants et le lui tendit.

— Il voulait que je m'arrache la langue, hoqueta-t-elle.

— Hein? Quoi? Qui ça?

— Lui. Je ne pouvais pas résister. Il ne voulait pas que je vous dise.

— Nous dire quoi?

Orsay cracha un jet de salive ensanglantée sur le plancher de la Jeep et s'essuya de nouveau la bouche.

— Il a faim, expliqua-t-elle. Il doit se nourrir.

— Il voulait nous manger? s'écria Bug.

Orsay lui lança un regard incrédule puis éclata de rire.

— Non, non, pas nous. Aïe! Ma langue.

— Alors quoi? Quoi?

Sans prêter attention à Bug, elle se tourna vers Edilio.

— On n'a pas beaucoup de temps. Quelqu'un se charge de lui apporter ce dont il a besoin. Quand il se sera nourri, sa puissance sera décuplée, et alors il se servira d'elle.

— Qui, elle? s'enquit Edilio, bien qu'il connaisse déjà la réponse.

— Je ne sais pas son nom. La fille qui a le don de guérir. Il a besoin d'elle pour acquérir un corps. Il est faible pour le moment, ajouta-t-elle. Mais s'il obtient ce qu'il veut... alors plus rien ne pourra l'arrêter.

— Faim dans le noir, dit le petit Pete.

Astrid venait de le border, mais ses yeux brillaient d'excitation.

— Je sais, Pete, lança-t-elle d'un ton las. Tout le monde a faim. Mais il ne fait pas si noir que ça. Allez, dodo. C'est l'heure de la sieste.

La nuit et la matinée avaient été longues. Elle voulait que Pete fasse un somme afin qu'elle-même puisse rattraper un peu de sommeil en retard. Elle arrivait à peine à garder les yeux ouverts. Il faisait chaud à l'intérieur de la maison, à présent que le courant n'alimentait plus l'air conditionné.

La détresse de Sam l'avait bouleversée. Elle compatissait. Mais plus encore, elle avait peur. Sam était la seule barrière entre la tranquillité relative de Perdido Beach et la folie meurtrière de Drake, de Caine et de Diana. Il était le seul à pouvoir les protéger, elle et le petit Pete. Seulement voilà, il perdait pied. Astrid diagnostiquait chez lui un trouble de stress post-traumatique, ce mal qui frappait les soldats ayant passé trop de temps au front.

Dans la Zone, tout le monde l'avait probablement expérimenté, dans une certaine mesure. Cependant, personne d'autre que lui ne s'était trouvé au cœur de chaque confrontation, chaque nouvelle horreur dans ses moindres détails. Sam, lui, n'avait connu aucun répit.

— Il a peur, dit le petit Pete.

— Qui ça ?

— Nestor.

Nestor, la poupée russe que Sam avait piétinée par accident.

— C'est bien dommage qu'il soit cassé. Maintenant, dors, Pete.

Elle se pencha pour l'embrasser sur le front. Bien entendu, il ne réagit pas. Il ne lui témoignait aucune marque d'affection. Elle ne l'avait jamais entendu réclamer une histoire ou dire : « Merci de prendre soin de moi, sœurette. »

Quand il ouvrait la bouche, c'était seulement pour parler de ce qui se passait à l'intérieur de sa tête. Le monde extérieur – y compris Astrid – ne signifiait rien pour lui.

— Je t'aime, Pete, chuchota-t-elle.

— Il la tient, annonça-t-il.

Astrid était déjà sortie de la chambre quand cette dernière phrase la fit revenir sur ses pas.

— Quoi ?

L'enfant avait fermé les yeux.

— Pete… Pete.

Astrid s'assit auprès de son frère et lui caressa la joue.

— Pete… est-ce que Nestor te parle ?

— Il aime bien mes monstres.

— Pete… est-ce que…

Astrid ne savait pas comment formuler sa question. Son cerveau fonctionnait au ralenti. Elle avait dépassé le stade de l'épuisement. Elle s'allongea à côté de l'enfant et se blottit contre son corps indifférent.

— Parle-moi de lui. Parle-moi de Nestor, Pete.

Mais il s'était déjà endormi. Et quelques secondes plus tard, Astrid l'imita.

Ce fut dans son sommeil qu'elle commença à rassembler les pièces du puzzle.

VINGT ET UNE HEURES sans rien manger.
L'estomac ne Jack ne gargouillait plus. Les borborygmes avaient laissé place à des crampes. La douleur survenait par vagues, montait pendant une minute à peu près puis s'étirait sur une heure. Ensuite elle lui accordait un répit avant de reprendre de plus belle.

Elle s'était manifestée environ douze heures plus tôt. Il avait déjà faim avant, et depuis longtemps, mais cette fois c'était une question de vie ou de mort.

Une nouvelle série de crampes se préparait. Jack l'appréhendait. Il n'était pas très endurant. Et cette souffrance-là était pire que celle causée par sa blessure à la jambe.

— Tu as réussi ? demanda Caine d'un ton pressant. C'est bon, Jack ?

Il hésita. S'il répondait par l'affirmative, un nouveau cauchemar allait débuter. Dans le cas contraire, ils resteraient coincés ici jusqu'à ce qu'ils en crèvent. Il ne voulait pas dire oui, maintenant qu'il savait ce que Caine avait derrière la tête.

— Je vais y arriver, dit-il enfin.

— Quand ?

— Je peux isoler un crayon de combustible de l'assemblage.

Caine le dévisagea d'un air perplexe. Visiblement, ce n'était pas la réponse qu'il attendait.

— OK, murmura-t-il.

— Mais je dois commencer par faire chuter les grappes de commande, ce qui va provoquer l'arrêt de la réaction nucléaire et donc couper l'électricité.

Caine hocha la tête.

— Tu veux dire que plus personne n'aura le courant, et pas seulement les habitants de Perdido Beach, intervint Diana.

— À moins que quelqu'un remette le réacteur en marche.

— Mmm, fit Caine, l'air absent.

— Je peux extraire ce crayon de combustible sans problème, reprit Jack. C'est une espèce de long tube fin qui contient des pastilles d'uranium 235. C'est extrêmement radioactif.

— Alors ton plan, c'est de tous nous tuer ? lança Diana.

— Non. Pour transporter ces objets, on utilise des espèces de gaines en plomb. Elles ne sont pas efficaces à cent pour cent, mais elles devraient nous protéger des radiations pendant le laps de temps nécessaire à l'opération. À moins de faire tomber le crayon de combustible, évidemment.

— Et là, qu'est-ce qui se passerait?

— On serait exposés à une dose massive de radiations. Elles sont invisibles, mais c'est comme recevoir des dizaines de balles minuscules qui percent des millions de trous microscopiques dans le corps. Tu tombes malade. Tu perds tes cheveux. Tu vomis. Tu enfles. Et tu meurs.

Personne ne fit de commentaires.

— Alors on ne le fera pas tomber, conclut Drake.

— C'est ça, on le transporte sur des kilomètres mais il n'arrivera rien, ironisa Diana. Tout ça avec Sam, Dekka et Brianna à nos trousses. Je ne vois pas où est le problème.

— Plus tu es près, plus c'est dangereux, expliqua Jack. Si tu te trouves à deux pas, tu meurs très vite. Un peu plus loin, tu mets plus de temps. Tu finis par développer un cancer. Et à une grande distance, tu peux même t'en sortir indemne.

— Je choisis la dernière option, déclara sèchement Diana.

— Dans combien de temps tu seras prêt?

— Une demi-heure.

— Il est tard, on devrait attendre la tombée de la nuit. Comment on va sortir?

Jack haussa les épaules.

— Il y a une aire de chargement derrière le réacteur.

Caine se laissa tomber dans un fauteuil en se rongeant sauvagement les ongles. Drake l'observa sans chercher à dissimuler son mépris.

— Bon, reprit Caine après un long silence. Jack, prépare-toi. Drake, il va nous falloir une diversion. Tu vas attirer l'attention de Sam vers l'entrée de la centrale. Tu nous rejoindras plus tard.

— On n'a qu'à piquer un camion, suggéra Drake.

— On ne peut pas emprunter la route qui longe la côte. Ils nous repéreraient immédiatement. On va devoir passer par l'intérieur des terres. On coupera par les collines pour rejoindre l'autoroute. On trouvera bien une voiture pour se rendre dans le désert.

— Pourquoi filer en douce? On a l'uranium, pas vrai? Qui va nous chercher des noises?

— Je peux te poser une question, Drake? À la place de Sam, si tu nous voyais, toi, moi, Diana et Jack transporter ce gros truc radioactif sur la route côtière, qu'est-ce que tu ferais?

Drake fronça les sourcils.

— Oh, regardez: Drake essaie de réfléchir, lâcha Diana.

— Voilà pourquoi c'est moi qui commande et pas toi, Drake. Laisse-moi t'expliquer tout ça en termes simples, histoire que tu comprennes bien. À la place de Sam, si je nous vois tous les quatre, et que je ne peux pas nous poursuivre...

Caine brandit quatre doigts, puis les baissa un à un, ne laissant que le majeur levé. Drake serra les dents, les yeux étincelant de rage contenue.

— Bref, libre à vous de jouer les braves, poursuivit Caine en rendant son regard noir à Drake.

Puis il se pencha vers lui comme pour le serrer dans ses bras et lui glissa à l'oreille :

— Tu crois que tu peux te débarrasser de moi, hein, Drake ? Pour l'instant, tu m'es utile. À la minute où je changerai d'avis…

Il sourit, tapota la joue émaciée de son rival, puis retrouvant sa vieille arrogance, il ajouta :

— On va changer la donne. Sam croit qu'il détient tous les atouts. C'est ce qu'on verra…

— On va nourrir le monstre qui s'est installé dans ta tête, oui, observa froidement Diana. N'essaie pas de faire passer la pilule autrement. Peut-être qu'en échange il acceptera de détacher ta laisse.

— Arrête, Diana, gémit Caine.

Sa belle assurance l'avait quitté. Diana jeta un coup d'œil vers Drake pour s'assurer qu'il ne les écoutait pas.

— Bug ne revient pas. Tu le vois bien.

Caine se mordilla l'ongle du pouce. L'espace d'un instant, Jack eut l'impression qu'il irait jusqu'à se dévorer le doigt.

— On n'en sait rien. Il a peut-être eu du mal à trouver Orsay. Il n'oserait jamais se retourner contre moi.

— Ils t'abandonnent les uns après les autres, Caine. Drake n'a qu'une envie, c'est te démolir. Personne à Coates ne s'est précipité pour te venir en aide. À part moi, qui se soucie de toi ? Je sais que tu es sous son emprise. Je l'ai vu de mes propres yeux. Mais ton monstre n'est pas plus loyal envers toi que les autres. Quand il n'aura plus besoin de tes services, il te laissera tomber. Il deviendra tout-puissant et toi tu ne seras plus rien.

— Ce que j'ai à dire, dans l'ensemble, n'est que spéculation, commença Astrid.

Depuis le début ou presque, Sam, Edilio et Astrid formaient une équipe. Ils s'étaient dressés contre Orc quand il avait essayé de prendre le contrôle de la Zone. Ils avaient combattu Caine et le chef coyote. Ils avaient découvert comment survivre au grand saut. Mais à présent, un événement encore plus terrible se profilait.

— D'après les explications d'Edilio, la lettre de Lana, ce qu'elle nous a raconté sur Drake, tous les détails que nous avons rassemblés...

Astrid jeta un coup d'œil à Pete qui, assis près de la fenêtre, regardait le soleil décliner en hochant mécaniquement la tête.

— ... et ce que j'ai pu observer chez mon frère, quelque chose... une espèce de dégénéré, peut-être... un humain ou un animal qui aurait muté... ou encore une créature très différente qui nous dépasse totalement… se trouve au fond de cette mine.

— Cette chose, ce gaïaphage, a le pouvoir de communiquer par l'esprit et d'influencer les gens, déclara Sam. En particulier ceux avec qui il est entré en contact, apparemment. Comme Lana, par exemple.

— Ou Orsay, intervint Edilio. Il s'attaque aux personnes les plus sensibles, j'ai l'impression.

Astrid opina du chef.

— Oui. Certains sont peut-être plus vulnérables que d'autres. Maintenant, je suis sûre qu'il est entré en contact avec le petit Pete.

— Ils se parlent ? demanda Edilio d'un ton sceptique.

Astrid détourna la tête avec nervosité. Sam fut frappé par sa beauté, intacte malgré tout ce qui s'était passé. Mais il voyait aussi à quel point elle était fragile et maigre. Elle avait perdu du poids, comme tout le monde. Ses pommettes étaient plus saillantes que par le passé, et ses yeux cernés par la fatigue et l'inquiétude. En outre, elle avait un bleu sur la tempe.

— Je ne crois pas, répondit-elle. Pas comme tu l'entends, en tout cas. Mais ils sentent la présence de l'autre. Pete a essayé de me mettre en garde. Je n'ai pas compris.

— Version courte, dit Sam à voix basse. Qu'est-ce que tu penses de tout ça ?

— D'accord. Je suis désolée, je ne…

Astrid s'interrompit, secoua vigoureusement la tête et rassembla ses pensées.

— Bon, c'est une créature mutante d'origine inconnue. Elle détient un pouvoir immense, celui d'influencer les esprits. Son don est plus efficace sur ceux qui l'ont déjà rencontrée. Comme Lana. Drake. Voire Caine.

— Tu crois que Caine a eu un petit tête-à-tête avec ce gaïaphage ?

— Tu m'as demandé la version courte, alors on laisse de côté l'épistémologie.

Sam identifia le stratagème préféré d'Astrid : éblouir les gens avec des mots savants. Il esquissa un sourire.

— Continue. Oublie l'é… le machinchose.

— Soudain, reprit Astrid, après des mois de calme relatif, Caine refait surface. Grâce à Bug, on sait qu'avant il était plus ou moins dans le coma, qu'il délirait. Brusquement, voilà qu'il se rétablit. Et sa première décision en se réveillant est d'assiéger la centrale. À la même époque, Lana commence à entendre l'appel du gaïaphage. Et Pete se met à me parler de quelque chose qui a faim dans le noir.

— Orsay prétend que cette créature s'attend à être bientôt nourrie, lança Edilio.

— Oui. Et puis il y a Duck.

Sam leva les sourcils.

— Duck ?

Celui-là, il ne l'avait pas vu venir.

— Personne n'a prêté attention à son histoire, moi pas plus que les autres, admit Astrid. Or, il n'arrêtait pas de répéter qu'il avait vu une caverne qui irradiait comme sous l'effet de la radioactivité.

— Et ? la pressa Edilio.

— La centrale se trouve au milieu de la Zone. On sait qu'une fusion du cœur nucléaire était sur le point de se produire quand Pete a réagi en créant cette... cette bulle. Mais les changements ont débuté bien avant. Pourquoi ? Comment mon frère a-t-il pu acquérir ce pouvoir ?

— L'accident qui a eu lieu il y a treize ans ! s'exclama Sam.

— Le fameux accident. On a toujours avancé que c'était une météorite qui avait heurté la centrale. Et s'il y avait autre chose ?

— Quoi, par exemple ?

— Certains scientifiques prétendent qu'à l'origine de la vie sur terre, il y a un simple organisme qui aurait été transporté sur notre planète par une comète ou une météorite. Admettons que quelque chose d'aussi banal qu'un virus se trouvait sur l'objet qui s'est écrasé sur la centrale. Virus plus radiations égale mutation.

— Alors, ce gaïaphage, c'est ça ?

— Du calme, ce n'est qu'une hypothèse. Et ça n'explique pas grand-chose, même si c'est vrai.

— Mais ?

— Mais peut-être que cette créature qui vit sous terre depuis treize ans se nourrit de radiations. Imagine-toi un virus qui pourrait survivre pendant des milliers d'années dans l'espace. La seule nourriture possible pour lui, ce sont les radiations.

Il en coûtait à Astrid de poursuivre ; Sam s'en aperçut à sa bouche qui tremblait.

— Les responsables de la centrale ont menti : ils n'ont jamais éliminé les radiations consécutives à l'accident. Tout ce temps, elles sont restées sous nos pieds, elles se sont infiltrées dans l'eau qu'on buvait et dans la nourriture qu'on consommait.

Le père d'Astrid était ingénieur à la centrale. Elle devait se demander s'il était au courant.

— Les gens qui travaillaient là-bas ne savaient peut-être pas non plus, objecta Sam.

Astrid hocha la tête et ses lèvres cessèrent de trembler. Cependant, la colère se lisait toujours sur son visage.

— Tandis que le gaïaphage mutait, certains d'entre nous aussi. Il s'agit peut-être d'une sorte de synthèse, je n'en sais rien. En revanche, tout pousse à croire que le gaïaphage est à court d'énergie. Il lui en faut plus. S'il ne peut pas s'en procurer, il peut imposer à d'autres sa volonté. Je pense – je suis même persuadée – que la fusion du cœur stoppée par le petit Pete a été causée par un employé de la centrale qui obéissait au gaïaphage. Il a essayé de faire sauter le site, ce qui aurait entraîné la propagation des radiations et tué toutes les espèces vivantes des alentours… excepté la créature qui se nourrit de ces radiations. Mon petit frère a empêché la fusion du cœur. Il a créé la Zone. Mais il n'a pas détruit le gaïaphage. Et le gaïaphage a encore faim.

— Faim dans le noir, dit le petit Pete.

— Caine a l'intention de le nourrir, songea Sam tout haut.

— Oui.

— Et ensuite ?

— Ensuite, ce monstre pourra survivre et s'adapter. Il ne peut pas continuer à se terrer dans un trou et dépendre des autres. Il veut s'échapper, se mouvoir librement. Et se défendre contre nos attaques.

— Ça nous aiderait peut-être qu'il décide de se battre, suggéra Edilio. Ce serait l'occasion de s'en débarrasser.

— Il connaît nos pouvoirs. Et quelqu'un l'aide à imaginer le moyen de se fabriquer un corps invulnérable.

— Qui ? Qui ?

Sam posa la main sur le bras d'Edilio pour le calmer.

— Quelqu'un qui ne sait pas ce qu'il fait, répondit-il.

— Nestor, lança le petit Pete.

— Essaie au moins, vieux. T'as quel âge, trois ans ?

Antoine tenta de passer le joint à Zil, qui le refusa d'un geste.

— J'ai déjà essayé. Et je n'ai pas aimé.

— Comme tu voudras.

Antoine tira une longue bouffée sur le joint et se mit à tousser si fort que son genou heurta la table basse et renversa le verre d'eau de Zil.

— Hé !

— Oh, désolé, dit Antoine une fois qu'il eut retrouvé son souffle.

Lance prit une bouffée à son tour, fit la grimace et tendit le mégot à Lisa. Elle le prit en gloussant, fuma, toussa à son tour et rit de plus belle.

Zil n'avait jamais eu de petite amie jusque-là. Les filles ne s'intéressaient pas à lui. Il n'avait jamais été populaire. À l'école, il était surtout célèbre pour les en-cas bizarres que lui préparait sa mère. Elle ne cuisinait que des aliments bio, végétariens, toujours très «verts». Malheureusement, la plupart des plats qu'elle lui concoctait pour son déjeuner sentaient mauvais, qu'il s'agisse de la vinaigrette pour ses salades, d'houmous ou de tapenade aux relents d'ail, ou encore de feuilles de vignes farcies.

Zil adorait ses parents, mais l'apparition de la Zone avait été libératrice en un sens : il avait enfin pu s'empiffrer à sa guise de cookies et de chips. Il avait même commis un acte impardonnable aux yeux de ses parents : manger de la viande. Et il avait aimé ça.

Bien sûr, à présent, il aurait donné n'importe quoi pour manger de l'houmous servi avec du pain pita à la farine complète. La faim lui tenaillait l'estomac. Quant à sa bande – la bande des Humains –, elle se composait exclusivement de losers. À l'exception de Lance. Sa simple présence leur conférait un certain prestige.

— Les mutants ont la bouffe, répéta Turk pour la énième fois. C'est toujours les mêmes. Et les gamins normaux, eux, ils meurent de faim.

Si Zil avait des doutes à ce sujet, il jugeait inutile de le contredire. Ce n'étaient pas ces histoires de nourriture qui lui inspiraient de la haine à l'égard des dégénérés, c'étaient leurs grands airs. Mais ça n'avait pas d'importance.

— Il paraît que Brianna mange des pigeons, gloussa Lisa.

Zil ne savait pas si elle était du genre à glousser en permanence ou si c'était l'effet du joint. Elle dessinait sur un bloc-notes, une lampe torche posée sur les genoux, des variations des lettres B et H pour le logo de leur bande. Elle avait trouvé une version que Zil aimait bien, où le B et le H s'entrelaçaient.

Antoine avait déniché l'herbe dans la chambre de ses parents, alors qu'ils s'étaient lancés dans une autre quête désespérée de nourriture.

— C'est bien ce que je dis, grommela Turk. Ils ont leurs propres moyens pour se procurer à manger. Ils se serrent les coudes.

Turk ne fumait pas. Il s'était tourné vers Zil, comme si celui-ci détenait la solution à leurs problèmes. Mais Zil n'avait pas l'ombre d'un plan. C'étaient les mutants qui faisaient la loi, pas seulement à Perdido Beach mais aussi à Coates. Et maintenant à la centrale. Ils contrôlaient tout, eux et leurs alliés, Edilio, Albert et Astrid. Ils étaient donc responsables de la situation catastrophique qui régnait sur la Zone.

La porte s'ouvrit et Zil s'empara de sa batte de base-ball. Hank entra, marcha droit sur Antoine, qui mesurait bien deux têtes de plus que lui, et lança :

— Jette-moi ça.

— T'es de la police ?

— On n'est pas là pour se défoncer. Zil a d'autres projets pour nous. Ce n'est pas dans l'esprit de la bande des Humains.

Antoine jeta un regard hébété à Zil qui s'étonna d'être considéré comme une référence. C'était à la fois flatteur et perturbant.

— Ouais, jette ce truc, renchérit-il.

Antoine répondit par un grognement dédaigneux. À la surprise générale, Hank fit valser le joint dans sa main d'un coup de poing. Antoine se leva du canapé, prêt à aplatir le petit Hank. Mais Zil s'interposa.

— Non, pas de bagarre entre nous.

— Ouais, fit Lance, l'air dubitatif.

La charge de régler le problème revint à Turk.

— Hank a raison. On n'a pas le droit de se comporter comme des gamins. On doit s'occuper des mutants. Si on reste là à se défoncer, Zil ne pourra pas régler notre problème. Il a besoin de gens qui savent rester cool en toute circonstance.

— OK, concéda Lance. Mais où tu veux en venir ?

Hank annonça la nouvelle avec une fierté tranquille, comme s'il présentait un bulletin de notes irréprochables à ses parents.

— J'ai trouvé Hunter.

Zil se leva d'un bond.

— Il se planque dans une maison de l'autre côté de l'autoroute, reprit Hank. Et vous ne devinerez jamais… Il a tué un chevreuil, puis il l'a fait cuire grâce à ses pouvoirs de mutant, et quand je l'ai laissé, il le découpait avec un couteau.

— Il va le garder pour lui et les autres dégénérés, cracha Turk. Ils mangent du gibier, et nous on doit se faire bouillir de l'herbe.

Zil se mit à saliver. De la viande. Et pas du rat ni du pigeon, non, de la véritable viande presque aussi bonne que du bœuf.

— J'ai déjà mangé du gibier, annonça Lance. C'est pas mauvais.

— C'est toujours meilleur que du chien, déclara Antoine.

— Qu'est-ce qu'on fait? demanda Lance à Zil.

Tous les regards, y compris celui de Lisa, se braquèrent sur lui.

— À votre avis? répondit-il pour gagner du temps.

— On va lui faire la peau! s'écria Antoine.

Zil le prit par l'épaule en riant puis tapa dans la main de Hank.

— Bon travail, mon vieux. Ce soir, il y aura du gibier au menu.

— Quand on aura pendu Hunter.

Cette déclaration pétrifia tout le monde.

— Quoi? fit Lance.

Hank le dévisagea d'un air glacial.

— Tu crois peut-être que le mutant va nous donner notre part? Il nous tuera s'il en a l'occasion. Les dégénérés s'en fichent, de nous. Ça leur est bien égal qu'on crève de faim. Et puis c'est un meurtrier, non? Qu'est-ce qu'on fait d'eux, en temps normal?

Zil sentit sa gorge se nouer. Hank allait trop loin. Au soulagement de Zil, Lance prit la parole.

— On ne va peut-être pas en arriver là.

— C'était l'idée de Zil, le premier soir, protesta Hank. Pourquoi on a pris une corde si on n'avait pas l'intention de faire justice nous-mêmes?

La corde, ce n'était pas l'idée de Zil. Mais fallait-il l'admettre? Il avait juste pensé donner une bonne raclée à Hunter pour lui faire avouer qu'il avait volé ce dernier bout de fromage. Il n'avait jamais envisagé concrètement de le tuer. Tout ça, c'était juste pour parler.

— Tu crois qu'Edilio et Sam vont nous laisser exécuter Hunter ? s'exclama Lance.

Un sourire étrange se dessina sur les lèvres de Hank. Un sourire innocent de petit garçon.

— Ils sont tous partis. Dekka est à la centrale. Quant à Sam et Edilio, ils viennent de quitter la ville en Jeep. Ils ont d'autres chats à fouetter avec Caine.

Le cœur de Zil battait la chamade. Il avait la bouche sèche. Ils n'allaient pas faire une chose pareille ? Mais Hunter avait de la viande. Comment se la procurer autrement que par la violence ?

— On ne va pas descendre Hunter comme ça ! s'insurgea Turk.

— Bien d'accord ! s'écria Zil.

— Il lui faut d'abord un procès.

Et c'est ainsi que Zil se retrouva à hocher la tête et à sourire, comme si c'était son idée depuis le début. C'était peut-être le cas, d'ailleurs. En son for intérieur, il devait savoir que ça se terminerait ainsi. « Oui, se dit-il. Tu as le cœur trop tendre, mais tu sais que ça ne peut pas se finir autrement. »

Tous les visages étaient tournés vers lui.

— On organisera un procès parce que la bande des Humains ne cautionne pas la violence gratuite, lança-t-il en s'efforçant de prendre l'air convaincu.

Sauf que jusqu'à présent, à part casser des vitres, ils n'avaient pas accompli grand-chose.

— L'important, c'est que justice soit rendue. Sans quoi, les autres normaux ne seront peut-être pas d'accord. Bref, il faut un procès. Puis on s'occupe de Hunter. Et enfin, on partage la viande avec les autres, d'accord ?

— Ouais ! s'écria Lance.

— Il faut rallier un maximum d'enfants à notre cause. Ils diront que Zil leur a donné la justice et la bouffe.

— Et c'est la vérité, renchérit Turk.

36

1 HEURE
8 MINUTES

Drake se glissa au-dehors. Les bords du trou n'avaient pas encore complètement refroidi. Le visage dissimulé dans la pénombre, il tourna la tête de gauche et de droite. Caine avait besoin d'une diversion ? Parfait, il l'aurait.

Drake aperçut Dekka allongée dans un transat ; elle somnolait probablement. Une bâche recouvrait ce qui ne pouvait être que des cadavres. Dans un coin, deux gamins faisaient une bataille de pouces, leurs armes appuyées contre une voiture. Il ne vit ni Sam, ni son second, Edilio, ni Brianna.

Le soleil se couchait sur la mer. La nuit était proche. Caine lui avait recommandé de ne rien tenter avant que Jack ait arrêté le réacteur.

— Tu verras s'éteindre les lumières du parking, avait expliqué Jack de sa voix au ton pédant. Et tu entendras les turbines ralentir.

530

Sam devait être quelque part dans les parages. Il n'aurait jamais laissé Dekka seule avec deux idiots de Sixième. Drake voulait être celui qui lui ferait mordre la poussière. S'il parvenait à le tuer, plus personne ne contesterait sa légitimité de chef. « La raison du plus fort est toujours la meilleure », pensa-t-il. Caine avait laissé passer sa chance. Drake, lui, ne raterait pas Sam.

Mais il avait beau scruter les environs, il ne voyait pas trace de lui ni de qui que ce soit qui pourrait lui donner du fil à retordre. Au moment où il se détournait, il aperçut Orc qui se dirigeait d'un pas lourd, à l'autre bout du parking, vers un endroit envahi par les herbes hautes. Drake rit intérieurement. Le monstre allait se vider la vessie.

Il ne restait donc que Dekka, Orc et deux gamins armés de fusils. Il aurait été stupide de les traiter à la légère. Drake s'était déjà battu une fois contre Orc, et il n'avait pas vraiment remporté la partie. Sauf qu'à cette époque il n'avait pas de mitraillette.

Il s'appuya au bord du trou. La paroi était chaude sans être brûlante. Il s'accroupit, glissa la main sous le canon de son arme et colla la joue contre la crosse en plastique. Puis il ferma l'œil gauche, enroula l'extrémité de son tentacule autour de la détente, se déplaça de quelques centimètres ; voilà, Dekka était maintenant dans sa ligne de mire.

Pas tout de suite. Attendre que Jack ait arrêté le réacteur. Puis patienter encore dix minutes. Il valait mieux ne pas s'éterniser, cependant. Le soleil déclinait et si les lumières du parking s'éteignaient, Drake devrait tirer à l'aveuglette.

Dekka dormait. Une simple pression sur la détente suffirait. Ensuite, il regarderait les petites fleurs rouges s'épanouir sur les vêtements de la mutante.

Un hurlement s'éleva. Drake recula et bondit à l'intérieur. Howard se tenait à deux pas de lui, de l'autre côté du trou. Leurs regards se croisèrent. Drake ouvrit le feu, mais Howard s'était déjà plaqué contre le mur au-dehors. Dekka s'éveilla en sursaut. Drake poussa un juron et pointa son arme sur elle. Il pressa la détente. Rapide comme l'éclair, elle s'éleva à trois mètres du sol et son transat se mit lui aussi à léviter en tournoyant.

Drake visa de nouveau. «C'est comme le tir au pigeon, songea-t-il. Il suffit d'anticiper un peu les mouvements de la cible et…» Dekka tendit les bras vers lui avec un temps de retard. Soudain, il eut l'impression que le canon de sa mitraillette ne pesait plus rien. Son tir fut dévié et une explosion déchira l'air au-dessus de la tête de Dekka ; elle tomba en heurtant violemment le béton. La chaise longue atterrit sur elle puis, lentement, elle leva la tête.

Drake prit son temps. Il l'observa longuement. Vit qu'elle le regardait aussi. Dans ses yeux noirs, il lut de la peur et de la résignation : elle savait qu'il avait gagné.

— Et un mutant de moins, murmura-t-il en appuyant sur la détente.

— Il faut le surprendre, déclara Hank. Lui tomber dessus avant qu'il puisse réagir.

Zil n'appréciait pas du tout que ce soit Hank qui donne les ordres.

— L'important, c'est de l'assommer avant qu'il ait le temps de nous frire la cervelle, reprit celui-ci. Puis on l'attache et on l'enroule dans le papier alu.

— Il va se cuire les mains, lança Turk avec une joie mauvaise.

Ils décidèrent de faire la route à pied pour ne pas risquer d'être repérés en voiture. Ils traversèrent l'autoroute en courant comme si on les espionnait, bien qu'il n'y ait aucune chance que ce soit le cas. C'était drôle. Ils avaient l'impression de jouer à la guerre comme quand ils étaient petits. Ils ne virent aucune trace des soldats d'Edilio ni de la bande de Sam.

Ils sentirent l'odeur de la viande cuite dès qu'ils eurent atteint l'autre côté de l'autoroute. « C'est fou ce que la faim peut aiguiser l'odorat », pensa Zil. Il fit signe à Hank, à Turk et à Lisa de se cacher derrière le garage pendant que Lance et lui rampaient jusqu'à la clôture pour jeter un coup d'œil à travers les planches.

À l'aide d'un gros couteau de boucher, Hunter tentait maladroitement de découper la peau du chevreuil et massacrait la chair. Des morceaux carbonisés de l'animal traînaient dans un coin, ainsi que d'autres, sanguinolents. Hunter s'interrompit pour trancher un bout de viande qu'il fourra avidement dans sa bouche. Zil se surprit à saliver et son estomac se mit à gargouiller. Lance et lui retournèrent auprès des autres.

— Cette espèce de goinfre est en train de tout manger, annonça-t-il. Bon, voilà ce qu'on va faire.

Zil exposa son plan. Puis Turk, Hank, Lisa et lui contournèrent la maison. Lance devait jouer un rôle crucial dans l'opération : Hunter ne le connaissait pas, il n'avait donc aucune raison de le craindre. Quand tout fut en place, Lance se montra derrière la clôture.

— Hé !

Hunter fit volte-face, l'air coupable et effrayé.

— Pourquoi tu m'espionnes ? T'es qui, d'abord ?

— Relax, mon vieux. J'ai senti l'odeur de la viande, c'est tout. J'ai faim.

Hunter l'examina d'un air suspicieux.

— Je vais la vendre à Albert. Tout le monde y aura droit. Je me suis endormi après avoir mangé. Mais j'étais en train de la préparer.

Lance escalada la clôture. Il prit un air innocent pour demander :

— Tu veux que je t'aide à le dépecer en échange d'un petit morceau ? Tu sais qu'il faut lui ôter les intestins, dis ?

— Bien sûr que je le sais, rétorqua Hunter, agacé. J'allais justement le faire.

Zil voyait bien que son ancien colocataire n'y connaissait rien. Impatient et nerveux, il regarda Lance s'avancer tranquillement vers Hunter. Toute son attention semblait accaparée par cet inconnu. Cependant, il ne faisait pas mine de l'attaquer. Il n'avait même pas l'air menaçant.

— Maintenant, chuchota Zil.

Hank et lui furent les premiers à franchir la clôture. Ils progressèrent le plus discrètement possible, sans courir. Cependant, Lance commit l'erreur de jeter un coup d'œil dans leur direction. Hunter vit les yeux du garçon étinceler, se retourna, repéra Zil trop tard, et reçut la barre de fer de Hank en plein front. Il s'effondra comme un sac de sable.

Hank leva la barre pour le frapper de nouveau.

— Ça suffit, dit Zil en retenant sa main. Attachez-le.

Comme Turk commençait à lier les mains de Hunter devant lui, Zil reprit :

— Non, espèce d'idiot, dans le dos.

Turk sourit, l'air penaud.

— C'est pour ça que c'est toi le chef.

Ils s'assurèrent que Hunter était solidement entravé, puis Lisa s'avança avec un rouleau de papier d'aluminium qu'elle enroula autour de ses mains. Turk se chargea ensuite de lui emprisonner les doigts avec du scotch épais. Hunter ne bougeait plus.

Zil s'empara de son couteau et découpa un morceau de viande dans l'arrière-train du chevreuil. Bien qu'elle soit à peine cuite, il se jeta dessus tel un loup affamé. Les autres éclatèrent de rire et l'imitèrent. Turk mangea trop vite, alla vomir dans un coin du jardin puis revint se remplir l'estomac. Tout en dévorant, ils se réjouissaient de leur succès.

Puis Hunter commença à remuer ; il poussa un gémissement.

— Dommage qu'il n'y ait pas de ciment dans le coin, déclara Zil. Drake savait ce qu'il faisait.

— Mais Drake, c'est un dégénéré, lui aussi, non ? demanda Lisa innocemment.

Sa question fit réfléchir Zil. Drake était-il un mutant ? D'après la légende, son fouet avait poussé à la place du bras que Sam avait carbonisé au cours d'une bagarre.

— Je suppose que oui. Je n'en suis pas sûr, répondit-il, l'air pensif, en mâchonnant son morceau de gibier.

— Il va falloir tirer ça au clair, dit Turk.

Hunter gémit plus fort.

— Le dégénéré se réveille, annonça Lance. Il va avoir un sacré mal de tête.

Zil rit et les autres se joignirent à lui.

— Vous voyez, les gars : restez avec moi, et vous aurez de la bonne viande fraîche.

— Message reçu ! s'exclama Turk.

— Bon, chef, et si on s'occupait du mutant? s'impatienta Hank.

Zil s'esclaffa de nouveau. Son ventre plein lui procurait une sensation de bien-être. Il se sentait même euphorique et un peu engourdi à présent que le soleil se couchait. Il aimait bien le terme «chef»: il trouvait que ça lui allait bien. Zil Sperry, chef de la bande des Humains.

— D'accord, lança-t-il. On n'a qu'à le juger entre nous.

Il parcourut le jardin du regard.

— Turk, Hank, traînez-le jusqu'aux marches derrière la maison.

Hunter, qui n'avait pas entièrement recouvré ses esprits, ne tenait pas assis. Il avait un œil bizarre, et Zil s'aperçut que sa pupille avait doublé de volume, lui donnant l'air ahuri.

— Si t'avais admis que tu m'avais piqué mon fromage, on n'en serait pas là, cracha Zil.

Hank s'agenouilla devant Hunter.

— Avoue, c'est toi qui as piqué le fromage du chef, hein?

Hunter dodelina de la tête, essaya de parler mais n'émit qu'un gargouillis inintelligible. Turk l'imita:

— Blrrrr gllll pleuh.

— Je crois qu'il a dit: «Ouais, c'est moi», renchérit Hank.

— Je vais jouer les interprètes.

Hank demanda :

— Hunter, est-ce que tu avoues avoir assassiné Harry ?

Turk se chargea de répondre à la place de l'accusé.

— Oui. Je suis un salaud de mutant et j'ai tué Harry.

Zil rit de bon cœur.

— On n'y peut rien, il a confessé son crime.

Puis, d'un ton sentencieux, il reprit :

— Hunter, je te déclare coupable du meurtre de Harry.

— Et maintenant ? s'enquit Lisa. Il est blessé. On n'a qu'à le laisser partir.

Zil était sur le point d'approuver. Sa rage envers Hunter s'était éteinte, calmée par l'agréable sensation d'avoir le ventre plein.

— On a pitié d'un mutant, Lisa ? intervint Hank.

— Non, répondit-elle avec empressement.

Hank lui lança un regard sévère.

— Tu crois que si on le laisse filer, il passera l'éponge ? Non, il rassemblera tous les mutants du coin et ils s'en prendront à nous. Tu penses que Sam sera indulgent, lui ?

Zil se tourna vers Lance.

— Et toi, qu'est-ce que t'en dis ?

— Moi ? fit-il, l'air confus. Moi, je te suis, Zil.

Zil comprit que c'était à lui de trancher. Ce constat gâcha sa bonne humeur. Jusqu'à présent, il avait plus ou moins su comment justifier ses actes. Il pouvait dire à la cantonade : « Bon, Hunter a tué Harry, j'ai rendu justice. » Cet argument lui vaudrait l'approbation générale. Sam ne serait peut-être pas d'accord, mais il n'aurait sans doute pas d'autre choix que de laisser faire.

En revanche, s'ils exécutaient Hunter comme Hank le réclamait, Sam et sa bande se retourneraient contre eux. Et, pour être honnête, ils ne tiendraient pas une minute face à lui. Tuer Hunter, c'était déclarer ouvertement la guerre à Sam, et il l'emporterait haut la main. Néanmoins, Zil ne pouvait pas se rétracter. Il passerait pour un minable. Il était piégé. S'il se montrait clément, Hank lui tournerait le dos. Et Hunter ne les lâcherait plus, à coup sûr. Cependant, sa mort scellerait le sort de Zil.

— On est cinq, ce n'est pas assez, dit-il enfin. Il va nous falloir rallier plus de monde.

Hank le regarda d'un air soupçonneux. Mais Zil avait une idée :

— Sam peut nous battre tous les cinq, mais il ne va pas se mettre à dos la ville entière, pas vrai ? Qui va commander si tout le monde est contre lui ?

— Et comment on va les convaincre de passer dans notre camp ? demanda Hank avec colère.

Zil sourit.

— Vous avez vu toute cette viande ? Les gosses ont vraiment faim. À votre avis, de quoi ils seraient capables pour un steak de chevreuil ?

Edilio conduisait à toute allure, contrairement à son habitude. Il filait sur l'autoroute à cent kilomètres/heure en zigzaguant entre les voitures et les camions abandonnés ou accidentés. Comme le rugissement du vent noyait leurs paroles, ils gardèrent le silence.

En s'engageant sur la route côtière qui menait à la centrale, Edilio n'eut pas d'autre choix que de ralentir à cause des virages en tête d'épingle. Une seconde d'inattention les enverrait dans le décor. Ils dévaleraient la pente en bringuebalant sur les rochers et les buissons avant de finir leur course dans l'océan.

Sans crier gare, il freina dans un crissement de pneus.

— Quoi ? fit Sam.

Edilio leva la main, tendit l'oreille. C'était bien ça.

— Des coups de feu, répondit-il.

— Démarre, lui dit Sam.

Orc était en train d'uriner quand il entendit Howard s'époumoner. Il n'y prêta pas attention : Howard criait plus souvent qu'à son tour. Il était petit, faible et donc facilement impressionnable.

Il se retourna au moment où Drake ouvrait le feu. Il vit un éclair de lumière jaillir du trou dans le mur. Dekka s'éleva dans les airs, puis retomba. Quant à Howard, il s'était plaqué contre le mur.

— Orc ! cria-t-il.

Dekka ne bougeait plus. Ce n'était pas vraiment un problème pour Orc. Il ne l'aimait pas beaucoup, cette Dekka. Elle l'ignorait, la plupart du temps, et détournait le regard, l'air dégoûté, dès qu'il s'approchait d'elle. Enfin, qui n'en faisait pas autant ? Orc lui-même se dégoûtait.

Puis il reconnut le visage derrière la mitraillette. Drake. Il l'avait poursuivi en le fouettant de son tentacule. Si Orc n'avait pas senti grand-chose, il n'avait pas apprécié pour autant. Drake avait essayé de le tuer.

Orc détestait Drake. Ce qui ne signifiait pas pour autant qu'il était du côté de Dekka. Cependant, Sam l'aimait bien, lui, et il s'était montré juste envers Orc. Il l'avait approvisionné en bière. D'ailleurs, Orc en aurait bien descendu une, en ce moment même. S'il sauvait Dekka, Sam le récompenserait probablement. Cet acte de bravoure lui vaudrait au moins une caisse entière.

Drake se trouvait à une trentaine de mètres de lui, Dekka à la moitié de cette distance. Une moto était garée à quelques pas. Orc s'en empara et, tenant la roue avant d'une main, le guidon de l'autre, il tira de toutes ses forces. La roue céda facilement.

— Quelqu'un tire des coups de feu ! cria l'un des soldats de Drake en faisant irruption dans la salle de contrôle, hors d'haleine.

— Ah ouais ? Devinez qui ? ironisa Diana.

— C'est trop tôt, rugit Caine. Je lui avais pourtant ordonné d'attendre. Jack ! Vas-y.

— Je ne veux pas brusquer les choses et...

Caine leva les bras, fit léviter Jack et le jeta contre les écrans de contrôle.

— Tout de suite !

Ils sortirent de la salle et se dirigèrent vers un écran qui montrait l'intérieur du réacteur. Jack tapa une série de chiffres sur un clavier. Une fois les électroaimants désactivés, les grappes de commande s'enfoncèrent dans le mécanisme comme des dagues. Bien que rien ne bougeât sur l'écran noir et blanc, l'effet fut immédiat. La vibration des turbines, le ronronnement régulier qui faisait partie des lieux s'arrêtèrent net. Les lumières vacillèrent. L'image sur l'écran trembla puis se stabilisa.

— C'est pas risqué d'entrer ? demanda Caine.

— Bien sûr que non, tu penses ! Ça n'a rien de dangereux, un réacteur nu...

— La ferme ! Avance, Jack.

Jack obéit. Ils pénétrèrent dans une vaste salle qui semblait entièrement conçue en acier inoxydable, du sol aux coursives. Caine eut l'impression de se trouver dans une immense cuisine de restaurant. Les rambardes de sécurité et le bord des marches étaient peints en jaune vif. Des panneaux noir et jaune rappelaient les risques d'irradiation, précaution qui semblait bien superflue. La salle était surmontée d'un dôme digne d'une cathédrale, sauf qu'il n'y avait pas de fresques sur le béton peint. Caine fut soufflé par le gigantisme des lieux. Au centre était creusé un puits circulaire, d'un bleu inquiétant, qui ressemblait à une piscine. Aucun individu sain d'esprit n'aurait été tenté d'y plonger.

Une coursive courait le long des murs. Un robot-grue était suspendu au-dessus du puits. Là, dans les profondeurs lugubres, se trouvaient les crayons de combustible, de gros cylindres conçus dans un métal qui ressemblait à du plomb. Chacun d'eux était rempli de pastilles grises apparemment inoffensives. Un énorme chariot élévateur maintenait en équilibre un baril en acier ; le conducteur avait manifestement disparu au beau milieu de sa manœuvre.

— Je commence la séquence, annonça Jack.

Il se mit à pianoter furieusement sur un clavier, l'air à la fois terrorisé et euphorique. Perché tel un insecte prédateur au-dessus de l'eau trop bleue, le robot se mit en branle. Il faisait chaud dans la salle. Le groupe électrogène qui avait pris le relais n'alimentait plus l'air conditionné et la température avait monté presque instantanément.

— Combien de temps ? lâcha Caine.

— Pour l'extraire, le transporter jusqu'aux installations de refroidissement des déchets dans des conditions relativement sûres et…

— On n'a pas le temps, l'interrompit Caine. Drake a déjà ouvert le feu. Il faut qu'on se tire de là.

— Caine, il est hors de question que…

— Prends le crayon de combustible ! Je m'occupe du reste.

— Caine, il faut suivre une procédure pour l'extraire. Le seul moyen de…

Caine tendit les bras vers le dôme au-dessus d'eux – l'enceinte de confinement qui protégeait le monde extérieur des radiations en cas d'accident – et déchaîna ses pouvoirs. Le vacarme qui suivit lui vrilla les tympans.

— Qu'est-ce que tu fais ? cria Jack.

Diana se joignit à ses hurlements.

— Caine !

À cette distance et sans projectile, le béton n'était pas près de céder. Caine se tourna vers le chariot élévateur.

— Tiens-toi prêt, Jack.

Le chariot s'éleva et, comme si un dieu invisible venait de shooter dedans, il fendit l'air à une vitesse folle, franchit le mur du son avec un bang terrible, aussitôt couvert par une explosion assourdissante : la machine métallique était passée à travers le béton.

— Bon, il est costaud, ce crayon de combustible, à ton avis ?

— Tu es fou ! s'écria Diana.

— Non, juste pressé.

Drake appuya sur la détente. Une volée de balles alla se ficher dans le béton aux pieds de Dekka.

Luttant contre le recul de la mitraillette, il visa de nouveau et les impacts de balles se rapprochèrent. Immobile, Dekka attendit la fin.

Soudain, Drake tomba sur le dos sans lâcher son arme, et mitrailla le plafond. Une roue de moto rebondit à travers la pièce avant de s'écraser bruyamment sur une table. Drake se releva avec peine et observa la roue d'un air ahuri. Comment avait-elle atterri ici?

Orc.

Il remplaça son chargeur. Hormis quelques bleus, il n'était pas blessé. Il rampa jusqu'à l'entrée du trou en restant sur ses gardes au cas où un autre projectile surgirait. Dekka avait disparu.

Une énorme main caillouteuse s'engouffra dans le trou et manqua Drake d'un cheveu. Il tira à l'aveuglette puis fit volte-face et prit la fuite.

L A JEEP FIT VOLER LA GRILLE en éclats. Edilio s'en-gagea sur le parking tandis que Dekka, choquée, furieuse et contusionnée, se relevait péniblement.

— Qu'est-ce qui s'est passé ? demanda Sam en bondissant de son siège.

L'adrénaline avait repris le dessus ; pourtant, il se sentait déconnecté de la situation, alors même qu'il se précipitait au-devant de nouveaux problèmes. Ce n'étaient pas les siens. Il avait l'impression qu'un autre que lui jouait son rôle.

— J'ai essayé de faire un vol plané, grommela Dekka.

Elle secoua la tête et se pencha pour masser son genou.

— On a entendu une explosion par-dessus les coups de feu, lança Edilio. On aurait dit un coup de tonnerre.

— Désolée, je n'ai rien remarqué.

Orc et Howard les rejoignirent en courant.

— Orc, mon pote, c'était drôlement bien joué ! s'exclama Howard.

Il se précipita vers son ami et lui donna une tape sur l'épaule.

— Je te dois une fière chandelle, Orc, dit Dekka.

— Bon, qu'est-ce qui s'est passé ? répéta Sam.

— C'est Drake, répondit Howard. Il a tiré sur Dekka. Elle s'est élevée dans le vide puis, paf !, elle est retombée. Alors Orc a arraché la roue d'une moto et il l'a balancée sur Drake comme un frisbee. (Howard, ravi, battit des mains.) Elle est passée par le trou que tu as fait dans le mur, Sam. C'était comme un panier au basket.

— Ça va vous coûter cher, grogna Orc.

— Je veux, oui ! renchérit Howard. Va falloir payer. Orc ne sauve pas les gens pour des prunes.

— Personne n'a entendu un grand bruit ? demanda Edilio d'un ton pressant.

— On était en train de se faire canarder ! aboya Dekka.

— Tu n'as rien, Dekka ? s'enquit Sam.

— Je survivrai.

— À ton avis, qu'est-ce qui se passerait dans une caverne ou dans une mine si tu suspendais la gravité ?

— C'est quoi, un quizz ?

— Non.

— Eh bien, en suspendant et en rétablissant la gravité plusieurs fois, j'imagine qu'elle commencerait à s'effondrer.

Sam posa la main sur son épaule.

— J'ai un service à te demander.

— Tu veux que je détruise une caverne ou une mine, c'est bien ça ?

— Ce n'est pas n'importe quelle mine, intervint Edilio d'un ton morne. Il y a quelque chose à l'intérieur. Une créature qui... Je ne sais pas comment l'expliquer. Elle s'immisce dans ta tête.

— Je voudrais que tu ailles là-bas avec Edilio pour emmurer cette chose dans la mine, déclara Sam. Howard ? Orc et toi, rentrez en ville. J'ai du mal à croire que j'en sois arrivé là, mais j'ai besoin que vous gardiez un œil sur ce qui se passe là-bas.

— Ça va te coûter...

— Ouais, je sais. On négociera plus tard, d'accord ?

Howard haussa les épaules.

— OK, je te fais confiance.

Il montra son œil puis celui de Sam, l'air de dire : « Je te surveille. »

— C'est quoi, ton plan ? demanda Dekka à Sam.

— Parlementer avec Caine. Il faut que je l'arrête tant qu'il est dans les murs.

— Tu ne vas pas aller lui parler tout seul, objecta Edilio. Pas question. Tu vas te faire tuer.

Sam se força à rire.

— Ce serait trop beau. Howard, dès votre arrivée en ville, cherche Brise. Si tu ne la trouves pas, rabats-toi sur Taylor. Dis-leur d'envoyer des renforts. Et j'ai besoin de quelqu'un qui me tienne au courant de la situation à la mine.

— Il aurait peut-être fallu rétablir le téléphone, finalement, observa Edilio.

Il tressaillit, s'apercevant trop tard que sa remarque pouvait passer pour un reproche.

— Oui, tu peux ajouter ça à la liste des erreurs que j'ai commises récemment.

— Il y en a une que tu peux encore éviter, Sam : ne va pas là-bas tout seul.

— Qui a dit que j'irai seul ? répondit Sam d'un ton égal.

Edilio le regarda droit dans les yeux. Sam baissa la tête et reprit :

— Si jamais il m'arrive quelque chose, suivez les ordres d'Edilio.

Dekka hocha la tête d'un air solennel.

— Ne me fais pas ça, murmura Edilio. Ne meurs pas. Ne me laisse pas tout sur les bras, Sam.

Le crayon de combustible mesurait environ quatre mètres de long. Malgré sa gaine en plomb, il n'était pas moins dangereux.

Jack, les yeux exorbités de frayeur, tenait entre ses mains ce qui ressemblait à une grosse télécommande. La gorge nouée, il appuya sur un bouton, et le tube en métal s'immobilisa. Il laissa échapper un soupir, presque un gémissement.

Le crayon de combustible suspendu au robot-grue se balançait doucement dans le vide. Caine se sentait attiré par lui. Il avait envie de le toucher. Cependant, il était brûlant : même à dix mètres de distance, Caine était en nage.

Il entendit des pas derrière lui. Sans se retourner, il lança :

— Tu es parti avant le coup d'envoi, Drake.

— C'est pas ma faute, répliqua celui-ci, hors d'haleine. Howard m'a repéré.

— Et Sam ? demanda Caine, hypnotisé par le tube gris terne, le contraste entre son pouvoir dévastateur et son apparence quelconque.

— Il vient d'arriver avec le Mexicain.

Caine jeta un coup d'œil à la cavité qu'il avait percée dans le dôme. Un fragment de béton se détacha et alla s'écraser lourdement sur du matériel. À travers le trou, il distingua le flanc d'une colline rougie par les rayons du soleil couchant. Il faudrait à Jack dix à quinze minutes pour transporter le crayon de combustible jusqu'à l'aire de chargement. Or, dans dix minutes, Sam serait peut-être déjà là.

— On ne peut pas laisser Sam nous coller au train quand on partira, déclara Caine.

Une idée, superbe de simplicité, lui traversa l'esprit. Il ferait d'une pierre deux coups.

— Il est temps pour toi de prouver que tu es aussi balèze que tu le prétends, Drake.

— J'ai rien à prouver, rétorqua celui-ci.

Caine soutint le regard furieux de son lieutenant.

— Drake, quand j'ai envoyé Diana chercher Jack, elle me l'a ramené. Maintenant, j'ai besoin de quelqu'un pour arrêter Sam ou, au moins, le ralentir. Est-ce qu'il faut que je demande à Diana de s'en occuper ? Elle trouvera peut-être un moyen. Sam est un garçon, après tout.

Diana – Dieu bénisse son esprit tordu – comprit à l'instant ce que Caine manigançait.

— Oh, Sam ?

Elle rit d'un air entendu.

— Tu penses bien qu'il doit être frustré avec sa princesse de glace. Ça ne devrait pas être très compliqué de le ralentir.

L'argument de Diana aurait été plus crédible avant qu'elle se rase la tête et s'habille en garçon, mais Caine vit que Drake avait déjà mordu à l'hameçon.

— C'est donc ça que tu veux ! cracha-t-il. Ce sera lui ou moi, si j'ai bien compris. Dans les deux cas, ça vous arrange, toi et la sorcière.

— Tu essaies de gagner du temps, Drake.

Caine pouvait presque lire dans les pensées du psychopathe tandis qu'il passait en revue les options qui s'offraient à lui. Or, il ne pouvait pas se défiler s'il voulait mériter son surnom. Pas s'il espérait prendre la place de Caine.

— Je vais lui régler son compte, dit-il d'une voix qui se voulait menaçante, mais qui tremblait un peu.

Sans doute mécontent de son petit effet, il reprit dans un grognement :

— Je l'arrêterai.

Caine hocha imperceptiblement la tête puis, se détournant de Drake, il adressa un clin d'œil à Diana qui garda une expression impassible.

Pauvre Drake. Ce n'était pas tout d'être ambitieux. Un chef devait se servir de sa cervelle. Il ne suffisait pas d'être une brute, il fallait aussi être manipulateur et impitoyable. Les grands leaders devaient savoir quand tirer les ficelles et quand se battre. Surtout, ils devaient être capables de prendre des risques.

— Espérons que ce machin est solide, dit Caine.

Il tendit les bras ; le crayon de combustible s'éleva et flotta dans le vide, toujours suspendu par une extrémité au robot-grue.

— Lâche-le, maintenant, ordonna Caine.

— Caine, protesta Jack, s'il s'ouvre…

— Obéis ! rugit-il.

Même Drake recula d'un pas. Jack pressa le bouton qui libéra le cylindre du bras articulé. Caine leva de nouveau les bras, paumes tendues. Le crayon de combustible partit comme une flèche et franchit le trou dans le dôme en raclant contre le béton.

— C'est le moyen le plus rapide.

— S'il s'est ouvert, on est tous morts, gémit Jack.

Ignorant sa remarque, Caine se tourna vers Drake et vit une lueur sournoise s'allumer dans son regard.

— Je m'occupe de Sam.

— Ou c'est lui qui s'occupera de toi, répliqua Caine en riant.

— On se retrouvera, Caine.

Drake laissait peu de doute sur l'issue de son face-à-face avec Sam : s'il y survivait, c'est à Caine qu'il s'en prendrait ensuite.

— Tu sais quoi ? reprit-il. Je vais te rapporter la main de ton frère. Il a pris la mienne : il est temps que je lui rende la monnaie de sa pièce.

Sam regarda Edilio et les autres s'éloigner. Bizarrement, pour la première fois depuis plusieurs jours, il se sentait serein. La seule vie qu'il risquait désormais, c'était la sienne. En outre, il avait un plan : s'il le suivait à la lettre, la question serait réglée une fois pour toutes. Il avait commis trop d'erreurs, négligé trop de détails. C'était Quinn qui avait eu l'idée de partir à la pêche, pas lui. Il n'avait pas non plus pensé à réquisitionner des 4 x 4 pour protéger les ramasseurs des vers ; c'était la trouvaille d'Astrid.

Sam avait été trop lent à réagir, trop distrait, trop hésitant. Il avait trop attendu pour rationner la nourriture. Il n'avait pas su motiver ses troupes. Il avait laissé la rancœur s'installer entre normaux et dégénérés. Il n'avait pas pu protéger la supérette de Drake ni la centrale de Caine.

Et puisque c'était lui qui donnait les ordres, il était responsable. Même maintenant, il ne pouvait s'empêcher de penser qu'il avait omis un détail crucial. Une arme. Une planche de salut.

S'il survivait à cette journée, il tirerait sa révérence et laisserait Astrid, Albert, Dekka ou – mieux encore – Edilio prendre les rênes. S'il parvenait à arrêter Caine, si Dekka réussissait à détruire la mine, ce serait terminé. Il en avait assez fait.

Et s'ils échouaient? Si Caine tirait son épingle du jeu? Si Dekka n'arrivait pas à les débarrasser du gaïaphage? Le monstre retenait Lana. Il s'était introduit dans la tête de Caine. Il avait accès à leurs pensées ainsi qu'à celles de Drake, vraisemblablement. Il connaissait leurs atouts, leurs points faibles. S'il arrivait à ses fins, que se passerait-il?

Quelque chose échappait à Sam. Mais ce n'était pas la première fois. Et bientôt, ce serait le problème de quelqu'un d'autre. Lui, il irait surfer. Il n'avait pas vraiment besoin de vagues. Il pagaierait avec ses mains, allongé sur sa planche, et ça suffirait.

Mais d'abord...

Sam traversa le parking en direction de la salle des turbines. Il s'attendait à essuyer des coups de feu. Pourtant, en atteignant la porte, il s'aperçut qu'elle n'était pas gardée. Malgré son soulagement, il savait que c'était mauvais signe. Caine aurait dû faire surveiller cette porte. S'il était toujours là.

À l'intérieur, il régnait un silence inquiétant. La centrale était arrêtée. Les turbines ne tournaient plus. En temps normal, on n'entendait rien par-dessus le ronronnement des machines. Or, à présent, il discernait même le bruit de ses pas. Une fois dans le couloir, il constata que la porte de la salle de contrôle avait été forcée. Il mit quelque temps à comprendre pourquoi des outils étaient plantés dans le sol. La salle de contrôle était vide et plus sombre qu'à l'accoutumée. Seul l'éclairage d'urgence fonctionnait encore. Le matériel et les moniteurs étaient encore allumés, mais il n'y avait aucun signe de vie dans les parages. Sam repéra une flaque de sang séché par terre et des empreintes de pas rouges.

Ce silence le désarçonnait. Où étaient passés Caine et Drake ? La centrale était vaste ; ils pouvaient être n'importe où. Caine attendait peut-être, caché en embuscade, le moment opportun pour frapper : il n'aurait même pas le temps de réagir. Il s'efforça de garder son calme et regretta de ne pas avoir demandé à Edilio de dépêcher Brianna sur les lieux : elle pouvait inspecter la centrale en moins de deux minutes.

« Réfléchis », se dit-il. Ils étaient venus voler de l'uranium. Ils avaient l'intention de transporter leur chargement jusqu'à la mine. Comment s'y prendraient-ils ? Où iraient-ils ? Le réacteur, évidemment. C'était là que se trouvait le métal dangereux.

— Pas très encourageant, tout ça, dit Sam en s'adressant à la salle déserte.

Il sortit dans le couloir et suivit les écriteaux placardés sur les murs. Une porte en acier protégeait l'accès au réacteur. Caine n'avait pas pris la peine de la refermer derrière lui. Sam emprunta un long corridor mal éclairé puis s'arrêta devant une deuxième porte en acier, ouverte elle aussi, bien qu'elle soit équipée d'un système de sécurité. En temps normal, elle devait être verrouillée à double tour.

Sam comprit qu'on l'avait délibérément laissée ouverte. Était-ce parce que Caine avait irradié tout le secteur? Son corps était-il déjà en train d'absorber une dose fatale de radiations?

Non, Caine n'avait pas l'esprit assez tordu pour contaminer la centrale et en condamner l'accès. La seule chose dont Sam était certain, c'est qu'un jour ou l'autre il chercherait à rétablir l'électricité, ne serait-ce que pour la contrôler. Simple logique. Ce constat ne calma pas pour autant ses angoisses. Si Caine avait contaminé les lieux, Sam était un mort en sursis.

Il pénétra dans la salle du réacteur. Il y régnait une chaleur étouffante malgré la hauteur du plafond. Il était impossible de garder son sang-froid à la vue du cœur du réacteur, ce trou trop bleu qui canalisait un pouvoir immense. Impossible de ne pas penser à ce qu'il représentait.

Il le contourna avec mille précautions, tous les sens en éveil. Drake Merwin l'attendait de l'autre côté, adossé à un panneau de commande ; son fouet ondulait paresseusement contre son flanc.

— Salut, Sam, lança-t-il.

— Drake.

— Tu sais quoi, Sam ? Je n'ai jamais été très attentif en classe parce que je ne voyais pas l'intérêt de tout ce blabla.

Drake sortit de sa poche ce qui ressemblait à une grosse télécommande et appuya sur un bouton. Une sirène se déclencha.

— Recule, Drake, cria Sam par-dessus le vacarme.

— Je vais t'en faire baver, Sam.

— Qu'est-ce que tu fais ?

— Eh bien, d'après ce que j'ai compris, ces trucs sont des grappes de commande. Si tu les insères dans le réacteur, il s'arrête. Tu en sors quelques-unes, et il se met en marche. Enlève-les toutes à la fois, et tu obtiens une fusion du cœur.

Des dizaines de tubes étroits assemblés sur un socle circulaire émergèrent peu à peu de l'espèce de piscine d'un bleu menaçant.

— Tu bluffes, Drake.

Le garçon sourit.

— Compte là-dessus, Sam. Je me demande à quoi ressemblera la belle Astrid quand elle aura perdu ses cheveux.

Il retourna la télécommande dans sa main afin que Sam puisse la voir.

— Tu vois ce bouton ? C'est lui qui actionne les grappes. Tu appuies dessus, t'es sauvé. Tu ne fais rien… Bon, d'après Jack, on mourra vite. Les autres habitants de la Zone auront un petit sursis.

— Toi aussi, tu vas y passer, dit Sam pour gagner du temps.

Il se creusait désespérément la cervelle pour trouver un moyen d'éviter la catastrophe. Drake était-il vraiment assez fou… ? Sans aucun doute. L'alarme redoubla d'intensité.

— Je ne m'inquiète pas, Sam, parce que je sais que tu m'en empêcheras, cria Drake par-dessus le hurlement de la sirène.

Sam leva les bras. Drake tendit la main au-dessus du trou éclairé, vibrant comme une créature vivante. À présent, il tenait la télécommande entre deux doigts.

— Si je la laisse tomber…

Sam baissa lentement les bras. L'alarme lui vrillait l'intérieur du crâne. Combien de minutes ? Combien de secondes ? Les grappes de commande s'élevaient, inexorablement, avec une certaine majesté. Combien de temps avant qu'il ne soit trop tard ?

«Un échec de plus», songea-t-il, la mort dans l'âme.

— Tu ne veux pas savoir ce que je veux, Sam ? cria Drake.

— Moi. C'est moi que tu veux.

— Oui, c'est ça l'idée. Et tu vas me laisser décider de ton sort, sinon…

Astrid avait décidé de reprendre avec le petit Pete ses exercices négligés depuis trop longtemps. L'un d'eux consistait à séparer des balles en fonction de leur couleur. N'importe quel bambin de cinq ans aurait pu le réussir, mais le petit Pete n'était pas un enfant comme les autres.

— Tu peux mettre la balle dans la boîte qui convient? demanda Astrid.

L'enfant fixa l'objet pendant quelques instants puis regarda ailleurs. Astrid lui prit la main et la posa sur la balle d'un geste brusque.

— Tu peux la mettre à sa place? répéta-t-elle d'une voix stridente, exaspérée.

Ils étaient assis sur un coin de tapis dans la chambre du petit Pete. Il s'était replié dans son monde, indifférent à tout ce qui l'entourait. Astrid le détestait dans ces moments-là.

— Essaie encore, Pete.

Sans y penser, elle fit craquer les os de ses doigts. Elle envoyait des signaux de nervosité. Ça n'aidait pas.

Elle aurait dû imposer ce genre d'exercices à son frère plusieurs fois par jour ; or, ce n'était plus le cas depuis longtemps. Elle ne s'y était attelée que parce qu'elle ne supportait plus d'attendre. Elle avait besoin de s'occuper pour éviter de penser à Sam.

— Pardon, dit-elle à l'enfant, qui ne prêta pas plus attention à ses excuses qu'au reste.

Quelqu'un frappa à la porte et elle sursauta.

— C'est moi, John.

Astrid se leva, à la fois soulagée et déçue.

— John, qu'est-ce qu'il y a?

Ils n'auraient jamais chargé John de lui transmettre une mauvaise nouvelle... Si?

— Je ne trouve pas Mary.

Dans la tête d'Astrid, le soulagement laissa bientôt place à l'inquiétude.

— Elle n'est pas à la crèche?

John secoua la tête en agitant ses boucles rousses, geste qui contrastait avec son expression sérieuse.

— On l'attend depuis des heures. Elle n'est presque jamais en retard. Je n'ai pas pu me mettre à sa recherche avant parce qu'on manque de monde et qu'on a beaucoup d'enfants malades. Je suis venu dès que j'ai pu. J'ai regardé dans sa chambre, elle n'y est pas.

Astrid jeta un coup d'œil au petit Pete: il tenait une balle jaune à la main, et visiblement il n'avait pas l'intention d'en faire quoi que ce soit.

— Je vais aller voir, dit-elle.

Ils entrèrent dans la chambre de Mary, qui était propre et rangée comme à l'accoutumée. Cependant, ses draps étaient en désordre.

— Elle fait toujours son lit, observa Astrid. Qu'est-ce que c'est que ce bruit?

Un bourdonnement régulier leur parvenait de la salle de bains. Le ventilateur. Astrid essaya d'ouvrir la porte mais quelque chose faisait obstacle de l'autre côté. Elle réussit à l'entrebâiller et risqua un œil à l'intérieur. Mary était étendue sur le sol, inconsciente. Elle portait un peignoir qui laissait voir ses mollets.

— Mon Dieu, Mary ! cria Astrid. Aide-moi à la déplacer, dit-elle à John.

Ensemble, ils poussèrent la porte pour se glisser à l'intérieur. Astrid perçut immédiatement une odeur de vomi dans la pièce.

— Elle est malade ? s'écria John.

L'eau dans la cuvette des toilettes était légèrement opaque. Un mince filet de bave coulait le long du menton de Mary.

— Elle respire. Elle est vivante.

— Je ne savais même pas qu'elle était malade.

Astrid aperçut une petite trousse à maquillage, dont le contenu était à moitié éparpillé sur le carrelage. Elle en vida le reste par terre : une bouteille de sirop – un vomitif – presque vide. Et plusieurs types de laxatifs.

— John, ferme les yeux une minute.

— Pourquoi ?

— Parce que je vais ouvrir le peignoir de Mary.

Vaguement nauséeuse, Astrid défit le nœud qui retenait le vêtement et en écarta les pans. Sous son peignoir, Mary ne portait qu'une culotte. Rose.

Astrid s'étonna de remarquer ce détail. Car ce qui sautait aux yeux, c'était les côtes saillantes de Mary. On aurait facilement pu les compter. Et son ventre était creux.

— Oh, pauvre Mary, murmura Astrid en refermant le peignoir.

John ouvrit les yeux. Ils étaient remplis de larmes.

— Qu'est-ce qui ne va pas ?

Astrid se pencha pour examiner les dents de Mary. Puis elle passa une main sur sa tête ; une touffe de cheveux lui resta entre les doigts.

— Malnutrition, dit-elle.

— Elle mange autant que nous, protesta John.

— Non, elle s'affame. Ou quand elle avale quelque chose, elle s'empresse d'aller le vomir. C'est à ça que sert le sirop.

— Pourquoi elle fait ça ?

— C'est une maladie, John. Elle souffre de boulimie et d'anorexie.

— Il faut qu'on lui donne à manger, gémit-il.

Astrid n'avait pas le cœur de lui expliquer que nourrir sa sœur ne suffirait pas. Elle s'était documentée sur les troubles alimentaires. Si les enfants n'étaient pas pris en charge, ils pouvaient en mourir.

— Nestor, Nestor, Nestor, Nestor. Nestor, Nestor, Nestor, Nestor, cria le petit Pete derrière eux.

Une vague de désespoir submergea Astrid. Elle ferma les yeux et s'efforça de se ressaisir. Il ne manquait plus que ça ! Mary qui s'évanouissait ! Elle avait déjà un frère autiste sur les bras, et un petit ami dépressif perdu au beau milieu d'une guerre.

— Viens, John, dit-elle, il faut qu'on emmène Mary voir Dahra.

— Ce n'est pas une experte. Tout ce qu'elle a, c'est un manuel de médecine.

— Je sais bien. Écoute, je n'y connais rien, à l'anorexie. Au moins, Dahra a lu des livres.

— Il faut qu'on lui donne de la viande de chevreuil.

— Qu'est-ce que tu racontes ?

— Zil a attrapé un chevreuil. Il va le partager ce soir à l'heure du dîner.

En dépit de la situation, l'estomac d'Astrid se mit à gargouiller. La seule idée de manger de la viande éludait tout le reste. Cependant, même la faim ne put réduire au silence les sirènes d'alarme qui retentissaient dans sa tête.

— Zil ? Zil a tué un chevreuil ?

— Tout le monde ne parle que de ça. Turk crie sur tous les toits qu'ils ont coincé Hunter. Il a tué ce chevreuil et comptait se le garder pour lui. Tous ceux qui veulent de la viande sont invités à venir aider Zil à le punir. Les normaux, en tout cas, ajouta John. Les mutants ne sont pas les bienvenus.

Astrid lui jeta un regard incrédule. Il ne semblait pas s'apercevoir de la portée de ses paroles.

— Est-ce que Mary va guérir si on lui donne du chevreuil ? demanda-t-il.

Sam poussa un hurlement au moment où Drake frappait de nouveau. Il tomba à genoux et se mit à pleurer comme un bébé. Ses cris furent noyés sous les braillements de la sirène.

« Si seulement on pouvait filmer cette scène », songea Drake. Il se la passerait en boucle. Le grand Sam Temple, couvert de sang, en train de se rouler par terre, à l'agonie, pendant que lui, Drake, faisait claquer son fouet encore et encore.

— Ça fait mal, Sam ? lança-t-il, triomphant. Moi aussi, j'ai souffert quand tu m'as cramé le bras.

Clac ! Un autre coup de fouet. Récompensé par un gémissement atroce.

— Il paraît que je me suis pissé dessus quand on m'a amputé, reprit Drake. Et toi, Sam, ça t'est déjà arrivé ?

Sam était maintenant couché sur le flanc, et se couvrait le visage de ses mains. Le dernier coup de fouet ne lui avait pas arraché un cri. À peine un frémissement. Un spasme de douleur.

— On va te refaire le portrait, rugit Drake en reculant pour prendre son élan.

Le fouet s'abattit de nouveau. Un brouillard obscurcit la vision de Drake. Et soudain, il s'entendit pousser un cri de surprise et d'horreur. D'abord, il ne sentit rien puis baissa les yeux vers le tronçon de tentacule, long d'une quarantaine de centimètres, qui se convulsait sur le sol tel un serpent agonisant. Il fixa son bras, incrédule ; le sang coulait à flots. Le fil de fer était apparu comme par enchantement. Il s'enroulait autour d'une des échelles de la coursive. Postée à l'autre bout, Brianna tendait le fil entre ses doigts.

— Salut, Drake, lança-t-elle. Pas mal, ton idée.

Drake ouvrit la bouche mais aucun son n'en sortit. Le tentacule tranché se tortillait toujours par terre, comme s'il était animé d'une vie propre.

— La télécommande ! cria Sam. Brise !

Drake laissa tomber l'objet puis tourna les talons et s'enfuit.

Brianna s'élança à une vitesse prodigieuse. Son cerveau, quant à lui, fonctionnait à un rythme normal. Il lui fallut donc quelques instants pour repérer la télécommande et comprendre qu'elle était d'une importance capitale pour que Sam se donne la peine de crier dans son état. Il lui fallut aussi une fraction de seconde pour s'apercevoir que la cavité bleue n'était pas une piscine.

Sans réfléchir, elle plongea. Sa main agrippa l'objet à quelques centimètres de la surface. Si elle avait le malheur de toucher l'eau... Elle replia les jambes sous elle, tournoya sur elle-même, se cogna contre les grappes de commande, se rattrapa de justesse au bord de la piscine et dérapa sur le sol. Pas très élégant, certes. Mais elle avait récupéré la télécommande. Elle l'examina de plus près. Et maintenant ?

— Sam ? Sam ?

Comme il ne répondait pas, elle s'agenouilla près de lui, le retourna sur le dos et constata avec horreur que Drake l'avait défiguré.

— Sam ? dit-elle dans un sanglot.

— Le bouton rouge, souffla-t-il avant de s'évanouir.

38

Edilio agrippait si fort le volant que les jointures de ses doigts étaient blanches. Dekka remarqua aussi qu'il serrait les dents et qu'il s'efforçait sans succès de se détendre. Elle n'y fit aucune allusion.

Dekka n'était pas du genre bavard. Elle aimait cultiver un jardin secret. Ses rêves et ses émotions ne regardaient qu'elle ; on ne gagnait jamais rien à se confier.

Les enfants de Perdido Beach, comme ceux de Coates avant eux, avaient tendance à prendre son penchant solitaire pour de l'hostilité à leur égard. Or, il n'en était rien. Mais à Coates, ce dépotoir pour gamins à problèmes, la capacité d'intimider les autres était toujours un atout.

Là-bas, Dekka ne faisait partie d'aucune bande. Elle n'avait pas d'amis. Elle ne créait pas d'histoires, décrochait de bonnes notes, n'enfreignait pas les règles et ne se mêlait pas des affaires d'autrui.

Pourtant, elle avait remarqué ce qui se passait autour d'elle. Bien avant la plupart de ses camarades, elle savait que certains pensionnaires expérimentaient des changements qui échappaient à toute logique. Elle savait que Caine développait des pouvoirs étranges. Elle avait percé à jour la personnalité instable et dangereuse de Drake Merwin. Et, bien entendu, le tempérament retors de la belle Diana.

Elle avait tout de suite évalué la séduction de cette fille. Elle jouait avec elle, l'allumait, se moquait d'elle, et lui donnait l'impression d'être vulnérable pour la première fois depuis longtemps. Cependant, Diana n'avait pas révélé son secret. Dans un environnement tel que Coates, ce serait très vite revenu à ses oreilles.

Diana savait garder un secret. Pour mieux s'en servir plus tard.

Dans les premiers temps, Dekka avait à peine remarqué Brianna. L'attirance était venue plus tard, après que Caine et Drake avaient emprisonné tous les mutants en devenir entre les murs du pensionnat. Voûtée par le bloc de ciment qui lui paralysait les mains, Dekka avait été placée à côté de Brianna. Côte à côte, elles avaient mangé dans un trou à même le sol, comme des animaux. C'était à cette époque que Dekka avait commencé à admirer le caractère indomptable de Brianna. On pouvait la jeter à terre, elle se relevait toujours. Dekka aimait cette qualité chez elle.

Bien sûr, c'était sans espoir. Brianna était sans doute cent pour cent hétéro. Et, pour couronner le tout, elle avait un goût déplorable en matière de garçons, du point de vue de Dekka.

— On n'est plus très loin, annonça Edilio. La ville fantôme est juste devant nous. Tiens-toi prête.

— Prête pour quoi ? grommela-t-elle. Personne ne m'a rien expliqué. Sam m'a seulement ordonné de détruire une espèce de caverne.

Edilio gardait sa mitraillette posée sur ses genoux. Il en ôta le cran de sécurité. Il avait aussi glissé un pistolet dans la jambe de son pantalon. Il le tendit à Dekka.

— Tu commences à m'inquiéter un peu, Edilio.

— Les coyotes, répondit-il. Et pire, peut-être.

— Pire ? C'est-à-dire ?

Ils ralentirent en s'engageant dans la rue principale de ce qui avait jadis été une ville. Tout était en ruine, à présent : ne restaient que des bouts de bois, de la poussière et des fragments de peinture écaillée.

— Tu ne sens rien ? murmura Edilio.

Dekka avait bel et bien une impression étrange depuis quelques minutes, indéfinissable.

— Tu dois te rapprocher pour pouvoir agir ? demanda-t-il.

Au moment où Dekka allait répondre, elle s'aperçut qu'elle avait la bouche sèche, la gorge nouée. Elle avala sa salive et dit :

— Oui.

La Jeep atteignit le bout de la piste. Edilio fit un demi-tour, s'arrêta et laissa les clés sur le contact.

— Je ne veux pas avoir à les chercher. Espérons que les coyotes n'ont pas appris à voler les voitures.

Dekka constata qu'elle avait du mal à descendre de la Jeep. Elle lut de la compassion dans les yeux d'Edilio.

— Je ne sais même pas de quoi j'ai peur, lança-t-elle.

— Quelle que soit cette chose, il faudra la tuer.

Ils suivirent la piste et tombèrent bientôt sur le cadavre d'un coyote couvert de mouches.

— Ça en fait déjà un de moins, observa Edilio.

Ils contournèrent prudemment l'animal mort. Edilio, le doigt sur la détente, balaya les alentours du canon de son arme. Le pistolet pesait lourd dans la main de Dekka. Elle scrutait chaque rocher, chaque lézarde, le corps tendu. Ils gravirent lentement la colline et parvinrent enfin à l'entrée de la mine.

— Tu peux t'en occuper d'ici? chuchota Edilio.

— Non, répondit Dekka. Plus près.

Ils progressèrent en traînant les pieds dans la poussière et le gravier, avec l'impression de marcher dans de la mélasse. L'air leur semblait lourd. Le doigt d'Edilio tremblait sur la détente. Le cœur de Dekka battait la chamade.

Plus près.

Enfin, elle s'arrêta. Avec une lenteur extrême, Edilio se retourna pour pointer son arme sur les deux coyotes qui venaient d'apparaître comme par magie au-dessus de l'entrée. Dekka serra les doigts sur la crosse de son pistolet. Puis elle leva les mains, écarta les bras et… distingua un mouvement dans la caverne. Un éclair de chair pâle dans les ténèbres.

Lana s'avança vers eux, d'un pas de somnambule. Elle s'arrêta à l'entrée de la mine, juste au-dessous du surplomb rocheux, et regarda Dekka droit dans les yeux.

— Non, dit-elle d'une voix méconnaissable.

Quand Sam reprit connaissance, Brianna était agenouillée près de lui, un kit de premiers secours ouvert à côté d'elle, et vaporisait de l'antiseptique sur ses plus vilaines blessures.

— Drake, parvint-il à articuler.

— Je m'occuperai de son cas plus tard, répliqua Brianna. Toi d'abord.

La sirène d'alarme s'était tue. Sam essaya de s'asseoir, mais Brianna le força à se rallonger.

— Tu es salement blessé, mon vieux.

— Oui, admit-il. Ça brûle.

— J'ai trouvé ça, lança-t-elle d'un ton dubitatif en brandissant une boîte sur laquelle était écrit : «Sulfate de morphine – injection 10 mg.»

Sam ferma les yeux. Il devait se retenir de hurler. La souffrance était intolérable. Il avait l'impression qu'on appliquait un fer rouge sur sa peau.

— Je ne sais pas, dit-il entre ses dents.

— On aurait besoin de Lana, marmonna Brianna.

— Oui, dommage que j'aie envoyé Dekka la tuer.

La douleur montait par vagues si fortes qu'il avait envie de vomir. La morphine atténuerait son supplice mais l'empêcherait probablement de retourner se battre. Or, personne à part lui n'était capable de vaincre Caine. Il devait absolument se relever...

Il laissa échapper un cri. Brianna sortit la seringue de sa boîte et la planta dans sa jambe. Il éprouva un soulagement immédiat doublé d'une extrême lassitude et d'une indifférence rêveuse. Il s'enfonça dans les ténèbres, s'y abandonna, tandis que Brianna le regardait plonger vers le centre de la terre. Dans un dernier éclair de lucidité, il pensa : « Une arme. Une planche de salut. »

— Brise...

— Quoi, Sam ?

— Brise...

— Je suis là, Sam.

La créature se tiendrait prête. Elle connaissait leurs pouvoirs et leurs points faibles, pénétrait leurs pensées. Cependant, elle ignorait encore un détail.

D'un geste brusque, spasmodique, Sam saisit le bras de Brianna et le serra de toutes ses forces.

— Brise. Brise... va chercher Duck.

— Je ne peux pas te laisser, protesta-t-elle.

— Brise. Les radiations. Tu viens d'être exposée.

S'il ne distingua pas l'expression de son visage, il l'entendit retenir son souffle.

— Quoi, je vais mourir ? demanda-t-elle avec un rire forcé. Impossible.

Elle semblait à des années-lumière de lui, désormais. Pourtant, il devait lui parler coûte que coûte.

— Oh, mon Dieu ! cria-t-elle.

— Brise. Va chercher Duck. La mine. Lana.

À ces mots, il lâcha prise, et se laissa aspirer dans le trou noir.

Une fois à Perdido Beach, Brianna parcourut les rues de la ville à toute allure en tambourinant aux portes.

— Duck ! Duck ! Ramène tes fesses !

Mais Duck restait introuvable. Elle avait beau courir aussi vite qu'elle pouvait, elle était toujours rattrapée par sa propre peur. Elle avait touché la piscine du réacteur. Était-elle déjà condamnée ?

Elle rencontra Astrid, accompagnée de son petit frère, ce gamin bizarre, et de John. Ils poussaient un chariot en direction de l'hôtel de ville. D'abord, Brianna n'en crut pas ses yeux. Mary Terrafino gisait, roulée en boule, dans le chariot, emmitouflée dans une couverture qui traînait sur le trottoir.

Brianna s'arrêta net devant Astrid. Le petit Pete criait comme un illuminé : « Nestor ! Nestor ! Nestor ! » Brianna se demanda comment Astrid pouvait supporter sa présence. En la voyant, il se tut. Puis son regard s'éteignit et il sortit de sa poche une console de jeu.

— Brianna ! Est-ce que Sam va bien ? s'écria Astrid.

— Non, Drake lui a fait passer un sale quart d'heure.

Brianna s'efforça de jouer les dures mais fondit en larmes.

— Oh, Astrid, il est dans un sale état !

Astrid porta la main à sa bouche. Brise passa le bras autour d'elle et sanglota contre son épaule.

— Est-ce qu'il va mourir ? demanda Astrid d'une voix tremblante.

— Non, je ne crois pas, répondit Brianna en essuyant ses larmes. Je lui ai donné un médicament contre la douleur mais il est mal en point, Astrid.

Astrid lui prit le bras et le serra convulsivement.

— Ressaisis-toi ! cria-t-elle.

Brianna en resta sans voix. Si elle n'avait jamais considéré Astrid comme quelqu'un de faible, elle ne la savait pas capable de dureté. Les dents serrées, elle la regardait d'un air froid et résolu.

— Nestor, dit le petit Pete.

— Il m'a demandé d'aller chercher Duck, annonça Brianna.

— Duck ?

Astrid fronça les sourcils.

— Il devait être à côté de ses pompes.

— Duck, dit le petit Pete.

Astrid lui jeta un regard interloqué. À cet instant, deux douzaines d'enfants surgirent au coin de la rue et prirent la direction de la place. Derrière eux, une décapotable roulait à faible allure, les phares allumés. Le lecteur CD de la voiture hurlait une chanson que Brianna entendait pour la première fois. Sur le capot, on avait ligoté le cadavre mutilé d'un chevreuil.

Hunter marchait derrière la voiture en clopinant, le visage ensanglanté, les mains emprisonnées dans du scotch et du papier d'aluminium. Une corde était enroulée autour de son cou. Zil, assis à l'arrière de la décapotable, serrait dans sa main l'autre extrémité de la corde en se pavanant comme un politicien dans un défilé militaire. Lance était au volant. Antoine, que Brianna tenait pour un imbécile toujours dans les vapes, était armé d'un fusil. Deux enfants qu'elle ne connaissait pas occupaient les autres sièges de la voiture. L'un d'eux brandissait un petit écriteau sur lequel était inscrit : « De la bouffe gratuite pour les normaux. »

— Qu'est-ce que... bredouilla-t-elle.

— Reste en dehors de ça, Brianna, intervint Astrid. Va aider Sam.

— Ils n'ont pas le droit !

Astrid la prit par le bras.

— Écoute-moi, Brianna. Ton devoir, c'est d'aider Sam. Fais ce qu'il t'a demandé : retrouve Duck.

— Ça sent mauvais, Astrid.

— Je sais. La situation est grave. Écoute-moi, Brise, répéta Astrid. Tu m'écoutes ?

Quelqu'un avait dû repérer Brianna car, soudain, des enfants s'écartèrent de la procession et coururent dans sa direction en brandissant des battes de base-ball, des pieds-de-biche, et une longue hache pour l'un d'eux.

— C'est une mutante ! Attrapez-la !

— Elle nous espionne !

— Va-t-en d'ici, Brise, la pressa Astrid. Trouve un moyen d'aider Sam. Si on le perd, on est fichus.

— Je n'ai pas peur de ces minables ! s'écria Brianna. Amenez-vous, bande de nuls !

Astrid lui empoigna le visage à deux mains, telle une mère furieuse contre son enfant.

— C'est de la vie de Sam qu'il s'agit, Brianna ! Maintenant, pars !

Rouge de colère, Brianna se dégagea brusquement. La foule accourait vers elle. Mais le verbe « accourir » avait une signification très différente pour Brianna.

Astrid avait sans doute raison. On ne la surnommait pas le « Petit Génie » pour rien. Pourtant, Brianna savait que les enfants déchaînés se rabattraient sur la copine de Sam, à défaut de pouvoir l'attraper, elle.

— Prends soin de toi, Astrid, murmura-t-elle.

Puis, après s'être éloignée de quelques pas, elle s'arrêta pour faire face à la foule.

— Hé, bande d'andouilles ! Je suis là. Vous voulez régler son compte à la Brise ?

L'ayant repérée, les enfants se détournèrent d'Astrid et s'élancèrent dans sa direction.

— Attrapez la mutante !

— C'est ça, rétorqua Brianna d'un ton dédaigneux. Venez me chercher.

Elle attendit, un sourire mauvais figé sur les lèvres, que le premier de ses poursuivants soit à quelques pas d'elle. Puis, après les avoir salués d'un geste obscène, elle s'éloigna à une vitesse telle que même la voiture n'aurait pas pu la suivre.

Duck Zhang passait un bon moment, si ce n'est que plus personne ne se préoccupait de distribuer la nourriture. Il avait si faim qu'il n'avait plus les idées claires. Il en était au point où il regrettait d'avoir perdu le pot de sauce qu'il avait l'intention de donner à Hunter.

Mais, d'un autre côté, il ne craignait plus de s'enfoncer dans la terre jusqu'à atteindre son cœur en fusion. Il commençait à contrôler le pouvoir absurde qui lui avait été donné.

Bien que Duck ne soit pas un génie, il avait fini par comprendre qu'il pouvait agir sur la densité de son corps. En se concentrant, il pouvait devenir si lourd qu'il s'enfonçait dans le sol comme une bille dans un pot de crème. Ce qui, comme il avait pu le découvrir, n'avait rien de réjouissant.

En revanche, il pouvait aussi flotter comme un ballon d'hélium, et il s'y essayait depuis peu. Maintenant, il y arrivait sans même devoir passer par des sautes d'humeur. Il lui suffisait de le décider.

Or, flotter était une expérience bien plus agréable que s'enliser. Le monde entier devenait une espèce d'énorme piscine. Et désormais, personne ne viendrait gâcher la fête.

À présent, il planait à vingt mètres au-dessus de la place. Il s'était d'abord élevé par-dessus l'école avant de se laisser dériver. Sa seule inquiétude, c'était de s'éloigner un peu trop de la ville et de s'imposer une longue marche jusque chez lui. Le pire aurait été de dériver jusqu'à l'océan. Il s'imaginait s'endormir là-haut et se réveiller au large, dans le noir. Ça faisait une trotte, à la nage.

— Ce qu'il me faudrait, dit-il en s'adressant aux toits en dessous de lui, c'est des ailes. Là, je pourrais voler pour de bon. Comme Superman.

Cette pensée joyeuse lui permit de flotter plus à son aise. L'autre inconvénient, c'était que, à la différence de l'eau, il était difficile de se mouvoir dans l'air. Monter ou descendre était un jeu d'enfant. Quant à avancer ou reculer, c'était impossible. Même se retourner quand on était allongé sur le dos n'était pas chose facile. Mais il débutait encore.

Il était allongé sur le flanc en ce moment même, et s'efforçait de se retourner sur le ventre pour voir ce qui se passait en bas. Allez donc essayer de pousser de l'air ! Mais Duck ne s'inquiétait pas ; il finirait bien par y arriver.

Il envisageait entre autres d'aller ramasser des choux ou des melons. Pas à cette heure où le soleil déclinait; plutôt dans la matinée. Il pensa à toute cette nourriture délicieuse à portée de main. Il n'aurait qu'à se laisser flotter au-dessus du champ, hors de portée des vers, pour cueillir un beau melon bien juteux. Le seul problème étant, dans un premier temps, d'accéder au champ. Puis d'en repartir. S'il n'y avait pas de vent, il risquait de rester éternellement suspendu au-dessus d'une exploitation grouillant de vers redoutables. Cette pensée n'avait rien de réjouissant. Pour utiliser son pouvoir à des fins vraiment utiles, il devrait apprendre à se déplacer au-dessus du sol.

En ce moment même, il avait déjà beaucoup de mal à garder l'œil sur ce qui se passait en bas. Or, il y avait sans aucun doute du grabuge sur la place. Quelqu'un avait garé une décapotable dans l'herbe. Sam n'allait pas être content. En outre, une cinquantaine de gamins s'étaient rassemblés autour du véhicule comme pour faire la fête.

Duck sentit la viande avant de la voir. Il écarquilla les yeux dans la lumière déclinante, et c'est alors qu'il aperçut le chevreuil ligoté sur le capot de la voiture. Un garçon faisait du feu dans le lit asséché de la fontaine. Un mince ruban de fumée s'éleva jusqu'à Duck.

Comme il était porté par une légère brise, il n'avait pas à s'inquiéter. Cependant, il était affamé et la viande dégageait une odeur puissante. Pas étonnant que les gamins en dessous lui donnent l'impression d'avoir perdu la boule.

S'il ne reconnaissait aucun d'eux – du fait qu'il ne distinguait que le sommet de leur crâne, ce qui ne l'éclairait pas beaucoup –, il aperçut un garçon attaché à une corde reliée au pare-chocs de la voiture. Soudain, ce rassemblement ne lui disait rien qui vaille.

Il repéra un visage familier: Mike Farmer, l'un des soldats d'Edilio. Il avait le regard levé vers lui. Duck lui adressa un signe timide de la main et sourit. Il allait le questionner, quand Mike cria:

— Hé! Il y en a un là-haut! Regardez! C'est l'un d'eux!

«Comment ça, l'un d'eux?» songea Duck, perplexe. Peu à peu, tous les visages se tournèrent vers lui. Y compris celui du garçon attaché à la voiture. Duck reconnut Hunter. Il avait la tête de quelqu'un qui vient de passer un sale quart d'heure. Parmi les visages levés vers lui, il distingua Zil. Leurs regards se croisèrent. Duck comprit, en une fraction de seconde terrible, ce qui se passait en bas. Sam, disparu! Edilio, disparu! Personne pour contrôler la situation. Zil retenait Hunter prisonnier et offrait de la viande fraîche au menu.

— Un espion mutant! cria Turk.

— Attrapez-le! s'exclama Zil.

Quelqu'un jeta une pierre. Duck la vit voler dans sa direction et décrire un arc de cercle gracieux avant de retomber. Une autre pierre lui succéda, mais celle-là aussi manqua sa cible. Puis Mike leva son fusil à hauteur d'épaule et visa.

Sam était assis dans le bus. Le soleil tapait fort sur la vitre. Quinn était installé à côté de lui. Cependant, quelque chose clochait chez lui, et Sam n'osait pas le regarder.

Il sentait le regard des autres passagers fixé sur lui. Une musique lointaine lui parvenait. Il y avait du raffut à l'avant du bus. Le chauffeur s'étreignait la poitrine.

«J'ai déjà vécu ce moment, songea Sam. Ça s'est déjà produit.»

Seulement, cette fois c'était différent. Auparavant – il y avait si longtemps de ça ! –, il s'était emparé du volant tandis que le chauffeur, victime d'une crise cardiaque, glissait de son siège. Or, aujourd'hui, il avait un tentacule enroulé autour de la gorge. Et Sam criait comme un fou.

Il se leva soudain, étonné par son propre geste car il n'en avait pas l'intention. Puis il s'avança dans l'allée en s'agrippant aux sièges tandis que tous les regards se braquaient sur lui. Le chauffeur se retourna et lui sourit en découvrant des dents sanguinolentes. Puis la rambarde de sécurité s'ouvrit comme une grille devant le bus, et il plongea de la falaise dans un rugissement de moteur. Il dégringola le long de la pente ; la mer et les rochers se rapprochaient à toute allure. Les enfants, impassibles, le fixaient d'un regard vide, le chauffeur n'en finissait pas de sourire, et les vers…

Le cri de Sam s'étrangla dans sa gorge, étouffé par le bras-serpent du chauffeur. Il savait qu'il était en train de rêver car le bus continuait de tomber dans le vide sans jamais s'écraser. Or, c'était impossible, non ?

Le paysage changea brusquement et Sam s'aperçut qu'il n'était plus dans le bus. Il entrait dans sa cuisine, et Astrid était là, alors qu'il s'attendait à y trouver sa mère. Elle s'emportait contre quelqu'un qu'il ne pouvait pas voir.

« Ce n'est pas le moment de rêver, se dit Sam. On n'a pas de temps à perdre. Réveille-toi. »

Mais son corps ne lui obéissait plus. Il était paralysé, cloué au sol par des milliers de cordelettes qui se tortillaient comme des vers. Et pourtant, il remuait, à présent. Il ouvrit les yeux. Voyait-il vraiment cette salle, ce dôme loin au-dessus de sa tête ? Était-ce la réalité ? Par terre, près de lui, il y avait quelque chose qui semblait provenir des abîmes du plus profond des océans. Une entité charnue, pâle, humide, qui devait mesurer moins de cinquante centimètres de long et qui palpitait légèrement, comme agitée par un léger courant. On aurait dit une limace.

Sam avait la certitude qu'il aurait dû savoir ce que c'était. Mais il n'était même pas sûr que ce soit réel. Et puis, il ne pouvait pas rester là. C'était maintenant ou jamais qu'il devait s'extraire des ténèbres et retrouver le monde, pendant que la morphine faisait encore effet.

«Tu n'existes pas», pensa-t-il en s'éloignant de la limace. «Peut-être que rien de tout ça n'est réel, reprit-il en mettant un pied devant l'autre. Excepté ce pied, et celui-là. L'un après l'autre.»

Duck sentit la première balle passer près de lui en sifflant et s'éleva aussi vite qu'il le pouvait. Pas assez vite, à son goût. La deuxième balle le manqua de plus loin.

— Hé, arrêtez! cria-t-il.

Des voix lui répondirent.

— Mutant! Mutant!

— Je n'ai rien fait de mal!

— Alors pourquoi tu ne descends pas? brailla Turk.

Puis, comme s'il venait d'avoir un trait de génie, il tapa dans la main d'un garçon joufflu qui tenait une bouteille d'alcool.

Une cinquantaine de têtes étaient tournées vers Duck. À la lueur du feu, ils avaient tous un air bizarre avec leurs yeux ronds et leur bouche grande ouverte. De là où il se trouvait, il avait peine à les reconnaître. Il distinguait vaguement le canon du fusil et le visage derrière, un œil ouvert, l'autre fermé. C'était lui la cible.

— Vas-y, chope-le ! encouragea Zil. Tu auras droit au premier steak si tu tapes dans le mille.

— Mike ! cria Duck. T'es un soldat, mon vieux. Tu n'as pas le droit...

Duck vit un éclair de lumière et entendit une détonation.

— Pourquoi tu me tires dessus ?

Le tireur visa de nouveau avec application et une autre balle siffla.

— Arrête, mec ! Arrête !

— Tu l'as raté ! brailla Zil.

— Donne-moi ce flingue, ordonna Hank.

Il sauta de la décapotable et courut vers Mike. Duck ne dut probablement son salut qu'à la bousculade qui s'ensuivit. La troisième balle passa tout près de lui. Hank s'empara du fusil.

Entre-temps, Duck s'était élevé d'une dizaine de mètres. Jamais il n'était monté aussi haut. Il y avait de quoi avoir le vertige. Il voyait le toit de l'hôtel de ville et dominait même ce qu'il restait du clocher de l'église. Il apercevait aussi l'école d'un côté, l'hôtel Clifftop de l'autre et l'océan à l'horizon. Il se trouvait sans doute à une trentaine de mètres du sol, soit l'équivalent de dix étages. Or, à cet endroit, une légère brise venue du large le poussait doucement vers l'intérieur des terres. Pas assez vite, malheureusement.

Hank tira et le manqua de peu. La situation devenait incontrôlable. Il s'élevait sans cesse, mais trop
lentement, et Hank avait tout loisir de viser. Duck
attendit la prochaine balle, dévoré par l'angoisse.
Serait-ce le bras, la jambe qui serait touché – et il se
tordrait de douleur – ou encore la tête ou le cœur,
et c'en serait fini de lui ?

Hank pressa la détente. Encore raté. Dégoûté, il
tendit le fusil à Mike, qui le rechargea précipitamment, mais le temps qu'il ait glissé assez de balles
dans le magasin, Duck avait dérivé plus loin.

Hank tira encore une fois. Duck vit la balle frôler
sa tête, atteindre son apogée, puis retomber vers le
sol. En survolant l'église, il vomit le peu qu'il avait
dans l'estomac.

Il continua à s'éloigner de la place. Ils allaient
tuer Hunter. Le même garçon qui l'avait supplié de
lui accorder son aide. Il ne pouvait rien pour lui :
il n'avait pas d'autre choix que de se laisser porter
par le vent. Il n'aurait pas pu davantage sauver sa
propre peau si la brise l'avait entraîné dans l'autre
direction.

«Les super pouvoirs, ça ne fait pas toujours des
super héros», se dit-il.

Elle s'était encore perdue. Elle ne cessait d'aller
et venir. Une minute à tel endroit, ailleurs l'instant
d'après.

Par moments, elle se réappropriait son corps et son cerveau. À d'autres, elle s'observait à distance. Elle avait le cœur serré en regardant ce qu'il était advenu de Lana Arwen Lazar.

Puis elle réintégrait son moi, la tête ballottante et les paupières rougies. Elle marchait. Un pied devant l'autre. Voyait de ses propres yeux les parois rocheuses autour d'elle. Le danger se trouvait droit devant : le gaïaphage le sentait, et elle aussi. Il fallait l'arrêter.

Lana se souvint qu'elle devait récupérer quelque chose qu'elle avait laissé tomber en chemin.

Elle s'arrêta. Le gaïaphage n'en connaissait pas le nom. Et, d'abord, Lana ne comprit pas les images qui défilaient dans sa tête. Les murs d'acier. La poignée en métal.

— Non, je ne veux pas, cria-t-elle en tombant à genoux.

Sa main tâtonna dans le noir. Ses doigts effleurèrent l'objet. Il était froid. Son index s'enroula autour de la détente. Si seulement elle pouvait lever la tête, si seulement…

Mais elle se remit en marche. La chose était si lourde dans sa main ! Elle atteignit la camionnette, qui barrait toujours l'entrée de la mine, et rampa sur le capot en sanglotant. Puis elle se glissa par la vitre cassée, insensible aux éclats de verre qui lui tailladaient les paumes et les genoux. Pourquoi ne pouvait-elle pas s'arrêter ? Aveuglée par la lumière des étoiles, elle émergea de la caverne. L'ennemi était là, le danger tout proche.

Lana connaissait leur nom. Elle savait ce qu'ils projetaient de faire. Une fois rassasié, le gaïaphage serait prêt à affronter Dekka. Mais l'heure n'était pas encore venue.

— Arrête, dit Lana à Dekka.

Celle-ci se figea, une expression horrifiée sur le visage. L'autre se tenait à côté d'elle, une arme à la main. Lana connaissait aussi son nom. Edilio. Le danger ne venait pas de lui, cependant.

— C'est Lana, murmura Dekka.

— Viens, Lana, lança Edilio en tendant la main vers elle.

Lana se sentit submergée par une immense tristesse. Un sanglot lui noua la gorge. Elle ne voyait plus que cette main tendue. Elle souhaitait désespérément la saisir.

— Viens, Lana, répéta Edilio d'un ton plus pressant.

Les yeux remplis de larmes, elle secoua lentement la tête.

— Je ne veux pas.

Puis elle leva son arme et visa. Un hurlement résonna à l'intérieur de son crâne.

— Lana, non ! cria Dekka.

Elle n'entendit pas le coup de feu mais sentit l'arme reculer dans sa main. Puis elle vit Edilio tomber à la renverse et atterrir sur le dos. Sa tête heurta le sol. Elle tourna son pistolet vers Dekka qui l'observait, tétanisée, et tira.

Clic. Clic.

Dekka leva les mains. La fureur et la détermination se peignirent sur son visage. Cependant, elle renonça à utiliser son pouvoir. Son regard vacilla. Puis elle baissa les bras et alla secourir Edilio. Elle s'agenouilla auprès de lui, appliqua la main sur sa poitrine pour comprimer la blessure, retenir le sang qui affluait.

— Lana, Lana, supplia-t-elle, les joues inondées de larmes. Aide-le.

Lana semblait perdue. Pourquoi le pistolet ne marchait-il pas ? Cette question n'était pas la sienne. Pas plus que les pensées qui se bousculaient dans sa tête. Le gaïaphage était désorienté. Pourquoi l'arme n'avait-elle pas tué ? Il ne comprenait pas. Lui qui savait tant de choses ne savait pas tout.

Le pistolet glissa des doigts de Lana. Elle entendit un bruit de ferraille sur la pierre.

— Lana, tu peux le sauver, gémit Dekka.

« Je ne peux rien pour personne, songea Lana. Je ne peux déjà rien pour moi. »

Elle recula de deux pas, et la dernière chose qu'elle vit avant de retourner auprès de son maître fut Dekka se pencher au-dessus d'Edilio.

L E SOLEIL SE couchait sur la mer. Les ombres s'allongeaient à Perdido Beach. La place était remplie d'enfants, trop nombreux pour que Zil puisse tous les nourrir avec un seul chevreuil.

D'abord, il s'en inquiéta, puis il trouva une solution très simple : ceux qui prendraient part au sacrifice de Hunter auraient le droit de manger. Ceux qui se contenteraient d'assister à la scène n'auraient rien. Les premiers seraient autorisés à rejoindre la bande de Zil, ayant fait la preuve de leur loyauté. Ils auraient brûlé tous les ponts derrière eux et lui appartiendraient alors corps et âme. Ils deviendraient des membres à vie de la bande des Humains.

Un grand feu crépitait dans la fontaine asséchée. Un gamin plus malin que les autres avait fait un raid sur la quincaillerie et fixé au-dessus des flammes une broche sur laquelle rôtissaient de gros morceaux de viande découpés à la hache. L'odeur qui s'en dégageait était tout simplement merveilleuse.

Avec des bombes de peinture, Turk avait tracé le logo stylisé conçu par Lisa sur la fontaine et les trottoirs alentour.

— Et maintenant, comment on va s'y prendre ? s'enquit Antoine.

— De quoi tu parles ? demanda Zil.

— Comment on fait avec Hunter ?

Celui-ci avait un peu récupéré de sa blessure à la tête. Il avait essayé de se détacher les mains, mais Hank l'avait giflé pour qu'il se tienne tranquille. Des acclamations s'étaient élevées parmi les enfants. Certains, en revanche, avaient l'air mal à l'aise.

— Hop ! fit Turk en mimant grotesquement une pendaison.

— Oui, mais où ? C'est ça ma question, mon pote, répliqua Antoine, que l'alcool faisait bégayer, à tel point qu'il devenait inintelligible.

— Là, répondit Lance en montrant les ruines de l'église. À l'endroit où se trouvait la porte. Ça fait comme une arche. On peut faire passer la corde à travers le trou. Puis on enroule l'autre extrémité autour du cou de Hunter, OK ? On laisse beaucoup de mou, comme ça tous les enfants sur la place pourront tirer en même temps.

Il fronça les sourcils et jaugea l'entrée de l'église d'un coup d'œil.

— On le hisse tout en haut, puis on n'aura qu'à nouer la corde au pied d'un arbre.

Zil considéra Lance avec curiosité. Il trouvait bizarre que ce garçon si populaire s'implique dans leur projet en donnant des instructions pour l'exécution de Hunter. Lance n'était pas habité par la même rage que Hank. Ce n'était pas un lécheur de bottes comme Turk. Il n'était pas non plus du genre à brûler bêtement la chandelle par les deux bouts, tel Antoine.

— Bonne idée, Lance, déclara Zil.

Les yeux de Hank étincelèrent dangereusement.

— Si on est décidés, on ferait mieux de s'y mettre, lança Turk. Astrid est du côté des mutants. Elle risque d'ameuter Sam.

— Il a d'autres chats à fouetter. Et puis je n'ai pas peur de lui. Regarde comme on est nombreux, répliqua Zil d'un ton plus confiant qu'il ne l'était en réalité. Mais t'as raison, au boulot ! Hank, Lance, tendez la corde.

Zil grimpa sur le coffre de la décapotable pour s'adresser à l'assistance.

— Hé, tout le monde !

Il obtint presque aussitôt l'attention de son public. La foule s'impatientait, elle avait faim. Plusieurs enfants avaient tenté de se jeter sur la viande et d'en prendre un morceau à même les braises. Ils avaient été violemment repoussés par Hank et un groupe de garçons qu'il avait enrôlés comme gardes du corps.

— La viande est cuite, annonça Zil par-dessus les acclamations assourdissantes. Mais, avant de manger, on a quelque chose d'important à régler.

Des grognements accueillirent cette déclaration.

— Il va d'abord falloir rendre justice.

Un silence hébété lui répondit. Puis Turk et Hank levèrent les bras en criant, afin de montrer l'exemple. Quelques gamins les imitèrent.

— Ce mutant, ce non-humain, ce minable de Hunter... reprit Zil en pointant du doigt son prisonnier. Il a délibérément tué mon meilleur ami Harry.

— Pas v... ai, marmonna Hunter.

Il n'avait pas encore récupéré le plein usage de la parole, suite au coup qu'il avait reçu sur la tête. «Dommage cérébral», supposait Zil. La moitié de son visage s'affaissait comme si elle n'était pas correctement reliée au reste. La foule avait trouvé là matière à se moquer de Hunter qui, avec sa voix traînante de demeuré, n'arrangeait pas son cas.

— C'est un assassin! cria Zil en se frappant la paume du poing. On sait comment sont les mutants, pas vrai? Ils mangent à leur faim. Ils dirigent tout. Ils nous donnent des ordres et nous on crève dans notre coin. Coïncidence? Sûrement pas!

— Pas v... ai, répéta Hunter.

— Emmenez-le! cria Zil à Antoine et à Hank. Emmenez-moi cet assassin!

Antoine et Hank saisirent Hunter par les bras. Il marchait avec difficulté, aussi durent-ils le porter à demi pour lui faire traverser la place. Puis ils le traînèrent sur les marches de l'église.

— Bon, dit Zil, voilà comment on va procéder.

Il fit un geste en direction de la corde que Lance déroulait sur la place. Un silence plein d'expectative tomba sur l'assemblée. L'atmosphère était lourde de menace. L'odeur de la viande leur faisait perdre la tête.

— Vous voulez de ce délicieux gibier? reprit Zil.

Un rugissement d'approbation lui répondit.

— Alors vous allez tous tirer sur la corde.

Une douzaine d'enfants accoururent. D'autres hésitèrent en jetant des coups d'œil affolés vers l'église, là où la bande de Zil retenait Hunter.

Lance fit un nœud coulant à la corde. Hank la fit passer autour de la tête de Hunter et la resserra autour de son cou. Mais, soudain, la foule s'agita. Quelqu'un s'avança en jouant des coudes sous des cris de colère. L'arrivée de l'intrus déclencha une bousculade. Puis, Astrid apparut enfin, rouge, échevelée, furieuse. Elle ne poussait plus de chariot devant elle, et John n'était plus à son côté, ce qui était bon signe, d'après Zil: Mary et John étaient populaires. Un grand nombre des enfants présents avaient un petit frère ou une petite sœur à la crèche.

Astrid, c'était une autre histoire. Elle était liée à Sam, et beaucoup la trouvaient prétentieuse. En outre, elle avait amené son petit frère avec elle. Personne ne l'aimait, celui-là. Le bruit courait que c'était un dégénéré très puissant. Cependant, il était trop demeuré pour avoir recours à ses pouvoirs. À quoi bon garder en vie ce débile mental alors que des humains crevaient de faim ?

— Arrêtez ! s'écria Astrid.

Zil la considéra du haut de son perchoir et s'étonna presque de ne pas être intimidé par elle. Astrid le Petit Génie. La copine de Sam. L'une des trois ou quatre personnes de premier plan dans la Zone. Zil, lui, avait la foule de son côté. Il se gonflait de cette certitude comme d'une drogue qui le rendait tout-puissant. Invincible et sans peur.

— Dégage, Astrid, lança-t-il. On ne veut pas de traîtres ici.

— Ah ? Et les grosses brutes, elles ont le droit de rester ? Assassiner quelqu'un, ça vous paraît normal ?

Zil la trouva particulièrement jolie. Beaucoup plus sexy que Lisa, à vrai dire. Maintenant que c'était lui qui tenait les rênes…

— On est là pour exécuter un meurtrier, annonça-t-il en pointant Hunter du doigt. On rend la justice au nom de tous les normaux.

— Il n'y a pas de justice sans procès.

Zil sourit.

— Il a déjà eu lieu, Astrid. Ce mutant a été déclaré coupable de meurtre. La sentence, c'est la mort.

Astrid se retourna pour faire face à la foule.

— Si vous faites ça, vous ne vous le pardonnerez jamais.

— On a faim, cria quelqu'un, bientôt imité par d'autres.

Zil s'aperçut que ces mots avaient de l'effet sur les enfants. Ils échangèrent des regards nerveux.

— Vous ne pourrez jamais laver ce sang de vos mains, cria Astrid. Vous n'arriverez jamais à l'oublier. Que diraient vos parents?

— Il n'y a pas de parents dans la Zone, répliqua Zil. Il y a juste des humains qui essaient de rester en vie et des mutants qui se gardent tout pour eux. Toi, Astrid, tu ne cherches qu'à les aider. Je me demande vraiment pourquoi.

Il commençait sincèrement à s'amuser. C'était drôle de voir cet air désemparé sur le visage de la jolie Astrid qui se croyait si maligne.

— Vous voulez connaître mon avis, vous autres? reprit Zil. Je pense qu'Astrid a des pouvoirs et qu'elle n'en a rien dit à personne. Ou alors…

Il marqua une pause pour ménager son effet.

— Ou alors c'est le petit débile.

Sur le visage d'Astrid, la colère laissa place à la peur. «Pas si futée que ça», songea Zil.

— Je crois qu'on va se payer deux mutants de plus pour notre petit pique-nique, poursuivit-il.

— Non, murmura Astrid.

Zil fit un signe de tête à Hank. Astrid se retourna trop tard pour le voir surgir derrière elle. Il prit son élan et elle sentit le coup de poing comme si c'était elle qui l'avait reçu. Le petit Pete s'affaissa comme une marionnette.

— Emparez-vous d'elle ! cria Zil.

Diana avait peine à en croire ses yeux. Après avoir gravi le flanc de la colline qui surplombait la centrale, ils avaient retrouvé le crayon de combustible sans la moindre difficulté. Un feu s'était déclenché dans les herbes sèches, à l'endroit où le cylindre était tombé. Caine l'avait ramassé tranquillement puis fait léviter au-dessus de lui.

Jack transpirait à grosses gouttes. Diana devina que ce n'était pas seulement à cause de la chaleur. La seule lumière alentour émanait du feu de broussailles.

— Il n'est pas cassé, déclara Jack. En tout cas, je ne vois rien.

Il sortit de sa poche un objet jaune qui ressemblait à une télécommande et l'examina.

— Qu'est-ce que c'est ?

— Un dosimètre, répondit-il.

Il pressa un bouton. Une série de clics irréguliers retentit.

— Tout va bien, reprit-il avec un soupir de soulagement. Jusqu'ici, en tout cas.

— C'est quoi, ce bruit ?

— Chaque fois qu'il détecte une particule radio-active, il émet un clic. S'il se met à cliqueter sans arrêt, c'est qu'on a un problème. Il produit des sonorités particulières quand le niveau de radiation est dangereux.

Même dans ces circonstances, Jack aimait étaler ses connaissances.

— Ce qu'on entend là, ce n'est que de la radio-activité naturelle.

— Allons-nous-en d'ici, dit Caine. Le feu se propage. Il vaudrait mieux qu'on prenne de l'avance sur lui.

Ils se remirent en route. Le feu ne les rattrapa pas ; il n'avait pas l'air de s'étendre, faute de vent, sans doute, pour l'alimenter. Ils dévalèrent le versant de la colline et atteignirent l'autoroute sans avoir été suivis. Sam ne s'était toujours pas montré.

Ils firent halte – ou s'effondrèrent, plutôt – dans les bureaux d'une société de location de voitures. Les deux soldats de Drake fouillèrent les placards poussiéreux pour trouver de la nourriture. L'un d'eux rapporta triomphalement une petite boîte de pastilles à la menthe. Elle en contenait neuf, soit assez pour que tout le monde ait droit à une et salive sur les quatre restantes.

— C'est le moment de chercher une voiture, annonça Caine.

Il avait laissé le crayon de combustible à l'extérieur, appuyé contre un mur.

— Il nous faut un véhicule avec un toit ouvrant.

Il brandit une pastille à la menthe à l'intention des deux soldats.

— Pour le premier qui me trouve la meilleure bagnole avec les clés sur le contact.

Les deux sous-fifres se précipitèrent vers la porte. L'estomac de Diana se contracta. Un petit morceau de sucre ne pouvait pas calmer la faim ; au contraire, il l'aiguisait.

Il n'y avait pas de lumière dans les bureaux ni au-dehors. Les ténèbres avaient tout englouti à l'exception de la lune et des étoiles qui brillaient faiblement. Ils se laissèrent tomber dans des fauteuils avachis et appuyèrent leurs pieds fatigués sur les tables. Soudain, Diana se mit à rire.

— Qu'est-ce qu'il y a de drôle ? marmonna Caine.

— On est assis dans le noir, prêts à vendre notre âme pour une pastille à la menthe, avec assez d'uranium pour faire fantasmer un terroriste. (Elle essuya ses larmes du revers de la main.) Non, il n'y a rien de drôle là-dedans.

— La ferme, Diana, répliqua-t-il d'un ton las.

Diana se demanda si le fait d'avoir recours à son pouvoir télékinétique pour « transporter » le crayon de combustible n'avait pas épuisé les forces de Caine. Elle se leva péniblement, alla vers lui et posa la main sur son épaule.

— Caine.

— Ne commence pas.

— Rien ne t'oblige à le faire.

Pas de réponse. L'un des soldats glissa la tête dans l'embrasure de la porte.

— J'ai trouvé un 4 x 4. Les clés sont à l'intérieur mais les portières sont verrouillées.

— Jack ? Va lui ouvrir la voiture, ordonna Caine. Et tant que t'y es, arrache le toit.

— J'aurai droit à une pastille à la menthe ?

Diana, au bord de la crise d'hystérie, rit de nouveau.

— À ton avis, qu'est-ce qu'il fera, ton petit copain dans le désert, quand il aura obtenu ce qu'il veut ?

Caine enfouit le visage dans ses mains.

— Est-ce qu'il a un surnom ? reprit Diana, impitoyable. C'est vrai, « gaïaphage », c'est un peu long.

De l'extérieur leur parvint un bruit de ferraille et de verre brisé. Jack était en train de transformer le 4 x 4 en décapotable. Quelques secondes plus tard, il fit irruption dans la pièce.

— Quelqu'un arrive par la route.

— Une voiture ? demanda Caine en se levant brusquement.

— Non, on a juste entendu des bruits de pas.

Le cœur de Diana bondit dans sa poitrine. Sam. C'était forcément lui. L'angoisse l'étreignit. Il fallait quelqu'un pour arrêter Caine, mais elle ne voulait pas qu'il se fasse tuer.

Caine courut au-dehors, Diana sur les talons. Des coups de feu éclatèrent. Les deux soldats s'étaient mis à canarder la route à l'aveuglette. Soudain, une voix s'éleva des ténèbres impénétrables, leur ordonna de cesser le feu, puis jura avec colère.

— Baissez vos armes, bande d'idiots ! rugit Caine.

Les coups de feu cessèrent.

— C'est toi, Drake ? cria l'un des tireurs d'une voix mal assurée.

— Je vais vous massacrer !

La silhouette décharnée de Drake surgit de l'obscurité, les yeux étincelant de fureur au clair de lune, la tignasse ébouriffée. Il marchait bizarrement en soutenant son tentacule de sa main. Sans trop savoir pourquoi, Diana trouva que le monstrueux appendice avait un aspect bizarre.

— Qu'est-ce qui t'a retenu ? demanda Caine.

— Sam, évidemment. Je l'ai taillé en pièces. Il ne s'en relèvera jamais, pas après ce que…

— Waouh ! fit Jack, tellement choqué qu'il osait interrompre les fanfaronnades de Drake. Ton… ton truc.

Diana s'aperçut à cet instant que le tentacule de Drake avait été sectionné. Soudain, elle fut stupéfaite de le voir étouffer un sanglot. « Il est humain, après tout, songea-t-elle. Rien qu'un peu, d'accord. Mais il est tout de même capable de ressentir la peur ou la souffrance. »

— Tu ne l'as pas tué ? lâcha Caine.

— Je te l'ai dit, cria Drake. Il est fichu !

Caine secoua la tête.

— Si tu ne l'as pas tué, on n'en a pas terminé avec lui. En fait, il s'est passé la même chose que la dernière fois où vous vous êtes battus : tu t'en sors avec un truc en moins.

— Ce n'est pas lui, dit Drake en serrant les dents. Je te répète que je l'ai eu. Moi ! Je l'ai eu !

— Alors pourquoi tu te retrouves à nouveau avec un moignon ? s'enquit Diana, incapable de résister au plaisir d'humilier Drake.

— Brianna.

Du coin de l'œil, Diana vit Jack lever la tête et pousser un soupir.

— Elle s'est pointée trop tard pour sauver Sam. Vous êtes pas près de le revoir, celui-là.

— J'y croirai quand j'aurai vu son cadavre, répliqua sèchement Caine.

Diana ne pouvait que lui donner raison. Drake était trop véhément, trop hystérique, trop déterminé à les convaincre.

— En route, reprit Caine.

L'un des soldats tourna la clé dans le contact du 4 x 4 disloqué. La batterie était faible. D'abord, ils crurent qu'ils n'arriveraient jamais à démarrer. Puis le moteur rugit, les lumières du tableau de bord s'allumèrent, les phares illuminèrent les abords de la route d'une clarté aveuglante.

— En voiture, tout le monde ! ordonna Caine. Si Drake a raison et que Sam est hors circuit, même momentanément, on n'a plus besoin de se planquer.

La mine est à une quinzaine de kilomètres d'ici. On peut y être en une vingtaine de minutes.

— Où est ma pastille à la menthe ? demanda Jack.

Caine fit léviter le crayon de combustible et le maintint en équilibre au-dessus de leur tête, tel un soleil éclatant de midi.

Le petit Pete gisait par terre, inconscient. Après avoir été bousculée et frappée à plusieurs reprises, Astrid cessa de lutter tandis qu'Antoine lui liait les poignets en lui soufflant son haleine alcoolisée au visage. Son cerveau fonctionnait à toute allure. Que faire ? Que dire pour mettre un terme à toute cette folie ?

Rien. Les discours ne servaient à rien, maintenant que la faim gouvernait la foule. Elle ne pouvait qu'assister, impuissante, au spectacle. Elle chercha sur chaque visage l'humanité qui saurait les convaincre, les arrêter au dernier moment. Elle n'y lut que la folie et le désespoir. Ils étaient trop affamés. Ils avaient trop peur.

Ils allaient tuer Hunter, puis Zil viendrait les chercher, elle et le petit Pete. Il n'aurait pas le choix. Dès l'instant où Hunter aurait rendu son dernier souffle, Zil et ses partisans traceraient une ligne sanglante, infranchissable au beau milieu de la Zone.

— Vous êtes prêts ? cria Zil.

La foule rugit.

— L'heure de la justice a sonné !

— … Non.

— Edilio, ne meurs pas, supplia Dekka.

Le blessé émit un gargouillis qui ressemblait à un effort pour parler. Dekka écarta les pans de sa chemise. La balle s'était logée dans sa poitrine, juste au-dessus du téton gauche. Elle appliqua les mains sur la blessure, et le sang s'écoula entre ses doigts ; il jaillit quand elle relâcha la pression de ses paumes. Un autre gargouillis, puis Edilio tenta de relever la tête.

— Ne bouge pas, ordonna Dekka. Ne parle pas.

Soudain, il leva la main droite et tenta de saisir Dekka par le col de son tee-shirt, mais ses doigts se refermèrent sur le vide. Sa main retomba et, l'espace d'un instant, il sembla sur le point de s'évanouir. Pourtant, au prix d'un effort surhumain, il parvint à articuler deux mots.

— Fais-le.

Dekka comprit immédiatement ce qu'il lui demandait.

— C'est impossible, Edilio. Lana est la seule à pouvoir te sauver.

— Fais…

— Si je t'écoute, elle mourra.

Dekka transpirait à grosses gouttes. La sueur s'écoulait de son front sur le torse ensanglanté d'Edilio.

— Elle ne pourra plus te sauver.

— F...

Dekka secoua énergiquement la tête.

— Tu ne vas pas mourir, Edilio.

Elle le traîna à l'écart de l'entrée de la mine, le long de la piste. Ses chaussures creusaient des sillons dans la poussière. Le corps secoué de sanglots, Dekka chancelait sous le poids du blessé et trébuchait contre des rochers, mais elle réussit néanmoins à mettre de la distance entre eux et la mine.

Le pauvre Edilio avait raison : elle devait détruire cet endroit. En revanche, il était hors de question qu'il soit enseveli ici, sous les décombres. Non, Edilio aurait une place d'honneur parmi les tombes de Perdido Beach.

Une autre mort à honorer. Une autre sépulture. La première qu'Edilio n'aurait pas à creuser.

— Tiens le coup, Edilio. Tu vas t'en sortir, mentit Dekka.

Arrivée au bas de la piste, à l'entrée de la ville fantôme, elle se laissa tomber par terre. Puis elle s'assit sur Edilio et appliqua les mains sur sa blessure. Le sang coulait moins, à présent. Elle parvenait presque à en stopper l'afflux, ce qui n'était pas bon signe : cela signifiait que la fin était proche, que son cœur courageux allait bientôt cesser de battre.

Le regard de Dekka tomba sur les yeux étincelants d'un coyote. Elle sentait autour d'elle la présence de ses semblables, qui se rapprochaient peu à peu. S'ils restaient sur leurs gardes, ils sentaient qu'ils auraient bientôt droit à de la viande fraîche.

DUCK ÉTAIT MONTÉ SI HAUT qu'il distinguait au loin le panache de fumée s'élevant de la centrale. Il tremblait encore à l'idée qu'on lui ait tiré dessus. Lui qui n'avait jamais fait de mal à une mouche! On l'avait enrôlé de force dans une guerre dont il ne soupçonnait même pas l'existence. Il aurait pu se faire tuer. Et il n'était pas encore sorti d'affaire.

Si lui avait réussi à s'en tirer sain et sauf, d'autres luttaient pour survivre et s'insurgeaient contre le crime qui allait être commis. Par bonheur, la brise l'avait poussé loin de la place et de toute cette folie. Dans quelques minutes, il amorcerait sa descente vers la terre ferme. Puis, avec un peu de chance, il trouverait de quoi manger. L'odeur de la viande rôtie lui avait rappelé qu'il mourait de faim.

« Tu n'aurais rien pu faire, Duck, se dit-il. Non, rien du tout. Ce n'est pas ta faute. »

Il essaya vaguement d'attraper une mouette qui planait près de lui en déployant ses ailes en forme de boomerang. Il avait si faim qu'il aurait pu la dévorer toute crue.

Du coin de l'œil, il distingua une silhouette en bas, qui fonçait à toute vitesse. Elle s'arrêta brusquement. Il ne discernait pas les traits de son visage mais ce ne pouvait être que Brianna. Elle tenait dans sa main un pigeon mort.

Contrairement à Duck, Brianna pouvait attraper les oiseaux. Peut-être qu'elle accepterait de partager sa prise. Après tout, ils étaient dans le même camp, désormais, non ?

— Hé ! cria-t-il.

Brianna leva les yeux.

— Toi ! Je t'ai cherché partout !

— J'ai faim, gémit-il.

— Qu'est-ce que tu fais là-haut ?

Il se mit à descendre lentement.

— Ça marche dans les deux sens. C'est juste une question de densité. Je peux contrôler mon poids comme ça me chante. Peser si lourd que je m'enfonce dans le sol. Ou flotter...

— Ouais, ça m'intéresse pas. Sam m'a demandé de te ramener.

— Moi ?

— Oui, toi. Viens là.

Brianna arracha une aile du pigeon et tendit la chair sanguinolente à Duck, qui n'hésita pas une seconde. Après l'avoir engloutie en grognant de satisfaction, il leva sur elle un regard coupable.

— T'en voulais?

— Non. Mon appétit… Je sais pas, je me sens un peu patraque.

Brianna le regardait d'un air qui le mit mal à l'aise.

— Il risque d'y avoir un problème de résistance au vent, songea-t-elle à voix haute.

— Hein?

— Tu dis que tu peux contrôler ton poids? Cinq kilos, ça devrait passer.

— Quoi?

— Monte sur mon dos, Duck. Tu pars en balade.

La morphine n'éliminait pas la douleur. Elle jetait juste un voile dessus. La souffrance était toujours là, ce lion terrible, vorace, implacable, si difficile à apprivoiser.

Les blessures de Sam étaient impressionnantes. Il avait de grosses zébrures rouges sur le dos, les épaules, le cou et le visage. Par endroits, la peau avait été arrachée.

Le cauchemar créé par la drogue s'était dissipé; la réalité avait commencé à reprendre le dessus. Il sentait le sol sous ses pieds, il voyait le ciel au-dessus de sa tête et les étoiles scintillantes, il entendait le bruit familier de ses pas sur le béton et son souffle rauque montant de sa gorge.

Combien de temps lui restait-il? Il n'aurait su dire. Mais il en restait assez, peut-être, pour arrêter Caine. Et tuer Drake. Car, désormais, pour la première fois de sa vie, Sam souhaitait la mort de quelqu'un. Plus encore que les manigances de Caine et l'inquiétude qu'il en retirait, c'était la perspective de retrouver Drake qui le poussait à continuer. Détruire Drake avant que les effets de la morphine se dissipent, avant que la douleur revienne... Il aurait dû se débarrasser de lui la première fois qu'il en avait eu l'occasion.

La scène lui revint en mémoire, irréelle. La bataille sur les marches de l'hôtel de ville. Orc et Drake, le poing massif du garçon au visage de pierre contre le fouet meurtrier du véritable monstre. Sam était accaparé par Caine. Il avait survécu par miracle. Pourtant, il aurait pu, il aurait dû liquider ce psychopathe de Drake à ce moment-là. Tuer cet animal enragé.

Tandis qu'il traversait le parking, la réalité vacilla. Il n'y avait personne. Dekka était partie... partie faire quoi? Il avait les idées brumeuses. Partie détruire la mine avec Edilio. Si Lana se trouvait là-bas... Sam chancela. Lana était son seul espoir. Sans elle, il ne survivrait pas. Elle pouvait le soigner et mettre un terme à ses souffrances.

Il s'affaissa sur le siège d'une voiture et, pendant un long moment – il n'aurait pas su dire combien de temps –, son esprit dériva. Il erra dans un cauchemar éveillé de souvenirs et d'images auxquels s'ajoutait la douleur au creux de son ventre et la brûlure de sa chair à vif. «Marche», se dit-il. Oui, mais dans quelle direction? La ville était à une quinzaine de kilomètres. Or, ce n'était pas là que se rendait Caine.

Derrière la centrale, le flanc de la colline rougeoyait. Sam crut d'abord à une hallucination. Il n'aurait jamais la force de se traîner jusque-là. La drogue ne le soutiendrait pas assez longtemps. Avancer plus vite, c'était la seule solution. Mais il ne s'en sortirait pas seul.

— À l'aide, murmura-t-il.

Il amorça la longue montée épuisante qui menait à la grille. Il n'avait aucune chance de survivre s'il s'aventurait dans les terres. Et pourtant...

Voilà que son cerveau lui jouait des tours. Il crut apercevoir la lueur d'une torche du côté de l'océan. Il s'assit lourdement. Le faisceau de la lampe balaya le parking, puis le mur de la centrale et la colline voisine avant de redescendre. Quelqu'un fouillait les alentours.

Mais Sam n'était qu'une ombre avachie sur la route, trop petite pour être repérée. On ne le retrouverait jamais. Il était devenu invisible. «Voyons, Sam, se dit-il tandis qu'une idée germait dans son esprit embrumé avec une lenteur désespérante. Espèce d'idiot. Ton seul salut, c'est la lumière, justement.»

Il leva les bras et une colonne de lumière verte perça le ciel nocturne. La torche se braqua aussitôt sur lui.

— Oui, je suis là, dit-il.

Il fallut à Quinn quelques minutes pour amarrer son bateau sur la plage et gravir les rochers.

— Frangin... chuchota-t-il en voyant Sam.

Sam hocha la tête.

— Oui, je suis salement amoché. Comment...

— J'étais en train de pêcher quand j'ai aperçu le feu.

Quinn s'agenouilla auprès de son ami; à l'évidence, il ne savait pas quoi faire pour l'aider.

— Je ne suis pas beau à voir, et ma tête ne fonctionne pas très bien, reprit Sam d'une voix pâteuse.

— Je te ramène en ville.

— Non, prends une voiture.

— Sam, tu ne peux pas...

Sam agrippa le bras de Quinn.

— Quinn. Prends une voiture.

— Ouste, les chiens-chiens! grogna Dekka.

Ils étaient cernés par les coyotes. Le cercle se refermait peu à peu sur eux.

— Lequel d'entre vous est Chef? J'ai une offre à vous faire. Je... je peux vous aider. Je veux parler à Chef.

L'un des coyotes se figea et tourna son regard intelligent vers elle.

— Chef moi.

Il s'exprimait d'une voix suraiguë, étranglée, due sans doute à l'effort qu'il devait fournir pour parler. Dekka n'avait vu Chef qu'une fois, mais elle sut immédiatement que ce n'était pas lui. Le vieux coyote avait une cicatrice monstrueuse sur le museau et il était rongé par la gale. Manifestement, celui-ci était plus jeune.

— Tu n'es pas Chef, cria Dekka.

Le coyote inclina la tête de côté, l'air perplexe.

— Chef mort. Chef moi, maintenant.

Mort ? Peut-être qu'elle tenait là sa chance.

— Si tu me fais du mal, mon peuple tuera tous les coyotes.

Le nouveau chef de meute parut étudier la question. Une lueur d'ironie s'alluma dans ses yeux perçants.

— Meute manger humain mort, dit-il de la voix rauque, inquiétante, typique des coyotes mutants.

— Il n'est pas mort.

— Meute manger, répéta le coyote.

— Non. Si vous approchez, on…

Une masse gris-brun bondit sur Dekka ; elle tomba à la renverse, fit une roulade et se redressa. Trois coyotes s'élancèrent vers Edilio.

— Non ! cria Dekka.

Elle leva les bras et, soudain, Edilio s'éleva du sol ainsi que les trois coyotes paniqués qui se débattirent en poussant des jappements affolés. D'un bond, Chef battit en retraite. C'est alors que Dekka entendit le moteur d'une voiture qui se rapprochait à toute vitesse.

— On y est presque ! s'écria Drake, extatique.

Le vent nocturne leur fouetta le visage tandis que le 4 x 4 décapité s'avançait sur la piste en bringuebalant. Au-dessus de leur tête, le crayon de combustible filait tel un missile de croisière. Caine, debout sur son siège, gardait les mains levées.

Diana ne distinguait que son profil, qui n'affichait pas la même joie féroce que Drake. Il avait le regard fixe, les sourcils froncés, la bouche déformée par une grimace. Pour la première fois, Diana le trouva laid. Son charme nonchalant s'était évaporé. Malgré son physique de star de cinéma, il évoquait une caricature de lui-même, un faible écho de ce qu'il avait été.

— Regardez ! Ah ah ah ! Ça repousse ! brailla Drake en agitant son tentacule hideux sous le nez de Diana.

Il disait vrai. Au niveau de la chair tronçonnée, une bosse s'était formée. Telle la queue d'une salamandre, le fouet se régénérait quand on le coupait.

— Là ! C'est la ville ! s'exclama-t-il. Là ! Vous allez voir, maintenant !

— Qu'est-ce que c'est que cet endroit ? se demanda Jack tout haut.

Il jeta un regard accusateur à Diana. «Ce n'est pas ma faute, protesta-t-elle en son for intérieur. Je n'y suis pour rien si tu as été assez faible pour me suivre, espèce d'idiot. J'essaie juste de survivre, d'avancer vaille que vaille, comme toujours. »

Survivre, c'était tout ce qu'elle savait faire. Et toujours avec style. Elle n'en faisait qu'à sa tête, quoi qu'on en dise. C'était là que résidait son génie : être utilisée, certes, mais toujours pour en retirer quelque chose. Toujours rendre à l'autre la monnaie de sa pièce, avec les intérêts. Et, quoi qu'il arrive, rester Diana l'impassible.

Non, elle n'y était pour rien.

— Regardez ! cria l'un des soldats.

Sur la route, devant eux, ils voyaient, pareils à une petite tornade, tournoyer dans le vide les corps de plusieurs coyotes et, au centre de ce tourbillon, une silhouette humaine.

— Dekka, lança Drake, l'air ravi.

Faute de choix, Dekka dut rétablir la gravité ; Edilio et les coyotes retombèrent. Elle ne pouvait plus rien pour le blessé, désormais.

— Adieu, Edilio, murmura-t-elle.

La seule issue, désormais, c'était l'entrée de la mine. Elle courut dans sa direction. Le 4 x 4 freina dans un crissement de pneus. Drake en jaillit et s'élança derrière elle avant même que la voiture se soit arrêtée. Elle avait à peine une dizaine de mètres d'avance sur lui, mais il courait plus vite qu'elle. Il fit claquer son fouet et elle sentit le déplacement d'air tout contre sa nuque. Il n'était plus question de rebrousser chemin.

Dekka fit volte-face, leva les bras et, soudain, les jambes de Drake se mirent à pédaler dans le vide. Il s'éleva du sol dans un nuage de poussière et de cailloux. Son fouet s'agita convulsivement.

— Je vais te tuer, Dekka !

Dekka rétablit la gravité, et Drake fit une chute de plusieurs mètres. Elle se détourna et se remit à courir. Des coyotes surgissaient des deux côtés de la piste, ou bondissaient devant elle. Ils n'auraient aucun mal à lui couper la route.

Elle s'élança à l'assaut de la colline, hors d'haleine, et au détour d'un virage, tomba nez à nez avec le nouveau chef de meute. Elle leva les mains. Trop tard. Les coyotes affluaient de toutes parts. Bientôt, elle fut noyée sous un déluge de griffes, de jappements et de grognements furieux. Elle poussa un hurlement et, au moment où elle levait les bras, des mâchoires puissantes se refermèrent sur ses poignets. Dekka dut s'avouer vaincue : elle était à la merci des coyotes.

42

DRAKE FUT LE PREMIER à atteindre le bout de la piste. Il boitait des suites de sa chute. Jack était juste derrière lui. Il s'avança en clopinant vers la meute rugissante rassemblée autour de sa proie. L'un des coyotes, une créature aux yeux étincelants empreints d'une expression presque humaine, à la fois vive et désinvolte, aboya un ordre.

Les bêtes avaient cloué Dekka au sol; elle était sans défense. Elle avait dû perdre conscience, car elle ne bougeait plus. Cependant, Jack constata qu'elle respirait encore.

— Pas d'inquiétude, frères coyotes, lança Drake en riant. Je ne suis pas là pour vous arrêter.

Il baissa les yeux vers Dekka en secouant la tête d'un air moqueur.

— T'as pas l'air en forme, lâcha-t-il. À mon avis, ça va mal se finir pour toi.

Puis il ajouta à l'intention de Jack:

— Super pouvoirs, mon œil! Hein, Jack?

Sa remarque sonnait comme un avertissement, mais Jack s'en moquait. Il avait envie de vomir, malgré son estomac vide, et de prendre ses jambes à son cou. S'il n'avait pas craint que Drake, Caine ou les coyotes se lancent à sa poursuite, il aurait fui. Pourquoi était-il venu ici? « Parce que tu es un idiot, songea-t-il. Un génie, mais un idiot quand même. »

— Encore quelques mètres et on y est! cria Drake. Viens faire sa connaissance, Jack.

Jack s'arrêta pour regarder en arrière. D'abord, il vit le crayon de combustible flotter dans sa direction. Puis Caine, juste en dessous. Il courbait l'échine, comme s'il le portait sur ses épaules. Il semblait à bout de forces.

Jack eut l'impression qu'un poids s'abattait sur lui, le vidait de sa substance, le pressait comme un fruit mûr. Il s'aperçut que des larmes roulaient sur ses joues.

Malgré sa force surnaturelle, il avait la sensation d'avoir les membres lourds comme de la pierre. Chacun de ses pas requérait toute son énergie; il s'efforçait de refouler la peur qui le paralysait.

Trop c'était trop. D'abord, cette pauvre Brittney, et maintenant Dekka. Combien connaîtraient le même sort? Et lui, que deviendrait-il?

Sans réfléchir, Jack saisit par le cou le coyote le plus proche; la bête poussa un glapissement et tourna la tête pour le mordre. Jack le jeta au loin, en empoigna un autre, et lui fit subir le même sort.

Il entendit un bruit sourd quand son corps heurta le sol. Deux coyotes se jetèrent sur lui en montrant les crocs. Il prit son élan et décocha un coup de pied dans le museau du premier. La tête de l'animal, arrachée à son corps, dévala la route comme une boule de bowling. Son corps resta debout pendant quelques secondes, le temps d'esquisser un pas, puis s'affaissa.

Le reste de la meute s'immobilisa, les yeux fixés sur Jack, puis détala, la queue entre les pattes.

— Alors, Jack ? On s'énerve ?

Drake semblait reprendre des forces à chaque pas tandis que Jack se sentait de plus en plus faible. Ce pouvoir ne lui ressemblait pas. Parvenu au sommet de la colline, Drake se dressa au-dessus de lui. Sa silhouette se détachait sur le clair de lune et son fouet ondulait dans l'air.

— Je n'aime pas ça, c'est tout, répliqua Jack, le cœur au bord des lèvres.

Après avoir enroulé son fouet, presque délicatement, autour de la gorge de Jack, Drake l'attira contre lui et lui glissa à l'oreille :

— Surveille mes arrières, Jack le Crack.

— Quoi ? fit Jack, au désespoir.

— Je te laisserai la vie sauve. J'épargnerai même Brianna.

Jack posa la main sur le fouet de Drake et desserra facilement son étreinte. Il aurait même pu arracher sans effort le monstrueux appendice. Drake eut un rire gêné.

— Ne commence pas, Jack. Tu n'es pas fait pour jouer les durs.

Sur ces mots, il se détourna et courut vers la mine. Caine monta péniblement la côte ; Diana, cette sorcière qui avait attiré Jack dans ce cauchemar, était à son côté. Il aurait pu jurer qu'elle aidait Caine à marcher.

Une fois dans la mine, Lana avait jeté le pistolet désormais inutile. Elle essaya de se justifier... de former dans son esprit des images susceptibles d'expliquer son échec. Mais le gaïaphage s'en moquait, il s'était déjà désintéressé de la fille qui possédait le pouvoir de la gravité.

« Quelqu'un a tiré sur Edilio », s'étonna Lana. Des sensations lui revinrent, le recul de l'arme dans sa main. Quelqu'un... Elle eut un hoquet de surprise lorsque le gaïaphage s'immisça à l'intérieur de son crâne pour y déverser des images horribles. Un énorme monstre hirsute qui ressemblait à un grizzly, avec des griffes interminables... Des créatures qui paraissaient faites de lames de rasoir et de couteaux de cuisine... Des bêtes qui volaient. Des bêtes qui rampaient. Toutes s'imbriquaient les unes dans les autres comme des poupées russes. En en détruisant une, on en libérait une autre. Régénération. Adaptation. Chaque nouvelle incarnation monstrueuse semblait plus dangereuse que la précédente.

Le gaïaphage s'était donc servi de la nature, cette machine parfaite, pour concevoir ce bestiaire hideux ? Non, ce n'était pas son œuvre. Il avait pénétré un esprit, une imagination infiniment plus visionnaire que la sienne. Némésis : c'est ainsi qu'il avait baptisé sa source d'inspiration, dont le pouvoir illimité n'était contenu que par les méandres, les impasses et les hautes murailles de son cerveau endommagé.

Némésis et la Guérisseuse, amenées ici et utilisées ensemble dans le seul but de rendre le gaïaphage invincible. Seul un élément du puzzle manquait encore. L'uranium.

Bientôt, dit le gaïaphage.

Quelqu'un avait tiré sur Edilio et tenté de tuer Dekka. Le cerveau de Lana, épuisé, accaparé par les projets du gaïaphage, s'accrochait à ce seul souvenir. Quelqu'un… Confusément, elle sentit de nouveau le recul de l'arme dans sa main quand elle avait pressé la détente. Non. Non. Edilio s'était effondré. Non. Une vague de fureur la submergea, et les visions imposées par le gaïaphage vacillèrent. Le flot de détails et de manigances se tarit.

« Je te déteste ! » pensa-t-elle. Le gaïaphage battit en retraite, et elle réintégra son cerveau. Mais plus lentement, cette fois.

— Drake va s'attaquer à toi, Caine, lui glissa Diana à l'oreille.

Il avait mal aux bras et ne sentait plus ses mains.

— Il te tuera, reprit-elle d'un ton pressant. Tu sais que je dis la vérité.

Caine l'entendait. Cependant, sa voix était si lointaine, ses mises en garde si insignifiantes comparées aux pulsations régulières dans sa poitrine ! « Ce n'est pas vrai, songea-t-il. Mensonges ! »

— Continue comme ça, et je ne donne pas cher de ta peau, suppliait Diana. Ni de la mienne, d'ailleurs. Arrête, Caine. Ne fais pas ça.

Caine voulut répondre, mais il avait la bouche sèche. Pas à pas, remonter la piste. Jusqu'à lui. Jack était déjà là-haut avec Drake. Ils semblaient en grande conversation. Le cadavre décapité d'un coyote gisait sur la route.

Et Dekka, était-elle encore en vie ? Ce n'était pas son problème. Elle n'aurait pas dû choisir le camp de Sam. Au bout de la piste, l'attendait l'entrée de la mine. Le crayon de combustible flottait au-dessus de lui.

Nourris-moi.

Caine s'avança vers l'ouverture.

— Vas-y, fais-le ! brailla Drake.

— Caine, arrête ! cria Diana.

Il progressait plus facilement maintenant qu'il se trouvait sur du terrain plat. Se rapprocher encore.

Voilà. Il aurait pu jeter le crayon de combustible dans le trou, comme un javelot. Un vrai jeu d'enfant.

— Arrête, répéta Diana. Jack ! Jack, il faut l'en empêcher.

— Essaie pour voir ! rugit Drake.

— La ferme, débile ! hurla Diana avec une rage soudaine. Crève, espèce de sale brute sans cervelle !

Le regard de Drake s'assombrit. La lueur menaçante qui brillait d'ordinaire dans ses yeux laissa place à une haine brûlante.

— Ça suffit. Je voulais attendre, mais si ce doit être maintenant, allons-y.

Et, à ces mots, il fit claquer son fouet.

LE HURLEMENT DE DIANA transperça Caine comme une flèche. Elle chancela, parvint à se redresser, mais Drake fut plus rapide qu'elle. Un second coup de fouet la fit voler dans les airs.

« Rattrape-la ! » se dit Caine. Il leva les bras ; en se servant de son pouvoir, il pourrait la sauver. Mais il fut trop lent à réagir.

La tête de Diana heurta l'arête d'un rocher avec un son creux. Caine se figea et le crayon de combustible s'écrasa à quelques mètres de l'entrée de la mine, sur une grosse pierre. Il rebondit, se fissura, et atterrit lourdement dans la poussière.

Drake courut vers Caine en faisant claquer son fouet. Jack s'interposa en criant :

— L'uranium ! L'uranium !

Dans sa poche, le détecteur de radiations s'affolait. Drake se jeta sur lui et tous deux dégringolèrent sur le sol. Immobile, Caine fixait Diana d'un air horrifié. Elle ne bougeait plus.

— Non ! cria-t-il.

Drake se releva avec un juron.

— Diana, sanglota Caine.

Drake était trop loin de lui pour se servir de son fouet. Il leva sa mitraillette et tira à l'aveuglette, sans prendre la peine de viser. C'était une arme automatique, il avait donc tout son temps. Il en pointa le canon vers sa droite, et une volée de balles s'abattit à l'endroit où Caine se tenait, pétrifié.

Soudain, une explosion de lumière verte illumina la nuit. Le rayon lumineux rata de peu sa cible, et la mitraillette de Drake se racornit comme une brindille tandis que les rochers derrière lui se craquelaient sous la chaleur. Il lâcha son arme et ce fut son tour de se figer d'étonnement.

— Toi !

Sam apparut en boitillant au sommet de la colline. Quinn le rattrapa au moment où il chancelait. Dans un éclair de lucidité, Caine vit son frère et l'explosion de lumière mortelle.

— Non, Sam. Il est à moi.

Il leva le bras ; Sam et Quinn furent projetés en arrière. Quant à Jack, il ne cessait de crier :

— Le crayon de combustible ! Il va tous nous tuer ! Si ça se trouve, on est déjà morts !

Drake se jeta sur Caine, les yeux écarquillés de frayeur. Il savait déjà qu'il avait perdu : son adversaire serait plus rapide que lui. Caine leva le bras, et le crayon de combustible s'éleva brusquement du sol. De l'autre main, il immobilisa son lieutenant.

— Caine, dit Drake d'un ton qui se voulait apaisant. Tu ne vas pas… Tout ça pour une fille. C'était une sorcière, une…

Il ne pouvait plus fuir. Le crayon de combustible était pointé sur lui telle une lance. Caine le jeta de toutes ses forces sur lui : un déluge de plomb, d'acier et d'uranium. Rapide comme un serpent, il s'écarta ; le projectile, au lieu de le heurter en pleine poitrine, le toucha à l'épaule et l'emporta avec lui. Tous deux disparurent dans les ténèbres de la mine. Il y eut un énorme bruit, un nuage de poussière jaillit, puis le silence revint, à peine troublé par le ruissellement des graviers à l'intérieur de la caverne.

— Est-ce qu'il s'est ouvert ? gémit Jack. Pitié, je ne veux pas mourir.

Caine se posta devant l'entrée de la mine, les bras tendus. Soudain, le sol se mit à trembler et la roche alentour commença à se fissurer.

Non ! cria la voix honnie dans la tête de Caine.

— Je ne suis l'esclave de personne ! rugit-il.

Non ! Je te l'interdis !

Caine chancela. Il avait l'impression que des lames de rasoir lui transperçaient le crâne, la douleur était inimaginable.

— Ah oui ?

Il tendit les bras. La caverne vomit des tonnes de pierres, de poutres, le crayon de combustible, une vieille camionnette, le cadavre de Jim l'Ermite et Drake Merwin, blessé mais toujours vivant, qui se contorsionnait en jurant. Cet agglomérat de roche et de corps se figea à quelques mètres du sol, puis se mit à tournoyer lorsque Caine forma un puits avec ses mains. Les cris de Drake furent bientôt couverts par les sifflements du tourbillon. Alors Caine tendit de nouveau les bras, et la masse tournoyante alla s'écraser à l'entrée de la caverne. Le vacarme fut tel que Jack plaqua les mains sur ses oreilles. Quelques fragments de roche roulèrent au ralenti, puis un craquement terrible retentit et, soudain, la mine s'écroula. Un déluge de pierres en condamna à jamais l'entrée.

Caine s'avança vers Diana, les jambes flageolantes, et s'agenouilla auprès d'elle. Elle ne bougeait plus. Il colla son oreille contre sa jolie bouche et ne perçut aucun souffle. Mais en appliquant les mains sur son dos, il sentit sa cage thoracique se soulever et s'abaisser imperceptiblement. Il la retourna avec des gestes tendres. Aveuglé par ses larmes, il toucha sa tempe et sentit un magma horrible sous ses doigts. Un sanglot s'échappa de sa gorge. Il entendit des bruits de pas dans son dos. Sam le rejoignit en titubant comme un ivrogne. Sans détacher les yeux de Diana, Caine lança d'un ton calme :

— Si tu veux me tuer, ne te gêne pas. C'est le bon moment.

Sam ne répondit pas. Caine leva enfin les yeux vers lui et, à travers ses larmes, il constata que son frère tenait à peine debout. Il était dans un sale état. La douleur devait être intolérable. Drake n'avait pas menti : s'il n'avait pas tué Sam, il avait bien failli. Et, à première vue, il semblait impossible qu'il survive. Quinn s'avança à son tour en luttant sous le poids d'un corps qu'il serrait contre lui. « Le petit Mexicain, songea Caine, ou Dekka. »

— Voilà, c'est la fin, dit-il d'un ton monocorde. (Il caressa les cheveux courts de Diana.) Je l'aime. Tu le savais, Sam ?

— Ce n'est pas encore terminé.

En entendant son ennemi, Caine éprouva un choc. Jamais auparavant, il n'avait perçu autant de souffrance dans une voix. À chaque mot, Sam semblait réprimer un cri.

— Elle ne survivra pas.

— Edilio est blessé, annonça Quinn. Il n'en a pas pour longtemps. Et Dekka…

— Je n'y suis pour rien, l'interrompit Caine. Ils étaient déjà dans cet état-là quand on est arrivés.

Le sort d'Edilio et de Dekka ne l'intéressait pas. Même Sam le laissait indifférent. Quelle tristesse de penser que Diana mourait sans ses beaux cheveux ! Sa coupe lui donnait l'air plus jeune. Innocent. Un adjectif qui ne s'était jamais appliqué à elle, jusqu'ici.

— Lana, dit Sam.

Caine entrevit une minuscule lueur d'espoir. Lana. Où était donc passée la Guérisseuse ? Comme s'il avait entendu sa question, Quinn lança :

— Elle est coincée là-dedans avec… la chose.

Caine tourna le regard vers l'entrée de la mine. Il s'était déjà aventuré dans ses profondeurs. Il savait ce qui se terrait à l'intérieur. Et maintenant, le crayon de combustible se trouvait là-dedans, lui aussi.

— On a besoin…

Sam s'interrompit, incapable de poursuivre. Caine secoua la tête.

— Elle doit être morte, à l'heure qu'il est.

— Peut-être pas, souffla Sam.

— De toute façon, l'entrée est obstruée par la roche. C'est beaucoup plus difficile de déblayer que de déclencher un éboulement. Il me faudrait déplacer toute la colline. Ça me prendrait des heures, voire des jours.

Sam se mordit violemment la lèvre. Il avait toutes les peines du monde à masquer sa souffrance.

— Il existe peut-être un autre moyen, dit-il enfin en jetant un regard derrière lui, en direction de la piste.

— Lequel ?

— Duck.

Soudain, une rafale de vent souleva un nuage de poussière et Brianna se matérialisa devant eux. Dans son sillage, un garçon flottait à quelques mètres du sol comme un ballon suspendu à une ficelle. Il avait la tête de quelqu'un qui revenait d'un tour sur les montagnes russes.

— Ça y est? demanda-t-il sans oser ouvrir les yeux. On est arrivés?

— Vous voulez manger? cria Zil du haut de son perchoir.

Un chœur d'acclamations s'éleva de la foule. Cependant, Astrid perçut de l'hésitation chez certains enfants, et s'accrocha à cet espoir.

— Alors, tirez sur la corde! reprit Zil.

La corde en question, dont une extrémité enserrait le cou de Hunter, avait été déroulée le long de la place. Il ne faudrait pas plus d'une demi-douzaine de volontaires pour commettre l'irréparable.

Astrid se mit à prier à voix haute, dans l'espoir de leur faire honte, de les arracher à leur folie meurtrière.

— Tirez! brailla Zil.

Il sauta de la voiture et se saisit de la corde. Le reste de sa bande l'imita. Puis quatre… cinq… dix enfants se joignirent à eux. Astrid les connaissait tous de nom.

— Tirez! répéta Zil. Tirez!

La corde se tendit. D'autres enfants s'avancèrent pour l'empoigner. Deux gamins seulement changèrent d'avis et s'éloignèrent. Des mains surgissaient de partout. Bientôt, ce fut une véritable foire d'empoigne. La corde se tendit davantage et Astrid vit, horrifiée, Hunter s'élever du sol.

La cohue prenait de l'ampleur : les volontaires en venaient maintenant à échanger des coups de poing en s'invectivant. La corde se relâcha brusquement et les pieds de Hunter touchèrent le sol, mais quelques enfants se précipitèrent pour la rattraper tandis que d'autres essayaient de leur barrer le passage. Le rassemblement tournait à l'émeute. Deux gamins se jetèrent sur la viande en bousculant Antoine, Hank et Turk, qu'ils faillirent piétiner dans leur empressement.

Astrid profita de la mêlée pour se relever. Zil, furieux d'avoir perdu le contrôle de la situation, la repoussa violemment.

— Reste à terre, toi !

Astrid lui cracha au visage et vit le sang refluer de ses joues. Fou de rage, il s'empara d'une batte de base-ball. Au moment où il allait l'abattre sur elle, il fut soulevé de terre. Levant les yeux, Astrid vit Orc, et Zil qui se balançait au bout de son bras. Orc approcha son visage hideux du sien.

— Personne ne touche Astrid ! beugla-t-il.

Lentement, il fit un tour sur lui-même, puis un deuxième plus rapide, et jeta Zil au loin. Puis, se penchant vers Astrid, il demanda :

— Ça va ?

— Je crois, répondit-elle d'une voix tremblante.

Elle s'agenouilla près du petit Pete et effleura la

bosse grosse comme un œuf qui s'épanouissait sur son crâne. Il remua faiblement puis ouvrit les yeux.

— Pete... Pete. Tu vas bien ?

Elle n'obtint pas de réponse mais, venant de son petit frère, cela n'avait rien d'anormal. Puis, levant les yeux vers Orc, elle dit :

— Merci, Charles.

— De rien, marmonna-t-il.

Howard le rejoignit en se faufilant parmi la foule qui se dispersait en tous sens.

— Ça, c'est mon pote, lança-t-il en donnant une claque sur l'énorme épaule de son ami.

Puis, se tournant vers les enfants qui s'enfuyaient, il cria :

— C'est ça, barrez-vous ! Vous allez regretter de vous être attaqués à la copine de Sam. Si Orc ne vous botte pas les fesses, c'est Sammy qui s'en chargera !

Il adressa un clin d'œil à Astrid.

— Ça va lui coûter cher, à ton chéri.

— Ouais, renchérit Orc. Et il a intérêt à pas traîner pour me donner à boire.

— Qu'est-ce qui est arrivé à Edilio ? demanda Brianna en examinant le corps allongé par terre, immobile.

— Il s'est fait tirer dessus, répondit Quinn. Je ne crois pas qu'il en ait pour longtemps.

— Comment ça se fait que Dekka ne l'ait pas protégé ? Où est-elle ?

Le regard de Quinn suffit à la renseigner. Elle se précipita vers Dekka, recroquevillée au sol comme une poupée jetée dans un coin. Elle l'observa, incrédule, et le rugissement d'une cascade emplit ses oreilles. Puis, le monde devint flou autour d'elle, et elle frappa Caine avec toute la hargne dont elle était capable. Il s'affala de tout son long. Avant qu'il ait pu reprendre son souffle, elle se jeta sur lui, une pierre à la main.

— Brise ! Non ! cria Sam.

Allongé sur le dos, inerte, les mains plaquées le long du corps, Caine semblait à peine s'apercevoir de la présence de Brianna. Elle s'accroupit près de lui pour le frapper de sa pierre. Il n'aurait même pas le temps d'esquisser un geste.

— Non, Brise, répéta Sam. On a besoin de lui.

— Moi, il ne me sert à rien !

Quinn parla pour Sam, qui serrait les dents au point de s'en déformer le visage.

— Brise. Dekka est morte. Edilio n'en a pas pour longtemps. Et Sam a dit…

— À quoi peut nous servir ce pourri ?

— On a besoin de Lana, souffla Sam.

Caine se releva en époussetant son tee-shirt.

— Diana est mourante. Le Mexicain aussi. Dekka, eh bien, tu l'as vue, non ? Quant à Sam, il n'a pas l'air dans son assiette, c'est le moins qu'on puisse dire. Lana est là-dedans.

D'un signe de tête, il indiqua l'entrée condamnée de la mine.

— Ce que je ne comprends pas, poursuivit-il, c'est comment on va s'y prendre pour la retrouver. La mine s'est effondrée. Il me faudra beaucoup de temps pour déblayer l'entrée. Plus j'enlèverai de gravats, plus il en tombera.

— Duck va creuser un tunnel, annonça Sam.

— Mmm… quoi? fit Duck.

— Vous savez, comme pour sauver les mineurs. On creuse un passage dans le tunnel d'origine.

— Mmm… quoi? répéta Duck.

— Duck a le pouvoir de s'enfoncer dans le sol, expliqua Quinn à un Caine médusé.

— Je ne crois pas que je… commença Duck.

— Il peut contrôler sa densité, l'interrompit Brianna. C'est comme ça que j'ai pu le transporter jusqu'ici. Il ne pesait pas plus lourd qu'un sac à dos.

— Il creuse, déclara Sam. On le suit. Tu y es déjà allé, pas vrai, Caine? Est-ce qu'il existe un endroit où…

Un spasme de douleur le fit chanceler, et il sembla perdre conscience pendant une minute.

— Les gars, je ne… bredouilla Duck.

— Tu n'as pas envie d'être un héros? lança Quinn.

— Non, répondit-il en toute sincérité.

— Oui, moi non plus. Mais Edilio, lui, c'est un héros. Et Sam… je n'ai pas besoin de te rappeler ce qu'il a fait pour nous.

Quinn prit Duck par le bras avant d'ajouter :
— On a besoin de toi, Duck. Toi seul peux le faire.
— Je veux bien vous aider mais...
— Le prochain poisson que j'attrape est pour toi.
— Pas si je finis enterré vivant.
— Du poisson frit bien tendre et bien croustillant.
— Tu ne m'auras pas avec de la bouffe, répliqua Duck avec colère. Je veux... je veux une piscine, aussi.

44

LANA SE TENAIT DEVANT LE MUR de gravats. Pendant un bref moment, elle espéra que ce rempart infranchissable scellait le sort du monstre qui l'avait réduite en esclavage. Mais l'extrémité craquelée du crayon de combustible émergeait d'entre deux pierres. Les millions de cristaux qui composaient le corps du gaïaphage s'étaient agglutinés autour des pastilles d'uranium répandues par terre. Lana percevait l'impatience du monstre, sa jubilation. La crainte d'être détruit refluait. Et pendant quelques instants, elle réintégra son cerveau tandis qu'il s'abandonnait à sa joie mauvaise.

Ce retour à la réalité n'avait rien d'une bénédiction. Lana savait maintenant avec certitude que c'était elle qui avait tiré sur Edilio. Elle qui n'avait pas réussi à faire exploser la caverne. Elle qui avait permis tout cela.

Elle s'était mise au service du monstre parce qu'elle était trop faible pour lui résister. Une fois qu'il aurait repris des forces, il s'insinuerait de nouveau dans sa tête et se servirait de son pouvoir pour créer le corps qui lui permettrait de sortir de sa tanière. L'ensevelir sous des tonnes de roches ne l'arrêterait pas. Grâce à sa nouvelle enveloppe, il se fraierait un chemin jusqu'à la sortie et deviendrait alors invincible.

Elle savait désormais qu'elle était la clé. Le tunnel avait été bouché par un gigantesque éboulement. Le gaïaphage resterait prisonnier de la mine à moins qu'elle ne lui fournisse le moyen de s'échapper.

Seule sa mort pouvait l'empêcher de sortir.

Cependant, sa volonté était trop faible. Son seul espoir consistait à gagner du temps. L'uranium la tuerait sans doute si elle ne faisait rien pour se soigner. Mais la mort viendrait-elle assez vite ? Et si le gaïaphage la contraignait à sauver sa propre vie ? La créature comprenait-elle que son moyen de subsistance scellerait le sort de Lana ?

Duck s'était posté sur le flanc de la colline, à une trentaine de mètres au-dessus de l'entrée de la mine. Ils avaient calculé qu'il devait se trouver au-dessus de ce qui, selon Caine, était une vaste salle souterraine.

Tout cela n'était qu'une hypothèse, bien sûr. Si Duck n'échouait pas dans la salle en question, il devrait recommencer autant de fois que nécessaire.

Quinn passait son temps à soutenir Sam qui était en proie à une souffrance atroce.

— Les effets de la morphine commencent à se dissiper, dit-il. Dépêchez-vous.

Caine se tenait prêt. Brianna était partie chercher une corde mais, à son retour, elle était tombée à genoux et s'était mise à vomir de la bile.

— C'est maintenant qu'il faut y aller, murmura Sam en s'accrochant à son dernier souffle.

— Vas-y, Duck, lança Quinn d'un ton pressant.

Ils comptaient tous sur lui. Il y avait beaucoup de vies en jeu, et ils comptaient tous sur Duck Zhang.

— Ton poisson a intérêt à être bon, répliqua-t-il.

À ces mots, il s'enfonça dans la terre, en se frayant un chemin à travers la roche comme s'il s'agissait de pudding. Duck savait qu'il pourrait remonter à la surface en se laissant flotter. Enfin, il n'en était pas absolument sûr. Cette fois, peut-être...

Soudain, il se sentit tomber dans le vide : il venait de traverser le plafond de la mine. Il stoppa sa chute après s'être enfoncé d'un mètre dans le sol et poussa un soupir de soulagement. Il n'avait pas atterri dans la vaste salle qu'on lui avait décrite mais dans un tunnel étroit. C'était un miracle qu'il soit arrivé jusqu'ici. Il se demanda si des chauves-souris avaient élu domicile dans les parages. D'après la mine effrayée des autres, une créature beaucoup plus dangereuse rôdait dans les parages, alors peut-être que la présence de ces petites bestioles était un bon signe, après tout.

— Ça y est !

Pas de réponse.

— Ça y est, j'y suis ! hurla-t-il de toutes ses forces.

Caine fut le premier à descendre au moyen d'une corde. Il atterrit en douceur, se servant de son pouvoir pour amortir sa chute.

— Il fait noir comme dans un four, observa-t-il.

Puis il cria vers l'extérieur :

— C'est bon, mon frère ! Tu peux y aller !

Un faisceau de lumière aveuglante éclaira le tunnel que Duck avait creusé, tel un rayon de soleil filtrant à travers une persienne. Caine leva les bras et Sam se laissa tomber dans le trou. Il tenait dans ses mains ce qui ressemblait à une boule de lumière. Une fois que ses yeux se furent accommodés à la clarté, Duck s'aperçut qu'en réalité elle émanait des paumes de Sam.

— Je connais cet endroit, déclara Caine. On est tout près du but.

— Duck, on aura peut-être besoin de toi, ajouta Sam.

— Mais j'étais juste censé…

Sam trébucha, et Duck le rattrapa juste avant qu'il ne s'affale de tout son long.

— OK, je reste, répondit-il malgré lui.

« Quoi ? Tu quoi ? » protesta une voix dans sa tête.

« Allons, Duck, tu ne vas pas t'enfuir comme ça », se dit-il.

« Mais si ! » s'écria la voix.

Pourtant, il soutint Sam tandis qu'ils s'enfonçaient dans les profondeurs de la caverne.

« Tu veux être un héros, c'est ça ? » reprit la voix d'un ton moqueur.

« Il faut croire que oui », répondit-il.

— Protège la lumière, lança Caine.

Ça, Sam en était capable. C'était dans ses cordes. Son cœur, ce moteur rouillé à deux doigts de la panne, battait comme s'il était sur le point de s'envoler. Son corps lui semblait fait de métal brûlant, rigide, impossible à mouvoir. Quant à la douleur… tel un tigre furieux, elle le lacérait à chaque pas, lui brouillait les idées, ébranlait sa volonté. Il n'en pouvait plus, il souffrait trop.

— Viens, Sam, lui glissa Duck à l'oreille.

Sam laissa échapper un cri.

— C'est raté pour l'effet de surprise, maugréa Caine.

« Il sait déjà qu'on est là », songea Sam. Il était inutile de se cacher. Il savait. Sam le sentait. Il avait l'impression que des doigts glacés s'insinuaient dans son cerveau, le sondaient, cherchaient un moyen de s'y infiltrer.

« C'est l'enfer, ici, pensa-t-il. Protège la lumière. Peu importe le reste, protège la lumière. »

Les pieds de Caine crissèrent sur des gravillons ; en se baissant, il s'aperçut qu'il s'agissait en fait de petites billes de métal sombre, toutes identiques.

— Les pastilles d'uranium, annonça-t-il sans trahir la moindre émotion. J'espère que Lana sait guérir le syndrome d'irradiation aiguë, sinon on est tous morts.

— Quoi? fit Duck.

— Le sol est jonché d'uranium. D'après ce qu'on m'a expliqué, ce machin-là perce des millions de trous minuscules dans l'organisme.

— Quoi?

— T'inquiète, Buck, lâcha Caine, tu te débrouilles bien.

— Moi, c'est Duck.

— Est-ce que tu sens les ténèbres autour de toi, Buck? chuchota Caine d'un ton révérencieux.

— Oui, répondit Duck d'une voix tremblante de petit garçon au bord des larmes. Je ne me sens pas très bien.

— C'est normal, Buck. Ça fait longtemps qu'il est dans ma tête. Une fois qu'il entre, il n'en sort plus jamais.

— Qu'est-ce que tu veux dire?

— Il se balade dans la tienne en ce moment même, pas vrai? Il laisse son empreinte. Il cherche un accès. Une fois qu'il aura réussi, tu ne pourras plus le chasser.

— Il faut qu'on se tire d'ici.

— Tu peux partir, Buck. Je m'occupe de Sam.

Sam avait l'impression d'entendre une conversation lointaine entre deux fantômes, deux ombres dans sa tête. Mais il était certain d'une chose : Duck ne pouvait pas partir.

— Non, marmonna-t-il. On a besoin de lui.

— T'es sûr ? demanda Caine.

— Il est notre seule arme, et la chose ne sait pas que nous l'avons.

— Ah bon ? fit Duck.

— La caverne est juste devant, lança Caine.

— Qu'est-ce que c'est, cette chose ? À quoi ressemble-t-elle ?

Caine ne prit pas la peine de répondre. Sam eut un autre spasme de douleur. Elle semblait affluer par vagues, chacune pire que la précédente. « Surfe », pensa-t-il. Dans un creux entre deux vagues, il jouissait parfois de quelques secondes de lucidité. Il ouvrit les yeux. Rétablit la lumière.

Comme Caine l'avait annoncé, ils débouchèrent sur une vaste caverne. L'endroit, immense et silencieux, n'était pas né d'un événement géologique naturel : il n'y avait pas plus de stalactites sur le plafond voûté que de stalagmites par terre. Les murs de pierre semblaient avoir été fondus puis solidifiés. Une légère odeur de brûlé flottait encore dans l'air, bien qu'il n'y ait ni fumée ni source de chaleur dans les parages, excepté celle du crayon de combustible.

— Ça y est, tu sais où on est, Sam ? demanda Caine.

Sam répondit par un grognement.

— Oui, tu as d'autres choses en tête en ce moment, pas vrai? Tu sais pour la météorite qui s'est écrasée sur la centrale il y a toutes ces années, hein, Sam? Bien sûr. Tu es un gars de la ville.

Sam fut submergé par une nouvelle vague de douleur. Il se retint de crier.

— La météorite a traversé la centrale avant de s'enfoncer dans le sol comme notre ami Buck. Elle était si lourde et se déplaçait si vite qu'elle est entrée comme dans du beurre. Elle a creusé un trou énorme; voilà ce qu'il en reste.

Ils avaient franchi quelques mètres dans la caverne aux dimensions de cathédrale. Sam, incapable de proférer un son, se contenta de hocher la tête. Il essaya de lever les bras, mais ils pesaient une tonne. Caine le saisit par les poignets et le força à tendre les mains. Ce geste lui arracha un hurlement de douleur. Cependant, la lumière brilla plus intensément, révélant la créature sur le point de naître, pareille à une ruche grouillante composée de minuscules cristaux verts aux reflets changeants. Sous leurs yeux, elle s'anima, et les cristaux prirent l'aspect poli et brillant d'un miroir.

— On dirait qu'il t'attend, Sam, murmura Caine.

Puis une autre voix, inquiétante celle-là, s'éleva dans la caverne.

— Je suis le gaïaphage, dit Lana.

La transformation avait débuté lorsque le gaïaphage était entré en contact avec la première des pastilles d'uranium éparpillées par terre. Lana avait senti le pouvoir affluer en elle : c'était comme saisir à pleines mains un câble électrique, tous les câbles électriques du monde.

Dans un moment d'extase commun avec le monstre, elle avait poussé un cri de joie. Enfin ! Le gaïaphage s'était délivré de sa faim dévorante et pouvait à présent déchaîner sa rage. Le moment était venu.

Les millions de cristaux avaient commencé à s'activer comme des fourmis. Des ruisseaux devenaient rivières, qui devenaient fleuves. Ce qui n'était au départ qu'un dépôt sur la roche formait maintenant des pics et des creux en alternant le mou et le dur. Les cristaux changeaient sans cesse de forme et de dimensions, couche après couche. Même à ce rythme, il faudrait des jours à la créature pour achever son œuvre, et cependant, les contours du résultat final commençaient déjà à se dessiner.

Le gaïaphage, qui s'était étalé sur des centaines de mètres dans la caverne souterraine, faisait converger ses millions de particules telles des étoiles attirées par un trou noir.

Lana percevait tout cela comme si ses nerfs étaient reliés au monstre. Et c'était peut-être bien le cas, songea-t-elle. Peut-être que plus rien ne les séparait, et qu'elle faisait désormais partie de lui.

Il y en avait tout autour d'elle : dans ses oreilles et dans son nez, dans sa bouche et dans ses cheveux, grouillant comme des insectes sur chaque centimètre de sa peau. Et cependant, elle avait la nausée, une sensation bien à elle, étrangère à la créature. L'élément nécessaire à la survie du gaïaphage détruisait son corps, cellule après cellule. La seule solution, c'était de le lui cacher. Seule sa propre mort l'arrêterait.

Autour d'elle, les cristaux durcissaient, formant un épais bouclier dont la surface se mit à luire comme de l'acier. Ou comme un miroir, plutôt.

Un tremblement parcourut le gaïaphage. Lana ouvrit les yeux et comprit la raison de son inquiétude. Trois silhouettes frêles et apeurées se tenaient devant lui. « Trop tard, Caine. Ton pouvoir ne suffira pas à le détruire. Trop tard, Sam. Tes rayons dévastateurs n'auront aucun effet sur lui. » Mais le troisième… qui était-ce ? Elle sentit que cette question revêtait une importance énorme pour le gaïaphage. Il la tenait sous sa coupe tel un insecte emprisonné dans de l'ambre et l'exposait aux regards ébahis des humains.

— Je suis le gaïaphage, dit-elle.

Caine considéra Lana avec horreur. Son visage émergeait d'une multitude grouillante d'insectes scintillants.

— Sam ! Plus de lumière !

Sam était tombé à genoux. Il gémit, les mains posées à plat sur le sol rocheux. Frappé de stupeur, Duck regardait la monstruosité scintillante et mouvante sur laquelle était posé le visage tourmenté d'une fille.

Caine ne distinguait pas les contours de la créature, mais elle paraissait immense, infinie. Il leva les bras, les ramena derrière lui. Le crayon de combustible s'arracha à la muraille de rochers et de débris. Puis il tendit les mains devant lui, et le cylindre alla s'écraser contre la masse monstrueuse. Il rebondit sur elle et s'écrasa au sol en éparpillant d'autres pastilles.

Rien ne se produisit. Autant attaquer le gaïaphage avec un coton-tige.

— Sam? S'il te reste des forces, c'est le moment! s'exclama Caine.

— Non, murmura-t-il. Il m'attend. Duck.

— Quoi, Duck?

— Duck… répéta Sam avant de s'affaisser, face contre terre.

Dès lors, il ne bougea plus.

— Qu'est-ce que tu sais faire à part t'enfoncer dans le sol? demanda Caine à Duck. Tu caches une bombe atomique dans ta poche?

Comme Duck ne répondait pas, il cria: «Sam!» tandis que le gaïaphage s'avançait vers lui en ondulant. Le visage de Lana était inondé de larmes et déformé par la souffrance. Elle prononça quelques mots, mais Caine ne l'entendit pas. Le sang afflua dans ses oreilles et il comprit que c'était fini.

Le gaïaphage déversa du feu liquide à l'intérieur de sa tête, submergea tous ses sens, piétina sa conscience.

Tu oses me défier ?

Caine perdit l'équilibre.

— Lance-moi ! cria Duck.

Je suis le gaïaphage !

— Lance-moi ! Lance-moi ! répétait une voix.

— Quoi ? brailla Caine.

— Lance-moi aussi fort que tu peux !

Le gaïaphage ne se méfiait pas du corps, léger comme une plume, qui volait vers lui. Il ne sentirait même pas l'impact. Duck s'éleva jusqu'au plafond de la caverne puis redescendit en piqué. Il heurta le gaïaphage avec la force d'une montagne tombée du ciel, s'enfonça dans sa masse cristalline puis dans le sol de la caverne, entraînant avec lui la créature qui disparut dans ce tourbillon comme les particules d'un sablier.

45

« C'EST UN PEU COMME LA PREMIÈRE FOIS », songea
Duck.

Comme ce jour-là, au fond de la piscine, quand
l'eau s'était engouffrée dans le trou avec lui. Seulement, cette fois, le sable s'était substitué à l'eau.
Le tunnel qu'il creusait dans la terre aspirait des
millions de cristaux minuscules. Il n'y voyait plus
rien. Les particules s'insinuaient dans ses yeux,
dans ses oreilles, dans sa bouche. Il n'arrivait plus
à respirer, et la panique l'entraîna plus vite dans
les profondeurs de la terre, tandis qu'il s'efforçait
de distancer la créature qui s'enfonçait avec lui.

Plus d'air.

Les pensées se bousculaient dans sa tête. Il n'avait
plus peur, à présent. Les souvenirs affluaient comme
dans une vidéo détraquée. Le jour de son cinquième
anniversaire, quand il était tombé d'un poney. La
fois où il avait englouti une tarte entière à lui seul.
Sa mère. Son visage, si beau… Papa… La piscine…

Duck cessa de tomber. Quelque chose venait de stopper sa chute.

«Trop tard», pensa-t-il.

«Je n'allais quand même pas continuer jusqu'en Chine.»

«Eh bien, il faut croire que j'avais envie de devenir un héros, finalement.»

Et soudain, Duck ne pensa plus du tout.

46

CAINE ATTENDAIT, immobile dans les ténèbres. La lumière de Sam s'était éteinte. Un bruit ténu, semblable au gargouillis de l'eau, lui parvenait. Puis le murmure cessa, et le silence revint.

Il n'avait plus aucune chance de sauver Diana. Il survivrait peut-être mais, pour la première fois, il comprenait que la vie sans elle serait intolérable.

Avec cette fille, il avait eu droit aux taquineries, aux insultes, aux mensonges, à la manipulation, à la trahison, aux railleries. Et pourtant, elle était restée même quand il la menaçait.

C'était donc ça, l'amour ? Un jour, les mots avaient franchi ses lèvres. Mais tous deux étaient-ils capables d'un tel sentiment ? Peut-être.

De toute façon, c'était fini. Là-haut, elle était déjà morte, ou elle agonisait dans une flaque de sang.

— Diana, chuchota-t-il.

— Est-ce que je suis toujours en vie ?

D'abord, Caine crut reconnaître la voix de sa bien-aimée. Impossible.

— Il me faut de la lumière, dit-il.

Mais il était prisonnier de ces ténèbres depuis une éternité, ou du moins, c'était ce qu'il lui semblait. La voix ne se manifesta plus. Il s'assit dans le noir, trop fatigué pour parler. Son frère gisait, roulé en boule, à côté de lui. Mort ou priant pour que sa fin vienne. Et Diana...

Tandis qu'il descendait le long du boyau irrégulier qu'avait creusé Duck, Quinn luttait contre la panique. La corde semblait si fragile entre ses doigts ! Il s'égratignait le dos sur les parois et une pluie de graviers s'abattait constamment sur sa tête.

Il savait bien qu'il n'avait pas l'étoffe d'un héros, mais il ne restait que lui. Brianna était en piteux état. Pliée en deux par la douleur, elle sanglotait en se tenant l'estomac.

Quinn ignorait ce qui s'était passé là-dessous. Il savait seulement que si Sam et Caine n'avaient pas réussi à retrouver Lana, il y aurait trop de morts pour les compter tous.

Il atteignit le fond du boyau, et ses jambes se balancèrent dans le vide. Il lâcha prise, atterrit lourdement un ou deux mètres plus bas et se releva indemne.

— Sam ?

Il chercha sa lampe dans sa poche. Ses yeux, habitués à l'obscurité, cillèrent, aveuglés par le faisceau de la torche. À quelques pas devant lui, une forme bougea.

— Caine, c'est toi ?

Caine se retourna lentement. Il avait le visage livide et les yeux rougis. Il se leva tant bien que mal, avec des gestes de vieillard arthritique. Quinn accourut, balaya les alentours de sa lampe, aperçut Sam face contre terre. Et, un peu plus loin, Lana, debout, les bras plaqués le long du corps.

— Je suis vivante ? demanda-t-elle.

— On dirait que oui. Tu es libre.

Une ombre passa sur le visage de Lana. Les coins de sa bouche s'affaissèrent et elle lui tourna le dos, puis fit mine de s'éloigner. Quinn la retint par l'épaule.

— Ne nous laisse pas tomber. On a besoin de toi.

— J'ai tué Edilio.

— Non, il n'est pas encore mort.

Mary fut réveillée par l'odeur du poisson. Immédiatement, elle se détourna, le cœur au bord des lèvres, puis jeta un regard affolé autour d'elle. Elle reconnut les murs du bureau de la crèche et s'aperçut avec stupéfaction qu'on l'avait attachée à une chaise.

— Qu'est-ce que je fais ici?

— Tu dînes, répondit son petit frère.

— Arrête! Je n'ai pas faim!

John leva la cuillère qu'il tenait à la main. Son visage de chérubin était déformé par la colère.

— Tu avais promis!

— De quoi tu parles?

— Tu avais juré de ne pas me laisser seul. Et pourtant, t'as essayé, avoue!

— Je ne comprends rien à ce que tu me racontes.

À ce moment, Mary remarqua la présence d'Astrid. Adossée à un placard, elle avait la tête de quelqu'un qui venait de réchapper d'un combat de chiens. Assis en tailleur à côté d'elle, le petit Pete se balançait d'avant en arrière en chantonnant: «Au revoir, Nestor. Au revoir.»

— Mary, tu es anorexique, déclara Astrid. On t'a percée à jour, alors arrête ton numéro.

— Mange! ordonna John en fourrant sans la moindre délicatesse une pleine cuillerée de poisson dans la bouche de sa sœur.

— Laisse-moi...

— Boucle-la, Mary, aboya-t-il.

Diana d'abord. Caine ne tolérerait pas qu'il en aille autrement. Puis Edilio qui, d'après Lana, avait déjà un pied dans la tombe. Ensuite, Dekka, toujours vivante mais gravement blessée, et Brianna, qui perdait ses cheveux par poignées. Enfin, Sam. Avec l'aide de Caine, Quinn l'avait hissé à l'aide de la corde.

Lana s'assit dans la poussière tandis que le soleil se levait. Quinn lui apporta de l'eau.

— Tu vas bien? s'enquit-il.

Lana lui aurait bien dit ce qu'il avait envie d'entendre, mais elle savait d'avance qu'elle n'arriverait pas à le convaincre.

— Non.

— Caine et Diana sont partis, annonça-t-il en s'asseyant à côté d'elle. Sam dort. Quant à Dekka… elle n'est pas près de s'en remettre, à mon avis.

— Je ne peux pas guérir les souvenirs, protesta Lana d'un ton morne.

— Non. Si c'était le cas, tu aurais commencé par toi.

Quinn passa le bras autour des épaules de Lana et elle fondit en larmes. Elle avait l'impression qu'elle ne pourrait plus jamais s'arrêter de pleurer et pourtant, elle dut admettre qu'elle se sentait déjà mieux. Quinn resta près d'elle jusqu'à ce que l'orage soit passé. Au bout d'un certain temps, ils entendirent au loin le ronronnement d'un moteur.

— C'est Brianna qui revient de la ville avec Astrid et quelqu'un que tu connais bien, expliqua Quinn.

Lana s'en moquait. Elle avait l'impression que, désormais, plus rien n'avait d'importance. Mais soudain, une portière claqua. Pat surgit devant elle et colla sa truffe humide contre sa nuque. Elle referma les bras autour de son cou et, blottie contre sa fourrure, elle pleura à chaudes larmes.

47

L E LENDEMAIN, de longues heures s'écoulèrent avant qu'Edilio ne trouve le courage de s'atteler à sa besogne. Quand, enfin, il se décida à mettre en marche la pelleteuse, il creusa deux trous dans un coin de la place.

Mickey Finch. Tué d'une balle dans le dos.

Brittney, tellement estropiée que personne n'avait pu la regarder. Une espèce de limace, longue d'une quarantaine de centimètres, s'était collée à elle, et ils eurent beau faire, ils ne parvinrent pas à l'en débarrasser. Au final, ils l'enterrèrent avec Brittney. Une morte ne pouvait pas se formaliser de ce genre de détail.

N'ayant pas pu donner de sépulture à Duck Zhang, ils plantèrent une croix en son honneur. En fouillant de leur mieux la caverne, ils n'avaient trouvé qu'un trou qui s'enfonçait indéfiniment dans les entrailles de la terre. Quand Sam braqua sa torche pour l'inspecter, des tonnes de rochers et de poussière s'y accumulaient déjà.

— Personne ne connaissait vraiment Duck, déclara-t-il à l'enterrement. Aucun de nous n'aurait pu deviner qu'il était de la trempe des héros. Et pourtant, il a choisi de sacrifier sa vie pour nous.

Ils déposèrent quelques fleurs sauvages sur les tombes. Après la cérémonie, Edilio, armé d'une bombe de peinture noire, recouvrit les logos « BH » qui avaient fleuri sur toutes les façades.

Trois jours plus tard

—ALORS, COMMENT TU VAS T'Y PRENDRE, Albert? demanda Sam.

Ce sujet ne l'intéressait pas autant qu'il aurait dû, sans doute parce qu'il n'avait pas encore eu le temps de se reposer. Il y avait trop à faire, trop à penser.

Il leur avait annoncé qu'il jetait l'éponge. Doré-navant, il serait un gamin comme les autres. Mais dans l'immédiat, il avait du pain sur la planche. Des enfants à nourrir. Des dissensions graves à surmonter.

Sam, Astrid, Albert, Edilio et Quinn s'étaient rassemblés au bord du champ de choux.

Quinn, chaussé de grosses bottes en caoutchouc, s'était hissé sur la plate-forme d'une camionnette dans laquelle s'entassaient une douzaine de ces fameuses chauves-souris bleues dont leur avait parlé Duck. Les pêcheurs de Quinn et d'Albert en attrapaient sans cesse. Leur viande contenait de bonnes protéines parfaitement saines, mais elle était si mauvaise au goût que même le plus affamé d'entre eux ne pouvait se résoudre à en manger.

— On distribue une quantité égale d'or à chaque enfant, expliquait Albert. (Lui au moins était tout excité.) S'ils le veulent, ils pourront l'échanger contre des jetons du McDo. L'or est conservé dans une banque qui centralise tout. Ils pourront revenir échanger leurs jetons quand bon leur semblera. Comme ça, ils prendront une valeur durable.

— Mmm, fit Sam pour la énième fois en réprimant un bâillement.

Pendant les trois jours qui avaient succédé au cauchemar dans la mine, il n'avait pas cessé de courir à droite et à gauche pour résoudre une crise après l'autre. Ils avaient retrouvé Zil. Il avait trois côtes cassées et souffrait le martyre. Personne n'avait de peine pour lui. Astrid voulait le faire emprisonner. Sa suggestion était encore à l'étude. Mais Sam avait trop de soucis en tête.

De nouveaux graffitis antimutants continuaient à apparaître sur les murs de Perdido Beach.

Mary recommençait à manger, mais Astrid avait averti Sam que cela ne signifiait pas grand-chose. La malade était loin d'être guérie.

La centrale avait souffert, et les dégâts étaient probablement irréparables. Toute la Zone était maintenant plongée dans le noir. C'était sans doute définitif.

Cependant, Jack était revenu, et il pourrait peut-être s'amender en rétablissant l'électricité. Il ne quittait plus Brianna d'une semelle. Dekka ne les quittait pas des yeux, mais elle se taisait.

— Allons-y, dit Sam à Quinn.

Puis, se tournant vers Astrid, il ajouta :

— Je te parie cinq bertos que ça ne marchera pas.

Howard avait rejeté la liste de noms proposés par Albert pour la nouvelle monnaie et suggéré « alberto », qui était devenu « berto » par la suite. Sa trouvaille avait été vite adoptée. Howard avait un don particulier pour les néologismes.

— Je n'ai pas besoin d'argent, répliqua Astrid. Il faut que je te coupe les cheveux. J'aime bien voir ta petite tête, même si je n'arrive toujours pas à comprendre pourquoi.

Sam lui serra la main pour sceller le pari.

— Ça marche.

— Prêts ? cria Quinn.

— Orc, tu peux y aller ? demanda Sam.

Celui-ci hocha la tête.

— C'est parti !

Quinn prit l'une des chauves-souris et la jeta dans le champ de choux. Aussitôt, les vers s'agglutinèrent autour d'elle. Quelques secondes plus tard, il ne restait de la pauvre bête que des os ; on aurait dit la carcasse d'une dinde miniature après un repas de Thanksgiving.

— Bon, on va essayer autre chose, dit Sam.

Quinn jeta une seconde chauve-souris à Orc, qui la rattrapa au vol et s'avança dans le champ. Après quelques pas, il jeta l'animal devant lui. De nouveau, les vers se précipitèrent et n'en laissèrent presque rien.

— C'est bon, Orc ! cria Sam.

Orc se baissa pour ramasser un chou-fleur qui atterrit aux pieds de Sam. Un deuxième et un troisième suivirent. Les vers ne firent pas mine de s'en prendre à lui. Mais Sam savait qu'ils ne seraient sûrs de rien avant d'avoir offert à ces créatures une nourriture plus digeste que les pieds du colosse.

— Brise ?

Brianna s'empara d'une chauve-souris et fonça dans le champ. Sam attendit, inquiet. D'accord, elle était plus rapide que les vers, cependant...

Brianna jeta la chauve-souris. Les vers s'agglutinèrent autour d'elle, et la mutante en profita pour ramasser un chou-fleur.

— Tu sais, susurra Astrid, je me souviens avoir eu droit à une réponse condescendante, voire dédaigneuse, quand j'ai suggéré pour la première fois qu'on négocie avec ces bestioles.

— Qui serait assez bête pour prendre ses grands airs avec toi ? rétorqua Sam.

— Oh, un certain chauve de ma connaissance.
Il poussa un soupir.

— OK. Va chercher tes ciseaux.

— Avant, tu vas devoir faire autre chose pour
moi.

— Il y a toujours autre chose, grommela-t-il.

Quinn les rejoignit en s'excusant de sentir le
poisson.

— Ne t'excuse pas, frangin. C'est en partie grâce
à toi que les enfants ne meurent pas de faim.

Si la menace de la famine était provisoirement
écartée, c'était aussi à Hunter qu'ils le devaient. Il
avait à peu près récupéré de sa blessure, mais son
élocution restait hésitante, son œil tombait un peu
et un coin de sa bouche s'affaissait. Condamné à
l'exil pour le meurtre de Harry, il vivait seul à
l'écart de Perdido Beach mais savait se montrer
digne du prénom[1] que lui avaient donné ses parents.
Jusqu'à présent, il avait réussi à tuer un deuxième
chevreuil et un certain nombre de petits animaux
qu'il déposait devant la supérette sans rien demander
en échange.

Dekka se pencha pour soupeser l'un des choux.

— Ça irait super bien avec du pigeon rôti.

Le procès de Hunter avait été présidé par un
jury de six enfants en vertu des lois édictées par

----

1. En anglais, *hunter* signifie «chasseur». *(N.d.T.)*

le Conseil temporaire : Sam, Astrid, Albert, Edilio, Dekka, Howard et son plus jeune membre, John Terrafino.

— Allez, on y retourne ? s'écria Sam.

— Monte dans la voiture, ordonna Astrid.

— Mais…

— Laisse-moi reformuler. Par ordre du Conseil temporaire : monte dans la voiture.

Pendant le trajet jusqu'en ville, Astrid refusa obstinément de lui expliquer ce qui se passait. Edilio, qui conduisait, resta lui aussi muet. Soudain, il ralentit et se gara sur le parking de la plage.

— Qu'est-ce qu'on vient faire ici ? Il faut que je retourne à la mairie. J'ai plein de trucs…

— Pas maintenant, décréta Edilio.

— Qu'est-ce qui se passe ?

— C'est moi le shérif, non ? C'est mon nouveau titre ? Bien, alors tu es en état d'arrestation.

— Qu'est-ce que tu me chantes ?

— Je t'arrête pour avoir tenté d'assassiner un dénommé Sam Temple.

— C'est pas drôle.

Edilio ne se laissa pas démonter.

— Un pauvre gamin à qui tu as fait porter tout le poids du monde sur les épaules.

Sam n'appréciait pas du tout la plaisanterie. Furieux, il prit la direction de la ville. Astrid lui emboîta le pas, bientôt rejointe par Quinn et Brianna.

— Qu'est-ce que vous mijotez? s'exclama Sam.

— On a voté à l'unanimité, répondit Astrid. Par ordre du Conseil temporaire de Perdido Beach, tu es condamné à te reposer, Sam Temple.

— OK, je suis reposé. Je peux retourner au boulot, maintenant?

Astrid le prit par le bras et le traîna jusqu'à la plage.

— Tu veux entendre une anecdote intéressante, Sam? Tu savais qu'une légère perturbation en eaux profondes peut créer un remous qui lui-même engendrera une vague assez conséquente à proximité du rivage?

Sam s'aperçut que quelqu'un avait monté une tente sur la plage. Elle semblait déserte. Un canot passa au large dans un crachotement de moteur.

— C'est Dekka qui est sur ce bateau? s'enquit-il.

Ils se dirigèrent vers la tente. Tout près, deux planches de surf étaient posées sur le sable. Sam reconnut celle de Quinn et la sienne.

— Ta combi est à l'intérieur, frangin, annonça celui-ci.

Très vite, Sam renonça à résister. Après tout, le Conseil avait toute autorité, désormais. Et s'ils décrétaient qu'il devait aller surfer, eh bien…

Dix minutes plus tard, il était allongé sur sa planche. L'eau froide lui picotait les pieds. Le soleil lui cuisait déjà le dos à travers la combinaison. Il avait le goût du sel dans la bouche.

Au large, le bateau avait jeté l'ancre. Postée à la proue, Dekka leva les bras haut dans le ciel, et l'eau, temporairement soustraite à la force de gravité, s'éleva pour former une vaguelette.

— Est-ce que tu te rappelles comment on se hisse sur ce truc, au moins ? le taquina Quinn.

La vaguelette était devenue une vague qui déferlait à toute allure. Si elle ne pouvait pas rivaliser avec celles d'Hawaii, elle était assez grosse pour qu'on puisse la surfer.

Sam parvint enfin à sourire.

— Tu sais quoi, frangin ? Je crois que ça va me revenir.

Brittney gisait dans le noir, au fond d'un trou. Aucun bruit ne lui parvenait. Elle n'entendait même pas les battements de son propre cœur. Tout était parfaitement immobile autour d'elle à l'exception de la grosse limace blanchâtre qui partageait son calvaire.

« Prie pour moi, Tanner », supplia-t-elle.

« Prie pour moi... »

Cet ouvrage a été composé par
PCA – 44400 REZÉ

Imprimé en France par **CPI**
en août 2016
N° d'impression : 3018441

Dépôt légal : avril 2013
Suite du premier tirage : septembre 2016

www.pocketjeunesse.fr
POCKET JEUNESSE

12, avenue d'Italie - 75627 PARIS Cedex 13